Collection
Méthode et Travail

J. REY - C. BOUSCAREN
A. MOUNOLOU

Le mot et l'idée 2

ANGLAIS

nouvelle édition :

- deux niveaux d'acquisition
- liste d'adverbes, conjonctions, prépositions
- liste renforcée de « faux-amis » et « mots sosies »

OPHRYS

La Loi du 11 mars 1957 n'autorisant, aux termes des alinéas 2 et 3 de l'Article 41, d'une part, que les « copies ou reproductions strictement réservées à l'usage privé du copiste et non destinées à une utilisation collective » et, d'autre part, que les analyses et les courtes citations dans un but d'exemple et d'illustration, « toute représentation ou reproduction intégrale, ou partielle, faite sans le consentement de l'auteur ou de ses ayants-droit ou ayants-cause, est illicite » (alinéa 1er de l'Article 40).
Cette représentation ou reproduction, par quelque procédé que ce soit, constituerait donc une contre-façon sanctionnée par les Articles 425 et suivants du Code Pénal.

ISBN 2-7080-0507-3

OPHRYS, 6, avenue Jean Jaurès, 05002 GAP CEDEX
OPHRYS, 10, rue de Nesle, 75006 PARIS

NOTE
POUR LA NOUVELLE ÉDITION

Le succès croissant du *Mot et l'Idée 2,* ainsi que les observations que nous ont aimablement transmises nos collègues de l'enseignement secondaire et supérieur nous ont amené à revoir entièrement l'ouvrage pour y apporter quelques améliorations et quelques ajouts que l'évolution des institutions, de la langue et des besoins de communication rendait nécessaires.

Nous avons innové sur deux points :

1) Nous avons fait précéder du signe ★ les mots dont le champ sémantique est plus restreint — termes de la langue écrite, littéraire, technique — et dont la connaissance ne nous paraît indispensable qu'en classe de première et de terminale et au niveau du DEUG à l'université. Les autres mots devront être connus dès la classe de seconde ou troisième.

2) Nous avons dressé une liste alphabétique des principaux adverbes, conjonctions, prépositions et locutions adverbiales classés en six sections :

1. but — intention — cause — origine — conséquence — effet
2. condition — concession — opposition — restriction
3. degré — modalité — quantité — intensification
4. lieu — mouvement — position
5. manière — moyen — comparaison — argumentation
6. temps — durée — fréquence — séquence

Nous avons non seulement indiqué les sens principaux mais aussi le fonctionnement de ces termes lorsque cela nous a paru nécessaire.

Le *Mot et l'Idée 2,* ainsi remis à jour et augmenté (la liste des « faux amis » ou « mot-sosies » de la précédente édition est passée de 8 à 30 pages) pourra, nous l'espérons, répondre aux besoins d'un public de plus en plus large, de façon plus efficace encore.

Nous exprimons ici toute notre gratitude à Elizabeth P. Fox, avocate, lectrice à l'Université de Bordeaux I, dont la compétence nous a permis de refondre le chapitre XXX et à Fiona E. Evans, assistante au Lycée M. Montaigne de Bordeaux. Toutes deux ont collaboré à la révision des chapitres I à XXXII. Nos remerciements vont aussi à Rosalind Greenstein, M.A. Bristol, lectrice à l'Université de Paris I, dont la collaboration, lors de la révision des textes anglais des chapitres XXXIII à la fin, a été à nouveau, tout à fait précieuse.

Les auteurs, 1982.

PRÉFACE DE LA PREMIÈRE ÉDITION

La première partie du **Mot et l'Idée - 2** reprend l'essentiel du **Mot et l'Idée** dont le but et la méthode correspondent à un besoin précis, comme l'ont confirmé quatorze années de succès.

Ce livre avait été conçu en effet comme un instrument de travail permettant à l'élève, puis à l'étudiant, soit une révision soit une acquisition réfléchies et ordonnées, d'un vocabulaire indispensable à différents niveaux, préparation au baccalauréat, concours d'entrée des grandes écoles, premier cycle de l'enseignement supérieur. La méthode choisie était de présenter le vocabulaire sous un double aspect, d'une part dans des listes de mots propices aux révisions et aux contrôles, d'autre part dans un texte suivi où les mots gardent leur rôle essentiel de véhicules de l'idée.

Quatorze ans après sa parution, il est apparu que ce manuel pouvait être complété et amélioré dans deux domaines :

1) D'ABORD par une mise à jour du vocabulaire concret et par l'intégration de nouveaux centres d'intérêt, encore inconnus ou peu développés naguère. L'enseignement de la civilisation anglaise, touchant de plus en plus aux réalités modernes, doit faire appel à des notions et à des vocables nouveaux. C'est pour cela que, outre des adjonctions diverses au fil des chapitres, nous avons ouvert de nouvelles rubriques concernant les sujets d'actualité comme les « mass media », le pétrole, la pollution, le problème du logement, la recherche scientifique, les nouvelles formes de vente, les problèmes économiques, la circulation routière, etc. Fidèles à notre principe de sélection, nous nous en sommes tenus à l'essentiel du vocabulaire. Ce choix n'était certes pas facile et nous sommes conscients de toutes les lacunes et imperfections qui pourront apparaître dans ce domaine essentiellement mouvant.

2) ENSUITE par le développement des chapitres portant sur le vocabulaire psychologique et l'adjonction de chapitres portant sur les relations abstraites et le vocabulaire appréciatif ; un coup d'œil à la table des matières donnera une idée de la nouveauté de certaines explorations sémantiques comme celle concernant l'important chapitre des « Relations Humaines » et les chapitres intitulés : « L'importance et le degré » ou « L'appréciation littéraire » (dont la majorité des termes (surtout les adjectifs) pourront s'appliquer à l'appréciation en général).

Grâce à ces nouveaux chapitres, élèves et étudiants auront à leur disposition un vocabulaire leur permettant d'analyser, de commenter et d'exprimer une opinion sur tous les sujets abordés dans les chapitres I à XXXII. Cette zone de vocabulaire est, en général, négligée dans les recueils existants ou présentée de façon incomplète : il convient en effet dans ce domaine, d'indiquer non seulement les nuances, souvent délicates entre les synonymes, mais aussi le fonctionnement des mots, à savoir les constructions des verbes (verbpatterns) ou des adjectifs. Nous nous sommes donc efforcés de faire apparaître ces constructions (gérondif ou infinitif, prépositions, etc.) tant dans les listes que dans les textes suivis. Nous avons voulu, de cette manière, mettre élèves et étudiants à même non seulement d'accroître leur vocabulaire passif mais d'enrichir leur vocabulaire actif, afin qu'ils puissent s'exprimer par écrit et oralement de façon plus variée, plus nuancée et plus correcte syntaxiquement.

Nous avons regroupé, à la fin, outre les verbes irréguliers apparaissant dans l'ouvrage, les principaux « faux-amis » ou « mots-sosies », sources de tant d'erreurs de compréhension, et un index détaillé du contenu du livre.

Nous avons plaisir, enfin, à exprimer ici toute notre gratitude à Monsieur Alain Mounolou, dont les conseils pour la mise à jour de ce vocabulaire nous ont été infiniment précieux ; à Mademoiselle Annick Touchard, assistante à l'Université de Paris I et à Rosalind Greenstein, M.A. Bristol, lectrice à l'Université de Paris I ; la patience et l'imagination de ces deux dernières ont été mises à rude épreuve lors de l'élaboration des textes anglais des chapitres XXXIII à la fin.

Les auteurs, 1976.

Tableau des signes phonétiques

Chaque signe est suivi d'un mot type avec sa transcription phonétique.

I. *Voyelles*

1. [i]	pig	[pig]	2. [i:]	leaf	[li:f]
3. [e]	head	[hed]	4. [ə]	actor	['æktə]
5. [æ]	cat	[kæt]	6. [ɑ:]	car	[kɑ:]
7. [ɔ]	pot	[pɔt]	8. [ɔ:]	ball	[bɔ:l]
9. [u]	book	[buk]	10. [u:]	fruit	[fru:t]
11. [ʌ]	cup	[kʌp]	12. [ə]	bird	[bə:d]

Le signe : indique qu'une voyelle est *allongée*.

II. *Diphtongues*

13. [ei]	rain	[rein]	16. [ou]	rose	[rouz]	19. [iə]	beer	[biə]
14. [ai]	pipe	[paip]	17. [au]	cow	[kau]	20. [ɛə]	pear	[pɛə]
15. [ɔi]	boy	[bɔi]	18. [ju:]	new	[nju:]	21. [uə]	poor	[puə]

III. *Consonnes*

22. [h]	hat	[hæt]	30. [p]	pen	[pen]	38. [s]	sack	[sæk]
23. [ŋ]	sing	[siŋ]	31. [b]	brick	[brik]	39. [z]	zoo	[zu:]
24. [θ]	throw	[θrou]	32. [k]	kick	[kik]	40. [ʃ]	ship	[ʃip]
25. [ð]	feather	['feðə]	33. [g]	girl	[gə:l]	41. [tʃ]	chair	[tʃɛə]
26. [l]	milk	[milk]	34. [m]	mat	[mæt]	42. [ʒ]	rouge	[ru:ʒ]
27. [r]	road	[roud]	35. [n]	nose	[nouz]	43. [dʒ]	jam	[dʒæm]
28. [t]	rea	[ti:]	36. [f]	foot	[fut]	44. [w]	wine	[wain]
29. [d]	desk	[desk]	37. [v]	van	[væn]	45. [j]	yes	[jes]

TRANSCRIPTION PHONÉTIQUE

Nous n'avons pas voulu en abuser, mais nous y avons eu recours chaque fois que la prononciation d'un mot offre une difficulté réelle, pour mettre l'élève en garde contre une confusion possible ou contre l'influence d'un mot français semblable.

En principe les signes phonétiques correspondent à la voyelle accentuée du mot, qui est, sauf indication contraire, celle de la première syllabe.

Nous avons été parfois amenés à transcrire une autre partie du mot ou le mot tout entier. Nous ne pensons pas qu'il puisse en résulter aucune obscurité.

ACCENT TONIQUE

Pour aider l'élève à placer correctement l'accent tonique, nous l'avons indiqué par un petit trait vertical placé au-dessus de la voyelle accentuée chaque fois que l'accent tonique ne porte pas sur la syllabe initiale ou, s'il porte sur cette syllabe, quand l'élève a tendance à le placer ailleurs.

Donc l'absence d'indication signifie que c'est la syllabe initiale qui porte l'accent tonique. C'est d'ailleurs le cas de la grande majorité des mots anglais.

Par ailleurs il ne faut pas oublier :

1) que dans les mots composés chacun des deux mots garde, sauf indication contraire, son accent tonique

Ex. : the héadmàster

2) que l'anglais tend à faire alterner régulièrement syllabes accentuées et syllabes non accentuées et que par conséquent les mots de trois syllabes accentués sur la première ont un accent secondaire sur la troisième et inversement.

Ex. : a súbmarìne, an èngineér

Dans ces deux cas nous n'avons pas cru devoir faire figurer ces accents.

LETTRES MUETTES

Quand un mot comporte une ou deux lettres muettes, celles-ci sont reportées entre crochets et barrées. Nous pensons que ce procédé inédit sera plus efficace qu'une simple transcription phonétique.

EXPLICATION DES SIGNES

Le signe * précède les verbes irréguliers, dont la liste se trouve page 261.

Le signe → renvoie l'élève à un autre paragraphe où il trouvera d'autres vocables se rattachant logiquement au mot, ou au centre d'intérêt, en question mais qu'il nous a paru inutile de répéter. Le premier chiffre est celui de la page, le deuxième celui du paragraphe.

ABRÉVIATIONS

adj.	adjectif		GB	anglais britannique
adv.	adverbe		imp.	impératif
Am.	américain		inf.	infinitif
appro.	équivalent (approximatif)		inv.	invariable
asp.	aspect		lit.	littéraire
attr.	adj. employé comme attribut		n.	nom
aux.	auxiliaire		opp.	contraire (2)
car.	caractère		p.	personne(s)
ch.	chose(s)		pl.	pluriel
coll.	collectif		qqch.	quelque chose
comp.	complément		qqn.	quelqu'un
cpt.	comportement		sg.	singulier
e.g.	par exemple (1)		sl.	argot (3)
epit.	adj. employé comme épithète		s.o..	someone
event.	événement		sth.	something
fam.	familier		US	anglais américain
fig.	figuré		v.	verbe
ger.	gérondif		v. ou voir ex.	voir les exemples

(1) e.g. se lit 'for instance'.
(2) opp. est l'abréviation de 'opposite'.
(3) sl. est l'abréviation de 'slang'.

PLAN DU LIVRE

I. – THE HOUSE – *LA MAISON*

1

a house [s] of one's own	une maison à soi
to own	posséder
the owner	le possesseur
to live in	habiter
to belong to s. o.	appartenir à qqn.
to rent from s. o.	louer (au propriétaire)
the tenant	le locataire
a flat, an apartment (Am.)	un appartement

2

★ the lease [s]	le bail
the landlord, landlady	le (la) propriétaire
to *let to s. o.	louer (au locataire)
the rent	le loyer
★ quarter-day	le jour du terme
to turn out	expulser
to *give notice	donner congé

3

furnished apartments, rooms	appartement meublé
a lodger, a roomer (Am.)	un locataire
a paying-guest [ʊ]	un pensionnaire
to stay	rester, demeurer
to move out	déménager
a removal	un déménagement

BUILDING THE HOUSE

La construction de la maison

4

to have a house built [ʊ]	faire bâtir une maison
an estate agent [ei], a realtor (Am.)	un agent immobilier
a house for sale	une maison à vendre
an architect [k]	un architecte
a site [ai]	un emplacement
to *draw the plan, to design [-zain]	tracer le plan

5

★ a property developer	un promoteur
★ the contractor	l'entrepreneur
★ a yard	un chantier
★ a pick	une pioche
★ a shovel [ʌ]	une pelle
to *dig the foundations	creuser les fondations
★ a pneumatic [nju] drill	un marteau piqueur
★ an excavator	un excavateur
cement	le ciment
the walls	les murs

— 1. To have **a house of one's own** (to be the **owner** of a house) is the dream of every man. Most people **live in** a house which they do not **own** (which does not **belong** to them). They **rent** a house or **a flat** (Am. an **apartment**) of which they are the **tenants**.

— 2. The **lease** fixes the conditions by which the **landlord lets** his house and the amount of the **rent** to be paid on **quarter-day**. If the tenant fails to pay his rent, the landlord may **turn** him **out**, but he cannot do so without **giving** him **notice**.

— 3. Some landlords have either **furnished apartments** (or **rooms**) or a single room to let : they take in **lodgers** (Am. **roomers**) or **paying guests**. When a man cannot **stay** in a house, he must **move out** and look for another one. A **removal** is no simple matter.

— 4. If a man is rich enough he can either buy a house or **have one built**. In the first case he applies to an **estate agent** (Am. a **realtor**) who has a list of **houses for sale**. If he chooses to have a house built he applies to an **architect** who proposes a **site** for it and **draws the plan** (or **designs** it).

— 5. In large scale building projects the **property developer** will ask the **contractor** to supply the building material and the workmen. A **yard** is opened. The first workmen, using **picks** and **shovels, dig the foundations**. The work is now carried out more quickly with **pneumatic** drills. On larger sites they can't do without big engines, e.g. bulldozers, **excavators. Cement** is laid in the foundations that will support the **walls**.

6

a mason [ei], a brick-layer	un maçon
stone	la pierre
minerals	→ 62/13-15
brick	la brique
mortar	le mortier
scaffolding	un échafaudage
concrete [i:]	le béton
reinforced [ri:m] concrete	du béton armé
a steel frame	une armature d'acier
a crane	une grue
a concrete mixer	une bétonnière

7

wood	le bois
timber, lumber (Am)	le bois de construction
	→ 88/4-7
a carpenter	un charpentier
the framework	la charpente
the roof	le toit
a tile [ai]	une tuile
a slate	une ardoise
a tiler, a slater	un couvreur

8

a joiner	un menuisier
to *saw [ɔ:]	scier
a plank, a board	une planche
★ a plane	un rabot
★ the shavings	les copeaux
a hammer	un marteau
to *drive in a nail	enfoncer un clou
a screw [u:]	une vis
a screwdriver	un tourne-vis
to bore	forer, percer

9

a plumber [b]	un plombier
a pipe [ai]	un tuyau
a locksmith	un serrurier
a lock	une serrure
to fit	ajuster
★ a file [ai]	une lime
★ a vice [ai]	un étau

10

a plasterer	un plâtrier
to plaster	plâtrer
to paint	peindre
to whitewash	blanchir à la chaux
a painter	un peintre
paint	la peinture
a pail, a bucket	un seau
a brush	un pinceau
a ladder [æ]	une échelle

11

to paper	tapisser
★ a paper-hanger	un colleur de papiers
★ a glazier [ei]	un vitrier
a window-pane	une vitre, un carreau
an electrician	un électricien
the electrical wiring [waiə-]	l'installation électrique
a socket	une prise femelle

12

★ an upholsterer	un tapissier
a furniture dealer	un marchand de meubles
to settle	s'installer
to move in	emménager
★ a house-warming	une pendaison de crémail-lère
the housing problem	→ 94/3-5.

– 6. The **masons** or **bricklayers** build them with **stone** or **bricks** joined together by **mortar**. As the walls grow, **scaffolding** is put up. The walls of larger buildings are generally made of **concrete** or **reinforced concrete**, or **steel frames** fitted with glass panes. To erect them **cranes** are necessary. The noise of **concrete-mixers** is quite familiar on building-sites.

– 7. **Wood** used for building purposes is called **timber** (Am. **lumber**). **Carpenters** make the **framework** for the roof. It will be covered either with **tiles** or **slates**. The men in charge of the work are **tilers** or **slaters**.

– 8. The **joiners** have a considerable amount of work to do. They **saw planks** (or **boards**). They make them smooth by means of a **plane**. The small pieces of wood which fly off are the **shavings**. They use a **hammer** to **drive in nails**, a **screwdriver** to drive in **screws**, they **bore** holes, etc.

– 9. Meanwhile the **plumber** installs the **pipes** for the water supply. The **locksmith** puts in **locks**. When they need **fitting**, he uses a **file** and a **vice**.

– 10. Now the **plasterer** comes to **plaster** the inside of the walls. These are later on **painted** or **whitewashed**. The **painter** mixes his **paint** in a **pail** (or **bucket**). He lays it on with **brushes**. He often has to stand on a **ladder**.

– 11. The walls can also be **papered**; this is the **paper-hanger's** work. The **glazier** puts in the **window panes**. The **electrician** installs the **electrical wiring** and **sockets** all over the house.

– 12. But you cannot **settle** in your house until the **upholsterer** and the **furniture dealer** have made it liveable. Now at last you can **move in** and invite your friends to the **house-warming** party.

OUTSIDE AND INSIDE

L'extérieur et l'intérieur

13

the furniture	le mobilier, les meubles
the front garden.....	le jardin de devant
the back garden	le jardin de derrière
....	→ 81/15
the garage	le garage
the cellar	la cave
the basement [beis-]..	le sous-sol
★ the area [ɛəriə]	la cour en contrebas
★ the railings.........	la grille

14

★ the loft	le grenier
★ the attic, the garret .	la mansarde
a chimney-pot.......	une cheminée
an aerial [ɛəriəl]......	une antenne
a skyscraper	un gratte-ciel

15

a room, an apartment (lit.)	une pièce, une chambre
a partition	une cloison
small	petit
tiny [ai]	minuscule
large	grand
roomy, commodious (lit.)	vaste, spacieux
the ceiling [i:].......	le plafond
low................	bas
high [hai]............	haut, élevé
a beam	une poutre
a rafter.............	un chevron
the floor	le plancher

16

a window..........	une fenêtre
★ a bow-window [bou-].	une fenêtre en saillie
to look, to open, on to	ouvrir, donner sur
light...............	clair
dim	mal éclairé
dark...............	sombre, obscur

17

★ the window-sill......	le rebord de la fenêtre
a shutter	un volet, un contrevent
a blind, a shade (Am.)	un store
a door	une porte
ajar [ədʒɑ:](attr.)	entrebâillé
a draught [-ɑ:ft], draft (Am.)	un courant d'air
to slam	claquer
★ a sash-window	une fenêtre à guillotine
★ a French window	une porte-fenêtre

– **13. Outside** an English house is much like the other houses in the street. **Inside** the same uniformity is to be found in the **furniture**. There is a small **front garden** and a larger **back garden**. There may be a **garage** on one side of the house, and a **cellar** under the ground-floor. Many older houses had a **basement** with an **area** in front, enclosed by iron **railings**.

– **14.** The space under the roof is the **loft**. If it is lighted by windows in the roof it is called the **attic** (or **garret**). Above the roof rise the **chimney-pots**, and the television **aerial**.
Skyscrapers on the American model are no longer uncommon in European towns.

– **15.** A house has a number of **rooms** (or **apartments**) – divided by **partitions** – which are either **small** and even **tiny**, or **large** and **roomy** (or **commodious**). In modern flats the **ceiling** is **low**. Rich old houses had **high** ceillings supported by **beams** and **rafters** and fine wooden **floors**.

– **16.** If the **windows** are wide (this is the case with **bow-windows**), the rooms are **light**. If the windows **look** (or **open**) **on** to a narrow street, the rooms are **dim**, even **dark**.

– **17.** Many people like to decorate their **window-sills** with pots of flowers. English houses have no **shutters**. **Blinds** (Am. **shades**) or curtains are drawn instead.
If you leave several **doors** and windows open, or simply **ajar**, there will be a **draught** and the doors will **slam**. Most English windows, however, cannot slam because they are **sash-windows** which slide up and down. Modern houses are often provided with **French windows** opening on to the garden.

II. – HOME LIFE – *LA VIE DOMESTIQUE*

VISITORS

Les visiteurs

1

to *pay a call on s.o..	faire une visite à qqn.
the gate............	la porte, la grille
the front-door.......	la porte d'entrée
the doorstep........	le seuil
the threshold (lit.)....	le pas de porte
to *ring the bell.....	sonner
to knock [nɔk].......	frapper
the knocker........	le heurtoir

2

to lock.............	fermer à clé
a key [i:]............	une clé
the keyhole.........	le trou de la serrure
to unlock...........	ouvrir
the door handle.....	la poignée de porte
the doorknob [k]....	le bouton de porte
to bolt.............	verrouiller

3

the hall.............	le vestibule, l'entrée
the coat rack........	le portemanteau
to *hang............	suspendre
the staircase [-keis], the stairs, the stairway (Am.)....	l'escalier

a passage...........	un couloir
a lift, an elevator (Am.)	un ascenseur

4

to *show s. o. into...	introduire, faire entrer qqn. dans
★ the parlour [pɑ:lə]....	le (petit) salon
the sitting room, the lounge [au].......	la salle de séjour
the living-room......	le « living-room »
★ the drawing-room....	le salon de cérémonie

5

★ to greet	accueillir
to *shake hands with s. o..............	serrer la main de qqn.
a handshake........	une poignée de main
comfortable	1. confortable
....	2. à l'aise
an armchair	un fauteuil
a settee [i:].........	un canapé
a sofa [ou]..........	un sofa
a cushion [ku ʃn]......	un coussin

6

snug, cosy [ou]	chaud et douillet
a carpet, a rug	un tapis
wall-to-wall carpeting	de la moquette
★ hangings............	des tentures
a curtain [kə:tn]......	un rideau
plain, simple	simple, uni

– **1.** When a visitor comes to **pay a call** on Mr. Smith, he pushes the garden **gate** open, then walks up to the **front-door**. He stands on the **doorstep** and **rings the bell** or **knocks** with the **door-knocker**.

– **2.** When Mr. Smith leaves his house, he **locks** his door. When he comes backs, he puts the **key** into the **keyhole** and **unlocks** the door. When it is not locked, he only needs to press the **handle** or turn the **knob**. At night, Mrs. Smith **bolts** the door.

– **3.** When the front-door is open, the visitor finds himself in the **hall**. There is a **coat rack** on which he can **hang** his hat and coat. At the bottom of the hall he sees the **staircase** (or **stairs**, Am. **stairway**) which leads to the top floor. In many smaller houses the hall is a mere **passage**.
Tower blocks are of course provided with **lifts** (Am. **elevators**).

– **4.** If Mr. Smith lives in a middle-class house the visitor will be **shown into** the **parlour**. But the standard English house has a **sitting-room** (or **lounge**). It is the room where family life is carried on; hence its other name, **living-room**. The Victorian **drawing-room** (into which the ladies withdrew after dinner) is completely out of fashion.

– **5.** When Mr. Smith **greets** his visitor, he does not **shake hands** with him. **Handshaking** is largely a continental fashion. He will say "Make yourself **comfortable**". There are indeed two **comfortable armchairs** and a deep **settee**, or a **sofa**, with soft **cushions**.

– **6.** The room is **snug** and **cosy**. A deep **carpet** covers the floor. Nowadays **wall-to-wall carpeting** is the latest word in comfort. Although the Victorian **hangings** have fallen into disfavour, there will probably be a **curtain** at the window. Modern furniture is generally **plain** (or **simple**).

THE DINING-ROOM AND THE KITCHEN

La salle à manger et la cuisine

the cooking utensils
[ju-]............. les ustensiles de cuisine
a saucepan.......... une casserole
a frying-pan......... une poêle à frire
a device [ai], a gadget. un appareil, un accessoire
★ a coffee-grinder, a coffee mill......... un moulin à café
a tin-opener......... un ouvre-boîtes
a kettle............. une bouilloire

7

the dining-room [ai] .. la salle à manger
★ the dining-room suite [swi:t]........... la salle à manger (ameublement)
a table.............. une table
a chair............. une chaise
★ a sideboard .... un buffet
a cupboard [kʌbəd]... un placard
a drawer [drɔ:]....... un tiroir
a shelf, pl. shelves ... une étagère
★ laying the table ..... → 22/4-5

10

a refrigerator, a fridge, an icebox (Am.)... un réfrigérateur
an ice cube .... un glaçon
a freezer compartment, a deep-freeze .... un congélateur
to *do the washing-up, to wash up... faire la vaisselle
a sink .... un évier
a dishwasher........ un lave-vaisselle
refuse [-ju:s] (sg.), rubbish, garbage (Am) les ordures
the dustbin, the trashcan (Am.) .... la boîte à ordures
a rubbish chute ..... un vide-ordures

8

the kitchen .... la cuisine
the cooking .... la cuisine, la cuisson
the meals........... → 24/11-14
★ a kitchen-range...... une cuisinière
a cooker .... une cuisinière
a stove .... un fourneau
convenient [i:]........ commode
to turn on, off....... ouvrir, fermer
to turn down........ baisser
an oven [ʌ-]......... un four

11

★ a washtub .... un baquet à lessive
★ the wash-house ..... la buanderie
★ to *wring [w] .... essorer
a washing-machine .. une machine à laver
a drier............. un séchoir
to iron [aiən]........ repasser
an iron [aiən] .... un fer à repasser

– 7. The **dining-room** is the room where the family have their meals. The **dining-room suite** includes a **table** and several **chairs**, a **sideboard** and a **cupboard** where the dinner things are kept in **drawers** and on **shelves**.

– 8. The **kitchen** is the room where the **cooking** is done. Our grandmothers used to cook on a **kitchen-range**. Now **gas** and electric **cookers** (or **stoves**) are in common use. They are so much more **convenient**, as you need only **turn** the gas or electricity **on** or **off**, or **turn** it **down** to regulate the cooking. An **oven** is very useful for roasting fowl.

– 9. The traditional **cooking utensils**, such as **saucepans**, **frying-pans**, have been supplemented by all kinds of labour-saving electrical **devices** (or **gadgets**), such as **coffee-grinders** (or **coffee mills**) and **tin-openers**. There is always a **kettle** handy for boiling water or making tea.

– 10. Almost every house now has a **refrigerator**, commonly called **fridge**, and **icebox** in America, where food is preserved fresh and **icecubes** can be made. **Freezer compartments** and **deep-freezes** are a further development in food preservation. The **washing-up** is **done** in the kitchen **sink**. But a well-to-do family is likely to use a **dishwasher**.
     The kitchen **refuse** goes into the **dustbin** (Am. **trashcan**), or if you live in a modern flat down the **rubbish-chute**.

– 11. Formerly washing used to be done in **washtubs** in the **wash-house** and the linen was **wrung** by hand. Now electric **washing-machines** work with hardly any supervision. After drying in a **drier** the linen is **ironed** with an electric **iron**.

THE BEDROOMS

Les chambres

12

downstairs..........	en bas, au rez-de-chaus-
	sée
upstairs.............	en haut, à l'étage
the steps	les marches
the landing.........	le palier
the bedroom	la chambre à coucher
★ a box-room	un débarras
a spare room.......	une chambre d'ami

13

the bed.............	le lit
the wardrobe.......	l'armoire
the chest of drawers [drɔːz]...........	la commode
a bedside table......	une table de nuit
the dressing-table, the dresser (Am.).....	la coiffeuse
a stool..............	un tabouret
a closet [ɔ]..........	un placard, une penderie
built-in	encastré

14

★ the bedstead........	le lit (châlit)
a mattress	un matelas
to *make a bed	faire un lit
a sheet.............	un drap
a blanket	une couverture
★ a bedspread........	un couvre-lit
a pillow.............	un oreiller
★ a bolster...........	un traversin

bedtime	l'heure du coucher
to *feel sleepy	avoir sommeil
★ to doze off.........	s'assoupir
to *go to sleep.....	s'endormir
to snore	ronfler
to *lie down	se coucher
★ to slumber (lit.)	sommeiller
to *sleep	dormir

16

fast asleep	profondément endormi
to *dream......./....	rêver
a dream	un rêve
a nightmare........	un cauchemar
★ drowsy	somnolent
★ a nap.............	un somme
★ he could not *get a wink of sleep	il n'a pas pu fermer l'œil de la nuit

17

an alarm-clock.......	un réveil
to *awake, to *wake up, with a start ...	se réveiller en sursaut
to be an early riser ..	être matinal
★ to have a lie in (fam.)	faire la grasse matinée
★ to yawn	bailler
to rub	frotter
to stretch (oneself)...	s'étirer
to *get up	se lever
wide awake	bien éveillé

— **12.** After visiting all the rooms **downstairs**, let us go **upstairs**. At the top of the **steps** we come on to the **landing**, on which the **bedrooms** open.

The standard English house has two bedrooms and a small room which serves as a **box-room** and can be occasionally used as a **spare room.**

— **13.** The bedroom suite generally includes a **bed**, a **wardrobe**, a **chest of drawers**, one or two **beside tables** a **dressing-table** (Am. **dresser**) and a **stool** to sit on. Smaller houses may have **built-in** cupboards or **closets**.

— **14.** The framework of the bed in the **bedstead** : it supports a **mattress**. When you **make your bed** you lay two **sheets** on the mattress and then lay one or two **blankets** on the sheets. Finally you cover the bed with a **bedspread**. There is a **pillow** or a **bolster** to rest your head on.

— **15.** When it is **bedtime**, all good children must go to bed. Fred is not the last to go : he **feels so sleepy** after the day's work ! Sometimes he **dozes off** in his chair. Grandfather has already **gone to sleep** in his arm-chair and now he is **snoring**. When Fred **lies down**, his younger brother who shares his bedroom is already **slumbering**, or **sleeping** peacefully.

— **16.** In ten minutes Fred will be **fast asleep** in his turn. He will perhaps **dream** that he has just scored a goal for the school XI, unless he has an awful **dream**, or **nightmare**.

On a hot afternoon you may feel **drowsy**. A short **nap** will do you good then.

Last night, Tom had so bad a toothache he could not **get a wink of sleep.**

— **17.** On a weekday Paul sets his **alarm-clock** for seven. When it rings, he **awakes** (or **wakes up**) **with a start** and jumps out of bed. On Sundays, Paul who **is not an early riser has a lie in**. He has plenty of time to **yawn, rub** his eyes, and **stretch (himself)**. When be **gets up** at last, he is **wide awake.**

THE BATHROOM
La salle de bain

18

to raise	lever, soulever
★ to *fling open	ouvrir tout grand
the bathroom	la salle de bain
★ a dressing-room	un cabinet de toilette
a shower	une douche

19

a tile [ai]	un carreau
tiled [ai]	carrelé
a bath [ɑ:]	1. une baignoire
. . . .	2. un bain
a sponge [ʌ]	une éponge
a bar, a cake, of soap	un savon
the soapdish	le porte-savon
a towel [au]	une serviette
★ the towel rail	le porte-serviette
★ a rub-down	une friction
the taps, the faucets (Am.)	les robinets
a bathmat	un tapis de bain

20

to wash [ɔ]	(se) laver
the washbasin [beisn].	le lavabo
to wipe [ai], to dry . . .	essuyer
a comb [koum]	un peigne
to comb [koum]	se peigner
a hairbrush	une brosse à cheveux
to brush	brosser
a toilet-case [keis]	une trousse de toilette

the mirror, the looking-glass	le miroir, la glace
to *do one's hair	se coiffer

21

toothpaste	de la pâte dentifrice
a toothbrush	une brosse à dents
to clean one's teeth .	se laver les dents
to shave	se raser
a safety razor [ei]	un rasoir mécanique
the lavatory, the toilet	les W.-C.

22

★ substantial	cossu
the study [ʌ]	le bureau (pièce)
a writing-desk	un bureau (meuble)
the library [ai]	la bibliothèque
a bookcase [-keis]	une bibliothèque (meuble)
the nursery	la chambre d'enfant
a cot	un berceau, un lit d'enfant
★ a playpen	un parc à bébé
★ to rock	bercer

HEATING
Le chauffage

23

central heating	le chauffage central
a radiator [ei]	un radiateur
★ a grate	une grille
the hearth [ɑ:].	le foyer
a fuel [fjuəl].	un combustible
coal	le charbon → 105/4

— **18.** In summer when he is up, Paul **raises** the blind and **flings open** the window to let in the fresh air. Then he goes into the **bathroom**. Hardly any English house is without a bathroom. Some few houses have only a **dressing-room**, sometimes equipped with a **shower**.

— **19.** The walls and the floor of the bathroom are **tiled** (covered with **tiles**). Many modern houses have a built-in **bath**. When Paul wants to take a **bath**, he finds everything ready to hand : a **sponge**, a **bar** (or a **cake**) **of soap** in the **soapdish**, a dry **towel** spread out on the **towelrail** for a good **rub-down** on the **bathmat**. He has only to turn on the **taps** (Am. **faucets**) now.

— **20.** On a school-day Paul has no time to take a bath. He **washes** his face and hands at the **washbasin**, then **wipes** (or **dries**) them with a towel. Next he takes his **comb** and (hair-) **brush** from his **toilet-case** to **comb** and **brush** his hair. A girl will spend more time in front of the **mirror** (or **looking-glass**), **doing her hair**.

— **21.** Finally Paul puts some **toothpaste** on his **toothbrush** to **clean his teeth**.
A man must **shave**. Most men now use a **safety razor** or an electric shaver.
Next door to the bathroom is the **lavatory**, or **toilet**.

— **22.** In a **substantial** residence you are likely to find also a **study** with a **writing-desk**, a **library** with books in a **bookcase** or on shelves along the walls. The **nursery**, fitted with a **cot** and a **playpen**, is reserved for the children, who sometimes have to be **rocked** to sleep.

— **23.** In a country like Great Britain **heating** is very important. **Central heating** and **radiators** are recent fixtures. For a long time the only means of heating had been a **grate** in the **hearth** and the only **fuel** used was **coal**.

24

to *light a fire	allumer un feu
to *strike a match ...	frotter une allumette
★ the bellows (pl.)	le soufflet
★ to poke	tisonner
to *put out	éteindre → 96/12
the ashes	les cendres
★ a poker	un tisonnier
★ tongs	des pincettes
a broom	un balais
a shovel	une pelle

25

smoke	la fumée
★ the embers	les braises
a spark	une étincelle
★ the hearth-rug [ha:] ..	le tapis de foyer
the chimney	la cheminée *(conduit)*
★ to *sweep	ramoner
★ soot [u]	la suie

26

an electric heater	un radiateur électrique
a gas fire	un radiateur à gaz
an oil stove	un poêle à mazout
the fireplace	la cheminée, l'âtre
the mantelpiece	le dessus de cheminée
the hot water tank ..	le ballon d'eau chaude
the boiler	la chaudière
fuel oil	le mazout
a tank	un réservoir

LIGHTING
L'éclairage

27

the power	l'énergie, le courant
a candle	une bougie
★ a candlestick	un bougeoir
★ a chandelier [ʃ-iə]	un lustre
★ an oil lamp	une lampe à pétrole
★ a gas lamp	un bec de gaz
electric light	la lumière électrique
a power cut	une coupure de courant

28

a bulb	une ampoule
a switch	un interrupteur
to switch on, off	allumer, éteindre
a wall-plug	une prise de courant
a reading-lamp	une lampe de bureau
an adaptor	une prise multiple
domestic appliances [ai]	les appareils ménagers
to plug in	brancher
to *blow a fuse	faire sauter un plomb
neon [niːən]	le néon
the production of electricity	→ 106/10

— 24. What drudgery ! You had **to light a fire** every morning, **strike** several **matches** perhaps and blow the **bellows** hard, feed and **poke** it, **put it out** before going to bed and collect the **ashes**. The **poker, tongs,** small **broom** and **shovel** hang on a special rack.

— 25. Besides **smoke** was sometimes a nuisance, **embers** and **sparks** might be a danger to the **hearth-rug** and the **chimney** had to be **swept** (i.e. cleared of **soot**) at regular intervals.

— 26. Nowadays **electric heaters** and **gas fires** are fast replacing the coal fire. **Oil stoves** are not unknown. But the traditional **fireplace** is still the centre of family life. And where would the Englishman display his Christmas cards if there was no longer a **mantelpiece** for that purpose ?
   However, in all modern flats, the housewife has hot water handy from the **hot water tank,** heated by the **boiler. Fuel oil** is stored in big **tanks.**

— 27. Great progress has also been made in **lighting** thanks to electrical **power. Candles** stuck in **candlesticks** or **chandeliers,** oil lamps and later **gas lamps** have now been superseded by **electric light,** but still **come in handy** in case of **power cuts.**

— 28. There are electric light **bulbs** in every room with **switches** to switch them **on** or **off,** as well as **plugs** for the **reading-lamps** and **adaptors** for the different **domestic appliances.** Don't **plug in** too many at a time or you are sure to **blow the fuses. Neon** signs illuminate town streets at night.

HOUSEWORK

Le ménage

a duster . . . . un chiffon
to *sweep . . . . balayer
to dust . . . . épousseter
★ to scrub . . . . laver à la brosse

29

a vacuum-cleaner . . . . un aspirateur
★ a polisher . . . . une cireuse
the mains (pl.) . . . . le secteur
a broom . . . . un balai
★ a mop . . . . un balai à franges

30

clean . . . . propre
tidy [ai] . . . . bien rangé, ordonné
untidy [ai] . . . . mal tenu, sans soin
to *do a room . . . . faire une pièce
spring-cleaning . . . . . . le grand nettoyage de printemps

– **29.** Electricity also plays a great part in housework, e.g. for the **vacuum-cleaner** and **polisher,** which work on the **mains.** But these have not ousted the housewife's traditional tools : the **broom,** the **mop,** the **duster. Sweeping** the floor, **dusting** the furniture, **scrubbing** the doorstep keep the housewife busy.

– **30.** She is proud to keep the house **clean** and **tidy,** which is not always easy when the children are **untidy !** Once a year at least the **rooms** must be **done** thoroughly. This large-scale operation is called **spring-cleaning.**

PROVERBS AND SAYINGS

An Englishman's house is his castle. Charbonnier est maître chez lui (appr.).

Be it ever so humble there's no place like home. A tout oiseau son nid est beau (appr.).

Charity begins at home. Charité bien ordonnée commence par soi-même.

Those who live in glass houses should not throw stones. Il faut être irréprochable pour critiquer autrui (appr.).

As you make your bed so you must lie on it. Comme on fait son lit on se couche.

It is best to wash one's soiled linen at home. Il vaut mieux laver son linge sale en famille.

A door must be either open or shut. Il faut qu'une porte soit ouverte ou fermée.

Early to bed and early to rise.
Makes a man healthy, wealthy and wise.

A hungry man, an angry man. Ventre affamé n'a point d'oreilles (appr.).

Hunger is the best sauce. L'appétit est le meilleur condiment.

Half a loaf is better than no bread. Faute de grives on mange des merles (appr.).

The proof of the pudding is in the eating. La qualité se révèle à l'usage (appr.).

There's many a slip 'twixt the cup and the lip. Il y a loin de la coupe aux lèvres.

III. – THE FAMILY – *LA FAMILLE*

1

a child [ai], pl. **children**
[i]............... un enfant
to be born .... naître
the father........... le père
the mother [ʌ] .... la mère
the parents [εə] ..... les parents *(le père et la mère)*
a brother [ʌ]......... un frère
a sister.............. une sœur
large .... nombreux
the household .... la maisonnée
the grandparents .... les grands-parents
an uncle .... un oncle
an aunt [ɑ:] .... une tante

2

a relation; a relative .. un parent
a nephew [-vju] ...... un neveu
a niece [i:]. .... une nièce
a cousin [ʌ]. .... un(e) cousin(e)
the husband .... le mari, l'époux
the wife, pl. **wives** ... la femme, l'épouse
the father-in-law .... le beau-père
the mother-in-law ... la belle-mère
★ the in-laws (fam.) .... les beaux-parents, la belle famille

3

a son [ʌ] .... un fils
a daughter [ɔ] .... une fille
★ the stepfather....... le beau-père *(second mariage)*

an orphan........... un orphelin
★ a guardian [ɥ]........ un tuteur

4

a widower .... un veuf
a widow .... une veuve
single............... célibataire
a bachelor .... un vieux garçon
a spinster, an old maid
.... une vieille fille
an unmarried mother une mère célibataire

5

the housewife....... la maîtresse de maison
older .... plus âgé
the elder............ l'aîné (de deux)
the eldest........... l'aîné (de plus de deux)
twins............... des jumeaux, jumelles
a pram, a babycarriage
(Am.) .... une voiture d'enfant
a push chair......... une poussette

EDUCATION

L'éducation

6

to attend to .... vaquer à
to look after s. o..... s'occuper de, veiller sur qqn.

– 1. Every **child is born** into a family : he has a **father** and a **mother** (the **parents**), and many **brothers** and **sisters** in **large** families. All the people living under the same roof compose the **household**. This may also include the **grandparents, uncles** and **aunts**.

– 2. The family includes other **relations** (or **relatives**) : **nephews, nieces** and **cousins**. The family increases by marriage. The father and mother of one's **husband** or **wife** are called the **father-in-law** and the **mother-in-law** (familiarly called the **in-laws**).

– 3. The parents have **sons** and **daughters** in their turn. If a boy's father dies and his mother marries again, her second husband is the boy's **step-father**. If a boy loses both his parents, he will be an **orphan**; he will be committed to the charge of a **guardian**.

– 4. A **widower** is a man who has lost his wife. A **widow** has lost her husband. Some people remain **single** (i.e. do not marry). An unmarried man is a **bachelor**, an unmarried woman a **spinster**, or **an old maid**. Unmarried **mothers** now have the same rights as married ones.

– 5. Mrs. Harris is a **housewife**, i.e. the mistress of a family. She is **older** than her husband by two years. Mrs. Harris's **elder** sister who is not married often comes to help her with the family. Jane is the **eldest** of the four children. The last two are **twins** (i.e. they were born together). It is Jane who takes them out in the **pram** (Am. **baby-carriage**), or the **pushchair**.

– 6. A housewife's task is varied and absorbing. She must **attend to** her household duties, **look after** the children,

to watch over	surveiller, veiller à	
to *bring up.	élever	
well-bred	bien élevé	
ill-bred, ill-mannered .	mal élevé	

THE SERVANTS
Les domestiques

7

kind [ai]	bon, aimable
lenient [i:]	indulgent
fond	tendre, indulgent
★ to pet	choyer, dorloter
to *spoil	gâter
strict, severe [-viə]	rigoureux, sévère
★ to scold, to *chide (lit.)	gronder
harsh	dur, cruel
to punish	punir

10

a maid (servant)	une domestique, une bonne
a char(woman).	une femme de journée
a daily (help)	une femme de ménage
a cook	une cuisinière
★ a porter.	un portier
★ a coachman	un cocher
★ a footman.	un valet de pied
★ a housemaid	une femme de chambre

8

good	sage
polite [ai]	poli
obedient [i:].	obéissant
to obey s. o.	obéir à qqn.
naughty [ɔ:]	méchant, vilain
rude [u:]	grossier, impoli
disobedient.	désobéissant
to disobey s. o..	désobéir à qqn.

11

★ the steward [stjuət]. . .	le régisseur
★ the housekeeper.	l'intendant
★ the butler.	le maître d'hôtel
★ a tutor [ju:]	un précepteur
★ a governess	une gouvernante
a nurse, a nanny	une bonne d'enfant

9

to love [ʌ]	aimer
to honour [h].	honorer
dear	cher, chéri
loving	aimant, affectueux
to kiss	embrasser
dad, daddy	papa
mum, mummy.	maman
to *forgive	pardonner

12

to engage, to hire	engager, prendre à son service
to dismiss	renvoyer
★ unfaithful	infidèle
dishonest [h]	malhonnête
to *give notice	donner congé

watch over their education. Good parents are very careful to bring up their children well. They will be proud to have well-bred children. Many unfortunately are ill-bred (or ill-mannered).

– 7. Some parents are very kind, even lenient to their children. A fond mother pets and even spoils them. Others on the contrary are very strict (or severe) : they never fail to scold (or chide) their children.
   Mr. Murdstone was very harsh to David Copperfield : he would punish him for mere trifles.

– 8. Well-bred children are good, polite and obedient (they obey their parents). Ill-bred children are naughty, rude and disobedient (they disobey them).

– 9. But all children love and honour their dear and loving parents. Jane never fails to go and kiss her dear father (dad or daddy) and mother (mum or mummy) before going to bed, especially when she wants to be forgiven something.

– 10. Very few English housewives can afford the luxury of a maidservant (or maid). They must be content with the services of a charwoman (fam. a char.), now called a daily (help).
   In days gone-by, a substantial house or country estate could not be run without a large number of servants : a cook, a porter, a coachman, several footmen and housemaids.

– 11. There was a steward or a housekeeper to superintend the other servants, a butler to look after the food and wine. There was also a tutor and a governess who had the care of the children's education, and a nurse (or nanny) to look after the baby.

– 12. All these servants were freely engaged (or hired) and easily dismissed if they proved unfaithful and dishonest. Nowadays if you are dissatisfied with a servant, you must give him, or her, a month's notice.

THE FRIENDS

Les amis

13

an acquaintance	une connaissance
to be on friendly terms............	être en bons termes
★ to *take a fancy to s. o.	se prendre d'affection pour qqn.
to *strike up a friend-ship, to *make friends...........	se lier d'amitié

14

to entertain, to *give a party	recevoir
the host	l'hôte, le maître de maison
a guest [ʯ]...........	un invité, un hôte
hearty [a:]...........	cordial
a welcome	un accueil
★ to greet	accueillir
to introduce to s. o....	présenter à qqn.
★ to bow [au] to s. o....	saluer qqn. en s'inclinant
★ informal	sans cérémonie

FAMILY GATHERINGS

Les réunions de famille

15

| a birth [ə:] .... | une naissance |

pregnant............	enceinte
a nursing home......	une clinique
★ a midwife, pl. -ves ...	une sage-femme
the birthday........	l'anniversaire
the birthrate	la natalité
human life	→76/20-22

16

the name	le nom
the surname	le nom de famille
to christen [t], to bap-tize..............	baptiser
the Christian name, the first name (Am.)	le nom de baptême
★ to *stand godfather, godmother to	être parrain, marraine
★ the god-child........	le filleul
a nickname	un surnom

17

to *fall in love with s. o.	s'éprendre de qqn.
★ to court, to woo [u:] .	courtiser
★ to propose to s. o....	demander qqn. en ma-riage
to *become engaged .	se fiancer
the fiancé(e)........	le (la) fiancé(e)

18

marriage	le mariage
the wedding	le mariage, la noce
a match	1. un parti
	2. une union
to marry	1. épouser
	2. se marier

– **13.** The family circle often includes **friends** and **acquaintances**. Two neighbours may **be on friendly terms**. Two persons **will take a fancy** to each other : they will **strike up a friendship** (or **make friends**).

– **14.** When Mr. Smith **entertains** friends (or **gives a party**), he is the **host** ; his **guests** are **greeted** with a **hearty welcome** (or greeted heartily). He **introduces** the new-comers to each other. The gentlemen shake hands and **bow to** the ladies.
   Nowadays, young people favour **informal** parties.

– **15.** The stages of life are the occasions of **family gatherings**. When **birth** is imminent most **pregnant** women are taken to **nursing homes** where there are doctors and **midwives** in attendance. The child's **birthday** will be celebrated regularly.
   In Great-Britain the **birthrate** has been approximately stable for a decade.

– **16.** The child bears his father's **name** (the **surname**). When he is **christened** (or **baptized**) he is given a **Christian name** (Am. **first name**). Two relatives or friends of the family **stand** as **godfather** and **godmother** to the child, who is their **god-child**.
   Some persons may be given **nicknames**, in derision or affection.

– **17.** When a young man **falls in love with** a girl, he will **court** (or **woo**) her and eventually **propose** to her. If she agrees, they will **become engaged**. The **fiancé** and the **fiancée** receive some presents.

– **18. Marriage** is a serious affair and the **wedding** is a great occasion for rejoicing. If a young man is rich, he will be a good **match** for the young lady he **marries**. Many young people however **marry** only for love.

to *get married......	se marier	the newly-wedded pair, the newly-weds (fam.).......	les nouveaux mariés
to get married to s. o.	épouser qqn.	the honeymoon......	la lune de miel
the bride [ai].........	la mariée	an anniversary.......	un anniversaire
the bridegroom......	le marié	a greeting-card.....	une carte de souhaits
a wedding-ring......	une alliance	good wishes........	les vœux de bonheur
★ the bridesmaids.....	les demoiselles d'honneur	to *get divorced.....	divorcer
★ the best man.......	le garçon d'honneur	to die..............	mourir
		death..............	→ 45/8-9

— **19.** The two people who are **getting married** are called the **bride** and the **bridegroom**. At the ceremony they wear their **wedding-rings** for the first time. The bride is attended by her **bridesmaids** and the **best man** stands by the bridegroom.

— **20.** After the wedding, the **newly-married pair** (fam. the **newly-weds**) leave on their **honey-moon**. Wedding **anniversaries** are an occasion for sending **greeting-cards** and **good wishes**.
Some **matches** may end badly : husband and wife **get divorced**.
The saddest occasion for a gathering is when a member of the family **dies**.

PROVERBS AND SAYINGS

Like father, like son. Tel père, tel fils.

Marry in haste, repent at leisure. Qui se marie à la hâte se repent à loisir.

Spare the rod and spoil the child. Qui aime bien châtie bien (appr.).

A friend in need is a friend indeed. C'est dans le besoin qu'on connait ses véritables amis.

The more, the merrier. Plus on est de fous, plus on rit.

THE LIGHTER SIDE

Legally, the husband is head of the household and the pedestrian has the right-of-way. Both are safe as long as they don't try to exercise their rights.

●

Mother gave Father a tie for his birthday. "I wonder what would go best with it", she said.
Father blinked at the tie and said, "A long beard".

●

"My husband and I argued for a whole hour last night", said a wife to her neighbour, "and do you know he didn't say a word the whole time".

●

Absent-minded professor's wife : "Darling, I'll bet you 've forgotten that 25 years ago today we became engaged".
Absent-minded professor : "Oh, no, I remember it well. By the way, what have you been doing since ?".

IV. – FOOD. THE MEALS
LA NOURRITURE. LES REPAS

EATING

Le manger

1

to *eat	manger
hunger.	la faim
to be hungry	avoir faim
to *drink.	boire
★ to quench one's thirst [ə:]	apaiser sa soif
to be thirsty [ə:]	avoir soif
to have an appetite [-ait]	avoir de l'appétit
to *sit down to table	se mettre à table
to be starving	mourir de faim
★ savoury [ei]	relevé, salé
★ to *make one's mouth water.	faire venir l'eau à la bou-che

2

greedy.	gourmand
★ to gulp down.	engloutir
to swallow [ɔ]	avaler
to chew [tʃu:]	mâcher
to *eat oneself sick . .	manger à se rendre ma-lade
to suck	sucer
sweets, candy (Am.). .	des bonbons, des sucre-ries
an ice-cream	une glace
to have a taste for. . .	avoir le goût de
★ the fare [fɛə]	la chère
★ fastidious	délicat, difficile
to cook	faire cuire

★ to dress	apprêter, assaisonner (sa-lade)

3

frugal.	frugal
a snack	un casse-croûte
substantial	copieux
plain.	simple, sans recherche
tasteless	insipide, fade
★ wholesome [w]	sain
★ unwholesome [w]	malsain

4

to *lay the table.	mettre la table
the cloth [ɔ]	la nappe
★ a mat	un dessous d'assiette
the dinner-set	le service de table
a plate.	une assiette
a dish	un plat
crockery	1. faïence
. . . .	2. vaisselle
china [tʃainə]	de la porcelaine
★ the plate.	la vaisselle (d'or ou d'ar-gent)

5

the cutlery	les couverts
a tray	un plateau
a trolley	une table serveuse
a fork	une fourchette
a spoon	une cuiller
a knife, pl. -ves [k] . .	un couteau
the soup	la soupe
★ a souptureen	une soupière
a saladbowl [boul]	un saladier
a serviette [sə:-], a napkin	une serviette

– 1. Man **eats** because he **is hungry** (because he wants to satisfy his **hunger**) and **drinks** because he **is thirsty** (because he needs to **quench his thirst**). Every normal person **has an appetite** when time comes for **sitting down to table**. When a boy is **starving** sweet or **savoury** food is always appetizing and will **make his mouth water**.

– 2. Boys and girls are often **greedy**. They will **gulp down** their food, i.e. **swallow** without **chewing** it. They may **eat themselves sick**. Others will **suck sweets** (Am. **candy**) or **ice-creams** all day long. A gourmet, on the contrary, is a man who is fond of (or **has a taste for**) good **fare**, who is **fastidious** about the different ways of **cooking** and **dressing** food.

– 3. Some people can make do with a **frugal** meal (a **snack**). Others need a **substantial** one. Food may be either **plain**, even **tasteless**. In any case it should always be **wholesome**, never **unwholesome**.

– 4. Before each meal **the table** must **be laid**. First the **cloth** is laid or individual **mats** are put directly on the table. The **dinner-set**, i.e. the **plates** and **dishes**, is made cup of **china crockery**. It is not everybody that eats out of silver or gold **plate** !

– 5. The **cutlery** will be brought on a **tray** or a dinner **trolley**. It includes the **forks**, **spoons** and **knives**. The soup is served in the **souptureen**, the salad in a **saladbowl**. There is a **serviette** (or **napkin**) for each person.

6

bread	le pain
a slice	une tranche
a loaf, pl. -ves	une miche
a roll	un petit pain
a crumb [ʌ]	une miette
new, fresh bread	du pain frais
★ stale bread	du pain rassis

DRINKING

Le boire

7

to refresh	réconforter, ravigoter
a cup of tea	une tasse de thé
black coffee	du café noir
white coffee	du café au lait
to pour [pɔ:]	verser
the coffee-pot	la cafetière
milk	le lait
	→ XX, 5-6
the milk-jug, the milk-pitcher (Am.)	le pot à lait
bitter	amer
sweet	doux, sucré
a lump of sugar [ʃugə]	un morceau de sucre
the sugar-bowl	le sucrier

8

★ a beverage [-idʒ]	un breuvage
the teapot	la théière
a teaspoonful	une cuillerée à thé
to *stand, to brew	infuser

a teacup	une tasse à thé
a saucer	une soucoupe
cream	la crème
to hand round	faire passer
★ a teacosy [kou-]	un couvre-théière
empty	vide
to fill	remplir

9

to wash down	faire couler
★ the water-jug	la carafe
a glass	un verre
wine	le vin
★ a vintage wine	le vin millésimé
★ port	le porto
★ sherry	le xérès
★ burgundy	le bourgogne
★ claret	le bordeaux rouge
★ champagne [ʃæmpein]	le champagne
★ sparkling, fizzy	mousseux, pétillant
a bottle	une bouteille
the cork	le bouchon
★ a corkscrew	un tire-bouchon

10

cider [ai]	le cidre
beer	la bière
★ ale	la bière blonde
★ stout [au]	la bière brune
spirits, liquors [ʌ]	les boissons alcooliques
brandy	l'eau-de-vie
gin	le gin
whisky	le whisky
soda	l'eau gazeuse
★ a liqueur [likjuə]	une liqueur
★ a teetotaller	un abstinent
soft drinks	des boissons non alcoolisées

– 6. In England there is a little plate specially used for **bread,** as bread is never eaten directly off the cloth. **Slices** of bread may be cut from the **loaf,** or **rolls** are provided. When a roll is broken, **crumbs** fall on the plate. Bread may be **new** (or **fresh**) or **stale.**

– 7. The English hardly ever drink while eating, as they have numerous **refreshing cups of tea** or **coffee** (**white** or **black**) throughout the day. Coffee is **poured** from the **coffee-pot, milk** from the **milk-jug** (Am. **pitcher**). Coffee is naturally **bitter** and **sugar** must be added to make it **sweet.** The **lumps** of sugar are in the **sugar-basin.**

– 8. Tea is the national **beverage** of the English. When the mistress of the house serves tea, she warms the **teapot** with hot water, then drops into it one **teaspoonful** of tea for each person and one for the pot, pours in boiling water and leaves the tea to **stand** (or **brew**) for 3 to 5 minutes . When the tea is ready, she pours milk or **cream** into each **teacup,** placed on a **saucer,** then the tea and finally adds sugar. She then **hands round** the cups and finally covers the tea-pot with a **cosy.** When the cups are **empty** they are **filled** again from the tea-pot.

– 9. In England there is generally nothing more than water to **wash down** a meal. It is poured from the **water-jug** into the **glasses. Wine** is a luxury in England. Rich connoisseurs will insist on **vintage wines.** Those wines the English like best are **port, sherry, burgundy, claret. Champagne** and other **sparkling** (or **fizzy**) wines are drunk out of special glasses. Wine is served from the **bottle.** A **corkscrew** is needed to draw the **cork.**

– 10. Other alcoholic drinks are **cider** and **beer,** of which there are two main kinds: pale **ale** and black **stout.** The best-known **spirits** (or **liquors**) are **brandy, gin, whisky.** The latter is generally taken with **soda** (The Americans call it highball). A small glass of **liqueur** may be served at the end of the meal. People who refuse to drink intoxicating liquors are called **teetotallers.** English cafés sell only **soft drinks.**

THE MEALS

Les repas

11

breakfast [brekfəst] ...	le petit-déjeuner
cereals [iə], cornflakes	des flocons de céréales, de maïs
porridge	de la bouillie d'avoine
bacon [beikn] and eggs	des œufs au « bacon »
a boiled egg	un œuf à la coque
a sausage [sɔsidz]	une saucisse
to butter	beurrer
a piece of toast	une tranche de pain grillé
marmalade	de la confiture d'oranges
honey [ʌ]	du miel

12

lunch, luncheon (lit.)	le déjeuner
a course [ɔ:]	un plat, un service
meat	la viande
beef	le bœuf
pork	le porc
lamb [b]	l'agneau
mutton	le mouton
veal	le veau
steak [ei]	une tranche de viande, un bifteck
a chop, a cutlet	une côtelette
ham	du jambon

to roast	(faire) rôtir
★ a joint	une pièce de viande, un rôti
★ to carve	découper
to boil	(faire) bouillir
to grill	(faire) griller
to stew	(faire) cuire à l'étuvée
to lunch on sandwiches [sænwidʒiz]	déjeuner de sandwichs
frozen food-stuffs	des produits surgelés
ready-cooked dishes	des plats tout préparés
takeaway food	des plats à emporter
cooking	→ 13/8-9
shopping	→ 109/7

14

raw	cru
tender	tendre
tough [tʌf]	dur
fat	gras
lean	maigre
★ underdone, rare (Am.)	saignant
★ medium [mi:]	à point
★ overdone	trop cuit
★ to season	relever, assaisonner
★ gravy	(sauce au) jus
★ pickles	des conserves au vinaigre
a sauce	une sauce (condiment)
salt [ɔ:]	du sel
pepper	du poivre
mustard	de la moutarde

— 11. Instead of having two large single meals, the English have several small ones. **Breakfast,** which opens the day, generally starts with a bowl of **cornflakes** (or **cereals**) served with cold milk and sugar. In winter many people prefer a bowl of **porridge,** served hot with milk or cream. The main dish is generally **bacon and eggs**; a boiled egg, **sausages,** some fish may be served as an alternative. The meal ends with **buttered toast** spread with **jam** or **marmalade** or occasionally **honey.** The whole is accompanied by a steaming pot of coffee or tea, according to choice.

— 12. The midday meal, which comparatively few people take at home, is called **lunch** (lit. **luncheon**). It is generally a two-**course** meal. There is a dish of **meat**: **steak,** a **pork** or **lamb chop,** a **veal** or **mutton cutlet,** or cold **ham.**

— 13. When meat is **roasted,** the slices are cut off the **joint,** or **carved.** There are other ways of cooking meat: it may be **boiled, grilled** or **stewed.** Many working people however have to **lunch** on sandwiches. **Frozen food-stuffs, ready-cooked dishes** and **takeaway food** may prove very convenient to the busy housewife.

— 14. When meat is bought it is **raw.** It may be **tender** or **tough, fat** or **lean.** Meat is rarely served **underdone** (Am. **rare**) in England, except in expensive restaurants. On the family table it is generally served **overdone.** It can be **seasoned** with **gravy, pickles** and a wide variety of bottled **sauces. Salt, pepper** and **mustard** are freely used as seasonings.

15

the vegetables	les légumes
. . . .	→ 80/9
a potato, pl. -oes [ei] . .	une pomme de terre
greens	des légumes verts
a cabbage	un chou
a pea	un pois
★ mashed	en purée
fried	frit
chips, French fries (Am.)	des « frites »
vinegar	du vinaigre
oil	de l'huile

16

the dessert [dizɔ:t]	le dessert
sweets	les entremets
rice [ai]	le riz
a pudding	un « pudding », un entremets sucré
custard	de la crème, du flan
jelly	la gelée
cheese	du fromage
to bake	(faire) cuire au four
pastry, dough [ou]	de la pâte
a pie	une tourte, un pâté
preserved, tinned, canned (Am.)	en conserve, en boîte
a tin, a can (Am.)	une boîte de conserves

jam	de la confiture
fruit	→ 80/5-8

17

a cake	un gâteau
pastries	de la pâtisserie
a tart, a pie (Am.)	une tarte
dinner	le dîner
supper	le souper
cocoa [koukou]	du cacao
a biscuit [ʊ]	un biscuit
a cracker	un biscuit non sucré

18

★ a dinner party	un dîner (de cérémonie)
★ to wait at table	servir à table
to clear away	enlever, débarasser
a toast	un toast
★ to *drink (to) someone's health . . .	boire à la santé de quelqu'un
★ to treat s. o. to sth. .	payer, offrir qqch. à qqn.
★ a treat	un régal, un festin
★ a diet [daiɔt]	un régime
★ to fast	jeuner, être à la diète
restaurants and cafés	→ 100/27-29

─ **15.** Meat is always served with **vegetables,** generally boiled **potatoes,** together with **greens (cabbage, peas,** etc.). Potatoes may also be served **mashed** or **fried** (they are then called **chips,** or **French fries** in America). Fish and chips is a very popular dish : it is served with **vinegar. Oil** is never used in England, even for dressing salad.

─ **16.** The **dessert** includes **sweets** (e.g. **rice pudding, custard, jelly**) and **cheese.** Fruit is rarely eaten raw : it is wrapped in **pastry** or **dough** and **baked** to make a **pie. Preserved** (or **tinned,** Am. **canned**) fruit is bought in **tins** (Am. **cans**). **Jam** is made of fruit boiled with sugar.

─ **17.** Tea is a regular meal in most English houses. At teatime, English people eat slices of bread and butter, jam, all kinds of **cakes** and **pastries,** such as **tarts,** pies, etc. Some of these cakes may be home-made.
    Dinner is the main meal of the day for all those who have a continuous working day. There may be a late **supper,** consisting either of sandwiches and **cocoa** or simply bread, **biscuits** or **crackers,** and cheese.

─ **18.** A formal **dinner party** is rarely to be found outside the wealthy classes as there must be servants to **wait at table** and **clear away** the dinner things. At the end of such a dinner **toasts** are proposed, and the guests **drink (to)** their **host's health.**
    People who are great eaters, who **treat themselves** to rich meals, may have some digestive troubles. The doctor will prescribe a **diet.** They may have to **fast** for a day or two. **Treats** may end badly, if one lives by the maxim 'Eat, drink and be merry for tomorrow we die !

V. – GAMES AND PASTIMES
JEUX ET AMUSEMENTS

TOYS
Les jouets

1

a game	un jeu
to play	jouer
a hoop..............	un cerceau
a top	une toupie
a doll...............	une poupée
a ball [ɔ:]	une balle, un ballon
a kite [ai]...........	un cerf-volant
marbles.............	les billes
skittles	les quilles
a skipping rope......	une corde à sauter

2

★ a box of bricks	un jeu de construction
★ a meccano-set	un jeu de meccano
★ tin soldiers..........	des soldats de plomb
★ a toy train	un petit train
a miniature car	une petite voiture
a toy theatre [θiətə]..	un théâtre miniature
a puppet-show	un spectacle de marion-nettes

INDOOR GAMES
Les jeux d'intérieur

3

cards	les cartes

a suit [ju:]...........	une couleur
clubs	trèfle
diamonds [daiə-]	carreau
hearts [α:]	cœur
spades..............	pique
the ace [ei]..........	l'as
the king	le roi
the queen...........	la reine, la dame
the jack, knave [k] ..	le valet
a trump(-card).......	un atout

4

to *deal	donner, distribuer
★ the dealer..........	le donneur
★ to shuffle	battre, mêler
★ the pack, the deck (Am.)	le paquet
★ to *cut	couper
★ the hand...........	le jeu *(distribuer)*
★ a trick	un pli, une levée
to *win	gagner
to *lose.............	perdre
to cheat	tricher

5

to play bridge	jouer au bridge
whist...............	le whist
draughts [drα:fts], checkers (Am.)....	les dames
chess...............	les échecs
a chessboard	un échiquier
dominoes	les dominos
a die, pl. dice........	un dé
a game of chance ...	un jeu de hasard
billiards (sg.)........	le billard
a game of skill	un jeu d'adresse
★ darts	les fléchettes

— 1. Many **games** and children's **toys** date back to ancient times. Greek boys used to **play** with **hoops** and spin **tops**. **Dolls** and **balls** have been known for a very long time. Generations of children have enjoyed flying **kites**. **Marbles**, **skittles**, and **skipping ropes** have always been very popular with children.

— 2. Nowadays children who have **boxes of bricks** can build houses and those who are keen on engineering can build an endless variety of engines with their **meccano-sets**. **Tin soldiers**, **toy trains** and **miniature cars** are great favourites with children and grown-ups as well. Cleverer boys and girls make their own **toy theatres** or organize **puppet-shows**.

— 3. Among **indoor games cards** have always been very popular. There are four **suits** : **clubs**, **diamonds**, **hearts** and **spades**. The honours are the **ace**, the **king**, **queen** and **jack** (or **knave**). A **trump(-card)** is superior to all others.

— 4. The **dealer** (i.e. the player who **deals** the cards) first **shuffles** the **pack** (Am. **deck**) and has it **cut** by an opponent. Once the cards have been dealt, each player looks at his **hand**. Those who have made the greater number of **tricks win** the game. Unlucky players often **lose**, but dishonest ones go as far as **cheating**.

— 5. The English are very found of **playing bridge** or **whist**. Among other indoor games we can mention **draughts** (Am. **checkers**) and **chess**, which is played on a **chessboard**, **dominoes** and **dice**. The last two are mere games of chance. **Billiards**, on the other hand, is a typical **game of skill**. So are **darts**, mostly played in pubs.

6

to guess [u].........	deviner
★ a riddle	une devinette
to solve............	résoudre
a puzzle	un problème
★ crosswords..........	les mots croisés
★ to play forfeits [-its]..	jouer aux gages

LEISURE

Les loisirs

7

leisure [leʒə] [Am. li:] .	les loisirs
spare time	→ 73/6
reading	la lecture
a newspaper	un journal
a magazine	un périodique
a review	une revue → 75/16
a weekly............	un hebdomadaire
comic strips, comics (Am.)	des bandes dessinées

8

a book..............	un livre → 103/9
a public library [lai-]..	une bibliothèque publique

to borrow sth. from s.o.	emprunter qqch. à qqn.
a novel	un roman
dull.................	morne, ennuyeux
exciting [ai].........	passionnant
thrilling	angoissant, palpitant
a thriller	un roman à sensation
a detective story.....	un roman policier
a bestseller	un succès de librairie
a short story	une nouvelle
a fairy tale	un conte de fées
literature...........	→ 36/10-12

9

to be musical	être musicien ou mélo- mane
a broadcast, a pro- gramme (Am. pro- gram)...........	une émission, une retrans- mission
the wireless [ai], the radio [ei].	la T.S.F., la radio
a (receiving) set	un poste (récepteur)
a transistor radio.....	un transistor
★ to tune in...........	accorder, régler
★ the wavelength......	la longueur d'onde
a record, a disc (Am.)..	un disque
a record player	un tourne-disques
a turntable..........	une platine
a long-playing record.	un microsillon
to record............	enregistrer
a tape	une bande
a tape recorder	un magnétophone
music	→ 39/24-28

— **6.** There are other games in which children must **guess** a **riddle** or **solve** a **puzzle** (e.g. a **crossword puzzle**). They are also fond of playing (at) **forfeits,** as a party game.

— **7.** How does an Englishman fill his **leisure** (or his **spare time**) with the family ? **Reading** is of course his first occupation. The English read many **newspapers** and illustrated **magazines. Reviews** and **weeklies** deal with more serious matters. **Comic strips** (or **comics**) of American origin are very popular with children.

— **8.** Millions of **books** are **borrowed** from **public libraries.** The English read **novels,** which may be either **dull** or **exciting,** and **thrillers** (**thrilling** or not). **Detective stories** are great favourites. Some of them are **bestsellers.** Some of the best **short stories** ever written are English. Young children read books of adventures and **fairy tales.**

— **9.** If the people of the family **are musical,** they will play music themselves, or listen to concert **broadcasts** on the **wireless** (or **radio**). **Transistor radios** have replaced of-fashioned **radio-sets** almost everywhere. You have to **tune in** your set to a station on a given **wavelength.** Another way of hearing one's favourite music or songs is to put a **record** or **long-playing record** on one's **record-player** or **turntable.** Hi-Fi stereo chains, with their amplifiers and cassette-players are the latest development in recorded music.

If you have a **tape recorder** you can keep **tapes** of all you think worth while.

10

television, the T.V....	la télévision
a television set......	un poste de télévision
a live broadcast.....	une émission en direct
the news...........	les informations
a running commentary	un reportage
a play.............	une pièce
a recorded broadcast.	une émission en différé
a variety [ai] show....	un spectacle de variétés
a serial [iə].........	un feuilleton
a commentator......	un reporter
an announcer.......	un speaker
a T.V. viewer.......	un téléspectateur
★ a craze [ei].........	un engouement
the screen.........	l'écran
★ the licence [ai]......	la redevance
a channel..........	une chaîne
a network..........	un réseau
advertisements, ads, commercials (Am.).	la publicité

11

a hobby............	un dada, un passe-temps favori
photography........	la photographie (art)

a camera...........	un appareil photo
a photo(graph).......	une photo(graphie)
a snap(shot)........	un instantané
a close-up.........	un gros plan
a photographer.....	un photographe
★ to develop.........	développer
★ to print..........	tirer
★ to enlarge.........	agrandir
★ to frame..........	encadrer
a cine-camera, a mo-vie-camera (Am.)..	une caméra
to *shoot a film.....	tourner un film

12

gardening..........	le jardinage → 81/15
drawing...........	le dessin
painting...........	la peinture → 38/18-22
to collect..........	collectionner
a pet.............	un animal favori
model...........	modèle réduit de...
★ amateur dramatics...	le théâtre d'amateurs
★ the football pools....	les concours de pronostics de football
★ bingo............	(sorte de) loto
to *do odd jobs.....	bricoler
a do-it-yourself kit...	une trousse de bricoleur

— 10. In the last decades **television** (familiarly the **T.V.**) has spread at a fantastic rate and **television sets** have invaded most English houses. You can watch **live broadcasts** of the **news, running commentaries** of important events, or even **plays, recorded broadcasts** of **variety shows** and **serials** which are very popular with the general public. Some **commentators** and **announcers** are well known to **T.V. viewers.** Very few houses in America have escaped the television **craze.** Children for instance spend 3 to 4 hours a day watching their television **screens.** In America, there are **networks,** which all depend financially on **commercials,** i.e. **advertisements** or **ads.** In Britain T.V. set owners pay a **licence** to the BBC.

— 11. Hardly any Englishman is without a **hobby. Photography** is perhaps the most widespread nowadays. Every little boy dreams of having his own **camera** and bringing back a lot of holiday **photographs (photos)** or **snapshots (snaps).** Cameras are so simple now that his photos and **close-ups** will be almost as good as any professional **photographer's.** If he cares to, he will enjoy **developing** and **printing** his own snaps. He can even **enlarge** the best ones and **frame** them to decorate his own room. When older he will perhaps get a **cine-camera** and **shoot** his own **films.** How exciting !

— 12. Almost equally favoured are **gardening, drawing** and **painting.** Children and grown-ups like to **collect** the most various things, stamps, flowers or autographs. Many keep **pets,** like dogs, cats, rabbits, mice, etc. The building of **model** railways, ships and aeroplanes is very widespread.

Amateur dramatics has many fans. Finally the **football pools** (i.e. forecasting the results of football matches) are one of the chief occupations of a large share of the English population. So is **bingo** which is played in public in Bingo halls.

Nevertheless, the Englishman will spend more and more hours at home **doing odd jobs,** and a **do-it-yourself kit** is an ideal birthday present.

VI. – SCHOOLS. EDUCATION
LES ÉCOLES. L'ÉDUCATION

1

school attendance....	la fréquentation scolaire
compulsory..........	obligatoire
to attend shool......	fréquenter l'école
a nursery school.....	une école maternelle
a primary [ai] school, a grade school (Am.)	une école primaire
the infant school	les classes préparatoires
the junior school.....	le cours moyen

2

a secondary school, a high school (Am.) .	une école secondaire, un lycée
a grammar school....	un lycée classique
a secondary modern .	un lycée moderne
a technical school ...	un lycée technique
a comprehensive school	un lycée polyvalent
free	gratuit
a Public School......	une « public school »
the fees	les frais de scolarité

3

a schoolboy	un écolier
a schoolgirl	une écolière
a boys' school......	une école de garçons
a girls' school	une école de filles
a coeducational school	une école mixte
the pupils..........	les élèves
the staff...........	le corps enseignant

a schoolmaster	un instituteur, un professeur
a schoolmistress.....	une institutrice, un professeur
the headmaster......	le directeur, le proviseur
the headmistress	la directrice

4

a teacher	un professeur
a gown	une toge, une blouse
a boarding school....	un internat
a boarder	un(e) interne
a day-pupil.........	un(e) externe
★ an old boy	un ancien élève
★ an old girl..........	une ancienne élève
a schoolfellow.......	un camarade de classe
★ a school chum, a pal .	un copain

THE CLASSROOM
La salle de classe

5

a class.............	une classe, un cours
the desk...........	le bureau
a form.............	un banc
the blackboard	le tableau noir
chalk [tʃɔːk]........	la craie
to wipe [ai]........	essuyer
a duster	un chiffon
a sponge [ʌ]........	une éponge

– **1.** **School attendance** is **compulsory** for all children in Britain between the ages of 5 and 16, that is all children between these ages have to **attend school.** Children under 5 may attend **nursery schools.** At 5 they all go to a **primary school** (Am. **grade school**), passing through two stages, first the **infant school** till they are 7, then the **junior school** from 7 to 11.

– **2.** At 11, a child was sent, according to his or her ability, to one of three kinds of **secondary schools** (called **high schools** in the U.S.A.) : a **grammar school,** a **secondary modern,** a **technical school.** Now **comprehensive schools** provide a wide range of courses for all children from a given district. Those schools are free and publicly maintained. Besides them, there are independent schools, called **Public Schools** (e.g. Eton, Harrow, Rugby), with centuries-old traditions and for which very heavy tuition and boarding **fees** have to be paid.

– **3.** **Schoolboys** attend **boy's schools, schoolgirls** girls' **schools.** There are also **coeducational schools** with **pupils** of both sexes. The **staff** includes a number of **schoolmasters** and **schoolmistresses.** At their head is the **headmaster** or **headmistress** (familiarly the Head).

– **4.** English **teachers** wear **gowns.** Public Schools are **boarding schools,** their pupils are **boarders.** State schools have only **day pupils.**
   A former pupil of a school is an **old boy** or an **old girl.** An old boy will always be pleased to meet an old **schoolfellow** or **school chum** (or **pal**) of his.

– **5.** A school building includes a number of **classrooms** where **classes** are held. In each one you find the master's **desk** and a number of tables with chairs or **forms.** The master writes on the **blackboard** with **chalk.** He **wipes** it clean with a **duster** or a **sponge.**

6

a map	une carte
a textbook	un manuel
a bookcase [-keis]	une bibliothèque
a pen	une plume, un porte-plume
an inkpot	un encrier
a blot of ink	une tache d'encre
to blot	sécher
blotting-paper	du buvard
a fountainpen	un stylo
a ball-point pen	un stylo-bille
a biro [ai]	un bic

7

paper [ei]	du papier
the cover [ʌ]	la couverture
cardboard	du carton
a page [ei]	une page
a sheet	une feuille
paste	de la colle
to paste	coller
a copybook	un cahier d'écriture
an exercise [-sais] book	un cahier de devoirs
a notebook	un carnet, un cahier
to look up a word in the dictionary	chercher un mot dans le dictionnaire

8

a ruler	une règle
(a pair of) compasses	un compas

a pencil	un crayon
a rubber	une gomme
to rub out	effacer
a case [keis]	une malette
a satchel, a bag	un cartable, un sac

9

a peg	une patère
the cloakroom	le vestiaire
school uniforms	→ 58/12
a period [iə]	une « heure » de cours
the break	la récréation
the dining hall [ai], the refectory	le réfectoire
the playground	la cour de récréation
the playing fields	le terrain de sports
a gym(nasium) [ei]	un gymnase
a laboratory	un laboratoire → 34/2

SCHOOL WORK

Le travail de classe

10

a form	une classe, une division
an examination	un examen
a term [ə:]	un trimestre
a half-term [ɬ]	un congé de demi-trimestre
school *breaks up	les classes se terminent
the summer holidays, the vacation	les grandes vacances

— 6. The walls are decorated with pictures and **maps**. **Books** and **textbooks** are kept in a **bookcase**. Formerly young children used to learn to write with **pens** they dipped into **inkpots**. If they made a **blot of ink** on a sheet of paper, they would **blot** it with a piece of **blotting-paper**. Now we normally use a **fountainpen** or a **ball-point pen** or a **biro**.

— 7. Books are made of **paper** and the **cover** of **cardboard**. A book which has 240 **pages** is made up of 120 **sheets**. If a sheet has been torn off you can **paste** it in again with **paste**. A boy writes in his **copybook** or **exercise-book**. He takes down notes in a **notebook**. When he does not know a word he **looks it up in the dictionary**.

— 8. His school things also include a **ruler** to draw lines with, **(a pair of) compasses** to draw circles with, several **pencils** and a **rubber** with which he may **rub out** pencil or ink marks. He carries all this is in a **case** or a **satchel** or a **bag**.

— 9. When children come to school they hang their coats on **pegs** in the **cloakroom**. The lessons, or **periods**, last 40 to 50 minutes. There is a morning **break** of 15 minutes. Most of the pupils have their midday meals in the school **dininghall** (or **refectory**). Games are played in the **playground** and on the school **playing fields**. A modern school is also provided with a fully-equipped **gymnasium** and up-to-date science labs (or **laboratories**).

— 10. Pupils move up from the 1st **form** to the VIth form, at the end of which they can take an **examination**, called the G. C. E. (General Certificate of Education), or C.S.E. (Certificate of Secondary Education).
The school year is divided into three **terms** : the Christmas term, the Easter term and the Summer term, each divided by a **half-term** (holiday). **School breaks up** at the end of July, and the **Summer holidays** begin. At universities they are called the **vacation**.

11

the curriculum, the syllabus..........	le programme
the timetable........	l'emploi du temps
the subjects.........	les matières
to *teach	enseigner.
reading	la lecture
writing [w].........	l'écriture
arithmetic...........	le calcul
to explain...........	expliquer
to *mean	signifier, vouloir dire
the meaning	le sens

12

to question	interroger
to ask, to *put a question	poser une question → 158/29
to answer [w], to reply to.............	répondre à
to *learn by heart [a:]	apprendre par cœur
to copy.............	copier
to repeat...........	répéter
to *say, to recite [ai] a lesson	réciter une leçon

13

to *spell	épeler
spelling	l'orthographe
a dictation	une dictée
a mistake	une faute
grammar...........	la grammaire
a tense	un temps (→ verbal)

14

to count	compter
a number	un nombre
a figure............	un chiffre
odd	impair
even [i:]...........	pair
cardinal............	cardinal
ordinal.............	ordinal
to add up	additionner
to subtract	soustraire
to multiply	multiplier
to divide	diviser
★ the four sums	les quatre opérations
a pocket calculator ..	une calculatrice

15

easy...............	facile
hard, difficult.......	dur, difficile
stiff, tough [t∧f].....	très dur, pénible
right...............	juste, exact
wrong [w]	faux, inexact

16

religious instruction ..	l'instruction religieuse
English	l'anglais
physical education ...	l'éducation physique
mathematics, math ..	les mathématiques
history.............	l'histoire → 37/13-17
geography..........	la géographie
science [ai]	les sciences → 34/1-2, → 37/13-17
art	les arts → 38/18-23
music	la musique → 39/24-28
handicraft..........	les travaux manuels
domestic science	l'enseignement ménager

– **11.** In an English primary school the head teacher is responsible for arranging the **curriculum** (or **syllabus**) and **timetable**. The **subjects** taught are essentially the three R's, i. e. **reading, writing, arithmetic**. Masters **explain** to the young children the use of their mother tongue. They show them the **meaning** of new words (what new words **mean**).

– **12.** Masters **question** them, **ask** them **questions** (or **put questions** to them), which they must **answer** (or to which they must **reply**) as best they can. That is what the Americans call a recitation. Although active ways are commonly used, a lot of things have still to be **learnt by heart**. A great deal of **copying** and **repeating** is necessary at that age. **Lessons** have to be **said** (or **recited**) regularly.

– **13.** Young children are also taught **spelling** (i. e. how words are **spelt**). They have to do many **dictations**, trying to make as few **mistakes** as possible. They learn the rudiments of **grammar**, the nature of words, the use of **tenses**, etc.

– **14.** Arithmetic is the science of **counting** with **numbers**. Numbers are composed of **figures**. There are **odd** and **even** numbers, **cardinal** and **ordinal** numbers. Young children learn how to **add up, subtract, multiply** and **divide** numbers. Now **pocket calculators** save the effort of doing **the four sums**.

– **15.** They have problems to solve. They are **easy** ones to begin with, but may soon become **hard** or **difficult**), even **stiff**. The result of a sum or a problem may be **right** or **wrong**.

– **16.** In secondary schools the curriculum includes **religious instruction, English** and **physical education** throughout the school course. Other subjects usually taken by all pupils for at least some part of it are **mathematics, history, geography, science, art, music**, besides some **handicraft** and, for girls, **domestic science** (Am. home economics).

17

modern languages ...	les langues vivantes
classical languages...	les langues mortes
Latin [æ]	le latin
Greek..............	le grec
the upper forms	les grandes classes
homework	le travail à faire à la maison
prep................	le travail à faire en étude
an end-of-term test..	une composition

THE PUPILS

Les élèves

18

gifted	doué
memory.............	la mémoire
to remember	se rappeler
to *forget	oublier
clever, intelligent	intelligent
to *understand	comprendre
sharp	vif, pénétrant
bright	brillant, bien doué
★ proficient in	fort en
good at	bon en

19

a fool..............	un sot
a blockhead	un imbécile
silly, foolish	sot, stupide
★ preposterous	absurde
to talk [+] nonsense.	dire des bêtises

stupid	bête, stupide
★ a dunce............	un cancre, un âne
★ backward, retarded ..	arriéré

20

painstaking, laborious	travailleur, appliqué
to *take pains.......	prendre de la peine
lazy, idle [ai]	paresseux, fainéant
laziness............	la paresse
idleness [ai].........	l'oisiveté, la paresse
thoughtless	irréfléchi, étourdi
absent-minded	distrait
care	le soin
careless............	négligent, sans soin
carelessness	la négligence

PUNISHMENTS AND REWARDS

Punitions et récompenses

21

tidy [ai]	soigneux
untidy..............	peu soigneux
to *leave one's things lying about.......	laisser traîner ses affaires
quiet [kwaiət], silent [ai]	silencieux
still................	calme, tranquille
restless............	remuant
talkative [+]........	bavard
to *make a noise	faire du bruit
to punish	punir
to be late..........	arriver en retard
truancy, absenteeism	l'absentéisme
to play truant	faire l'école buissonnière
to bully [u]	brutaliser

— 17. French if the most commonly taught of **modern languages**. **Classical languages, Latin,** and to a smaller extent, **Greek** are taught to the abler grammar school pupils. Some degree of specialisation is usual in the **upper forms.**

Pupils have a certain amount of **homework** to do at home; this work is called **prep** at boarding schools. **Terminal examinations** or **tests** are set at regular intervals.

— 18. Not all schoolchildren are equally **gifted**. Some have good **memories** and **remember** what they learn. Others do not and they will **forget** things as quickly as they learn them. Some are naturally **clever** (or **intelligent**), they **understand** things easily, they have a **sharp** understanding, they are **bright** pupils. But even if a boy is **proficient in,** say, Latin, he is not necessarily **good at** physics or chemistry.

— 19. Some children, unfortunately, are good for nothing. A child lacking in understanding is a **fool** (even a **blockhead**). He will give **silly** (or **foolish**), even **preposterous** answers, he will **talk nonsense**. A pupil too **stupid** to learn is a **dunce** : he is generally a hopeless case ! But there are special classes for **backward** (or **retarded**) children.

— 20. A **painstaking** (or **industrious**) pupil is one who **takes pains** to learn and improve his knowledge. Teachers can have no patience with **lazy** (or **idle**) children, they cannot suffer **laziness** (or **idleness**).

Many schoolchildren are apt to be **thoughtless, absent-minded** during the lessons and **careless** in their work. The fact of being careless is called **carelessness,** i.e. lack of **care.**

— 21. An **untidy** (opp. **tidy**) boy will **leave his things lying about.** Pupils must be **quiet** (or **silent**) and **still.** If a boy is **restless** or **talkative,** if he **makes a noise,** he will bring **punishment** upon himself. He may also be **punished** if he **is late, bullies** another boy or **plays truant.** Unfortunately **truancy** (or **absenteeism**) is on the rise.

22

★ an imposition	un devoir supplémentaire
★ a detention	une retenue
★ to be *kept in	être gardé en retenue
to be reported to the Head	être signalé au directeur
to lecture	sermonner
to expel	renvoyer
★ to cane [ei]	corriger avec une canne
★ to thrash	donner une correction
to maintain discipline	maintenir la discipline
★ a prefect [i:]	un « préfet », un moniteur (appr.)

UNIVERSITIES
Les universités

24

to obtain, to *win a scholarship, a grant	obtenir une bourse
to be educated at . . .	faire ses études à
a student [ju:]	un étudiant
a college	un collège universitaire
a lecture	un cours
★ a lecturer	un maître-assistant
★ a professor	un professeur
★ a tutor [ju:]	un directeur d'études

23

a mark	une note
bad	mauvais, mal
poor . . . . ,	médiocre
tolerable	passable
fair	assez bien
good	bon, bien
excellent	parfait
25 out of 50	25 sur 50
the average	la moyenne
a report	un bulletin
behaviour	la conduite
★ proficiency	la force, le niveau
progress (sg.)	les progrès
to *get on	faire des progrès
to congratulate	féliciter
to reward	récompenser
a prize	un prix

25

an undergraduate	un étudiant (début)
to *read a subject . . .	étudier une matière
★ to major in	se spécialiser en
a degree	un diplôme, un grade
★ B.A; B. Sc	licencié(e) ès lettres; ès sciences (appr.)
to *take, *to go in for, to *sit an exam . .	passer un examen
to pass, *get through	réussir, être reçu
to fail, to get ploughed [aud] (fam.)	échouer, se faire recaler
a graduate	un diplômé
★ a Master's degree . . .	une maîtrise
★ Doctor	docteur
a polytechnic	un I.U.T. (appr.)
★ a scholar	un lettré, un érudit
learned [nid]	savant, instruit

– **22.** Usual punishments are **impositions** and **detentions** (i.e. the boy is **kept in** at school). After several offences a boy will be **reported to the Head** : he will be severely **lectured** and he may even be **expelled** from school. Corporal punishments (**caning** and **thrashing**) are no longer in use in English schools. In Britain **discipline** is largely **maintained** by the pupils themselves, and enforced by senior pupils called **prefects**.

– **23. Marks** are given for lessons and exercises. They range from **bad** to **poor, tolerable, fair, good,** finally **excellent. 25 out of 50** is the **average**. At the end of each term a **report** is sent to each family about the **behaviour, proficiency** and **progress** of the pupil. If a boy **gets on** well, he will be **congratulated** and **rewarded**. He will get **prizes** at school.

– **24.** If they satisfy all requirements, young people will go to **university** at 18 or 19. Some may be clever enough to **obtain** (or **win**) a **scholarship** (or **grant**). Most would like to be educated at Oxford or Cambridge. Their **students** reside in one of the **colleges**. They attend **lectures** given by **lecturers** and **professors,** and have individual or group work (tutorials) with **tutors**.

– **25. Undergraduates** follow three years' courses – e.g. **reading** English literature or law – before they can **major in** a subject, thereby getting their first **degree,** either a **B.A. (Bachelor of Arts)** or a **B.Sc. (Bachelor of Science)**. Not all students who **take examinations (exams) get through**. Some **fail** for lack of work. **Arts** students (don't confuse with "art" : drawing, painting...) and **science** students, once they are **graduates,** may undertake research or further studies to obtain higher degrees – **M.A.** or **M. Sc. (Master of Arts,** or **Science)** or **Doctor of Philosophy** (Ph. D.).

More and more students these days go to **polytechnics**.

The aim of education in Britain is not so much to produce **scholars** (or **learned** men) as to develop character and prepare young people for life.

VII. – SCIENCE, LITERATURE AND ARTS
LA SCIENCE, LA LITTÉRATURE ET LES BEAUX-ARTS

SCIENCE

Les sciences

1

algebra [ældʒibrə].....	l'algèbre
geometry	la géométrie
to treat of, to *deal with............	traiter de
a line...............	une ligne
an angle	un angle
a surface	une surface
a solid...............	un solide
straight.............	droit, rectiligne
curved..............	courbe
acute...............	aigu
obtuse..............	obtus
a figure.............	une figure
a square............	un carré
a rectangle..........	un rectangle
a circle [ə:].........	un cercle
a cube..............	un cube

2

physics (sg.).........	la physique
a law...............	une loi
a property	une propriété
chemistry [k]	la chimie
biology [ai]..........	la biologie

to carry out an experiment	faire une expérience
a test	une épreuve, un essai
a testtube	une éprouvette
a magnet (g-n).......	un aimant
to magnetize (g-n) ...	aimanter
a microscope (ai).....	un microscope
a lens	une lentille
to magnify (g-n)	grossir

WEIGHTS AND MEASURES

Les poids et mesures

3

a unit [ju:]..........	une unité
an ounce [au]........	une once (28,35 g)
a pound [au]........	une livre (453,60 g)
a stone (inv.)	un « stone » (6,348 kg)
★ a quarter	un « quarter » (12,7 kg)
★ a hundredweight	un demi quintal (50,8 kg)
a ton	une tonne (1016 kg)
to weigh............	peser
(a pair of) scales.....	une balance
to *sell by weight ...	vendre au poids
heavy...............	lourd
light...............	léger

– 1. Mathematics includes **algebra** and **geometry**. Geometry **treats of** (or **deals with**) **lines, angles, surfaces** and **solids**. Lines mays be **straight** or **curved**, angles **acute** or **obtuse**. Lines and surfaces combine to make **figures : squares, rectangles, circles, cubes**, etc.

– 2. **Physics** deals with the **laws** and **properties** of matter, **chemistry** with the combinations and mutual actions of simple elements. **Biology** studies living creatures. In the school laboratory (fam. lab) **experiments** are **carried out** and **tests** made. How many **testtubes** have been broken by clumsy pupils and... masters ! Other common instruments are the **magnet** which has a **magnetizing** property and the **microscope** which is fitted with **magnifying lenses**.

– 3. Mastering the intricacies of Britain's old system of **weights** and **measures** takes several months.
The chief **units** of weight are the **ounce**, the **pound** (= 16 oz.), the **stone** (= 14 lbs), the **quarter** (= 2 st.), the **hundredweight** (= 4 qrs), the **ton** (1 t. = 20 cwts). The instrument used to know the weight of things (that is, how much they **weigh**) is called **(a pair of) scales**. Many articles are **sold by weight**. Lead is a **heavy** metal, aluminium a **light** one.

4

length	la longueur
an inch	un pouce (2,54 cm)
a foot, pl. feet	un pied (30,48 cm)
a yard	un « yard » (91,44 cm)
a mile	un mille (1609 m)
a rule	une règle (graduée)
to measure [meʒə] . . .	mesurer
short	court
long	long
high [hai]	haut, élevé
height [hait]	la hauteur
deep	profond
depth	la profondeur
wide [ai], broad	large
width [i], breadth	la largeur

5

low	bas
shallow	peu profond
narrow	étroit
thick	épais
thin	mince
the size	la taille, la dimension

6

the volume	le volume
square	carré
cubic	cubique, cube
an acre [eikə]	une acre (40 ares), un arpent
the area [ɛəriə]	la superficie
capacity	la capacité
a pint [ai]	une pinte (0,56 l)
a quart	un quart (1,13 l)

a gallon	un gallon (4,54 l)
a bushel [u]	un boisseau (36,3 l)
the metric system . . .	le système métrique

MONEY

L'argent, la monnaie

7

decimal currency	le système monétaire décimal
the pound sterling . . .	la livre sterling
to be worth [ə:]	valoir
the new penny, pl. pence	le nouveau penny
★ a shilling, a bob (fam.)	un shilling
a coin	une pièce de monnaie
a slotmachine	un distributeur automatique
to toss (up) a coin . . .	jouer à pile ou face
heads	face
tails	pile

8

a two (new) pence coin etc.	une pièce de deux (nouveaux) pence
the value	la valeur
★ a threepenny [θrepni] bit	une pièce de trois pence
★ a sixpence	une pièce de six pence
★ a florin	un florin
★ a half-crown	une demi-couronne

— **4.** The chief measures of **length** are the **inch**, the **foot** (= 12 ins), the **yard** (= 3 ft) and the **mile** (= 1,760 yds). A **rule** is used **to measure short** distances, a chain to measure **long** distances. The church steeple is 98 ft **high** (or in **height**). The river is 10 ft **deep** (or in **depth**). A football ground must be at least 100 yds **long** (or in **length**) and 50 yds **wide** (or in **width**) or **broad** (or in **breadth**).

— **5.** A tree which is not **high** is **low**, a river which is not deep is **shallow**. The opposite of wide or broad is **narrow**. A wall may be **thick** or thin. The **size** of an object is defined by its dimensions.

— **6.** The measures of length are also used to calculate the surface and **volume** of things. You speak for instance of a **square** foot or a **cubic** inch. The chief surface measure used in agriculture is the **acre**. But the **area** of a town or a country is expressed in square miles.
The chief **capacity** measures are the **pint**, the **quart** (= 2 pts), the **gallon** (= 4 qts), the **bushel** (= 8 gals). Capacity measures, though bearing the same names, are different in the U.S.A. The move to a **metric system** means a much greater simplicity — and a good thing it is too.

— **7.** Since Feb 15 1971, Great Britain has changed to **decimal currency**. The Government have decided that henceforth the **pound** (£ 1) will **be worth** one hundred **new pence** (100 p). Before 1971 there used to be twenty **shillings**, familiarly twenty **bob** (20 s.) in a pound, and twelve pence (12 d.) in a shilling. How confusing that was to a foreigner !
It is advisable to have a number of **coins** in one's pockets as one often needs them for the numerous **slotmachines**. A coin may also prove useful if you want to **toss a coin**, i.e. throw it up and decide something by the side turned up when it falls, either **heads** or **tails**.

— **8.** There are **two** — five — ten — and fifty **(new) pence** coins. They have replaced the old coins, such as the **threepenny** bits (3 d.) and the **sixpences** (6 d.). To lessen confusion, new coins with similar **value** to the old ones have a similar aspect : e.g. five new pence are one shilling, ten new pence one **florin** (2 s.). The **half-crown** has been

a banknote.........	un billet de banque	epic..............	épique
★ a guinea [gini].......	une guinée	lyrical.............	lyrique
the price............	le prix	an epic	une épopée
a dollar	un dollar		
a cent.............	un cent		
a bill (Am.)	un billet de banque		

9

the cost	le coût
to *cost	coûter
costly	coûteux
expensive, dear......	cher
cheap	bon marché
to *pay so much for sth.	payer qqch. tant
the amount, the sum .	le montant, la somme
money.............	l'argent
the change.........	la monnaie *(que l'on rend)*

LITERATURE

La littérature

10

verse [ə] (sg.)	des vers
a poem, a piece of poetry...........	un poème, une poésie
rhythm	le rythme
rhyme [ai]	la rime
a line..............	un vers
a stanza	une strophe
a poet	un poète

11

literature...........	la littérature
literary	littéraire
an author [ɔ:].......	un auteur
classicism...........	le classicisme
romanticism.........	le romantisme
a play	une pièce de théâtre
a playwright [-rait] ...	un auteur dramatique
a comedy	une comédie
a tragedy	une tragédie
the plot............	l'intrigue
an act	un acte
a scene............	une scène
a soliloquy..........	un monologue
to quote	citer
the theatre [θiətə] ...	→ 98/20-23

12

the set books	les livres du programme
an essay............	un essai, une dissertation
the style............	le style
★ slipshod	négligé
★ affected	maniéré
commonplace	banal
★ hackneyed	rebattu
★ propriety [ai]........	la propriété
correctness	la correction
clarity	la clarté
★ conciseness [sais].....	la concision

withdrawn and a new seven-sided 50 p. coin has taken the place of the old 10 s. **banknote**. The **guinea** no longer exists as a coin. It is chiefly used to mark the **prices** of luxury goods. It is worth 105 pence. The Americans use the **dollar**, which is divided into one hundred **cents**. In America banknotes are called **bills**.

— 9. When you want to buy an article, you must know its **cost**. It may **cost** a lot, be **costly, expensive** (or **dear**). On the other hand it may be **cheap**. When you **pay for** an article, you may not have the exact **amount** (or **sum**) of **money** required. You will be returned the difference : this is called the **change**.

— 10. Very early, children are awakened to a sense of beauty by reading and reciting **verse**, short poems or **pieces of poetry**. English poetry is based on **rhythm** and **rhyme** (the repetition of the same sounds at the ends of successive **lines**). Some poems are divided into **stanzas**. **Epic** and **lyrical** genres were best illustrated by English **poets**. Homer's **epics** are world-famous.

— 11. When older, schoolchildren familiarize themselves with **literature**, the works of the best **authors**, the chief **literary** periods, like **classicism** or **romanticism**.
Shakespeare is the greatest of all **playwrights**. He wrote about 35 plays, both **comedies** and **tragedies**. Pupils study their **plots** and situations, **act** by act and **scene** by scene. Hamlet's **soliloquies** are familiar to all lovers of literature, the world over. Some scholars can **quote** hundreds of lines by Shakespeare.

— 12. Sixth form pupils have a number of **set books** to read up. They also write **essays** and good pupils spare no pains to improve their **style**. They must avoid both **slipshod** and **affected** writing, beware of **commonplace** and **hackneyed** phrases. They should strive after **propriety** and **correctness, clarity** and **conciseness**.

HISTORY
L'histoire

13

an event	un événement
a sovereign [-rin]	un souverain
a statesman	un homme d'état
a warrior [ɔ]	un guerrier
a reformer	un réformateur
a century	un siècle
★ the climax [ai]	l'apogée
★ the decay	le déclin
★ the downfall	la chute
a conspiracy, a plot . . .	un complot
a riot [ai]	une émeute
a rebellion	une révolte
a revolution	une révolution
a war [ɔ:]	une guerre

→ 128/16-25

14

the ancient world	le monde antique
The Middle Ages (pl.).	Le Moyen Age
★ the crusades [-seidz] . .	les croisades
★ a tournament [u]	un tournoi
a knight [k]	un chevalier
★ a coat of mail	une cotte de maille
★ a suit [ju:] of armour .	une armure
★ chivalry [ʃi-]	la chevalerie

15

medieval [ii:]	moyenâgeux

a castle [t]	un château fort
a tower [au]	une tour
★ the keep	le donjon
★ the battlements	les créneaux
★ the moat	le fossé, la douve
★ the drawbridge	le pont-levis
★ a dungeon	un cachot
the Renaissance	la Renaissance
the Reformation	la Réforme
modern times	les temps modernes
a slave	un esclave
slavery	l'esclavage

16

World War I	la Grande Guerre
World War II	la Guerre de 39-45
world-wide	à l'échelle mondiale
fascism [ʃ]	le fascisme
the U.N.O.	l'ONU
capitalism	le capitalisme
communism	le communisme
a dictatorship [ei]	une dictature
the collapse	l'effondrement
nationalism [næ]	le nationalisme
self-determination . . .	l'autodétermination

17

a democracy	une démocratie
the E.E.C., the Common Market	le Marché Commun
the Third World	le Tiers Monde
developed countries . .	les pays industrialisés
less developed countries (L.D.C.'s)	les pays moins avancés (P.M.A.)

– **13.** In learning history we become aware of the great **events** of the past and the famous people whose names stand out through the ages : **sovereigns, statesmen, warriors** and **reformers.** Throughout the **centuries** we watch the **climax, decay** and **downfall** of empires. It is often a gloomy, bloody story of **conspiracies** (or **plots**) and murders, **riots, rebellions** and **revolutions,** and last but not least, endless and bloody **wars.**

– **14.** The **ancient world,** however remote, is very fascinating for young children. The **Middle Ages** offer them the exciting stories of the **crusades** and the colourful pictures of **tournaments. Knights** used to wear **coats of mail** and **suits of armour,** and they had to obey the strict laws of **chivalry.**

– **15.** Every child is fond of visiting a **medieval castle.** He will recognize the tall **towers,** the **keep,** the thick walls crowned with **battlements** and imagine the water-filled **moat.** The **draw-bridge** does not work any longer but he will shudder at the cruel fate of the prisoners thrown into the **dungeons.**
The history of the **Renaissance** and the **Reformation** leads up to **modern times;** an age of important discoveries and countless inventions. But if our forefathers succeeded in abolishing **slavery,** they could not prevent man from gradually becoming the **slave** of the machine.

– **16.** After two World Wars (**World War I** and **World War II,** the latter being a **world-wide** conflict, which ended with the downfall of **fascism**), the United Nations Organization (the **U.N.O.**) tried vainly to bring peace and security to the world. The ensuing years were characterized by a latent conflict (the Cold War) between the U.S.A., the champion of **capitalism** and the U.S.S.R., the birthplace of **communism. Dictatorships** under various forms survived the **collapse** of fascism. The post-war years also marked the end of the colonial period and the birth of **nationalism** among former colonies. Some are still claiming their right to **self-determination.**

– **17.** The Western European **democracies** have joined into an economic union, called the European Economic Community (**E.E.C.**) or **Common Market,** which is trying hard to widen the scope of its activity in the financial and even political fields. Most **developed countries** are situated in the northern hemisphere while **less developed countries (L.D.C.'s)** which make up the **Third World** are found mainly in the soutern one. Another acute problem is

racial discrimination ..	la discrimination raciale	to mix	mélanger
linguistic minorities ..	les minorités linguistiques	the colours [ʌ]	les couleurs
the colour bar	la ségrégation des gens	a brush	un pinceau
	de couleur	a tube [ju:]	un tube
a clash	un choc, un conflit	green	(le) vert
a power	une puissance	blue	(le) bleu
		yellow	(le) jaune
		pink	(le) rose
		red	(le) rouge
		purple	(le) violet

PAINTING

La peinture

20

black	(le) noir
white.	(le) blanc
a hue [hju:], a tint	une teinte, une nuance
glowing.	chaud
brown	brun, marron
dark	sombre, foncé
light	clair
★ gaudy, garish [ɛə]	voyant, criard
★ a daub.	une croûte

18

an artist	un artiste
to paint.	peindre
a painting.	une peinture
a painter.	un peintre
a masterpiece	un chef-d'œuvre
a museum [mjuziəm] ..	un musée
a gallery	un musée de peinture
a fresco, pl. -oes	une fresque
oil painting.	la peinture à l'huile
watercolour	l'aquarelle
abstract	abstrait
figurative	figuratif

21

a portrait	un portrait
to be like	être ressemblant
★ to *sit	poser
★ the sitter	le modèle
★ a still-life	une nature morte
a landscape	un paysage
the foreground	le premier plan
the background.	l'arrière-plan
to *stand out against	se détacher sur

19

★ a canvas	une toile
★ an easel	un chevalet

that of **racial discrimination** and **linguistic minorities**. In South Africa, for instance, all Blacks are excluded from civic and political rights : this is the **colour bar** or apartheid.

Peace is so fragile that a **clash** between the world **powers** is not seriously excluded by futurologists.

– **18.** As far back as we can go in the history of the human race, there have always been **artists**, and cavemen's **paintings** hold their own with many of the world's **masterpieces**. The great **painters** of the past are referred to as the « Old Masters ». Their works may be admired in the world's **museums** and **galleries**. The earliest used to paint **frescoes**. Then when oil colours were invented, **oil painting** became a great art, while **watercolours** continued to flourish. **Abstract** painting is a reaction against the **figurative** art of the past.

– **19.** A painter places his **canvas** on an **easel**. In his left hand he holds the palette on which he mixes his **colours**, and he lays them on with his **brush** held in his right hand. What fine, bright colours he squeezes from his **tubes** and how, by cleverly mixing them, he makes almost any colour ! **Green** by mixing **blue** and **yellow**, **pink** by mixing **white** and **red**, **purple** by mixing blue and red.

– **20.** By **adding** touches of **black** and **white** he can obtain the most delicate **hues** (or **tints**). Titian was the **master** of rich, **glowing** colours. While the dominant hue of many a 19th century painting was **dark brown**, the impressionists re-discovered the beauty of pure, **light** tones.

Gaudy (or **garish**) colours may suit some people's tastes. A coarse, worthless painting is called a **daub**.

– **21.** There are several sorts of paintings. The most difficult perhaps is **portrait-painting**, as the portrait must be **like** the **sitter**, i.e. the person who **sits** for the painter. When an artist paints a **still-fire** he tries to represent inanimate objects. Some of the finest **landscapes** ever painted were inspired by the soft skies and wet air of Britain. In many primitive paintings human figures in the **foreground stand out against** a gold **background**.

22

a drawing	un dessin
to *draw	dessiner
a sketch	une esquisse
the outlines	les contours
light and shade	les clairs et les ombres, le clair-obscur
★ a print	une estampe
★ an engraving	une gravure
★ an etching	une eau-forte

SCULPTURE

La sculpture

23

a sculptor [skʌlptə]	un sculpteur
★ a chisel	un ciseau
to carve	sculpter
marble	le marbre
to model	modeler
clay	l'argile
a statue [stætju:]	une statue
to *cast	fondre, couler
bronze	le bronze
★ a mould [ou]	un moule
★ to erect, to *set up	ériger
plastics	les matières plastiques
rough [rʌf] wood	le bois brut
architecture, churches	→ 94/3-5 → 130/1-3

MUSIC

La musique

24

a musician	un musicien
to play an instrument	jouer d'un instrument
to be musical	→ 27/9
the piano	le piano
to practise [-tis]	s'exercer
to play scales	faire des gammes
★ to scrape	racler
the violin [vai-], the fiddle	le violon
★ a bow [ou]	un archet
to play in tune	jouer juste
out of tune	faux
to tune	accorder
a note	une note
a key [i:]	une touche
★ the keyboard [i:]	le clavier
★ the harpsichord	le clavecin
★ to *strike :	frapper, toucher
★ to pluck	pincer (les cordes)

25

a composer	un compositeur
a symphony	une symphonie
to perform	exécuter
an orchestra [k]	un orchestre
the conductor	le chef d'orchestre
a concert	un concert
★ to *strike up	attaquer
★ to *keep time	suivre la cadence
★ to beat time	battre la mesure

– **22. Drawings** are made mainly with pen or pencil. The artist first **draws a sketch,** that is the general features and **outlines** of the objects, then he darkens some parts to get **light and shade** effects. **Prints, engravings** and **etchings** are some of a number of means used by artists to make copies of their work.

– **23. Sculpture** is as old as painting. A **sculptor** uses a **chisel** to **carve** in wood or stone, **marble** for instance. Or he may **model** a human figure out of **clay.** This is necessary **when a statue** is to be **cast** in metal. **Bronze,** for instance, will be poured into a hollow **mould** having the shape of the statue. Many of the monuments that have been **erected** (or **set up**) in city squares or public parks were made this way.

New materials are being used by modern sculptors, such as **plastics, rough wood** and broken-up cars.

– **24.** Very few people are **musicians,** that is can **play an instrument,** but many **are musical,** that is to say they are fond of listening to **music** of one kind or another. Many boys and girls have music lessons and learn the **piano,** though few love **practising** and **playing scales.** Others will **scrape** the **bow** across the **fiddle** (or **violin**) without ever being able to **play in tune.** When a piano is **out of tune,** it needs **tuning.** The notes are produced by pressing the **keys** of the **keyboard** with one's fingers. The **harpsichord** is also a keyboard instrument, but its strings are not **struck** as in the piano, but **plucked** by quills.

– **25.** Beethoven is acknowledged as the greatest of all **composers.** His **symphonies** are regularly **performed** by **orchestras** all over the world. What a hush in the **concert-hall** when the **conductor** raises his baton, while the orchestra waits readty to **strike up** the opening notes ! How beautifully the 100 musicians or so **keep time** ! But how aggravating the man sitting next to you who keeps **beating time** with his foot !

26

the strings	les cordes
★ a viola [ai]	un alto
★ a cello [tʃ-]	un violoncelle
★ a double-bass [beis]	une contrebasse
the brass [a:]	les cuivres
the wind instruments	les instruments à vent
★ a flute [u:]	une flûte
★ a clarinet	une clarinette
★ an oboe [oubou]	un hautbois
★ a trumpet	une trompette
★ a trombone	un trombone
★ a horn	un cor

27

the percussion instruments	les instruments à percussion
★ a drum	un tambour
★ kettle-drums	les timbales

★ cymbals	des cymbales
a military band	une musique militaire
the bagpipe(s)	la cornemuse
★ a big drum	une grosse caisse
a jazz-band	un orchestre de jazz

28

singing	le chant
a choir [kwaiə]	un chœur, une chorale
an organ	un orgue
to *set to music	mettre en musique
a song	une chanson
the words	les paroles
a tune, an air	un air
★ a verse [ə:]	un couplet
★ the chorus [kɔ:rəs], the burden	le refrain
to *sing in chorus	chanter en chœur
folk [ɬ] music	la musique folklorique, populaire
a protest song	une chanson contestataire
recorded music	→ 27/9

— **26.** An orchestra is composed of stringed instruments or **strings** first: violins, **violas**, **cellos** and **double-basses**. Then there are wood and **brass wind instruments**. The former include the **flute**, the **clarinet** and the **oboe**, the latter the **trumpet**, the **trombone** and the **horn**.

— **27.** Finally there are **percussion instruments**, like **drums**, **kettle-drums** and **cymbals**. A **military band** includes all types of instruments, with the exception of strings. Scottish regiments march past to the shrill music of the **bagpipes**, while the **big drum** marks the rhythm. **Jazz-bands** are specialized in rhythmic, syncopated music.

— **28.** Every child learns **singing** at school and the best will be able to join the school-**choir**. Choir-music is accompanied by a full orchestra and/or an **organ**.
Many well-known poems have been **set to music** by famous composers. A **song** includes the **words** and the **tune** (or **air**). The part of the song which is repeated at the end of each **verse** is the **chorus** (or **burden**) which is **sung in chorus** by all the singers.
Many black and white singers are trying to revive traditions by writing **folk music** and singing negro-spirituals and gospel songs. On the other hand **protest songs** are rarely heard on the radio, in France at least.

THE LIGHTER SIDE

The teacher of English was trying to drum into his class the importance of a large vocabulary. "I assure you", he said "if you repeat a word 10 or 12 times, it will be yours forever".
In the back of the room a girl took a deep breath, closed her eyes and whispered, "Harry, Harry, Harry..."

●

The mathematics master retired from teaching and moved to a cottage by the sea which he called After Math.

●

Teacher: "What tense would you be using if you said, I have money?".
Student: "Pretense".

●

Father: "How did Bill do in his history examination?".
Sympathetic mother: "Oh, not at all well, but then, it wasn't his fault. His teacher asked him things that happened before the poor boy was born!".

●

VIII. — THE HUMAN BODY
LE CORPS HUMAIN

1

tall	grand
big	grand, gros
stout [au]	solide
a giant [dʒai-]	un géant
small, short	petit, de petite taille
a dwarf [ɔ:]	un nain

2

the figure	la silhouette, la tournure
to *keep one's figure	garder la ligne
plump	dodu, potelé
fat	gras
to *put on weight . . .	prendre du poids
to slim	s'amincir → 25/18
slim	mince
thin, lean, lanky	maigre
gaunt [ɔ:]	décharné

3

the skeleton	le squelette
a bone	un os
a joint	une articulation
a nerve [ə:]	un nerf
a muscle [e]	un muscle
the flesh	la chair
the skin	la peau
to *make s.o.'s flesh *creep	donner la chair de poule
the head	la tête
the skull [ʌ]	le crâne

the brain	le cerveau
an organ	un organe

THE FACE
Le visage

4

ugly	laid, repoussant
beauty [ju:]	la beauté
pretty	joli
attractive	séduisant
beautiful, good-looking	beau, belle, admirable
plain	laid, sans charme
handsome [d]	beau, bien fait
the complexion	le teint
★ blooming	florissant
★ ruddy	vermeil
sunburnt	hâlé
pale	pâle
★ wan [ɔ]	blême

5

the features	les traits
the forehead [fɔrid], the brow [au]	le front

— **1.** The size of the human body varies greatly among different races. A boy can be **tall** for his age. An English policeman must be a **big, stout** man. An exceptionally tall man is a **giant.** Some African negroes are very **small** (or **short**); they are almost **dwarfs.**

— **2.** A lady is very anxious to **keep her figure.** Her terror is to become **plump,** even **fat.** If she shees she is **putting on weight,** she will go on a **slimming** diet to become **slim** again. When a man is too **thin** (**lean** or **lanky**), he ought to go and see his doctor. In India, where famine is rampant, the sight of **gaunt, lank** men is not uncommon.

— **3.** The **skeleton** is composed of a number of **bones,** articulated with each other — the **joints.** Their movements are commanded by **nerves** and executed by **muscles.** The bones are surrounded with **flesh** and the flesh covered by the **skin.** A frightful sight will **make your flesh creep.**
The **head** contains an essential **organ,** the brain, well protected by the **skull.**

— **4. The human face** has inspired thousands of painters. Some have been attracted by **ugly** faces. But the majority have paid hommage to feminine **beauty.** A woman's face can be **pretty** or **attractive.** You speak of a **beautiful, good-looking** woman. No artist can be inspired by a **plain** face.
Apollo was the **handsomest** of Greek gods. There is no pretty face without, a fine **complexion.** A healthy girl has a **blooming,** even **ruddy** complexion. At the end of summer, holiday-makers are **sunburnt.** Town-dwellers often have **pale,** even **wan** faces.

— **5.** Faces are characterized by their different **features.** At the top of the face is the **forehead** (or **brow**).

a wrinkle [w]	une ride
the nose	le nez
the cheeks	les joues
the ears	les oreilles
the eyes [aiz]	les yeux
the eyebrows	les sourcils
the eyelashes	les cils
the eyelids	les paupières

6

the mouth	la bouche
the upper lip	la lèvre supérieure
a tooth, pl. teeth	une dent
the tongue [ʌ]	la langue
the palate [pælit]	le palais
the moustache [-ta:ʃ]	la moustache
the lower jaw	la mâchoire inférieure
the chin	le menton
a beard [iə]	une barbe
the cheekbones	les pommettes

7

the hair (sg.)	les cheveux, la chevelure
a hair, pl. hairs	un cheveu, un poil
bald [ɔ:]	chauve
a wig	une perruque
★ to *make s.o.'s hair stand on end	faire dresser les cheveux sur la tête
a lock	une mèche
a curl	une boucle
★ sleek	lisse, luisant
wavy [ei]	ondulé
curly	bouclé
a blonde	une blonde
a brunette	une brune
fair	blond
dark	brun

| auburn | châtain clair |
| to dye | teindre |

THE TRUNK

Le tronc

8

the neck	le cou
the back	le dos
straight	droit
bent	voûté
the breast [e]	1. la poitrine
	2. le sein
the chest	la poitrine
the ribs	les côtes
the backbone	la colonne vertébrale
the lungs	les poumons
to breathe [i:]	respirer
★ to gasp for breath [e]	haleter
★ to stifle [ai]	(s') étouffer
★ to choke [tʃouk]	(s') étrangler

9

the heart [a:]	le cœur
blood [ʌ]	le sang
the arteries	les artères
the veins	les veines
to *beat	battre
★ to throb	palpiter
to *bleed	saigner
the waist	la taille
slender	mince, élancé
the hips	les hanches
the liver	le foie
the stomach [k]	l'estomac
the belly	le ventre

Wrinkles there are the signs of age or worry. In the middle of the face is the **nose** with the two **cheeks** and the two **ears** on either side. **Eyes** are very delicate organs : so they are protected by **eyebrows** and **eyelashes**. When you go to sleep you close your **eyelids**.

— **6**. The **mouth** includes the two **lips**, the **teeth**, the **tongue** and the **palate**. Some men grow a **moustache** on their **upper lip**. The teeth are implanted in the **jaws**. The point of the **lower** jaw is the **chin**. Some men grow **beards** round their faces. Asiatic races have prominent **cheekbones**.

— **7**. The **hair** grows on the top of the head. If a man's hair falls out, he will become **bald**. Some bald men wear **wigs**. A frightful sight will **make your hair stand on end**. Romantic people keep a **lock** or a **curl** from the person they love.

Girls grow their hair long or short, **sleek** or **wavy**, even **curly**, according to the fashion. A **blonde** has **fair** hair, a **brunette dark** hair. Hair can also be **auburn**, red, grey and white in old age. If a woman wants to change the colour of her hair, she has to **dye** it.

— **8**. The **neck** joins the head to the **trunk**. Schoolchildren must sit very **straight**, if they don't want their **backs** to become **bent**. A man's **breast** may be hairy. A young mother gives her baby the **breast**.

The **chest** contains very important organs, protected by the **ribs** which are joined to the **backbone**. A man breathes with his **lungs**. Miners trapped in a coal-mine will **gasp for breath** and **stifle** to death. A greedy dog will **choke** when trying to swallow a big bone.

— **9**. The **heart** sends the **blood** along the **arteries** and veins. It **beats** regularly, but will sometimes **throb** with fear or joy. Molière's doctors used to **bleed** their patients repeatedly.

The narrowest part of the trunk is the **waist**, with the **hips** on each side. An elegant woman has a **slender** figure. The other important organs in the trunk are the **liver** and the **stomach**. « Belly » is still considered an improper word by some.

Les membres

10

a limb [b]	un membre
the arms	les bras
to shrug one's shoulders [ou]	hausser les épaules
the elbow	le coude
the wrist [w]	le poignet
the forearm	l'avant-bras
the right hand	la main droite
the left hand	la main gauche
to be left-handed	être gaucher
the fingers	les doigts
the thumb [b]	le pouce
the nails	les ongles
the fist	le poing
the knuckles [k]	les articulations du doigt

the legs	les jambes
the thigh [θai]	la cuisse
the knee [k]	le genou
the calf [ł]	le mollet
the ankle	la cheville
the foot, pl. feet	le pied
the toes [ou]	les orteils
the sole	la plante du pied
the heels	les talons

12

bare	nu
barefoot(ed)	nu-pieds
bareheaded	tête nue
to *stand in water . . .	avoir de l'eau
ankle-deep	jusqu'aux chevilles
knee-deep	jusqu'aux genoux
naked [id]	tout nu

– **10.** There are four **limbs.** The two **arms** are connected to the body at the **shoulders.** It is very impolite to **shrug one's shoulders.** The other joints of the arm are the **elbow** and the **wrist.** The latter joins the **forearm** to the **hand.** We have two hands, the **right** hand and the **left hand,** but some of you may be **left-handed.** You have four **fingers** and a **thumb.** At the end of each finger is a **nail.** When you close your hand, then **the knuckles** stand out on your **fist.**

– **11.** The other two limbs are the **legs,** with the **thigh,** the **knee,** the **calf,** the **ankle** and the **foot.** The different parts of the foot are the five **toes,** the **sole** and the **heel.**

– **12.** When you are on the beach you are always **barefoot,** sometimes **bareheaded.** When you enter the sea for your bathe you **stand in water ankle-deep,** then **knee-deep.** When you are going to take a shower you take off all your clothes and stand **naked.**

THE LIGHTER SIDE

The human brain is a wonderful thing. It starts working the moment you are born, and never stops until you stand up to speak in public.

●

Doctor : "You have only your strong constitution to thank for your recovery"
Patient : "Remember that, Doc, when you send the bill"

●

Joan : "What did one tonsil say to the other tonsil ?"
Alice : "I don't know"
Joan : "Get dressed. The doctor is taking us out tonight"
(a tonsil : une amygdale)

"Why are you standing in front of that mirror with your eyes shut ?"
"I just want to see what I look like when I'm asleep"

●

"Part my hair exactly in the middle", said the customer.
"I'll have to put one hair out, sir", replied the barber, looking closely at him. "You have five"

●

"Madam, what do you mean by letting your child snatch off my wig ?"
"Your wig ? Oh, thank goodness ! I was afraid that he had scalped you".

IX. – HEALTH – *LA SANTÉ*

1

sound	sain, robuste
healthy	en bonne santé
illness	la maladie
to be ill, sick	être malade
out of sorts	mal en train
to *feel poorly	être souffrant
★ to sprain	fouler
to *break	fracturer
to *get *hurt	se blesser, se faire mal
to be injured [-ʒəd]..	
to be wounded [u:].	être blessé
an injury	une blessure, un tort
a wound [u:]	une blessure
a scar	une cicatrice

ILLNESS

La maladie

2

sickly..............	maladif
an invalid	un grand malade
to be unwell	être en mauvaise santé
to *feel sick.........	avoir mal au cœur
to be sick, to vomit..	vomir
to *catch a chill	prendre froid
to shiver...........	frissonner
to *blow one's nose .	se moucher
a bad cold	un gros rhume
to sneeze	éternuer
to cough [kɔf].......	tousser
to have a sore throat	avoir mal de gorge
to *send for the doc-tor	faire venir le docteur

3

what is the matter with you ?	qu'avez-vous ? de quoi souffrez-vous ?
★ to feel the pulse [ʌ]...	tâter le pouls
★ to sound	ausculter
★ blood [ʌ] pressure [ʃ]..	la tension
a temperature, a fever [i:]..............	la fièvre
a prescription	une ordonnance
a drug, a medicine...	un médicament
a pill	une pilule
a chemist's [k-], a drugstore (Am.)...	une pharmacie
★ a patent [ei] medicine .	une spécialité
an upset stomach ...	l'estomac dérangé
a diet [daiət]........	un régime

4

a headache [-eik].....	un mal de tête
a pain	une douleur
slight...............	léger
an aspirin	un comprimé d'aspirine
to have toothache [-eik].............	avoir mal aux dents
to ache [eik]	faire mal
to *swell	enfler
the dentist..........	le dentiste
to have a tooth pulled out, filled	se faire arracher, plomber une dent
painful..............	douloureux
★ to *feel dizzy, giddy .	avoir des vertiges
★ to faint	s'évanouir
★ to swoon, to pass out	avoir une syncope

— 1. A man who has a **sound** constitution is said to be **healthy**, to enjoy good **health**. Mr. Jones has never had a day's **illness**, he is never **ill** (Am. **sick**), even **out of sorts**, he never **feels poorly**. Yet he has had many accidents. When young he **sprained** his ankle and **broke** his leg while playing rugby. He fell from a horse and **got hurt** several times. During the war he was badly **injured** (or **wounded**); he received severe **injuries**; and he has a **scar** (i.e. the mark of a **wound**) across his chest.

— 2. Mrs. Jones on the contrary has a **sickly** constitution. She was an **invalid** for many years, and even now is often **unwell**.
After eating too much one may **feel sick** and **be sick** (or **vomit**). If you **catch a chill**, you will shiver and **blow your nose** repeatedly. If you have a **bad cold** you sneeze and **cough**. You **have a sore throat**. You had better **send for the doctor**.

— 3. To know **what the matter is with you** the doctor will **feel your pulse**, **sound** your chest and take your, **blood pressure**. If you have a high **temperature** (or **fever**) he orders you to stay in bed. He writes out a **prescription**, ordering some **drugs** (or **medicines**) and **pills** that your mother will buy at the **chemist's**. Chemists' shelves are crammed to overflowing with **patent medicines**.
If a man has **an upset stomach**, the doctor will put him on a **diet**;

— 4. If you have a **slight headache** or a **pain** in the back, just take an **aspirin**. If you have **toothache** (if your tooth **aches**) and your cheek is **swollen**, you must go to the **dentist's** to have your bad tooth **pulled out** or **filled**. This may be **painful**.
When Ann sees blood, she feels **giddy** (or **dizzy**). She almost **faints** or **passes out**.

DISEASES

Les maladies

5

the flu...............	la grippe
a contagious disease .	une maladie contagieuse
★ the measles [i:]......	la rougeole
★ the mumps.........	les oreillons
★ scarlet fever [i:]......	la fièvre scarlatine
★ typhoid [ai] fever.....	la fièvre typhoïde
a fit, a stroke.......	un accès, une attaque
fatal [ei].............	mortel
★ the plague [pleig].....	la peste

6

a hospital...........	un hôpital → 122/16
a nurse.............	une infirmière
to look after, to tend	soigner
a patient [pei∫nt].....	un malade
to dress............	panser
★ to smart............	causer une douleur vive
a surgeon [sə:dʒn]...	un chirurgien
★ an organ transplant..	une greffe d'organe
X-rays [eks].........	les rayons X
a nervous breakdown	une dépression
mad, insane.........	fou, aliéné
a lunatic asylum [-sai-]	un asile d'aliénés
a mental home......	une maison de santé
a psychologist [sai-]..	un psychologue
★ a psychiatrist [saikai]..	un psychiâtre
the National Health Service.........	→ 122/14,16

7

to heal.............	guérir, se cicatriser
★ plastic surgery......	la chirurgie esthétique

to cure.............	Guérir (un malade ou une maladie)
tuberculosis, T.B.....	la tuberculose
to recover..........	guérir, se remettre
to improve..........	s'améliorer
to *get well.........	se rétablir
a recovery..........	une guérison
★ a relapse............	une rechute
a checkup...........	un bilan de santé

DEATH

La mort

8

life, pl. lives.........	la vie
to *make one's will..	faire son testament
the heirs [h].........	les héritiers
★ to breathe one's last .	rendre le dernier soupir
to die.............	mourir
a dead man.........	un mort
the deceased [-si:st]..	le défunt
the corpse..........	le cadavre
★ a shroud............	un linceul
a coffin............	un cercueil
the burial [e]........	l'enterrement
to bury [e]..........	enterrer
★ to *go into mourning [ɔ:].............	prendre le deuil

9

★ the hearse [ə:]......	le corbillard
★ to toll the knell [k]...	sonner le glas
a grave, a tomb [tu:m]	une tombe
a churchyard........	un cimetière
a cemetery..........	un cimetière de ville
an undertaker, a mortician (Am.)........	un entrepreneur de pompes funèbres
the funeral (sg.)......	les funérailles
late................	feu, défunt

– 5. In winter many people catch **flu**. Few children can escape one of many **contagious diseases** : the **measles**, the **mumps**. **Scarlet fever** and **typhoid fever** are more serious. Old people are subject to **fits** or **strokes**. These may prove **fatal**. During the Middle Ages millions of people died of the **plague**.

– 6. When a man is dangerously ill he will be taken to **hospital**. A **nurse tends** the **patient** and **dresses** his wounds. They may **smart** ! She helps the **surgeon** when he performs an operation e.g. an **organ transplant**. **X-rays** are essential to detect internal disorders.
Many people nowadays suffer from **nervous breadowns**. They may even go **mad** (or **insane**) and have to be taken to a **lunatic asylum** or a **mental home**, **where psychologists** and **psychiatrists** will **look after them**.

– 7. However serious, any wound can **heal**. **Plastic surgery** can even restore parts of a man's body, after an accident for instance. Bad diseases can be **cured**, for instance **tuberculosis**, commonly called **T.B**. When a patient **recovers**, his health **improves**, he **gets well** again. All rejoice at his **recovery**. If this recovery is momentary, a **relapse** may follow and end with **death**. Every one should undergo periodical **check-ups** to ascertain their health.

– 8. The problems of **life** and death have always tormented mortal man. A man may **make his will**, leaving his fortune to his **heirs**, long before he **dies (breathes his last)**. The body of a **dead** man is called the **corpse**. It is wrapped in a **shroud**, and put in a **coffin**. When the day for the **burial** comes, the relations of the **deceased** go into **mourning**.

– 9. The corpse is put on a **hearse** and taken to church, while the bells **toll the knell**. It is **buried** in a **grave** (or **tomb**) in the **churchyard**, or **cemetery** (in a large town). The man in charge of a **funeral** is an **undertaker** (Am. a **mortician**).
In 1910 multitudes attended the funeral of the **late** King, Edward VII.

X. – THE FIVE SENSES – *LES CINQ SENS*

SIGHT

La vue

1

to *see	voir
within sight	à portée de vue
long-sighted	presbyte
short-sighted	myope
sharp-sighted	à la vue perçante
spectacles, glasses ..	des lunettes
★ contact lenses	des verres de contact
★ binoculars	des jumelles

2

one-eyed [aid]	borgne
★ to squint	loucher
blind [ai]	aveugle
the blind (inv. pl.)	les aveugles
blindness	la cécité
★ to *read oneself blind	perdre la vue à force de lire
★ to grope one's way ..	se diriger à tâtons

3

to look, to have a look (at)	regarder

(suite)

to look + adjectif......	sembler, paraître
he looks as if.........	on dirait qu'il...
to look after,........	prendre soin de,
to *see to	veiller sur
to *keep a look-out ..	être aux aguets, de vigie
to look like..........	ressembler à
to look for	chercher (des yeux)
to *go in search [ə:] of	aller à la recherche de
to *find.............	trouver, retrouver

4

to watch............	observer, suivre
to *catch a glimpse of	apercevoir
to *make out........	distinguer
to peer (at)..........	scruter du regard
to glance, to *steal a glance (at)	jeter un coup d'œil (furtif)

5

to gaze (at)..........	contempler
to frown (at)	regarder d'un air sévère
to peep (at)	regarder à la dérobée
to gape (at)	regarder bouche bée
to stare (at)	regarder fixement, dévisager
to wink (at)	lancer un clin d'œil
in the twinkling of an eye..............	en un clin d'œil
to glare at....	regarder avec colère

– 1. **Sight** (or **eyesight**) is the sense of **seeing**. Normally a man can perceive all that is **within sight**. But not everybody's sight is normal. A man may be **long-sighted** or **short-sighted** : then he must wear **spectacles** (or **glasses**), or possibly **contact lenses**. A **sharp-sighted** boy needs none. But if he wants to improve his long-distance vision, he can use **binoculars**.

– 2. Some people are **one-eyed**, others **squint**. People who cannot see at all are **blind**. **The blind** suffer from **blindness**. Milton, the English poet, is said to have **read himself blind**. When you are in the dark, you are like a blind man, you must **grope your way round**.

– 3. **Look** (or **have a look**) at Paul. He **looks** tired. **He looks as if** he was going to cry.
A good mother **looks after** (or **sees to**) her children.
A sailor on watch must **keep a look-out**.
She **looks like** her mother more and more, doesn't she ?
If you have lost your watch, you must **look for** it (or **go in search of** it) before it is too late.
Otherwise you may not **find** it.

– 4. You can **watch** a football match on you TV set.
If you are travelling on a fast train, you just **catch a glimpse of** the stations, you can't **make out** their names.
To know the time, you need not **peer at** your watch; you just **glance** (or **steal a glance**) **at** it.

– 5. A picture collector **gazes at** a painting he wants to buy. If he does not like it, he will **frown at** it.
The little girl **peeped** through the keyhole and stood **gaping** with astonishment.
All the people in the room **stared at** the newcomer.
Tom **winked at** his sister. Look ! and the conjuring trick was done **in the twinkling of an eye** but when he broke the vase, how his mother **glared at him**.

HEARING
L'ouïe

6

to *hear	entendre
★ hard of hearing	dur d'oreille
stone-deaf [e]	sourd comme un pot
to *hear from s. o. ...	recevoir des nouvelles de qqn.
to *hear of, about ...	entendre parler de
to *hear that	entendre dire, apprendre que
to sound	résonner, sembler
★ out of hearing	trop loin pour entendre
★ within earshot	à portée de voix

7

silent [ai]	silencieux
silence [ai]	le silence
to listen to [t]	écouter
a noise	un bruit, un tapage
noisy	bruyant
noiseless	silencieux, sans bruit
a sound	un bruit, un son
audible	perceptible
sharp, shrill	aigu, perçant
dull	sourd (bruit)
★ muffled	étouffé
harsh	discordant, strident
loud	fort, sonore
faint	faible
deafening [e]	assourdissant

SMELL
L'odorat

8

a smell, an odour	une odeur
to *smell (of)	sentir
a scent [e], a per-fume	un parfum, une senteur
sweet-smelling, fra-grant [ei]	parfumé, odorant
to *smell nasty	sentir mauvais
to *stink	puer, empester
evil-smelling, foul [au]	malodorant
scentless [e]	inodore
to sniff	renifler

TASTE
Le goût

9

to taste	goûter, déguster
a flavour	une saveur, un arôme
bitter	amer
sweet	doux, sucré
tasteless	insipide
to *spit	cracher
to taste nice/nasty ..	avoir bon/mauvais goût

TOUCH
Le toucher

10

to touch [ʌ]	toucher
rough [r ʌ ʃ]	rugueux
smooth	lisse
soft	doux, mou
hard	dur

— **6. Hearing** is almost as important as sight. A man who does not **hear well** is **hard of hearing**. If he does not hear at all, he is **deaf**, even **stone deaf**.
Since my brother left for America six months ago, we have not **heard from** him. It does **sound** strange !
Have you **heard that** she is going to marry him ? No, I have not **heard of** (or **about**) it.
If a man is too far to be heard, he is **out of hearing** (opp. **within earshot**).

— **7.** Pupils must keep **silent** and **listen to** the master in complete **silence**. If they make a **noise** (if they are **noisy**) they will be punished. But some **sounds** are **audible** even in a **noiseless** classroom : the **sharp** (or **shrill**) whistle of the gym-master outside, the **dull muffled** noise of the traffic in the street, the **harsh** voice of the angry master in the next room.
When a pupil answers he must speak **loud** enough. A timid boy will speak in a **faint** voice. If all the pupils answer at the same time, what a **deafening** noise !

— **8.** The sense of **smell** is more developed among animals than among men. There are many **smells** (or **odours**), either pleasant or unpleasant. When there is an escape of gas in a house, it **smells of** gas. A pleasant smell is a **scent** (or **perfume**). A flower is **sweet-smelling** (or **fragrant**). Car exhausts **smell nasty**. They are **evil-smelling** (or **foul**). Rotten meat **stinks**. Many things are also **scentless**. When you want to recognize a smell, you must **sniff**.

— **9.** Things can also be known from their **taste**. Tea or wine has a special **flavour**, which is recognized by **tasting**. A liquid can be **bitter** or **sweet**. The food may be **tasteless**. If it **tastes** really **nasty**, you **spit** it out, but not if it **tastes nice**.

— **10.** The last of the five senses is **touch** (or **feeling**). When you **touch** an orange, it feels **rough** and **soft**. A cricket ball is **smooth** and **hard** to the touch.

SPEECH

La parole

★ to bawl [ɔ:] out......	brailler, hurler
to scream, to shriek .	pousser des cris perçants
to yell, to howl oneself hoarse [a]........	s'enrouer à force de crier
to cheer	acclamer

11

to be speechless	rester sans voix
to *speak	parler
★ to utter............	émettre, prononcer
dumb [b]	muet
deaf-and-dumb	sourd-muet
mute	muet, non prononcé
to pronounce........	prononcer
to stress...........	accentuer
the stress..........	l'accent tonique

13

to *make a speech ..	faire un discours
to talk [tɔ:k]........	parler, causer
to chat, to have a chat	causer, bavarder
talkative [tɔ:k-]	bavard
★ to chatter, to gossip .	bavarder, papoter
★ to hush............	faire taire

12

the voice	la voix
a howl [au].........	un hurlement
a whisper..........	un murmure
to whisper	chuchoter
★ to mumble	marmonner
★ to mutter...........	murmurer, grogner
★ to stammer	bredouiller
to cry (out).........	crier, s'écrier
to shout [au]........	crier

14

to *say sth. (to s. o.).	dire qqch. (à qqn.), réciter qqch.
to *tell s. o. (sth.)....	dire, raconter (qqch.) à qqn.
to *tell s. o. about sth.	parler de qqch. à qqn.

— 11. The mouth and the throat contain the organs of **speech**. You may be **speechless** with surprise or fear, but a person who is unable to **speak** or to **utter** sounds is **dumb**. Some people are **deaf-and-dumb**.

A letter which is not pronounced is **mute**, e. g. the « b » in dumb. To speak English well you must know where the **stress** comes, you must **stress** the right syllable.

— 12. A man's **voice** can range from a **whisper** to a **howl** of anger. In a sick person's room people **whisper**. A tired child **mumbles** his evening prayer.

When a candidate hesitates for an answer, he **stammers**.

A drowning man **cries** for help.

When Colombus's sailors saw the land they **shouted** for joy.

If an officer **bawls out** a stupid order, some angry **muttering** may be heard from the ranks.

A horrible sight will make a woman **scream** (or **shriek**).

The crowd at the boxing match **yelled** (or **howled**) **themselves hoarse,** and had no voice left to **cheer** the winner.

— 13. A man may be afraid of speaking in public (or **making a speech**); but he will enjoy **talking** (holding a conversation) with his friends. Girls like to **chat** (or **have a chat**) together. A girl who cannot hold her tongue is **talkative**. Some idle people will **chatter** (or **grossip**) for hours. There is no **hushing** them !

— 14. You **say** good morning to a person you meet. You **say** yes or no to a proposal. You **say** that your watch is slow, or you **say** « my watch is slow ». At school you **say** your lesson.

You **tell** your friend a story. You **tell** somebody a piece of news. You **tell** a person what you think of him (or her). You **tell** your friend **about** your holidays.

XI. – BODILY ACTIVITY
L'ACTIVITÉ CORPORELLE

MOTIONS
Les mouvements

4

1

to move [u:]	bouger, se déplacer
a movement [u:]	un mouvement
a gesture	un geste
★ to nod assent	faire oui de la tête
★ to beckon	faire signe
to *shake hands with s. o.	donner une poignée de main à qqn.
to wave good-bye . . .	agiter la main en signe d'adieu

motionless, still	immobile
to *lie, to be lying . . .	être couché
to stir [ə:]	bouger, remuer
to be *standing	être debout
to be *kneeling [k] . . .	être agenouillé
to be *sitting	être assis
to * lean	(s')appuyer

5

to *sit down	s'asseoir
to *sit up	se mettre sur son séant
to *lie down	se coucher, s'étendre
to *stand up	se mettre debout
to *get up, to *rise (lit.)	se (re)lever

2

strong	fort
strength	la force
able-bodied [-did]	vigoureux, valide
★ sturdy, lusty (lit.)	robuste, vigoureux
skill	l'adresse, l'habileté
skilful, clever [e]	adroit, habile
clumsy [klʌmzi], awkward [ɔ:kwəd]	gauche, maladroit

5 bis

to *go, to *come, to *get,
ou tout autre verbe de mouvement, suivis des
adverbes   exprimant une
ci-dessous :   idée de :

up	monter, s'approcher
down	descendre, s'éloigner
up and down, to and fro	aller et venir, faire les cent pas
in	entrer
out	sortir
away	s'éloigner
back	revenir
again	recommencer
along	s'avancer, suivre
by, past	passer devant ou auprès
across	traverser
through, thru (Am) . . .	traverser, franchir

3

disabled [dis-]	invalide
★ a cripple	un estropié, un infirme
★ to limp	boiter
★ lame	boiteux, estropié
★ a hunchback	un bossu
weak	faible, chétif
weakness	la faiblesse

– **1. Motion** characterizes animals, as opposed to minerals and plants. Man's muscles enable him to **move**, to make **movements** and **gestures**. For instance you **nod assent** with a movement of your head, you **beckon** to a friend with your finger, then you **shake hands with** him and when he goes you may **wave good-bye** to him.

– **2.** When a man has enough **strength** (or is **strong** enough) to work he is said to be **able-bodied**. All athletes must be **sturdy** (or **lusty**). Another important physical quality is **skill**. A potter must be very **skilful** (or **clever**) with his hands. If he is **clumsy** (or **awkward**), he will spoil all he does.

– **3.** A war leaves thousands of men **disabled**. A **cripple limps** along. Quasimodo, the celebrated « **hunchback of** Notre-Dame », was also **lame**. Some people, even with normal constitutions, lack physical strength : they are **weak**. Their **weakness** may be a great handicap.

– **4.** When a man is dead, he **lies motionless** on his death-bed. Nothing **stirs** in the room. Some of the people present **are standing**, others **are kneeling**, saying prayers. An old woman **is sitting** on a chair, **leaning** her head on her hands.

– **5.** The doctor has come to visit Paul who **is lying** in bed. He **sits down** by Paul's bed. Paul, who feels better, now **sits up**. When the doctor **stands up** to go out, Paul **lies down** again. To-morrow he will be able to **get up** (or to **rise**).

over	franchir, survoler, recouvrir
round..............	contourner, se retourner
about..............	circuler, disperser
on................	continuer, mettre
off	séparer, enlever

WALKING AND RUNNING

Marcher et courir

6

to walk [wɔːk]	marcher, se promener
a step	un pas
to follow	suivre
★ the gait............	la démarche
★ the pace	l'allure
quick	rapide
slow...............	lent
★ to saunter [ɔː], to loiter	flâner, s'attarder
to hurry, to hasten [heisn] (lit.)	se hâter, se dépêcher
to *hang about	rôder, traîner

7

to *stride	marcher à grands pas
a stride	une enjambée
★ to stalk [stɔːk]	marcher d'un pas majestueux
to march...........	marcher au pas
on tiptoe [-tou]	sur la pointe des pieds
to *creep, to *steal ..	se glisser furtivement
★ to plod	marcher péniblement
★ to shuffle	traîner les pieds
★ to tramp...........	cheminer

to wander [ɔ], to roam	errer, vagabonder

8

★ on all fours	à quatre pattes
★ to toddle, to totter ..	marcher à pas chancelants
★ to reel, to stagger ...	tituber
★ to stumble..........	trébucher
★ to trip s.o. up	faire un croc-en-jambe à qqn.
to slip	glisser
to *keep one's balance	garder l'équilibre
to *fall	tomber
to drop	(se) laisser tomber
to pick up	ramasser

9

to turn round	faire demi-tour
to jump, to *leap	sauter
to *run away	s'enfuir
★ to *take to one's heels	prendre ses jambes à son cou
to rush, to dash, to dart............	s'élancer, se précipiter
★ to *tear [ɛə]........	aller à toute vitesse
athletics	→ 53/8

10

★ to bow [au].........	saluer, s'incliner
★ a bow [au]...........	un salut
★ to stoop	se baisser
to fold one's arms ...	se croiser les bras
to *bend............	courber, baisser
to climb (up) [b]......	grimper, gravir
to climb down [b]	redescendre

— 5 bis. Many examples of the uses of the above adverbial particles will be found in the present chapter.

— 6. The most natural way of moving about is **walking**. You walk by successive **steps**. When you **follow** a man in the street, you may know him by his **gait**. He may walk at a **quick** or a **slow pace**. If a schoolboy leaves home early, he can **saunter** (or **loiter**) to school. But if he does not want to **be late**, he must **hurry** (or **hasten**).
When the manager locked the factory gates, many men kept **hanging about**.

— 7. A man in a hurry **strides** along (or walks with long **strides**).
The lord-mayor **stalked** angrily into the council chamber.
Soldiers **march** past in perfect order when on parade.
A burglar walks **on tiptoe** : he **creeps** (or **steals**) into a room.
An old, tired man **plods** and **shuffles** along.
In the Middle Ages thousands of pilgrims would **tramp** all over Europe to Compostella.
There are still many **wandering** (or **roaming**) tribes in Africa.

— 8. After going **on all fours**, a baby will **toddle** (or **totter**) along.
A drunken man **reels** (or **staggers**) to and fro.
If you **stumble** over a stone or if a boy **trips** you **up**, or again if you **slip** on an orange peel, and you cannot **keep your balance**, you are sure to **fall**.
Perrette **dropped** her milk pot which broke. She did not even **pick up** the pieces.

— 9. When the burglar saw the policeman he **turned round, jumped** (or **leapt**) over a wall and **took to his heels** (or **ran away**).
The angry man **rushed** (or **dashed**, or **darted**) out of the room.
The police car **tore** along in a cloud of dust.

— 10. When he greets a lady, a gentleman **bows** (or makes a **bow**).
You must **stoop** to pick up something from the floor.
The boy listened to his father's reprimand with **folded arms** and his head **bent**.
It often takes longer to **climb down** a mountain than to **climb up**.
The boy who had fallen into a deep trench had to **scramble** out.

CATCHING AND THROWING

Attraper et lancer

11

to *take	prendre
to seize [i:]	saisir
to *catch	attraper
to *hold	tenir
to carry	porter
to grab	saisir vivement
to grasp	empoigner
to clutch (at)	s'agripper à
to *cling to	se cramponner à
to clasp	étreindre

12

to squeeze	presser
★ to *wring [w]	tordre
to twist	tordre, retourner
★ to wrench [w]	arracher de force
to *strike	frapper
a blow	un coup
★ to clench	serrer (poings, dents)
to stretch (out)	allonger, tendre
boxing	→ 53/9

13

★ to stroke	caresser
to *beat, to thrash . . .	battre, rosser
a fight	une bataille
a struggle	une lutte, une mêlée

to *make for	gagner, se diriger vers
★ to *fight one's way through	se frayer un passage
to reach	atteindre
★ to *tread (on)	marcher sur
★ to trample	fouler aux pieds, écraser

14

to push [u]	pousser
to pull [u]	tirer
to *draw	tirer, traîner
to raise	soulever
to drag	traîner avec peine
★ to *thrust	enfoncer, fourrer

15

to *throw to	lancer à (pour attraper)
to *throw at	lancer à (pour blesser)
★ to *fling, to hurl	lancer, jeter avec violence

16

tired out [taiəd], exhausted	épuisé
★ weary [iə]	las
to stop	(s')arrêter
to rest, have a rest . .	se reposer
rest	le repos
fatigue	la fatigue
lively [ai], restless	vif, remuant
to *keep still, quiet [kwaiət]	rester tranquille

- 11. A man can do many things with his hands : he can **take** or **seize** objects, **catch** them, **hold** and **carry** them.
At the end of the game, the player **grabbed** the money from the table.
In a gesture of defence, he **grasped** a stick.
A drowning man will **clutch at** a straw. A frightened baby **clings to** its mother.
The pround father **clasped** his son to his breast.

- 12. You **squeeze** a lemon to get out the juice.
The farmer kills a pigeon by **wringing** its neck.
The angry man **twisted** the poor boy's arm, who was unable to **wrench** himself free.
A man who wants to **strike** (or to strike a **blow**) at someone else **clenches** his fist and **stretches out** his arm.

- 13. Cats like being **stroked**.
No schoolboy likes being **beaten** (or **thrashed**).
A quarrel may end in a general **fight** or **struggle**.
The panic-stricken crowd **made for** the exit. The strongest ones tried to **fight their way through** it, in the hope of **reaching** the door first; they had to **tread** on many human bodies. Some children were **trampled** to death.

- 14. The master **pulled** the ear of the boy who has **pushed** his schoolfellow down.
The boat was **drawn** up on the beach.
As they could not **raise** the body, they **dragged** it along.
No well-bred boy will **thrust** his hands into his pockets.

- 15. You **throw** a stick **to** a dog if you want him to carry it back. You **throw** a stone **at** a dog if you want to frighten it away.
The rioters **flung** (or **hurled**) stones and bricks at the police.

- 16. A violent or prolonged effort will make a man **tired out** (or **exhausted**). Dull, monotonous work will leave him **weary**. In both cases he ought to **stop** and **rest** in good time. After a good night's **rest**, nothing is left of the day's **fatigue**. Some **lively** (or **restless**) boys find it very difficult to **keep still** (or **quiet**).

XII. – GAMES AND SPORTS
LES SPORTS

1

to play	jouer
outdoor games	les jeux de plein air
hide-and-seek	cache-cache
★ leapfrog.............	saute-mouton
to *swing...........	se balancer
★ a seesaw	une bascule
to *hide	(se) cacher
to *seek	chercher
a slide, a chute [ʃ]...	un toboggan
to *go in for sport ...	faire du sport

2

to be keen on football, soccer (fam.)......	être passionné de football
a team	une équipe
the players..........	les joueurs
the ground, the field.	le terrain
the referee..........	l'arbitre
to *win the toss.....	gagner le toss
to kick the ball......	donner un coup de pied dans le ballon
the goal	le but

3

the goalkeeper	le gardien de but
to score	marquer
to *win.............	gagner
to *lose............	perdre
a draw	un match nul
a shot	un coup de pied, un tir

4

to practise [-tis]......	s'entraîner
to *keep fit	se maintenir en forme
practice [-tis], training	l'entraînement
★ the coach	l'entraîneur
to play fair.........	jouer franc jeu
★ to be outplayed	être dominé

5

rugby football, rugger (fam.)............	le rugby
the line.............	la ligne
to score a try	marquer un essai
rough [rʌf]...........	brutal
hockey.............	le hockey
baseball.............	le baseball

6

tennis	le tennis
a tennis court [ɔ:]....	un court de tennis
a partner	un partenaire
the racquet, racket ..	la raquette
the net	le filet
golf	le golf

7

cricket..............	le cricket
★ the bowler [ou]	le lanceur
to *hit..............	toucher, frapper
★ the wicket	le guichet

– 1. All children enjoy **playing outdoor games**, most of which are as old as the hills : **hide and-seek, leapfrog, swinging** or playing at **seesaw**. In hide-and-seek some children **hide** (themselves) and one **seeks** them. **Slides** (or **chutes**) are also popular with children. But when they grow older they begin **to go in for sport.**

– 2. Boys all over the world **are keen on** playing, or watching, **football** (familiarly called **soccer**). It is played by two **teams** of eleven **players** on a **football-ground** (or **field**), and is controlled by a **referee**. The team which **wins the toss** chooses the side. The players try **to kick** the **ball** into the opposite **goal.**

– 3. The **goalkeeper** is the only one who is allowed to catch the ball with his hands. The team that has **scored** the greater number of goals **wins** the match. The other **loses**. If they have scored the same number of goals, it is a **draw**. Every good **shot** is cheered by the crowd.

– 4. But all players must **practice** if they want to **keep fit**. The man in charge of their **practice** (or **training**) is the **coach**. If players are out of practice, or if they don't **play fair**, or again if one team **is outplayed** by the other, the game may lose much of its interest.

– 5. In **rugby football** (familiarly called **rugger**) the players carry the ball behind the opposite **line** : this is to **score a try**. Rugby is reputed a **rough** game. Other well-known team-games are **hockey** and in the U.S.A. **baseball.**

– 6. **Tennis** is played on a hard or grass **tennis court**. If you play doubles you must have a **partner**. You strike the ball with a **racquet over the net** which stands across the tennis court. **Golf** is much in favour among well-to-do classes.

– 7. **Cricket** is a national sport in Great-Britain and many British dominions. The **bowler** tries to **hit** the **wicket**

★ the batsman	le batteur
★ a bat	une batte
bowls [ou]	les boules

8

athletics	l'athétisme
a race	une course
the track	la piste
★ to be all of a sweat [e]	être tout en sueur
★ panting	essoufflé
out of breath [e]	hors d'haleine
to *break a record ...	battre un record
★ the discus	le disque
★ to *put the weight ..	lancer le poids
★ the long jump	le saut en longueur
★ the high jump	le saut en hauteur
★ the pole vault	le saut à la perche
a contest, an event ..	une épreuve

9

boxing	la boxe
wrestling [w]	la lutte
	→ 51/11-13
★ to *deal blows	porter des coups
★ to be no match for s. o.	n'être pas de taille à lutter contre qqn.
to be knocked out [nɔkt]	être mis « knock-out »

10

shooting	le tir → 54/18
a rifle [ai]	un fusil, une carabine
a pistol	un pistolet
the target [-git]	la cible

★ archery	le tir à l'arc
★ an arrow	une flèche
★ a bow [ou]	un arc
★ fencing	l'escrime
★ a foil	un fleuret
a sword [sɔːd]	une épée

11

to skate	patiner
rock-climbing [b]	les escalades
to *slide	glisser, patiner
an ascent, a climb [b].	une ascension
to ski	faire du ski
a skilift	un remonte-pente
★ cross-country skiing..	le ski de fond
★ ski-trekking	le ski de randonnée
mountaineering	→ 61/9-12

12

a swimming-bath	une piscine
a swimming-pool	une piscine en plein air
to *swim	nager
to dive [ai].	plonger
boating	le canotage
a boat	un canot
an oar, a scull	un aviron
to row [ou], to scull ..	ramer
to *upset	(faire) chavirer

13

a canoe [uː]	un canoë
a paddle	une pagaie
★ a punt	un bateau plat
★ a pole	une perche
yatching [jɔtiŋ]	le yatching → 64/5

with a hard ball. The **batsman** tries to drive the ball as far as possible by means of a **bat**. **Bowls** are also played throughout the summer.

– 8. Athletics is practised in all British schools. **Races** are run on a **track**. After a long distance race the runners, **all of a sweat**, are **panting** and **out of breath**, but so proud if they have **broken** the school **record**. Throwing the **discus**, **putting the weight**, the **long jump**, the **high jump** and the **pole vault** are among the other athletic **contests** (or **events**).

– 9. **Boxing** and **wrestling** have long been practised in Great Britain. The crowds yell when the boxers **deal** each other terrible **blows**, or when the challenger, who decidedly is **no match for** the champion, is properly **knocked out**.

– 10. There are **shooting** contests. The competitors, armed with **rifles** or **pistols** must hit the **target**. In **archery**, **arrows** are shot by means of a **bow**.
In **fencing**, the competitors fight with **foils** or **swords**.

– 11. Winter sports are growing more and more popular. **Skating** has always been practised in Scotland, as well as **rock-climbing** in the Lake District. Every English boy can **slide** on the frozen pond. But the English have to go over to the continent to make long **ascents** (or **climbs**). Mountain slopes are fitted with **skilifts** which make **skiing** easier; more and more people now favour **cross-country skiing** and **ski-trepping**.

– 12. Great Britain is rich in **swimming-baths** and **swimming-pools**. Every English schoolchild is taught **swimming** and **diving**.
You can go **boating** on a river in a **boat** which you propel by means of a pair of **oars** : this is called **rowing**. Children must not fool about in a boat, otherwise they might **upset** her.

– 13. You propel and steer a **canoe** by means of a **paddle**. A **punt** is a flat-bottomed boat which you propel by pushing with a **pole** against the bed of the river.
Yachting attracts thousands of enthusiasts and regattas are held all along the British coasts.

14

riding [ai]............	l'équitation → 83/7
a horse show.......	un concours hippique
a horse-race........	une course de chevaux
the start............	le départ
the finish...........	l'arrivée
to *bet.............	parier
★ to gamble...........	jouer de l'argent

15

walking [ł]..........	la marche→ 113/3
cycling [ai]..........	le vélo→ 113/3-5
★ a ramble............	une promenade, une excursion
★ hiking [ai]..........	le tourisme à pied
to picnic............	piqueniquer
to camp.............	camper
to pitch one's tent...	planter sa tente
★ open-air life........	la vie au grand air
★ caravanning.........	le caravaning
★ a dormobile, a camping-car........	un camping-car
a camping site......	un (terrain de) camping

FIELD-SPORTS

La chasse et la pêche

16

hunting.............	la chasse à courre
to hunt.............	chasser
the huntsmen.......	les chasseurs
★ a fox..............	un renard
★ a pack of hounds....	une meute
to chase [tʃeis].......	poursuivre
cunning.............	rusé

★ to outwit...........	déjouer, dépister
★ to be *thrown off the scent [e], to *lose the trail.........	perdre la piste

17

★ a stag, a red deer (inv.)	un cerf
★ to *bring to bay.....	mettre aux abois
★ to sound the horn...	sonner du cor

18

shooting, hunting (Am.)............	la chasse au fusil
the shooting season .	la saison de la chasse
to *shoot...........	tirer, tuer
★ a sportsman, a hunter	un chasseur
★ a gunshot..........	1. un coup de feu
....	2. une portée de fusil

19

★ a double-barrelled gun	un fusil à deux coups
★ a cartridge belt......	une cartouchière
★ a game bag.........	une gibecière
★ to start............	lever
★ to retrieve..........	rapporter
game (inv.)..........	le gibier

20

★ a hare [hɛə]........	un lièvre
★ a wild rabbit........	un lapin sauvage
★ a burrow...........	un terrier
★ a grouse [au] (inv.)....	un coq de bruyère
★ a partridge (inv.).....	une perdrix
★ a pheasant [e].......	un faisan
★ a gamekeeper.......	un garde-chasse
★ a poacher...........	un braconnier

— **14**. There are many **riding** schools in Great Britain. **Horse shows** and **horse-races** are immensely popular. The Grand National Steeplechase at Liverpool is one of the most arduous races in the world. Few of the horses that are at the **start** reach the **finish** ! Much **betting** and **gambling** takes place at race-meetings.

— **15**. Even if you are not a keen sportsman, you can go **walking** or **cycling,** you can go for long **rambles** on week-ends or holidays : this is called **hiking**. Every child loves **picnicking** or dreams of going **camping**. **Pitching one's tent** is indeed the crowning joy of **open-air life**. Older people may prefer **caravanning** or touring the country in a **dormobile** or a **camping-car,** putting up at **camping sites**.

— **16. Hunting** is an aristocratic sport. The animal most commonly **hunted** is the **fox**. The **huntsmen** are accompanied by a **pack of hounds,** which **chase** the animal. As the fox is very **cunning,** it sometimes **outwits** the hounds, which are **thrown off the scent** (or **lose the trail**).

— **17**. When the **stag** (or **red deer**) is hunted, it is chased until it is **brought to bay** and killed. A **horn is sounded** to mark the different episodes of the hunt.

— **18. Shooting** (which the Americans call **hunting**) can be practised only in the wilder regions of Great Britain. When the **shooting season** opens, many **sportsmen** (or **hunters**) are to be seen walking across the countryside and many **gunshots** may be heard.

— **19**. The sportsman carries a **gun,** generally a **double-barrelled** one, a **cartridge belt** and a **game bag** which he hopes to bring back full. He is accompanied by a dog which **starts** or **retrieves** the **game**.

— **20**. When the country abounds in game, the sportsman can shoot **hares** or **wild rabbits,** before they have taken refuge in their **burrows, grouse, partridge,** or **pheasants** before they have flown out of **gunshot**.
A **gamekeeper** has the job of protecting game against all its enemies, including **poachers**.

21

★ to load	charger
★ to level	mettre en joue
to aim, to *take aim at	viser
★ to pull the trigger . . .	appuyer sur la gâchette
to fire	faire feu
to *hit	toucher
to miss	manquer
★ the mark	le but
★ a good shot	un bon tireur
★ to *come home with an empty bag	rentrer bredouille

22

angling	la pêche à la ligne
an angler	un pêcheur
to angle, to fish for . .	pêcher
(a) trout [au] (inv.)	une (la) truite
(a) salmon [sæmən] (inv.)	un (le) saumon

★ (a) pike [ai] (inv.)	un (le) brochet
★ (a) carp (inv.)	une (la) carpe
★ small fry	du menu fretin
★ whitebait	la blanchaille

23

★ the fishingtackle	l'attirail de pêche
★ the rod	la canne à pêche
★ the line	la ligne
★ the hook	le hameçon
★ to bait	appâter
a worm [ə:]	un ver
a fly	une mouche
to *cast	jeter
to *bite [ai]	mordre
★ the float	le bouchon
★ to land	amener, prendre
★ a catch	une prise
the riverside	→ 66/24-25

- 21. The sportsman must **load** his gun. When he sees the animal, he **levels** his gun, **aims** (or **takes aim**) at it, **pulls the trigger** and **fires**. He either **hits** or **misses** it. A man who rarely misses the **mark** is a **good shot**. He rarely **comes home with an empty bag**.

- 22. In the season **angling** is also very popular and many **anglers** are to be seen along British streams. They **angle** (or **fish**) for trout or salmon, pike or carp. Young children will be content with catching **small fry**. **Whitebait** is again a standard dish in London restaurants.

- 23. The angler comes to the **riverside** with his **fishingtackle**, consisting of a **rod** and **line**. He **baits** the **hook** with a **worm** or **fly**, and **casts** his line into the water. When a fish **bites** the hook the **float** sinks. If he is clever enough, the angler will **land** a fish. It may be a splendid **catch** !

THE LIGHTER SIDE

"What is the difference between a champion athlete and a doctor taking someone's pulse ?"
"I don't know. What is it ?"
"One beats the records and the other records the beats"

●

Football Coach : "And remember that football develops individuality, initiative, and leadership. Now get in there and do exactly as I tell you"

"The trout I caught was that long ! I never saw such a fish !
"I believe your last remark"

●

A man was busy fishing along a quiet stream when a stranger came by and inquired :
"Catch anything yet ?"
"No", was the answer.
"That's strange. I heard this was a fine place for trout"
"It must be" was the answer, "They refuse to leave it"

XIII. – CLOTHES, DRESS – *L'HABILLEMENT*

1

clothes [Klouðz]	les vêtements
to dress	s'habiller
to *wear	porter
to *put on	mettre
to undress	se déshabiller
to *take off	enlever, ôter
dressed, clad in (lit)	vêtu
an article of clothing, a garment	un vêtement
tailors and dressmakers	→102/7

2

elegant, smart	élégant, chic
to *put on one's best clothes, one's Sunday best	se mettre sur son trente-et-un
to have suit [ju:] made to measure, to order	se faire faire un complet sur mesure
ready-to-wear	prêt à porter
to try on	essayer
to fit	aller, être à la taille
loose [u:s]	lâche, ample
tight	étroit, serré
to suit [ju:]	aller, convenir

3

a material, a fabric	un tissu →105/7
hard-wearing	résistant
to *wear well	faire bon usage

to stretch	s'allonger, s'élargir
light	léger
heavy	lourd
coarse	gros, grossier
fine	fin
to *shrink	se rétrécir
to fade	faner, passer
to dye [ai]	teindre

4

cloth [klɔ]	de l'étoffe
wool	la laine
cotton	le coton
linen	1. le lin
	2. le linge
silk	la soie
velvet	le velours
nylon [ai]	le nylon
woollens	des lainages
silken	soyeux

MEN'S CLOTHES

Les vêtements masculins

5

underclothing, underwear	les sous-vêtements
a vest, an undershirt (Am.)	un gilet de corps
pants (pl.)	un caleçon
trunks, briefs (pl.)	un slip
swimming trunks (pl.)	un slip de bain
a swimsuit	un maillot de bain

– **1.** Man **dresses,** i.e. he covers his body with **clothes,** he **wears** clothes. When you dress, you **put on** your clothes, when you **undress** you **take** them **off.** You are **dressed** (or **clad**) **in** warm or light clothes according to the season. The word « clothes » can only be used in the plural. In the singular you will speak of an **article of clothing** (or a **garment**).

– **2.** On Sundays people want to look **elegant** (or **smart**). They **put on their best clothes** (or **their Sunday best**). You can either **have a suit made to measure** (or **to order**) by a tailor (the Americans call it a custom suit) or buy one **ready-made** or **ready-to-wear** at an outfitter's. In either case you **try** it **on** to see that it **fits** you well, i.e. is neither **loose** nor **tight.** If several fit you, you will choose the one that **suits** you best.

– **3.** You will also be very attentive to the quality of the **material** (or **fabric**). A good material is **hard-wearing,** it **wears well** and won't **stretch.** It may be either **light** or **heavy, coarse** or **fine.** It must not **shrink.** If it happens to **fade** it will have to be **dyed.**

– **4.** Clothes and other things in the household are made of **cloth.** Cloth is mainly made from **wool, cotton, linen** and **silk.** Other materials are **velvet** and **nylon** which is a synthetic fabric.
We speak of **woollens,** i.e. woollen articles. When we say that a girl has **silken** hair, we mean that it is as fine and soft as silk.

– **5.** Men's clothes include first **underclothing** (or **underwear**), or more generally the **linen** : a **vest** (Am. **undershirt**), **pants** or **trunks** (or **briefs**). Swimmers wear **swimming trunks** or **swimsuits.**

a shirt	une chemise
★ to be in one's shirt-sleeves	être en manches de chemise
to be stripped to the waist	être torse nu
a collar	un col
soft	mou
stiff	dur, rigide
to tie	nouer
a tie	une cravate
★ a bow tie [bou]	un nœud papillon
the sleeves	les manches
★ the cuffs	les poignets, les manchettes

6

(a pair of) trousers [au], pants (Am.)	un pantalon
a belt	une ceinture
braces, suspenders (Am.)	des bretelles
to press	repasser
★ the crease [s]	le pli
★ breeches [bri]	une culotte
shorts	un short

7

a roll-necked sweater [e]	un chandail à col roulé
a pullover	un pull-over
neatly	avec soin
a waistcoat, a vest (Am.)	un gilet
a jacket	une veste
to *put away	ranger
to fold (up)	(re)plier
to brush	brosser
a coat-hanger	un cintre

8

a pocket	une poche
a handkerchief [d]	un mouchoir
a wallet [ɔ]	un portefeuille
★ a pocketbook	1. un portefeuille
. . . .	2. un calepin
a button	un bouton
a buttonhole	une boutonnière
★ the lining [ai]	la doublure
★ a seam	une couture

9

an overcoat	un pardessus
★ a scarf	une écharpe
gloves [ʌ]	des gants
a raincoat	un imperméable
waterproof [adj.]	imperméable
★ a dress-suit [juː]	un habit de soirée
★ a dinner jacket, a tuxedo (Am.)	un smoking
★ a tail-coat	un habit (à queue)
pyjamas	un pyjama
to slip on	enfiler
a dressing-gown	une robe de chambre

10

a hat	un chapeau
★ a bowler [ou], a derby (Am.)	un chapeau melon
★ a felt hat	un chapeau de feutre
★ a tophat	un haut de forme
★ a cap	une casquette
★ a beret [t]	un béret
★ a broad-brimmed hat .	un chapeau à large bord
a walkingstick, a cane (Am.)	une canne
an umbrella	un parapluie
★ a portfolio	une serviette
a briefcase	un porte-documents

A **shirt** is worn over the vest. In hot weather a man may work **in his shirt-sleeves,** or even **stripped to the waist.** The **collar** is either **soft** or **stiff.** Under it you wear a tie or bow tie. At the end of the sleeves are the **cuffs.**

– 6. A pair of **trousers** (Am. **pants**) covers the legs. It may be kept in position by a **belt** or **braces** (Am. **suspenders**). A man must have his trousers **pressed** regularly if he wants them to keep their **crease.** A farmer wears riding **breeches,** a camper will rather wear **shorts.**

– 7. Many young men will wear **roll-necked sweathers** or **pullovers.** But when a man wants to dress **neatly,** he wears a dark suit, i.e. a pair of trousers, a **waistcoat** (Am. **vest**) and a **jacket.**
Every tidy man will **put away** his linen carefully, **fold up** his trousers neatly, **brush** his clothes and hang them on a **coat-hanger.**

– 8. A jacket is fitted with several **pockets.** You sometimes place a **handkerchief** in the breast pocket and always carry a **wallet** or a **pocketbook** in your **pocket.** The clothes are kept in position by **buttons** which are passed through **buttonholes.** Your jacket has a **lining** which hides the **seams.**

– 9. In cold weather it is wise to put on a warm **overcoat,** a **scarf** and **gloves.** A **raincoat** (made of **waterproof** cloth) is worn in rainy weather.
A **dress-suit** is worn on formal occasions : it will be either a **dinner jacket** (Am. **tuxedo**) or a **tail-coat.** You wear **pyjamas** in bed. When you get up you **slip on** your **dressing-gown.**

– 10. A man wears a **hat** (generally a round **bowler** (Am. **derby**) or a soft **felt hat,** a **top hat** on ceremonial occasions) or a **cap,** even a **beret.** A **broad-brimmed hat** is the best protection against the sun. When walking, old people will carry a **walkingstick** (Am. **cane**). When going to work the middle-class Englishman will carry a rolled up **umbrella,** a **portfolio** or a small **briefcase.**

11

slippers.............	des pantoufles
shoes..............	des souliers
boots, shoes (Am.) ...	des chaussures montan-tes
to black, to polish, to shine (Am.).......	cirer
leather [e]..........	le cuir
canvas.............	la toile
laces	des lacets
to lace up..........	lacer
the size............	la pointure
to mend	réparer
the sole	la semelle
★ to resole [s]	ressemeler
the heel	le talon

12

★ a blazer [ei].........	un blazer
★ the coat of arms	l'écusson
★ the badge...........	l'insigne
★ a gym tunic [ju:].....	une robe à bretelles
an overall	une blouse
overalls	une salopette
an apron [ei]........	un tablier
★ a pinafore..........	un tablier d'enfant
★ a smock (-frock)	une blouse de paysan
★ an oilskin	un ciré
★ blue denim..........	le coutil
jeans	des blue-jeans
a tracksuit	un survêtement

13

★ in plain clothes, in mufti [mʌfti]......	en civil

★ a robe	un manteau d'apparat
★ a fancy dress ball....	un bal costumé
★ to dress up	se costumer
★ a costume	un costume (de circons-tance, de théâtre).

LADIES' WEAR

Les vêtements féminins

14

a bra (a brassiere)....	un soutien-gorge
a girdle	une gaîne
a slip..............	une combinaison
panties	une culotte
a nightdress.........	une chemise de nuit
★ to adorn	orner
★ to trim	garnir
★ lace	de la dentelle
a ribbon	un ruban
stockings	des bas
(a pair of) tights	des collants
★ a petticoat.........	un jupon
a skirt [ɔ:]........	un jupe
a blouse [au].......	un corsage
a jumper...........	un pull(over)

15

a dress	une robe
a suit [ju:]..........	un tailleur
a frock	une robe (légère)
a gown [au].........	une robe (de cérémonie)
low-necked	décolleté
a scarf to match.....	une écharpe assortie

— 11. When you get up in the morning you put on your **slippers**, then when you go out your **shoes** or **boots**. Shoes are made of **leather**. They must be regularly **blacked** (or **polished**, Am. **shined**). Some shoes for summer wear are made of **canvas**. A shoe is tied up with **laces**, or **laced up**. When you buy a new pair of shoes you must remember your **size** : for instance size 3 in England corresponds to 36 in France.

When shoes have been worn some time, they must be **mended**. The cobbler will **resole** them (i.e. put on a new **sole**) or put on a new **heel**.

— 12. English school-children traditionally wear their school uniforms : a school cap and navy blue **blazer** with the **coat of arms**, or **badge**, of their school, for boys, a navy blue **gym tunic** for girls.

Some people have to wear special clothes for protection. Thus a nurse wears an **overall**, a mechanic wears **overalls**, your mother ties on her **apron** when she works in the house. A child's apron is a **pinafore**. Fishermen and sailors wear **oilskins**. Many young people nowadays are dressed uniformly in **blue denim jeans**. **Tracksuits** are worn to go jogging for instance.

— 13. When an officer does not wear his uniform he is said to be in **plain clothes** (or in **mufti**). When the King or Queen is crowned, he or she wears a long loose garment, called a **robe**.

When you go to a **fancy dress ball** you **dress up**. Actors wear **costumes**. Regional **costumes** are fast dying out.

— 14. Women's underwear includes a **bra**, a **girdle** a **slip** and **panties**. At night a woman wears a **nightdress** adorned or **trimmed** with **lace** and tied with a **ribbon**. When she dresses she slips on her **stockings** or **tights**, then, she puts on a **petticoat**, a **skirt** and a **blouse**, with a **jumper** or a cardigan.

— 15. Or she may wear a **dress** or a **suit**. In summer she will put on a light **frock**. When she dresses up she wears a **low-necked** evening **gown** with a **scarf to match**.

a fur coat...........	un manteau de fourrure
★ a mackintosh........	un imperméable (ciré)
★ a hood.............	une capuche
a handbag	un sac à main
a purse.............	une bourse
a lip-stick...........	un bâton de rouge
★ a compact	une boîte à poudre
to *make up	se farder
the hairdresser	le coiffeur
a beauty parlour.....	un institut de beauté
cosmetics..........	les produits de beauté

19

to *sew [ou]........	coudre
a needle	une aiguille
a thread [e].........	un fil
to thread [e]........	enfiler
★ a reel.............	une bobine
scissors [e]........	des ciseaux
★ a thimble	un dé
a sewing-machine....	une machine à coudre
★ a tape-measure [-ʃə].	un mètre de couturière
a pin	une épingle
to *knit.............	tricoter

17

fashion [fæʃn].......	la mode
fashionable.........	1. chic, élégant
....	2. à la mode
old-fashioned.......	démodé
tasteful.............	de bon goût
tasteless...........	de mauvais goût
loud, flashy	voyant, tapageur

20

to mend	raccommoder
a patch............	une pièce
★ to darn	repriser
a spot	une (petite) tache
a stain.............	une tache
worn-out...........	usé, fini
★ worn threadbare.....	usé jusqu'à la corde

18

jewels [dʒu:əlz]	des bijoux → 62/15
gold; golden	l'or; en or
★ a brooch [ou]	une broche
a pearl [ə:]	une perle
a necklace [-lis]	un collier
★ a clasp	un fermoir
ear-rings	des boucles d'oreille
a bracelet [ei].......	un bracelet
a ring..............	une bague
★ a gem	une pierre précieuse
★ a ruby [u:]..........	un rubis
★ an emerald	une émeraude
★ a sapphire [-faiə]....	un saphir
a diamond [ai]	un diamant
a wrist watch [w] ...	une montre-bracelet

21

soiled..............	sale, souillé
★ shabby	râpé, élimé
★ battered [-tid].......	cabossé
★ slovenly [ʌ].........	débraillé, négligé
rags, tatters........	des haillons, des loques
ragged [-gid], tattered [-tid].............	en loques, en haillons
★ a rag-and-bone man..	un chiffonnier

– **16.** In winter she wears a **coat,** sometimes a **fur coat** or a fur jacket, in rainy weather a **mackintosh** with a **hood.** In her **handbag** she carries a handkerchief, her **purse,** a **lip-stick** and a **compact,** for she must be ready to **make up** whenever she needs to. An elegant woman may spend a great deal of time at her **hairdresser's** or at the **beauty parlour,** where she will be offered a great variety of **cosmetics.**

– **17.** A **fashionable** woman follows the latest **fashion** very attentively. She buys fashion magazines to know what is **fashionable.** She never wears **old-fashioned** dresses. But if she wants to be dressed **tastefully,** she will avoid **tasteless** models, **loud** (or **flashy**) colours.

– **18.** If she can afford it, an elegant woman will wear **jewels,** for instance a **gold brooch,** a **pearl necklace** with a gold **clasp, ear-rings, a bracelet** and a **ring.** The latter can be set with a **gem (or precious stone)** such as a **ruby,** an **emerald,** a **sapphire,** or a **diamond,** about the most valuable of all. A pretty **wrist-watch** is also a much valued ornament.

– **19.** It is not every man who can **sew** a button on his jacket. He generally asks his wife to do it for him. She takes a **needle, threads** it with a **thread** she cuts off the **reel** with her **scissors.** She pushes the needle with a **thimble. A sewing-machine,** a **tape-measure, pins,** etc... are necessary articles in a household. Many girls nowadays **knit** their own pullovers, or their boy-friend's.

– **20.** The housewife must **mend** all the family's clothes, put a **patch** on a torn garment, **darn** socks and stockings, remove a **spot** of grease or a **stain** of blood, and what not. But **worn-out** shoes and clothes **worn threadbare** can only be thrown away.

– **21.** When Mr. Smith goes out gardening, he puts on a **soiled** shirt, a **shabby** coat, an old **battered** hat. He does not care if his appearance is **slovenly.**
    A tramp wears **ragged** (or **tattered**) clothes. He is all in **rags** and **tatters.** Even a **rag-and-bone man** would not care to have them.

XIV. – THE SKY AND THE EARTH
LE CIEL ET LA TERRE

THE SKY
Le ciel

1

the universe	l'univers
boundless...........	sans bornes
an observatory [-zə:-].	un observatoire
an astronomer	un astronome
the sky, the heavens.	le ciel

2

the solar system.....	le système solaire
the sun............	le soleil
a planet	une planète
the earth [ə:].......	la terre
to revolve	tourner, graviter
the moon...........	la lune
★ a crescent [ɛ].......	un croissant
a beam, a ray.......	un rayon
★ to glimmer.........	miroiter
the moonlight	le clair de lune
an eclipse..........	une éclipse
night and day	→ 73/9-10

3

the stars...........	les étoiles
★ to twinkle	scintiller
★ the Milky Way	la Voie Lactée
★ a shooting star	une étoile filante
★ a comet	une comète
space.............	l'espace → 118/28

4

the pole star	l'étoile polaire
the cardinal points...	les points cardinaux
the north	le nord
the east [i:st].......	l'est
the south [au]	le sud
the west...........	l'ouest
northern	septentrional
eastern	oriental
southern [ʌ]........	méridional
western	occidental
a compass [ʌ].......	une boussole

THE WORLD
Le monde

5

air.................	l'air
fire................	le feu
earth	la terre
water [ɔ:]..........	l'eau
the land	la terre ferme
a continent	un continent

6

the landscape	le paysage
the coast	la côte
★ indented	échancré
a cape [ei]..........	un cap
a headland	un promontoire
★ to jut out	faire saillie
a bay	une baie
★ a cove [ou], a creek ..	une crique

– **1.** We are ignorant of the limits of our **universe** : it is **boundless.** Yet, inside their **observatories, astronomers** try to explore the **heavens** by means of ever more powerful telescopes.

– **2.** The **solar system** is composed of the **sun** and the nine **planets,** of which the **earth** is one, **revolving** round it. The **moon** revolves round the earth. Sometimes only a **crescent** is visible. When the moon is full its **beams** (or **rays**) light the earth. Rivers **glimmer** in the **moonlight.** When the earth comes directly between the sun and the moon we have an **eclipse** of the moon.

– **3.** The **stars** which **trinkle** in the sky are so many suns. Myriads of them compose the **Milky Way.** On hot nights you may see **shooting stars,** but the sight of a **comet** travelling through **space** is rather uncommon.

– **4.** The **pole star** helps you to find the **north.** The other cardinal points are the **east,** the **south** and the **west.** You speak of **Northern** Ireland, of the **Eastern** block, of the **southern** hemisphere, of **Western** Europe. During the day a **compass** shows you the direction of the north.

– **5.** According to the Ancients the **world** in which we live was composed of the four elements : **air, fire, earth, water.**
   The surface of the earth is composed of one third **land** and two thirds water. The land is divided into five **continents.**

– **6.** If you look at a map, you can form an idea of the natural features of the **landscape.** The western **coast** of Great Britain is deeply **indented.** Many **capes** and **headlands jut out** into the sea. Numerous **bays** and **coves** lie between them.

a peninsula	une péninsule
the mainland	le continent
★ an isthmus [th]	un isthme
a gulf.	un golfe
an island [ai-]	une île
an archipelago [k]. . . .	un archipel

the shore	le rivage
a beach.	une plage → 63/4-6
sand.	du sable
★ pebbles, shingle (inv.).	des galets
a dune.	une dune
a cliff.	une falaise
a rock	un rocher
rocky	rocheux
★ a reef	un récif

MOUNTAINS

Les montagnes

even [i:].	uni, uniforme
uneven	inégal
a plain.	une plaine
a mountain [au]	une montagne
flat, level [e].	plat, uni
to *spread	s'étendre
mountainous [au]	montagneux
a mountain range. . . .	une chaîne de montagnes
to stretch.	(s')allonger
to divide [ai].	séparer

the height [hait].	la hauteur
above the level of the	
sea or sea level . . .	au-dessus du niveau de la mer
a peak.	un pic
★ lofty.	élevé
a summit	un sommet
★ snow-capped	enneigé
to tower [au]	se dresser
to surround.	entourer
an ice-field.	un champ de glace
a glacier [æ]	un glacier
a pass [ɑ:]	un col
impassable	infranchissable
winter sports.	→ 53/11

★ a ridge	une crête
a valley	une vallée
the slope	la pente
steep.	escarpé, raide
gentle	doux
★ a gorge, a glen	une gorge, un ravin
★ precipitous.	à pic
★ to *overhang	surplomber
★ a precipice	une paroi verticale
★ a sheer [ʃiə] drop	un à pic

a hill	une colline
undulating	ondulé
★ over hill and dale	par monts et par vaux
★ rugged [-gid], craggy .	accidenté, escarpé
a cave	une caverne, une grotte

– **7.** A **peninsula** is a portion of land connected with the **mainland** by an **isthmus**. A **gulf** is a large bay. A group of **islands** is called an **archipelago**.

– **8.** Along the **shores** of England there are many **beaches**. Some are made of fine yellow sand, others of round **pebbles** (or **shingle**). Some are bordered by **dunes**. High **cliffs** are a feature of the Southern coast. Along **rocky** coasts many **rocks** and **reefs** are a danger to sailors.

– **9.** The surface of the land is **uneven**. There are **plains** and **mountains**. Plains are more or less **flat** and **level** (or **even**). Vast plains **spread** across Northern Asia. Other countries are **mountainous**. The Pyrenees are a **mountain range**, **stretching** from the Atlantic Ocean to the Mediterranean Sea and **dividing** France from Spain.

– **10.** Those mountains which rise to a great **height above sea level** have **lofty** peaks and **snow-capped** summits, which **tower** above the **surrounding** country. The highest mountains have **ice-fields** and **glaciers**. Between two summits there may be a **pass**, often **impassable** in winter.

– **11.** When a mountaineer walks along a **ridge**, he can look down upon a **valley** on each side. The **slopes** may be **steep** or **gentle**. A narrow walley is a **gorge** (or **glen**). Its slopes are **precipitous**. Now he stands on an **overhanging** rocks, at the top of the **precipice**. Below him there is a **sheer drop** of 1,000 feet.

– **12.** England has no high mountains. In the south there are **hills** : it is a gently **undulating** country. In Wales you can walk **over hill and dale.** You can go climbing among the **rugged** Highlands and **craggy** hills of Scotland or you can explore **caves** in some parts of the South.

MINERALS AND METALS

Les minéraux et les métaux

13

to extract	extraire
★ a quarry [kwɔ-]	une carrière
stone...............	la pierre
★ flint	le silex
hard	dur
★ brittle	cassant
★ to *strike fire	faire jaillir le feu

14

clay	l'argile
soft	mou
lime	la chaux
chalk [tʃɔ:k]	la craie
★ limestone	le calcaire
★ sandstone..........	le grès
★ granite [-nit]	le granit
marble..............	le marbre
gems...............	→ 59/18

15

a deposit...........	un gisement
an ore	un minerai
iron [aiən]	le fer
copper.............	le cuivre rouge
zinc [zi ŋk]	le zinc
nickel..............	le nickel
tin	l'étain
aluminium, aluminum (Am.)	l'aluminium

metallurgy	→ 105/6
light...............	léger
lead [e].............	le plomb
heavy..............	lourd
mercury	le mercure
gold	l'or
silver	l'argent
solid...............	massif
gold-plated.........	plaqué or
jewels	→ 59/18

PETROLEUM

Le pétrole

16

oil, petroleum........	le pétrole
to *strike oil	rencontrer, découvrir du pétrole
a well	un puits
an oilfield...........	un gisement pétrolifère
natural gas [s]	le gaz naturel
to drill, to bore	forer

17

crude oil	le pétrole brut
a refinery	une raffinerie
a pipeline	un oléoduc, un pipe-line
a tanker	un pétrolier
petrol, gas(oline) (Am.)	l'essence
★ by-products	des sous-produits
★ petrochemical [k] industries.........	les industries pétrochimiques
★ an oil(-drilling) rig	une plate-forme de forage
★ offshore areas	des zones « offshore », en haute mer

— **13. Minerals** are **extracted** from the earth. The place where the digging is done is called a **quarry**. There are many kinds of **stone** : **flint** is very **hard** but **brittle**. That is the reason why it was used by men of the stone age to **strike fire**.

— **14. Clay** is a **soft** kind of earth used for the making of china. **Lime**, which is obtained from **chalk** (a sort of **limestone**), is used to make of cement. **Sandstone** and **granite** are first-class building materials. Many famous statues were carved in **marble**.

— **15.** The earth is rich in mineral **deposits**. All metals are dug out of the ground. **Iron** for instance is extracted from the rocky stuff called iron **ore**. Other useful metals are **copper, zinc, nickel** and **tin**. **Aluminium** is a very **light**, **lead** a very **heavy** metal. **Mercury** is the only liquid metal. **Gold** and **silver** are precious metals, used for **solid silver** or **gold-plated** jewelling.

— **16.** In 1859 mineral **oil** (or **petroleum**) was first **struck** in America. There are now as many as 700,000 producing **wells**, although the bulk of the country's production comes from a very few large **oilfields**.
  Today oil and **natural gas** provide over 60 per cent of the world supplies of energy. To reach the oil a long hole has to be **drilled** (or **bored**) deep down into the ground.

— **17.** The **crude oil** thus collected has to be sent to **refineries** through **pipelines**, or carried across the sea in specially designed ships, called **tankers**. Oil is refined into **petrol** (Am. **gasoline**) and many **by-products** which provide the basic materials for **petrochemical industries**.
  Oil exploration has now been extended to the bottom of the sea, where **oil rigs** are used to prospect **offshore areas**.

XV. SEAS AND RIVERS
LES MERS ET LES RIVIÈRES

OCEANS AND SEAS
Les océans et les mers

1

the ocean [ouʃn]	l'océan
a current, a stream ..	un courant
★ the ebb and flow	le reflux et le flux
high tide............	la marée haute
low tide	la marée basse
the tide *goes out ...	la marée descend
the tide *comes in ...	la marée monte

2

the sea	la mer
★ the surge, the swell .	la houle
★ a shoal	un haut-fond
a sandbank	un banc de sable
the surf............	les rouleaux, les brisants
a wave	une vague
★ a billow............	une lame
....	→ 71/15
foam	l'écume
spray..............	les embruns
★ a ripple	une ride

3

★ untapped	non exploité
resources	des ressources
★ a nodule [ju:]	un nodule, un rognon
the seabed.........	le fond de la mer
pollution	la pollution
★ oil slicks	des nappes de mazout
★ sewage [ju]	les effluents urbains
waste (sg.)	les déchets

THE SEASIDE
Le bord de la mer

4

the bathing season ..	la saison balnéaire
a seaside resort	une station balnéaire
holiday-makers	les gens en vacances
to bathe [beið].......	se baigner (en mer)
a bathe [beið].......	un bain (mer ou rivière)
rough [rʌf]..........	agité
calm [ɬ], smooth	calme
to *get out of one's depth, to *lose one's footing	perdre pied
to be (get) drowned [au]	se noyer

– **1. Currents** move across the surface of the **oceans.** One of the best known of them is the Gulf **Stream.** Another natural phenomenon is the **ebb and flow** of the **tide,** due to the pull of the sun and the moon. The hours of **high tide** and **low tide** are very important to sailors and bathers. It is more dangerous to bathe when **the tide is going out** than when **it is coming in.**

– **2.** The surface of the **sea** is never still. It is agitated by long undulations called the **surge** (or **swell**). The swell of the sea which breaks upon the shore or upon **shoals** and **sandbanks** is called the **surf.** When **waves** or **billows** break upon the rocks, the surface of the sea is covered with **foam** and **spray** flies in the air. A gentle wind will make **ripples** on the water.

– **3.** Two problems of vital importance have recently been up for discussion in several international conferences. The first is connected with the discovery, at the bottom of the ocean, of vast **untapped** mineral **resources,** chiefly taking the form of **nodules** of all sorts of metals lying on the **seabed.** The problem lies with the exploitation and ownership of this mineral wealth.

The second one is the problem of **pollution.** What with **oil slicks** the damage caused by **sewage** or industrial **waste,** pollution is spreading apparently unchecked, and the Mediterranean Sea, among others, will soon be a lifeless sea.

– **4.** For most young people, going on holiday means going to the **seaside.** Throughout the **bathing season** the **seaside resorts** swarm with **holiday-makers.** If the weather permits they will go **bathing** (or go for a **bathe**) every day. When the sea is **rough,** bathing may be unsafe. If one can't swim one had better be careful even if the sea is **calm** (or **smooth**), as one may **get out of one's depth** (or **lose one's footing**) and **drown,** or **be** (or **get**) **drowned.**

5

sailing	la voile
yatching [jɔt]	la navigation de plaisance
water-skiing	le ski nautique
★ skin-diving	la plongée sous-marine
★ flippers	des palmes
the beach	la plage
★ to bask	se dorer
to sunbathe	prendre un bain de soleil
sunburnt	hâlé
tanned	bronzé
a sandcastle [t]	un château de sable
a shell	un coquillage
★ dry-shod	à pied sec
seaweed	des algues
a pool	une flaque
★ to paddle	barboter, patauger
★ windsurfing	la planche à voile (sport)
a board	une planche

FISHING
La pêche

7

a fishingboat, a fishingsmack	un bateau de pêche
a fishingport	un port de pêche
★ a shoal	un banc (de poissons)
★ the meshes	les mailles
★ a trawl	un chalut
★ a trawler	un chalutier

8

a fisherman	un pêcheur
★ sole	la sole
★ herring	le hareng
★ tunny [ʌ]	le thon
★ sardine [i:]	la sardine
★ cod	la morue

6

a net	un filet
★ the shrimp	la crevette
★ the prawn	le bouquet
★ the crab	le crabe
★ a claw [ɔ:]	une pince
★ to pinch	pincer
shellfish, seafood	1. les crustacés
	2. les coquillages
★ the lobster	le homard
★ the oyster	l'huitre
★ the mussel	la moule
★ the seagull	la mouette

SHIPPING
La navigation

9

to sail the seas	parcourir les mers
a warship	un navire de guerre
	→127/13
a liner [ai]	un paquebot
a trader, trading vessel	un navire de commerce
the merchant navy	la marine marchande

– 5. Besides bathing, the seaside offers a great many entertainments. More and more people discover the joys of **sailing** and **yatching. Waterskiing** is in great favour with the young. Finally underwater exploration will afford great excitement to practised swimmers, wearing **flippers** and special equipment. This is called **skin-diving.**

People of quieter disposition will prefer lying on the **beach, basking** in the sun or **sunbathing,** and getting beautifully **sunburnt,** or **tanned.** The younger children will build **sandcastles or pick up shells.** At low tide you can walk **dry-shod** among the **seaweed**-covered rocks or **paddle** in the rock **pools. Windsurfing** is the latest craze; as **boards** are getting cheaper, surfriders are more and more numerous.

– 6. With a **net** you will gather **shrimps** and **prawns. Crabs** are funny creatures when they run sideways, but beware of their **claws.** They **pinch !** Another **shellfish** is the **lobster** which, as you know, is not red but dark blue. The most commonly found molluscs are **oysters** and **mussels.** The **seagull** is the best-known of all the sea-birds that haunt the coasts of Britain.

– 7. The sea is a great provider of food and Great Britain has a large fleet of **fishingboats** (or **fishing-smacks**). Most **fishingports** face the North Sea. The **shoals** of fish swim into the nets and get caught in the **meshes,** or they go into the **trawl** as it is being dragged along the sea-bottom by the **trawler.**

– 8. A **fisherman's** life is a hard one, and he is not always repaid for his pains. **Sole** are fished in the Channel, **herring, tunny** and **sardine** are found around the shores of the British Isles, while the main **cod** fishing grounds lie off Newfoundland.

– 9. Besides fishing boats, all sorts of ships **sail the seas.** They are **warships,** or **liners** and above all **trading vessels.** All the vessels engaged in commerce and trade constitute the **merchant navy.** It is composed of

a merchantman, a merchant ship....	un navire marchand			

a merchantman, a merchant ship.... un navire marchand
a steamship, a steamer .... un vapeur
a motor ship .... un navire à moteur
a cargo-boat, a freighter .... un cargo
★ **a coaster** .... un caboteur
★ **a collier** .... un charbonnier
★ **an ore tanker** .... un minéralier
★ **water-craft** (*inv.*) ..... des embarcations

10

the engine [-in] ...... la machine
the propeller, the screw .... l'hélice
★ **a paddle steamer** .... un bateau à aubes
★ **the funnel** .... la cheminée
★ **the hull** .... la coque
★ **the keel** .... la quille
★ **the stem** .... l'étrave
★ **the stern** .... la poupe

11

a hold .... une cale
watertight .... étanche
the cargo, the freight la cargaison, le fret
★ **to stow** .... arrimer
a container .... un conteneur
★ **the ballast** .... le lest
to load .... charger
to unload, to discharge .... décharger
a crane .... une grue

12

to steer .... gouverner
the tiller, the helm ... la barre
the rudder .... le gouvernail
the wheel .... la barre (roue)
a sailor .... un marin
the master .... le capitaine
the skipper .... le patron
the mate .... le second
automatic steering ... le pilotage automatique
the logbook .... le carnet de bord

13

an anchor [k] .... une ancre
★ **the bows** [au] .... l'avant, les bossoirs
starboard .... tribord
port .... babord
★ **an anchorage** [k] ..... un mouillage
★ **the draught** [drɑːft] .. le tirant d'eau
★ **the lead** [e] .... la sonde
★ **to sound** .... sonder
★ **to drop anchor** ...... jeter l'ancre
★ **to weigh** [g̶h̶] **anchor** . lever l'ancre

14

to *fly the flag of ... battre pavillon de
the ensign [-sain] ..... le pavillon
the crew .... l'équipage
the watch .... le quart
the compass [ʌ] ..... la boussole
a chart .... une carte marine
a knot [k] .... un nœud (= 1,852 km)

---

merchantmen (or **merchant ships**), **steamships** (or **steamers**) or **motor ships**. Some **cargo-boats** (or **freighters**) are specialized : **coasters**, **colliers**, **tankers**, etc. Vessels of any kind are collectively called **craft**.

— **10.** The **engines** propel the vessel. They drive one or two **propellers** (or **screws**). **Paddle steamers** are still to be found navigating on lakes or river estuaries. The chimney of a ship is called the **funnel**. The body of a ship is the **hull**; it is supported by the **keel** which extends from **stem** to **stern**.

— **11.** A merchantman includes several **watertight holds**, in which the **cargo** (or **freight**) is carefully **stowed**. Nowadays goods are often carried ready-packed **in containers**.
   When a ship's holds are empty, she must carry **ballast** (sand ballast of water-ballast). The goods are **loaded** on board and **unloaded** (or **discharged**) with the help of **cranes**.

— **12.** A small boat is **steered** by means of a **tiller**, (or **helm**) fitted to the head of the **rudder**. In large vessels there is no tiller but a **wheel**. The **sailor** in charge of it receives orders from the **master** (called **skipper** on a small vessel), who is assisted by a **mate**. Every modern ship is fitted with **automatic steering**. The master also has to keep the ship's **logbook** up-to-date.

— **13.** **Anchors** are fixed to the **blows** of a ship, one on the **starboard** (or right) side, the other on the **port** (or left) side. Before coming to an **anchorage**, which depends on the **draught** of the ship, the **lead** is used to **sound** the depth of the sea. Then the ship will **drop anchor** (opp. **weigh anchor**).

— **14.** A ship **flies** her national **flag** : in Britain, it is called the Red **Ensign**. The members of the **crew** are on duty in rotation during periods, called **watches**. The officer of the watch must be very attentive to the ship's course and keep a close eye on the **compass** and the **chart**. The speed of a vessel is indicated in **knots** (one knot = one nautical mile per hour).

15

a sailing vessel, ship .	un bateau à voile
a mast..............	un mât
a yard	une vergue
the sails	les voiles
★ the rigging	le gréement
★ a coil of rope	un rouleau de cordage
★ a threemaster	un trois-mâts
★ under full canvas	toutes voiles dehors
★ the wake	le sillage
★ to tack about	tirer des bordées
★ to drift	dériver

★ to *spring a leak	faire une voie d'eau
a lifejacket	un gilet de sauvetage
a lifeboat	un canot de sauvetage
★ a raft.............	un radeau
to be wrecked [w]...	faire naufrage
a shipwreck.........	un naufrage
a wreck............	une épave
to *sink............	couler, sombrer
★ disabled [dis-]........	désemparé
★ to *run aground	s'échouer
★ to be washed over-board...........	être enlevé par une vague
a lifebelt...........	une ceinture de sauvetage

16

a shipyard	un chantier de construction
to launch [ɔ:].......	lancer
to fit out	équiper
★ to man	armer
the home port......	le port d'attache
★ to be moored.......	être amarré
the quay [ki:], the wharf....	le quai
the docks..........	les bassins
the harbour	le port
a pier, a jetty	un môle, une jetée
a lighthouse........	un phare
a tug	un remorqueur
to tow, to tug......	remarquer
a channel	un chenal
★ a buoy [ʉ]	une bouée
to sail	naviguer
★ to be bound for	faire route vers
★ to *stand to sea.....	gagner le large

17

the casualties [kæʒ-] .	les pertes
to collide with [ai]....	aborder

STREAMS

Les cours d'eau

18

to flow	couler
a spring	une source
to *take one's source [ɔ:].............	prendre sa source
★ to well out.........	sourdre
★ to gush forth.......	jaillir
★ to ooze	suinter
★ to trickle...........	couler goutte à goutte

19

a torrent...........	un torrent
★ to splash	bondir en éclaboussant
a waterfall..........	une cascade
★ an eddy............	un tourbillon
★ to seethe	bouillonner
★ to foam............	écumer

— **15.** **Sailing vessels** are now becoming fewer and fewer. They have **masts** and **yards** which support the **sails**, the whole being worked by means of the **rigging**. The number of **coils of rope** on the deck must be confusing ! A **threemaster** flying **under full canvas**, leaving a long **wake** behind her, used to be such a grand sight ! On the other hand, when the winds were contrary, she had to **tack about** and when there was no wind at all she might **drift** dangerously.

— **16.** Ships are built in **shipyards**. The **launching** of a ship is always a great affair. After being launched, ships must be **fitted out**, then **manned**. A ship has a **home port**. She is **moored** alongside the **quay** (or **wharf**) or in the **docks**. The **harbour** is protected by a **pier** or **jetty**, at the end of which rises the **lighthouse**. A **tug tows** the ship out of the docks. The **channel** is marked by **buoys**. The ship **sails** out of the harbour, **bound for** some overseas destination. She soon **stands to sea** and sails away.

— **17.** Accidents are not uncommon at sea, and **casualties** are often heavy. A ship may **collide** with another ship and **spring a leak**. Then the sailors put on their **lifejackets**, and hurry to the **lifeboats** and **rafts**. They must get away before the ship **is wrecked**. The greatest **shipwreck** in history was that of the *Titanic* which **sank** on her maiden voyage. If a ship **is disabled** she may **run aground**. What is left of her is called a **wreck**. During a storm a sailor may **be washed overboard**. Then a **lifebelt** will be thrown out to him to save him from drowning.

— **18.** Many **streams flow** down the mountains. The place where a stream **takes its source** is a **spring**. The water **wells out** or **gushes** forth. When the snow melts in spring, water **oozes** and **trickles** on every mountain slope.

— **19.** A mountain **torrent splashes** from rock to rock. A roar announces a **waterfall**. At its foot there are **eddies** of **seething** and **foaming** water.

★ a tributary	un affluent
a river	une rivière, un fleuve
broad	large
narrow	étroit
straight	droit
winding [ai]	sinueux
deep	profond
shallow	peu profond
a ford	un gué
★ to ford, to wade across	traverser à gué
a brook, a creek (Am.)	un ruisseau
a flood [ʌ]	→71/16

the bank	la rive
the edge	le bord
the bottom	le fond
clear	clair, limpide
★ turbid, muddy	trouble, bourbeux
★ slime [ai]	la vase, le limon
the river bed	le lit du fleuve

to water [ɔ:]	arroser, baigner
the mouth	l'embouchure
an estuary	un estuaire
a delta	un delta
fresh water	l'eau douce
salt water [sɔ:lt]	l'eau salée

a lake	un lac
a pool	une mare
a pond	1. un étang
. . . .	2. un bassin
a swamp, a marsh . . .	un marais
★ a fen, a bog	un marécage
★ peat	la tourbe
★ to reclaim	mettre en culture

THE RIVERSIDE

Le bord de la rivière

a fish (inv.)	un poisson
★ a scale	une écaille
★ a bone	une arête
★ a fin	une nageoire
★ the crayfish	l'écrevisse
★ the otter	la loutre
★ the beaver	le castor
★ the toad	le crapaud
★ the frog	la grenouille
★ the swan [ɔ]	le cygne
★ the heron	le héron

– **20.** Many **tributaries** join the stream which becomes a **river**. A river is either **broad** or **narrow, straight** or **winding**. It is generally **deep,** but in some places it may be so **shallow** that it can be **forded** (or **waded across**). The place is called a **ford**. A very small stream is a **brook** (Am. **creek**).

– **21.** Many plants grow on the river **bank** and on the water's **edge**. When the water is **clear,** you can see the **bottom**. When it is **turbid, slime** accumulates on the **river bed**.

– **22.** Now the river becomes wider. After **watering** many towns it flows into the sea. The **mouth** of a river is either an **estuary** or a **delta**. There the **fresh water** of the river and the **salt water** of the sea become mingled.

– **23.** Some streams never reach the sea. They flow into a **lake**. A small lake is called a **pool** or a **pond**. The latter may be either natural or artificial. A tract of low and very wet land is a **swamp** (or **marsh**). When it is wholly or partially covered with water it is a **fen** (or **bog**). the rotten vegetable matter at the bottom of a bog is called **peat**; it may be used as fuel. Swamps can be **reclaimed** by much drying and draining.

– **24.** A **fish** is covered with **scales**. Its skeleton is made of **bones**. It swims with its **fins** and tail. Freshwater fish are different from sea fish. The **crayfish** is smaller than the lobster and is to be found in streams. Many creatures live by the riverside : such are the **otter** and the **beaver**, or amphibians like the **toad** or the **frog**, or again birds like the graceful **swan** or the long-necked **heron**.

★ the reed .... le roseau
★ the bulrush [u] .... le jonc
★ the willow .... le saule
★ the kingfisher .... le martin-pêcheur
   angling .... → 55/22-23

26

  a canal .... un canal
  a barge .... une péniche
★ the tow-path .... le chemin de hâlage
  a lock .... une écluse
★ a sluice [†] .... une vanne
  a ferry (-boat) .... un bac
★ a ferryman .... un passeur

— **25.** **Angling** is a favourite pastime of many people. The angler must be careful not to let his line get entangled in the **reeds** and **bulrushes** which grow in the water, or in the low-hanging branch of a **willow**. When he is tired of looking at his float, the sight of a **king-fisher** flashing past may offer him a moment's relaxation.

— **26.** Inland navigation still plays an important part in the traffic of goods. Formely **barges** used to be towed along rivers and **canals** by horses following the **tow-path**. They are now mostly self-propelled. **Locks,** with opening and closing **sluices**, are used to raise or lower barges from one level to another. When no bridge spans a river, a **ferry-(boat)** will convey the passengers across. The man in charge of it is the **ferryman**.

PROVERBS AND SAYINGS

Little brooks make great rivers. Les petits ruisseaux font les grandes rivières.

The river passed, and God forgotten. Passé le danger, honni le saint (appr.).

There is nothing new under the sun. Il n'y a rien de nouveau sous le soleil.

Still waters run deep. Il n'est pire que l'eau qui dort (appr.).

In a calm sea every man is a pilot. Par mer calme tout le monde s'entend à gouverner.

THE LIGHTER SIDE

Passenger : "Say, Captain, I don't feel well. How far are we from land ?".
Captain : "About three miles".
Passenger : "Which way ?".
Captain : "Straight down".

●

Mother : "What would you like to take your cod liver oil with this morning, George ?"
George : "A fork".

●

Boat-keeper to customer : "It's three shillings an hour. But the boat's got a leak, so I'd as soon you paid in advance".

Seasick passenger : "Tell me, Steward, is that the land over there ?".
Steward : "No, sir; it's only the horizon".
Passenger : "Oh, well, that's better than nothing".

●

1st shipwrecked man : "Hurray ! A sail !".
2nd shipwrecked man : "What good do you think that is ? We've no mast".

●

Angler to stranger standing behind his back : "You've been there watching me for two hours now. Why don't you fish yourself ?"
Stranger : "I'd never have the patience".

XVI. — THE WEATHER AND THE SEASONS
LA TEMPÉRATURE ET LES SAISONS

1

the climate [klaimit]...	le climat
temperate...........	tempéré
rain	la pluie
rainy, wet..........	pluvieux
changeable, unsettled	variable, incertain
a bright interval	une éclaircie

2

the weather forecast.	les prévisions météorologiques
★ a weathercock........	une girouette
the thermometer.....	le thermomètre
the barometer	le baromètre
the glass is *rising...	le baromètre monte
fine, fair	beau
the glass is *falling ..	le baromètre descend
it looks like rain	le temps est à la pluie

SPRING
Le printemps

3

a cloud	un nuage
cloudy..............	nuageux
a shower [ʃauə]......	une averse, une giboulée
it pours [ɔː].........	il pleut à verse
★ it rains cats and dogs	il pleut des hallebardes

4

a driving, pelting rain	une pluie battante
to be wet through ...	être trempé
★ to be drenched, soaked, to the skin ..	être trempé jusqu'aux os
★ to be dripping	être ruisselant

5

it hails..............	il grêle
a hail-stone	un grêlon
a raindrop...........	une goutte de pluie
★ it drizzles	il bruine
a rainbow [-bou]	un arc-en-ciel

SUMMER
L'été

6

it is warm	il fait chaud
it is hot	il fait très chaud
sunshine...........	le soleil (clarté)
the glass points to set fair	le baromètre est au beau fixe
a spell.............	une période
to *shine	briller
★ to glare...........	briller d'un éclat éblouissant
bright	brillant, éclatant
clear...............	clair, pur
cloudless...........	sans nuage
★ glorious............	magnifique, radieux

— **1.** The British Isles have a maritime **climate, temperate** and **rainy** (or **wet**). London has 170 days of **rain** a year. The chief characteristic of this climate is **changeable** (or **unsettled**) weather. A **bright interval** soon follows after the rain.

— **2.** Much attention is given in England to the **weather forecasts** in the papers or on the radio or TV. Every one can know the direction of the wind by looking at the **weathercock** at the top of the village church. A glance at the **thermometer** shows you the temperature. The **barometer** (or **glass**) indicates the pressure of the air. If **it is rising,** you may expect some **fine** (or **fair**) weather. If **it is falling,** there will be rain again. But you need not be an expert to say, after a glance at the sky, « **it looks like rain** ».

— **3.** There are four **seasons. Spring** is a rainy season. The sky is never without a **cloud** (or is always **cloudy**). April **showers** continue until May. Sometimes **it pours,** or **it rains cats and dogs.**

— **4.** If you are caught by a **driving** (or **pelting**) rain, you will soon **be wet through, drenched** (or **soaked**) to the skin, your clothes will be **dripping.**

— **5.** Sometimes **it hails : hails-stones** are frozen **raindrops.** Again **it drizzles** (i.e. it rains in small drops). When there is a shower and sunshine at the same time, a **rainbow** appears in the sky.

— **6.** In **summer** the weather is **warm,** sometimes **hot.** There are more hours of **sunshine** than in spring. When the **glass points to set fair,** you may expect a **spell** of fine weather. The sun **shines bright** (or **glares**) in a **clear, cloudless** sky. Another **glorious** day !

7

★ the dogways	la canicule
a heat wave	une vague de chaleur
★ scorching	torride
★ oppressive, stifling	accablant
close [s], sultry	lourd, étouffant
★ a haze	une brume de chaleur
a thunderstorm is bre-wing [u:]	un orage se prépare

8

the rumbling of thun-der	le grondement du ton-nerre
a flash of lightning	un éclair
to dazzle	éblouir, aveugler
a clap of thunder	un coup de tonnerre
to *run for shelter	courir se mettre à l'abri
the lightning *strikes	la foudre tombe

9

dry	sec
drought [-aut]	la sécheresse
the warmth	la chaleur (douce)
cool	frais
dew	la rosée

AUTUMN
L'automne

10

damp	humide
dull	gris, triste
overcast	couvert

a high wind	un grand vent
a storm	une tempête
to *blow	souffler
★ to whirl [ə:]	tourbillonner

11

a mist	une brume
a fog	un brouillard
★ a pea-souper	une « purée de pois »
★ « smog » (smoke + fog)	le « smog »
the fog is lifting	le brouillard se lève
it clears up	le temps s'éclaircit

WINTER
L'hiver

12

it is cold	il fait froid
severe [iɔ]	rigoureux
mild [ai]	doux
icy	glacé
★ nasty, foul [au]	mauvais, affreux

13

★ bleak	triste et froid
to *feel chilly	frissonner
chilled to the bone	transi de froid
★ a pinching, biting [ai] cold	un froid mordant, péné-trant
to *freeze	geler
★ a hoarfrost	une gelée blanche
frost	la gelée, le gel
ice [ai]	la glace
★ an icicle [ai]	un glaçon

— **7.** In July comes the period called the **dogdays,** when there is a **heatwave.** The heat is when there is a **scorching** and **oppressive** (or **stifling**) temperature. The air is **close** and **sultry.** There is **a haze** over the country. A **thunderstorm is brewing.**

— **8.** First you hear the distant **rumbling of thunder.** Then a **dazzling flash of lightning** strikes through the sky, followed by a loud **clap of thunder.** Now it is time **to run for shelter** ! A thunderstorm may be dangerous if **the lightning strikes.**

— **9.** Long periods of **dry** weather (or **drought**) are uncommon in England. On a clear night the earth sends into the upper atmosphere the **warmth** it has received from the sun. The air near the ground gets **cool** and changes its water vapour into liquid drops : this is **dew.**

— **10.** In **autumn** (an American will say « in fall ») the weather becomes cooler and **damper.** The wet season is beginning. The sky is often **dull** and **overcast.** At times **high winds** and **storms blow.** The dead leaves **whirl** about on the ground. How sad it all is !

— **11.** But autumn is above all the season of **mists** and **fogs.** A thick yellow fog is called a « **pea-souper** ». In cities smoke and fog get mixed together : this is called « **smog** ». What relief when **the fog is lifting** and **it is clearing up** !

— **12. Winter** is generally **cold** and damp. **Severe** winters are rather rare in Great Britain. In the West, winters are often **mild,** while the East is under the influence of the **icy** winds blowing from the North Sea. What **nasty** (or **foul**) weather, anyhow !

— **13.** The days are **bleak.** People **feel chilly,** then are **chilled to the bone** if the cold increases. The **pinching cold** endures. When the thermometer falls below **freezing** point, there is a **hoarfrost** in the morning, then a **frost** sets in : water hardens into **ice. Icicles** hang from trees and roofs.

14

to snow	neiger
snowflakes	des flocons de neige
★ sleet	le grésil
★ a thaw [ɔ:]	un dégel
to melt	fondre

★ a hurricane	un ouragan
★ a typhoon [tai-]	un typhon
★ to abate	diminuer
to die away	se calmer

HOSTILE NATURE

La nature hostile

15

a storm, a tempest (lit.)	une tempête
★ to make havoc	faire des dégâts
to be *blown down	être renversé par le vent
★ a squall [ɔ:], a blast	une rafale, un grain
★ a gust of wind	un coup de vent
★ a gale	un grand vent
to *do damage (sg.)	causer des avaries
★ a sea	un paquet de mer
a wave	une vague
to rage	être furieux
to foam	écumer
to roar	gronder
a shipwreck	→ 66/17

16

a flood [ʌ]	une inondation
to *swell	s'enfler
to overflow one's banks	déborder
★ to whirl [ɔ:]	tourbillonner
★ to recede [i:]	se retirer
an eruption	une éruption
lava [la:və]	la lave
to gush	jaillir
the crater [ei]	le cratère
a volcano [ei]	un volcan
the ashes	les cendres

17

a phenomenon, pl. -na	un phénomène
an earthquake	un tremblement de terre
to quake	trembler
to crack	se fendre
★ a landslip, a landslide	un glissement de terrain
a blizzard	une tempête de neige
★ a snowdrift	une congère
to be snowbound	être bloqué par les neiges
★ an avalanche [-ɑ:nʃ]	une avalanche
icy	verglacé

– **14.** At other times it **snows**. The **snow** falls in **flakes**. **Sleet** is snow and rain falling together. When the frost breaks, a **thaw** sets in. Snow and ice **melt**. Spring may not be far now.

– **15.** Nature is often hostile to man. **Storms** often **make havoc** both in town and country. Chimmeys and trees may be **blown down** by a **squall** (or a **blast**).
   A **gust of wind** may blow your hat away, but a **gale** at sea is more serious. It may **do** great damage **to ships**. **Seas** crash on to the deck. The **raging waves foam** and **roar**. A **hurricane** is an extremely violent storm. Tropical islands are sometimes swept by **typhoons**. Sooner or later, the storm **abates** and **dies away**.

– **16.** Continued rains cause **floods**. Rivers **swell** and **overflow their banks**. The seething, **whirling** waters may cause great damage before they **recede**.
   There have been several famous **eruptions** in history. In A.D. 79 Pompei was buried under the **ashes** of Vesuvius. During an eruption torrents of **lava gush** out of the **crater** of the **volcano**.

– **17.** Other natural **phenomena** are **earthquakes** (the earth **quakes** and **cracks**) and **landslips** (or **landslides**).
   In cold and mountainous countries **blizzards** often rage. Mountaineers may be **snowbound** (i.e. stopped by **snowdrifts**) or, worst of all, buried under an **avalanche**.
   In winter motorists must beware of **icy** roads.

PROVERBS AND SAYINGS

Each cloud has its silver lining. Toute chose a son bon côté (appr.)
Cloudy mornings turn to clear evenings. Après la pluie le beau temps.

XVII. – TIME. THE CALENDAR
LE TEMPS. LE CALENDRIER

TIME AND DURATION

Le temps et la durée

1

to happen, to occur [ə:]	arriver, survenir
to *take place	avoir lieu
formerly	autrefois
the past	le passé
past (adj.)	passé
the present	le présent
current events	l'actualité
present (adj.)	présent
at present	en ce moment
the future	l'avenir
future (adj.)	futur

2

to pass, to elapse	passer, s'écouler
quickly	rapidement
to *fly, to *run by	fuir
★ to slip away	s'enfuir
★ to *wear away, to drag on	s'écouler lentement
slowly	lentement
★ to *hang heavy	se traîner

3

★ to kill time, to while away the time	tuer, tromper le temps
★ fleeting	fugitif
lasting	durable
everlasting	éternel

4

How long does it *take ?	combien de temps faut-il ?
to be on time	être à l'heure
to be late	être en retard
to be in time	arriver à temps
lately	récemment
sooner or later	tôt ou tard
last (adj.)	dernier (d'une série)
at last	enfin (soulagement)
first (adv.)	d'abord
lastly, finally	enfin (enumération)
to last	durer →75/18

5

to approach, to *draw near	se rapprocher
it's high time	il est grand temps
to start, to *begin	commencer
★ without further delay	sans plus attendre
to hurry up	se hâter

– **1.** What **happened** (or **occurred**) or **took place formerly** belongs to **the past**. History records **past** events. What is happening now belongs to **the present**. Newspapers keep us informed of **current events,** i.e. of what is happening at the **present** time (or **at present**). But who knows what **the future** keeps in store for us, although not a few people boast they can predict **future events**.

– **2.** Every one has an instinctive notion of time as it **passes** (or **elapses**). If days follow each other **quickly,** we think that time **flies** (or **runs by**). "How youth is **slipping away**" the poet sighs. On the contrary, during a sleepless night, you will think that time **wears away** (or **drags on**) ever so **slowly**. If you stay idle too long, finally time will **hang heavy** (on your hands).

– **3.** With the versatility of youth, a boy may not know what to do **to kill time** (or **while away the time**). The next minute he is having such a good time that he would like to stop the **fleeting** instant. He is apt to think his joy will be **lasting** for ever, will be **everlasting**.

– **4.** Mr and Mrs Pratt are having a tiff. "**How long does it take** a lady to change her clothes ?" Mr Pratt was asking himself for the umpteenth time. "We'll never **be on time**. Hurry, Sue", he shouted, "we'll **be late** for the play. We'll never **be in time** for the raising of the curtain." "Sam", replied his wife, "you've been getting so impatient **lately**. **Sooner or later,** we'll have to talk it out". "That's for sure !" cired Sam. "This is the **last** time I'm going to wait for you !" "Well ! **at last,** it has come out" sobbed Sue. "What's come out ?" queried Sam. "**First,** you don't love me any more; you're mean to me, and **lastly** (or **finally**), you're... a beast ! I knew your love wouldn't **last**."

– **5.** A lazy boy, when his exams are **approaching** (or **drawing near**) will think "**It's high time** now I **started** (or **began**) working. I must put my back into it **without further delay**". But **hurry up** as he may, he will find it

★ to *make up for lost time	rattraper le temps perdu	the latest	le dernier, le plus récent
hurried	hâtif	up-to-date	à la dernière mode
to *put off, to post-pone	remettre, renvoyer	former	précédent, ancien
		the former	le premier, celui-là
		the latter	le second, celui-ci

6

spare time, time to spare	des loisirs
to *spend	passer
to waste one's time	perdre son temps
to save time	gagner du temps

NIGHT AND DAY
La nuit et le jour

9

to *tell the time	dire l'heure
dawn [ɔ:]	l'aube
daybreak, peep of day	le point du jour
to *rise	se lever
sunrise	le lever du soleil
the light	la lumière
it is broad daylight	il fait grand jour
the morning	le matin, la matinée
midday, noon	midi

7

to end, to *come to an end	finir, se terminer
★ to *draw to a close [s]	tirer à sa fin
to *go on, to continue	continuer
to *keep (on)	ne pas cesser de
to stop, *to leave off	cesser, s'arrêter
to wait for	attendre
to wait till	attendre que

10

the afternoon	l'après-midi
the evening	le soir, la soirée
to *set	se coucher
sunset	le coucher du soleil
it is dark	il fait sombre
dusk, twilight [ai]	le crépuscule
darkness	l'obscurité
midnight	minuit
★ it is pitch dark	il fait nuit noire

8

early (adj.)	1. matinal
	2. qui se situe au début
early (adv.)	de bonne heure
earlier	antérieur
earliest	le plus ancien
late (adv.)	1. en retard
	2. vers la fin de
later on	plus tard

impossible to make up for lost time. Hurried work is no good indeed. And one should never forget the maxim : Never put off (or postpone) till to morrow what you can do today.

— **6.** A man may have some spare time (or time to spare) and not know how to spend it. That is very unfortunate indeed. Those who waste their time will surely repent it. American housewives have lots of time-saving gadgets. But what's the use of saving time, when you aren't sure of using it properly ?

— **7.** When the holidays begin schoolchildren think they will never end (or come to an end). When they are drawing to a close they wish holidays might go on (or continue) for ever.
Tom and Maggie keep (on) quarrelling all day long. Their mother wonders when they will stop (or leave off) behaving so stupidly.
When Mr Smith makes an appointment with his wife who has been shopping, he knows he will have to wait for her (or wait till she has done her shoping).

— **8.** The early bird catches the worm. This proverb means that you have to rise early if you want to be served first. But in early spring, the bird may find no worm on the snow-covered earth.
"Have you forgotten the earlier feelings you had for me ?" says Sue. "As for me, you still appear clearly among my earliest recollections".
He arrived too late at the station to see his friend off.
He came late in the afternoon hoping to find her at home. But she was not in and he said he would call again later on.
Modern ladies try to follow the latest fashion and wear up-to-date dresses.
One day Paul came across his former schoolmistress and her younger sister. How glad he was to meet the former lady, but not so with the latter who had been rather cruel to him.

— **9.** Every creature knows the difference between night and day. Every countryman can tell the time from the position of the sun in the sky. In the country, cocks crow to announce dawn, daybreak (or peep of day). Then the sun appears on the horizon and rises in the sky : it is sunrise. Rapidly its light spreads over the world. It is soon broad daylight. The morning ends at midday (or noon), when the sun is at its zenith.

— **10.** Then comes the afternoon, followed by the evening. In winter night falls very early. The sun sets as early as 4. After sunset it is not yet quite dark, a faint light is reflected upon the earth : it is dusk (or twilight). But very soon darkness spreads over the world. Midnight is the middle of the night. On a starless night it is pitch dark.

THE MEASUREMENT OF TIME

La mesure du temps

11

★ an hourglass [h]	un sablier
★ a sundial [-dai əl]	un cadran solaire
a shadow	une ombre
a clock	une horloge
a watch [ɔ]	une montre
the hands	les aiguilles
the spring	le ressort
a battery	une pile
the dial [ai]	le cadran
★ clockwise	dans le sens des aiguilles d'une montre
★ counter-clockwise . . .	en sens inverse...
★ quartz [ɔ:]	le quartz
★ liquid crystal display . .	l'affichage à cristaux liquides

12

an hour [h]	une heure
a minute [minit]	une minute
the second-hand	la trotteuse
to *wind up [ai]	remonter
to be slow	retarder
to be fast	avancer
the watchmaker	l'horloger
the right time	l'heure juste

13

a quater of an hour . .	un quart d'heure
half an hour, a half-hour (Am.)	une demi-heure

an hour and a half . . .	une heure et demi
what time is it by... ?	quelle heure est-il à... ?
it is 5 (o'clock) sharp .	il est 5 heures précises
ten past (Am. after) five	cinq heure dix
half past ten	dix heures et demie
a qarter to (Am. before) six	six heures moins le quart
five to ten	dix heures moins le quart

14

a.m.; p.m.	avant midi; après midi
a timetable, a schedule [ske-] (Am.) . . .	un horaire
by the hour	à l'heure (prix)
per hour	à l'heure (vitesse)
for three hours	depuis (pendant, pour) trois heures
since 2 (o'clock)	depuis 2 h (ou 14 h)
three hours ago	il y a trois heures
every half hour	toutes les demi-heures
another two hours . . .	deux heures de plus

15

a week	une semaine
a fortnight	quinze jours
a month [ʌ]	un mois
a quarter	un trimestre civil
a term [ə:]	un trimestre scolaire
a year	une année
★ a leapyear	une année bissextile
every fourth year	tous les quatre ans
a century	un siècle (100 ans)
★ an age	un siècle, une époque

– **11.** But civilized man needs to know the exact time. Very long ago he invented the **hourglass**, then the sundial. The latter can show the time by means of a **shadow** cast by the sun. **Clocks** were invented 500 years ago. In a **clock** and a **watch a steel spring**, or a **battery**, move the two **hands** rounds the **dial**. These have been replaced in the latest **quartz** watches by **liquid crystal display** figures.

Any circular movement in the direction travelled by the hands of a clock is said to be **clockwise**; the reverse movement is called **counter-clockwise.**

– **12.** The shorter hand points to the **hours**, the longer one to the **minutes**. There may also be a **second-hand**. A watch needs **winding up** regularly, otherwise it will **be slow** and eventually stop. If your watch **is fast**, the **watchmaker** will set it right, and it will give you the **right time.**

– **13.** Fifteen minutes make **a quarter of an hour**, thirty minutes **half an hour** (Am. **a half-hour**). There are ninety minutes in **an hour and a half.**

What time is it by your watch ? It is **5 (o'clock) sharp, ten past five, half past ten, a quater to six, five to ten...**

– **14.** On the continent the 24-hour system is universally used. In great Britain they still divide the day into **a.m.** (ante meridiem) and **p.m.** (post meridiem). Thus on a railway **timetable** (Am. **schedule**) you can read that the train which leaves London at 11.07 a.m. is due to arrive at Bristol at 1.56 p.m.

You can hire boats **by the hour**. In all English villages speed is restricted to 30 miles **per hour** (m.p.h.).

It is now 5. Paul is very tired. He has been working **for three hours**, that is **since 2** (o'clock). He stated working 3 hours **ago**. Every half hour he walks up and down his room to stretch his legs a bit. To think that he has **another two hours** to go !

– **15.** There are seven days in a **week**. Two weeks are a **fornight**. Three **months** form a **quarter**, or a **term**. there are 365 days in a **year**, 366 in a **leap year** which recurs **every fourth year**. A period of a hundred years is a **century**. The Elizabethan **Age** was the most glorious in English history.

every day	chaque jour, tous les jours
a daily (paper)	un quotidien
every other day	tous les deux jours
weekly	hebdomadaire
monthly	mensuel
quarterly.	trimestriel
yearly	annuel
once [wʌns]	une fois
twice [ai]	deux fois
three times, etc.	trois fois

this day week	d'aujourd'hui en huit
tomorrow fortnight . . .	demain en quinze
next Saturday	samedi prochain
the next day	le jour suivant
last year	l'année dernière
the last two	les deux derniers
the last but one	l'avant-dernier
the last year	la dernière année

THE CALENDAR

Le calendrier

the date	la date
B.C.	avant J.C.
A.D.	après J.C.
today	aujourd'hui
tomorrow	demain
yesterday	hier
the day before yester-	
day	avant-hier
the day after tomor-	
row	après-demain

a festival, a feast-day	une fête
★ Good Friday	le Vendredi Saint
Easter Sunday	le dimanche de Pâques
★ Whitsun(tide)	la Pentecôte
Christmas [+]	Noël
a holiday	un jour férié
the Bank Holidays . . .	les fêtes légales
★ Whit Monday	le lundi de Pentecôte
Boxing Day	le lendemain de Noël
Christmas boxes,	
Xmas presents	les étrennes, les cadeaux de Noël
New year's Day	le Nouvel An
New year's Eve	la Saint-Sylvestre

— **16.** A paper which is published **every day** is a **daily (paper).** Tom writes to his fiancée **every other day.** There are **weekly** magazines, **monthly** or **quarterly** reveiws. Every commercial firm publishes a **yearly** report. Catalogues may be issued **once** or **twice** or **three times** every year.

— **17.** The **calendar** shows the **date.** In chronology events are dated **B.C.** (before Christ) or **A.D.** (*Anno Domini*). For instance, the Emperor Augustus was born in 63 B.C. and died in 14 A.D.
   The date **today** is November (or Nov.) 23rd (or 23rd November). **Tomorrow** will be Nov. 24th, **yesterday** was Nov. 22nd. Tom's exams began **the day before yesterday** and will be over **the day after tomorrow.**

— **18.** You will fix an appointement with a friend for, say, **this day week** or **tomorrow fortnight** or simply **next Saturday.** Nov 14th won't do, because you will be away **the next day** early in the morning.
   Last year, we spent the **last two** weeks of the holidays at a seaside hotel. The **last day but one** father had not a penny left and had to borrow some money to pay the bill. « It's **the last year** we are having such expensive holidays, he said. Next year we'll buy a caravan and save a lot of money. »

— **19.** The chief religious **festivals** (or **feast-days**) of the year are : **Good Friday, Easter Sunday, Whitsun(tide)** and **Christmas.** In addition to these there are four general **holidays** called **Bank Holidays** : Easter Monday, **Whit Monday,** August Bank Holiday (the third Monday in August) and **Boxing Day,** the day after Christmas day, so called because on that day **Christmas-boxes** (or **presents**) are given. **New Year's Day** is not a public holiday in Great Britain except in Scotland, where **Nex Year's eve** (locally called Hogmanay) is the occasion for great rejoicings.

HUMAN LIFE

La vie humaine

20

★ infancy	la première enfance
an infant	un enfant en bas âge
a child [ai], pl. children [i]	un enfant
chilhood [ai]	l'enfance
to *grow up	grandir
how old are you ? . . .	quel âge avez-vous ?
when were you born ?	quand êtes-vous né ?
a boy of 12, a twelve-year old boy	un garçon de 12 ans

21

youth	la jeunesse
a youth, a young [ʌ] man	un jeune homme
to be in one's teens .	avoir moins de vingt ans
teenagers	les adolescents
the grown-ups	les grandes personnes

★ to *come of age	atteindre sa majorité
manhood	l'âge d'homme
womanhood	l'age adulte *(pour la femme)*

22

★ to be in one's prime [ai]	être dans la fleur de l'âge
middle-aged	d'âge moyen
elderly	d'âge mûr
to be in one's forties (40's)	avoir une quarantaine d'années
★ the early forties	les années 40 à 45
★ the late forties	les années 45 à 49
★ to be on the right side of fifty	avoir moins de cinquante ans
★ to be on the wrong side of fifty	avoir dépassé la cinquantaine
to *grow old	vieillir
old age	la vieillesse
★ a ripe old age	un bel âge
death	→ 45/8-9

— 20. A man's life stretches over a number of years and passes through different periods. The earliest period in **infancy**. During the first two or three years of his life he is an **infant**. Then he **grows up**, becomes **a child**, and enters **childhood**.

When you want to know a child's age, you ask him either "**how old are you ?**" or "**when were you born ?**". He will answer, for instance, "I am 12 (years old)" or "I was born in 1964. You will speak of him as **a boy of 12** (or a **twelve-year old boy**).

— 21. Mozart was a genius from his early **youth**. At 18 he was a handsome **youth** (or **young man**). A girl between 13 and 19 is said **to be in her teens**. **Teenagers** have their own view of things which **grown-ups** often fail to understand. At 18 a young man or a young woman **comes of age**, then **manhood**, or **womanhood**, begins.

— 22. At 30 a man is still **in his prime**. Then you will speak of him as a **middle-aged man**. An **elderly** lady sometimes does not look her age. After 40 a man is said to be **in his forties, either in his early** or his **late forties**. Later he will be **on the right side**, then **on the wrong side of fifty**. As a man **grows old**, he finds it more and more difficult to work but some people, unfortunately, have to work in their **old age**, until their dying day. Some fortunate few live to a **ripe old age**, preserving all their faculties unimpaired.

XVIII. – THE COUNTRY. THE VILLAGE
LA CAMPAGNE. LE VILLAGE

1

the country [ʌ].......	la campagne (en général)
country people, country folk(s)........	les gens de la campagne, les paysans
a market town	un bourg
a village [-idʒ].......	un village
★ a hamlet.............	un hameau
the countryside......	la campagne (en particulier)
picturesque	pittoresque
lovely...............	charmant
deserted.............	abandonné
a second home	une résidence secondaire

2

a villager............	un villageois
quiet [kwaiət]........	paisible
laborious............	laborieux
★ a plot..............	un coin de terre
★ thatch.............	le chaume
★ a thatched cottage [-idʒ].............	une chaumière
to stretch...........	s'allonger
★ secluded...........	retiré, à l'écart

3

to cluster...........	se grouper
scattered, straggling .	disséminé, épars
★ the vicarage, the rectory	le presbytère, la cure
★ the parson.........	le recteur, le pasteur

★ the manor-house, the country-seat	le manoir, le château
★ the squire [skwaiə] ...	le châtelain

4

to rule..............	gouverner
★ the landlord.........	le propriétaire
★ a tenant............	un locataire
to *let..............	louer → 9/2
an estate	un domaine
the county council [au]	→ 122/15

5

the postoffice	le bureau de poste
the postmaster......	le receveur
the postmistress	la receveuse
the schoolmaster	l'instituteur
the schoolmistress...	l'institutrice
the inn	l'auberge
★ the innkeeper......	l'aubergiste
★ the sign(-board) [sain].	l'enseigne
the village hall	la salle des fêtes

6

the green	la pelouse, le pré
the common	le terrain communal
★ the village constable .	le garde-champêtre
the churchyard	le cimetière
★ the sexton	le sacristain, le fossoyeur
a grave	une tombe
★ a vault.............	un caveau

— 1. The Englishman goes off to the **country** as often as he can. 20 per cent of the population live in the country : they are **country people** (or **country folk**). They live in **market towns**, **villages** and **hamlets**. An English village generally harmonizes with the **countryside** round it. There is no more **picturesque** or **lovely** sight than an unspoilt English village; a **deserted** village is a very rare sight in England. **Second homes** are not uncommon now.

— 2. **Villagers** are **quiet, laborious** people. They tend their own **plots** lovingly, they keep their houses neat and gay. Some of these are **thatched cottages** (i.e. they have roofs of **thatch**). Some villages **stretch** along each side of the main road, others stand in a **secluded** spot.

— 3. Generally the houses **cluster** around the church, with farms **scattered** (or **straggling**) over the neighbourhood. Near the church stands the **vicarage** (or **rectory**) where the **parson** lives. Not far away stands the **manor-house**, the **country-seat** of the **squire**.

— 4. The squire used to be the most important man after the parson. He **ruled** the village. He was the **landlord** of most houses, and most villagers were his **tenants**. Nowadays many squires have been forced to sell or **let** their lands. But a few still remain; they have preserved their large **estates** and serve their communities by sitting on **county councils**, which deal with all local affairs.

— 5. Along the road you will find the **postoffice** run by the **postmaster** or **postmistress,** the school where the **shoolmaster** or **schoolmistress** lives, the **inn** where the **innkeeper** welcomes the visitors, attracted by the picturesque **sign-board,** the **village hall** for meetings and dances, and several shops.

— 6. The children play on the village **green,** and the **common** is a meeting place for all villagers. The **village constable** has not much to do to keep the peace. Round the church lies the **churchyard** where you may see the **sexton** at work looking after the **graves** and **vaults.**

ROADS AND PATHS
Routes et chemins

7

a road	une route
a lane	un chemin (creux)
to *wind [ai]	serpenter
a hedge(row)	une haie
a fence	une barrière
a bend, a twist	un tournant, un coude

8

a cart-track, a path	un chemin charretier
dusty	poussiéreux
muddy	boueux
★ a rut	une ornière
★ a puddle	une flaque d'eau
★ to splash	patauger
to widen [ai]	élargir
uneven [i:]	irrégulier
smooth, even	lisse, uni

9

★ the roadmender	le cantonier
★ a pothole	un nid de poule
to *keep in good repair	entretenir
a ditch	un fossé
a bank	un talus
a short cut	un raccourci
a footpath	un sentier

VILLAGE TRADES
Métiers villageois

10

the blacksmith	le forgeron
a hammer	un marteau

★ an anvil	une enclume
★ the forge	la forge
★ the smithy	la forge, l'atelier
★ to *shoe	ferrer
★ a horseshoe	un fer à cheval
★ the hoof	le sabot

11

★ the wheelwright [-rait]	le charron
a cart	une charrette
★ a shaft	un brancard
a wheel	une roue
★ the nave, the hub	le moyeu
★ the spokes	les rayons
★ the rim	la jante
★ the axle	l'essieu

12

★ the saddler	le sellier
a saddle	une selle
the harness	le harnais
★ a rein	une rêne
★ a bridle [ai]	une bride
★ to *set spurs	donner de l'éperon
★ to harness	atteler
★ the traces	les traits

13

a tramp	un chemineau
★ a vagrant [ei]	un vagabond
a gipsy	un bohémien
a caravan	une roulotte
★ a tinker	un rétameur
★ a basketmaker	un vannier
★ a wandering tradesman	un marchand ambulant

– **7.** There is a network of **roads** and **lanes** round the village. An English country road is rarely straight; it **winds** about between tall **hedges** (or **hedgerows** or **fences**). Its numerous **bends** (or **twists**) keep the motorist on the alert.

– **8.** Many of these roads used to be **cart-tracts** (or **paths**), **dusty** or **muddy** according to the weather, marked with deep **ruts** or full of **puddles** in which horses would **splash**. Now they have been turned into modern roads. Many have been **widened** and their surface is no longer **uneven**, but beautifully **smooth** (or **even**).

– **9.** There you may see the **roadmenders** at work, filling **potholes**, **keeping ditches** and **banks in good repair**. Roads are dangerous for pedestrians who often prefer to take **a short cut** and follow a **footpath** across the fields.

– **10.** An important member to the village community used to be the **blacksmith** and the musical ring of the **hammer** on the **anvil** as well as the glow of the **forge** used to attract many a villager to the **smithy**. He would occasionally **shoe** horses, that is nail **horseshoes** under the animals' **hoofs**.

– **11.** The **wheelwright**'s work is to make and repair **carts**. If a **shaft** or a **wheel** is broken he makes a new one. A cart-wheel is composed of the **nave** (or **hub**) in which are inserted the **spokes** which join it to the **rim**. The two wheels turn round the **axle**.

– **12.** The **saddler** makes **saddles** and **harnesses**. A rider governs his horse by means of a **rein** and **bridle**; he **sets spurs** to his horse to quicken its pace. A horse is **harnessed** to a cart by means of **traces**.

– **13.** If **tramps** and **vagrants** are now figures of the past, **gipsies** are occasionally to be met with, driving past in their brightly-painted **caravans** or sitting round their camp fire. They are **tinkers** and **basketmakers**.
   Wandering tradesmen visit villages at regular intervals.

XIX. – GARDENS AND ORCHARDS
JARDINS ET VERGERS

1

a gardener	un jardinier
a lawn	une pelouse
to *mow	tondre, faucher
to roll	rouler
gravel [æ]	du gravier
a path, a walk [wɔːk]	une allée
weeds	des mauvaises herbes
★ to weed	desherber
★ a weed-killer	un herbicide
★ a stone slab	une dalle de pierre

3

a rose-tree, a rose-bush [u]	un rosier
a rose	une rose
★ a shoot	une pousse
★ a bud	un bourgeon, un bouton
★ to prune	tailler
sweet-scented, fragrant [ei]	odorant, qui sent bon
★ a thorn	une épine
a bunch of flowers, a posy	un bouquet

FLOWERS
Les fleurs

2

a flowerbed	un parterre
a daffodil	une jonquille
a tulip [juː]	une tulipe
a hyacinth [haiə]	une jacinthe
★ a lily	un lys
★ a pink, a carnation	un œillet
★ lily of the valley	le muguet
★ a waterlily	un nénuphar
★ forget-me-not	le myosotis
field-flowers	→ 87/11

4

★ honeysuckle	le chèvrefeuille
★ sweetpea	le pois de senteur
creepers	les plantes grimpantes
★ virginia-creeper	la vigne-vierge
ivy [ai]	le lierre
a greenhouse, a hothouse	une serre

– 1. Every Englishman is a **gardener** at heart. In general each house has its own garden with a **lawn**, kept smooth and thick by repeated **moving** and **rolling**. There are **gravel paths**, or **walks** in larger gardens, in which no **weeds** are allowed to grow. **Weeding** is tedious work, unless you use a **weed-killer**. **Stone slabs** may be laid across the grass as a passage.

– 2. A great variety of **flowers** are grown in the **flower beds** : **daffodils, tulips** and **hyacinths** in spring; **lilies, pinks** (or **carnations**) in summer. The **lily of the valley** has small white bell-shaped flowers. If there is a garden pond, it is adorned with **water lilies** and **forget-me-nots**.

– 3. On **rose-trees** grow a wide wariety of **roses**. From the time the first **shoots** appear to that when the **buds** open out, rose-trees require a great deal of care and attention.
In particular, they should be **pruned** carefully. Roses are **sweet-scented** (or **fragrant**) flowers. But mind the **thorns** when you cut some of them off to make a **bunch** (or **posy**).

– 4. Some plants, such as the **honeysuckle** and the **sweetpea** cannot grow unless they have something to creep on : they are called **creepers**. The **virginia-creeper** is of the grape family. Old walls are often overgrown with **ivy**. Delicate plants are cultivated in a **greenhouse** (or **hothouse**).

FRUIT
Les fruits

5

the orchard [ɔ:tʃəd] ..	le verger
a fruit-tree	un arbre fruitier
★ to graft	greffer
in full bloom	en pleine floraison
a blossom	une fleur (d'arbre)
a stone	un noyau
pips	des pépins
the peel	la peau
to peel	peler

6

to gather, to pick	cueillir
ripe [ai]	mûr
sweet	sucré
★ unripe	pas mûr, vert
sour [auə]	acide, aigre
★ to prop up	étayer
to *spoil	se gâter
rotten	pourri

7

a cherry	cerise
an apricot [ei]	un abricot
a peach	une pêche
a plum	une prune
an apple [æ]	une pomme
a pear [ɛə]	une poire
juicy [ɪ]	juteux
★ mellow	fondant
exotic fruit	→ 93/11

8

a berry	une baie
strawberries	des fraises
raspberries [pl]	des framboises
★ red, white currants ..	des groseilles
★ black currants	des cassis

VEGETABLES
Les légumes

9

the kitchen garden ..	le potager
a market gardener, a truck farmer (Am.)	un maraîcher
a potato, pl. -oes [ei] ...	une pomme de terre
a tomato, pl. -oes [ɑ:] (Am. [ei])	une tomate
a cabbage [-idʒ]	un choux
a carrot	une carotte
a bean	un haricot, une fève
a pea	un pois
early	précoce
late	tardif

INSECTS AND BIRDS
Les insectes et les oiseaux

10

to hum, to buzz [ʌ] ...	bourdonner
a fly	une mouche
★ a gnat [g]	un moucheron
★ a mosquito, pl. oes ...	un moustique
a beetle, a bug (Am.).	un scarabée, un coléoptère

– 5. The place where **fruit-trees** grow is an **orchard**; most fruit-trees need **grafting**. **In spring they are in full bloom**. Each **blossom** should give a fruit. A fruit has a **stone** or **pips**. Its skin is called the **peel**. You cannot eat an orange without **peeling** it.

– 6. You should not **gather** (or **pick**) fruit until it is **ripe** and **sweet**. **Unripe** fruit is **sour**. When trees are laden with fruit, their boughs must be **propped up**. If fruit is not gathered in time, it will **spoil** and go **rotten**.

– 7. **Cherries** are ripe in sping, **apricots, peaches** and **plums** in summer. You can eat **apples** all the year round. Is there a more delicious fruit than a **juicy, mellow pear** ?

– 8. Plants and shrubs have no fruit but **berries**, like **strawberries** and **raspberries**. **Currants** are either red, white or black.

– 9. The **vegetables** for the table are grown in a **kitchengarden**. A man who grows vegetables to sell is a marketgardener (Am. truckfarmer). **Potatoes, tomatoes, cabbages, carrots, beans** and **peas** are the most commonly grown in England. Vegetables have **early** or **late** varieties.

– 10. On a hot summer day you can hear many **insects** (generally called **bugs** in the U.S.A.) **humming** (or buzzing) about the garden : **flies, gnats, mosquitoes** in damp places and all sorts of **beetles**. You can see many-coloured **butterflies fluttering** from flower to flower and **moths** coming out at night. The larva of the butterfly or moth is the **caterpillar**. Pests are easily destroyed by **spraying** an insecticide on plants and trees.

to flutter	voltiger	the robin	le rouge-gorge
a butterfly	un papillon	the sparrow	le moineau
★ a moth	un papillon de nuit	to hop	sautiller
a caterpillar	une chenille	★ to warbe, to twitter	gazouiller
★ a pest	un insecte nuisible		
to spray	vaporiser, pulvériser		

14

a feather [e]	une plume
★ down	du duvet
a wing	une aile
to *fly	voler
the tail	la queue
the bill	le bec
the beak	le bec (de rapace)
the nest	le nid

11

harmful	nuisible
★ a slug	une limace
a snail	un escargot
a worm [ə:]	un ver
★ a glow-worm	un ver luisant
a spider [ai]	une araignée
★ the web	la toile
★ a toad	un crapaud
a frog	une grenouille
a tortoise [– t əs]	une tortue

12

an ant	une fourmi
a wasp [ɔ]	une guêpe
a bee	une abeille
★ a swarm [ɔ:]	un essaim
★ a beehive [-aiv]	une ruche
★ a honeycomb [b]	un rayon
wax	la cire
honey [ʌ]	le miel
to *sting	piquer

13

★ the blackbird	le merle
★ the thrush	la grive
★ the wren [w]	le roitelet
★ the nightingale	le rossignol

GARDENING IMPLEMENTS
Les outils de jardinage

15

the tool-shed	la remise à outils
a tool	un outil
a rake	un râteau
to rake up	râtisser
a wheel-barrow	une brouette
a spade	une bêche
a fork	une fourche
to *dig	creuser
the handle	le manche
a ladder [æ]	une échelle
to water	arroser
a watering-can	un arrosoir
a horse	un tuyau
a lawn-mower	une tondeuse à gazon
★ a bush-cutter	une débroussailleuse
★ hedge clippers	un taille-haie

– 11. Other **harmful** creatures are **slugs, snails** and many kinds of **worms. Glow-worms** emit a green light. **Spiders** catch their prey by spinning a **web. Toads** and **frogs** are the gardener's friends as they feed on pests, or harmful creatures. The **tortoise** crawls along carrying its shell on its back.

– 12. Some insects live together in colonies. Such are **ants, wasps** and **bees. Swarms** of bees are captured and housed in **beehives. Honeycombs** are made of **wax** cells which the bees fill with **honey.** Wasps and bees may **sting** badly.

– 13. Many birds come to feed in gardens. Such are the **blacbird** and the **thrush.** The **wren** is one of the smallest of birds. The **nightingale**'s melodious song has inspired many poets. The **robin** is easily known by its red breast. **Sparrows** are to be seen, **hopping** about, in almost every garden and park. Most of these birds **warble** (or **twitter**) beautifully.

– 14. A bird's body is covered with **feathers** and soft **down.** It has **wings** with which it **flies,** a **tail** and a hard **bill** or a **beak.** A bird builds a **nest** in which the female lays eggs.

– 15. In a corner of the garden there is a **tool-shed** where the gardener keeps his **tools** : the **rake** with which he **rakes** up the dead leaves before taking them away in the **wheel-barrow**; the spade and **fork** with which he **digs** the beds. The wooden part of these tools is called the **handle.**
    A **ladder** is very useful when the time comes for gathering fruit. When it is very hot the gardener must **water** the plants either with a **watering-can** or a long **hose.**
    Lawn-mowers, bush-cutters and **hedge clippers** are now highly sophisticated implements.

XX. – THE FARM. FARM ANIMALS
LA FERME. LES ANIMAUX DE LA FERME

1

a landowner.........	un propriétaire foncier
a farmer............	un fermier
a tenant farmer.....	un métayer
a farm labourer [ei]...	un ouvrier agricole
to *run a farm......	exploiter une ferme
★ the farmstead [-sted].	la ferme et ses dépendances
the farmhouse.......	la maison de ferme
★ the outbuildings.....	les dépendances
a shed.............	un hangar
the farmyard........	la cour de ferme

2

filthy.............	malpropre
★ ramshackle, dilapidated..............	délabré, en ruine
a well.............	un puits
a pump............	une pompe
an implement.......	un instrument

THE CATTLE
Le bétail

3

the live stock [ai]....	le cheptel
horned animals......	les bêtes à cornes

the cattle (pl.).......	le bétail
stock-raising........	l'élevage du bétail
to *breed...........	élever
a breed............	une race
a herd [ə:].........	un troupeau de bovins
the pasture.........	le pâturage
to graze...........	paître
★ a silo [ai]...........	un silo
★ fodder............	le fourrage
★ feed..............	l'alimentation (animale)

4

a bull [u]...........	un taureau
fierce [iə]..........	sauvage, violent
harmless...........	inoffensif
an ox, pl. oxen......	un bœuf
★ the yoke..........	le joug
★ a goad............	un aiguillon

5

a cow [au]..........	une vache
the cowshed........	l'étable
★ the litter............	la litière
straw..............	la paille
★ a dunghill..........	un tas de fumier
milk..............	le lait
a calf, pl. calves [ŀ]...	un veau
★ to moo............	meugler
to milk............	traire

– 1. There are more than 5,000 **landowners** in Great Britain and 5 % of the population work on the land : they are **farmers, tenant farmers** and farm **labourers**. Some families have been **running** the same farms for generations. The **farmstead** includes the **farmhouse** and several **outbuildings** and **sheds** grouped round the **farmyard**.

– 2. **Filthy** farms with **ramshackle** (or **dilapidated**) buildings are a most uncommon sight in Britain. Water is no longer supplied from **wells** but from **pumps**. Although the farmer necessarily uses traditional agricultural **implements**, British agriculture is among the most highly industrialized in the world.

– 3. The animals living on a farm are the **live stock**. **Horned animals** constitute the **cattle**. **Stock-raising** (or the **breeding** of cattle) is one of the farmer's occupations and the animals are carefully selected according to their **breed. The herds** are turned out into the **pasture** to **graze**. A characteristic feature of modern farms is the **silo** in which **fodder**, grain or other food is stored green to be fermented and used as **feed** for cattle.

– 4. Whereas the **bull** is apt to be very **fierce** and may prove dangerous, the **ox** is a rather **harmless** animal. It is bred for its flesh. In some countries a pair of oxen are tied to a **yoke** and made to work. A man drives them with a **goad**.

– 5. **Cows** are kept in the **cowshed**. They lie on a **litter** of **straw** which is renewed regularly. The soiled litter goes to build up the **dunghill**. Cows produce far more **milk** than the **calf** needs. Cows **moo** when they need **milking**.

6

a milking machine....	une trayeuse
a pail, a bucket......	un seau
a milk can	un bidon
★ a churn............	une baratte
a dairy.............	une laiterie
dairy produce (sg.)....	les produits laitiers
butter	le beurre
cream	la crême
cheese.............	le fromage

OTHER FARM ANIMALS

Autres animaux

7

a horse	un cheval
the tail	la queue
★ the mane	la crinière
★ a mare.............	une jument
★ a colt.............	un poulain
★ to neigh [gh]........	hennir
the stable...........	l'écurie
to groom............	panser
a team	un attelage
a cart, a waggon	une charrette
to *drive............	conduire
a whip..............	un fouet
to *lead	mener
the horse-pond	l'abreuvoir

8

a sheep (inv.)	un mouton
to *shear	tondre

★ the fleece..........	la toison
a flock..............	un troupeau *(ovins)*
a shepherd [-pəd]....	un berger
a sheepdog	un chien de berger
stray	égaré
★ to bleat...........	bêler
★ a ewe [ju:].........	une brebis
a lamb [b]..........	un agneau
gentle, meek	doux, paisible

9

a goat	une chèvre
a kid	un chevreau
playful, sportive (lit.)..	folâtre
★ to skip, to frisk......	gambader, folâtrer
★ a pig, a hog (Am.)....	un cochon
★ the pigsty [-stai]	la porcherie
★ a sow [au]..........	une truie
greedy, voracious [ei].	gourmand, vorace
to grunt	grogner

10

★ an ass, a donkey	un âne
a mule..............	une mule
wilful, stubborn [-bən]	têtu, volontaire
★ to bray	braire
a pet	un animal familier
a cat	un chat
the paw	la patte
a mouse, pl. mice....	une souris
a rat	un rat
★ to gnaw [g].........	ronger
★ to nibble...........	grignoter
a kitten.............	un chaton
★ to mew [ju:]........	miauler
★ to purr	ronronner

− **6.** Milking is done either by hand or by means of a **milking machine.** The milk flows either into a **pail** (or **bucket**) or into **churns,** which are collected and taken to the city **dairies. Butter** is made by agitating the milk and **cream** in a vessel called a **churn. Dairy produce** also includes **cheese.**

− **7.** The **horse** has a long **tail** and a thick **mane.** A female horse is a **mare,** a young horse is called a **colt.** Horses **neigh.** They live in a **stable** and are carefully **groomed.** Although a **team** of horses is a most uncommon sight nowadays, a horse is still used on some farms to pull the farm **cart** (or **waggon**). A horse is **driven** by means of a **whip.** Horses are **led** to the **horse-pond** to drink.

− **8. Sheep** are bred for their flesh and their wool. They are **sheared** (or **shorn**) i.e. the **fleece** is removed from their backs. A whole **flock** of sheep is looked after by one **shepherd,** assisted by a **sheepdog** who will round up the **stray** sheep. **Ewes bleat** to call their young. **Lambs** are most **gentle** and **meek** animals.

− **9.** Another horned quadruped is the **goat.** A young goat, or **kid,** is a very **playful** (or **sportive**) animal. The sight of a kid **skipping** (or **frisking**) about is very exhilarating.
All farmers bred **pigs** (Am. **hogs**) in a **pigsty.** A female pig is a **sow.** No farm animal is **greedier** (or more **voracious**). No sound is more unpleasant than the **grunt** of a pig.

− **10.** The **ass** (or **donkey**) is said to be stupid, and the **mule** is reputed a **wilful, stubborn** animal. Asses **bray.**
Many domestic animals are kept as **pets.** A **cat** is very useful on a farm as she kills **mice.** A **mouse** indeed is terrified at the mere sight of a cat's **paw.** Mice and **rats** are **gnawing** animals : they **nibble** their food.
Young cats are **kittens.** Cats **mew** for food and **purr** when pleased.

11

a dog...............	un chien
a watchdog	un chien de garde
★ the kennel	la niche
to *let loose [s]......	lâcher, détacher
to bark	aboyer
a mad dog	un chien enragé
★ rabies [reibi:z]	la rage

a cock, a rooster (Am.)	un coq
★ the comb [b].........	la crête
to crow [ou]	faire cocorico
a chicken	un poulet
a hen...............	une poule
to *lay..............	pondre
an egg..............	un œuf
★ to brood, to sit on ...	couver
★ a chick	un poussin
★ to be hatched	éclore
★ to cackle...........	caqueter

POULTRY FARMING

L'aviculture

12

★ the poultry [ou], (pl.) the fowls [au].....	les volailles
to *feed	donner à manger

13

a pigeon	un pigeon
a goose, pl. geese....	une oie
a duck..............	un canard
the pond............	la mare
a turkey	un dindon, une dinde

– 11. Not all **dogs** are pets. The farmer often has a **watchdog** who lives in a **kennel** and who is **let loose** at night. He will **bark** to warn his master. When a dog goes **mad** he must be killed. Importing animals into Britain is strictly controlled, in case **rabies** should spread into the island.

– 12. In the **poultry-yard** live the **poultry** (or domestic **fowls**). It is the farmer's wife who **feeds** them. The **cock** (Am. **rooster**) is distinghuished by its high **comb**. It **crows** at sunrise. **Chickens** are sold for food. **Hens** are bred nowadays to **lay more and larger eggs**. Normally hens **brood**, i.e. sit on their own eggs, but on large farms **chicks are hatched** from the eggs in incubators. Hens **cackle**.

– 13. Other fowls are the **pigeon**, the **goose**, the **duck** which is seen all day long swimming on the duck-**pond**. The large-scale breeding of **turkeys** is comparatively new.

PROVERBS AND SAYINGS

Don't put the cart before the horse. Il ne faut pas mettre la charrue avant les bœufs (appr.).

To the shorn lamb God tempers the wind. A brebis tondue, Dieu mesure le vent.

Where the goat is tethered, there is must feed. Où la chèvre est attachée, il faut qu'elle broute.

Give your dog a bad name and hang it. Qui veut noyer son chien l'accuse de la rage (appr.).

Love me, love my dog. Qui m'aime aime mon chien.

Dead dogs don' t bite. Morte la bête, mort le venin (appr.).

When the cat is away, the mice will play. Quand le chat n'est pas là les souris dansent.

Do not count your chickens before they are hatched. Il ne faut pas vendre la peau de l'ours avant de l'avoir tué (appr.).

To set the fox to keep the geese. Enfermer le loup dans la bergerie (appr.).

XXI. – AGRICULTURAL WORK
LES TRAVAUX DES CHAMPS

1

agriculture	l'agriculture
★ to till	cultiver
the soil	le sol
to yield	produire, rendre
barren, sterile [-ail] . . .	stérile
fertile [-ai]	fertile
to *grow	pousser, faire pousser
★ to reclaim	défricher, amender
manure	de fumier
a fertilizer [-lai-]	un engrais
★ scanty	maigre, rare
waste land, waste ground	des terres en friche

2

a field	un champ
to turn over	retourner
to plough, plow (Am.) [au]	labourer
a plough, plow (Am.) .	une charrue
a tractor	un tracteur
a furrow	un sillon
to *sow [ou]	semer
★ to scatter	éparpiller
the seeds	les graines
★ a sowing-machine, a seeding machine . .	un semoir
★ a motor-cultivator . . .	un motoculteur

3

★ a clod	une motte (de terre)
★ to harrow	herser
★ a harrow	une herse
a blade	un brin (d'herbe)
★ to sprout [au]	percer, pointer
★ a roller	un rouleau

CEREALS
Les céréales

4

corn (coll.)	1. les céréales
	2. le blé
	3. le maïs (Am.)
wheat, grain (Am.) . . .	le blé, le froment
oats (pl.)	l'avoine
barley	l'orge
rye [ai]	le seigle
maize [ei], Indian corn, corn (Am.)	le maïs
the grains	les grains
★ the ear	l'épi
★ the stalk [stɔ:]	la tige

– **1. Agriculture** (or the **tilling** of the land) depends on the nature of the **soil** and the climate. If the soil is **barren** (or **sterile**) it cannot be expected to **yield** any return. Even if it is **fertile,** you cannot **grow** plants that are not adapted to the weather conditions. Poor soil can be **reclaimed**; a great deal of **manure** and chemical **fertilizers** will then be needed. Nothing but a **scanty** vegetation grows on **waste land** (or **waste ground**).

– **2.** The British farmer's year begins in autumn when the **fields** are **turned over** or **ploughed.** On many farms the **tractor** has replaced the horse and a modern **plough** can draw several **furrows** at a time. Then follows **sowing.** For ages the work of **scattering** the **seeds** over the field was done by hand. Now it is done with **sowing machines** (or **seeding machines**). **Motor cultivators** are used for minor work.

– **3.** The seeds must be covered and the **clods** of earth broken. So the fields are **harrowed** by means of a sharp-toothed **harrow.** Then, when the first **blades** of grass come up, or **sprout,** a **roller** goes over them.

– **4.** On **corn** growing farms, different **cereals** are grown : **wheat** (or **corn, grain** in the U.S.), **oats, barley** and **rye.** In America **maize** is called **corn** or **Indian corn.** The **grains** are contained in the **ear** at the end of the **stalk.**

5

ripe [ai]	mûr
to ripen [ai]	mûrir
the crop	la récolte
to reap	moissonner
the harvest	la moisson
★ a sickle	une faucille
★ a scythe [sai ð]	une faux
★ the whetstone	la pierre à aiguiser
★ the blade	la lame

6

a binder [ai], a harvester	une moissonneuse-lieuse
to *bind [ai]	lier
★ a sheaf, pl. sheaves	une gerbe
★ a rick	une meule
★ to thresh	battre
★ the threshing-machine	la batteuse
the straw	la paille
★ a sack	un sac
★ a flail	un fléau
★ a combine [-bain] harvester	une moissonneuse-batteuse-ensacheuse
★ the stubble	le chaume

7

a flour-mill [au]	une minoterie
to *grind	moudre
meal	la farine

flour [au]	la farine de blé
the miller	le meunier
a millstone	une meule
a windmill	un moulin à vent
★ the sails	les ailes
a watermill	un moulin à eau

OTHER PLANTS

Autres plantes

8

hay	le foin
grass	l'herbe
★ fodder	le fourrage
haymaking	la fenaison, les foins
a meadow [e]	une prairie
to *mow	faucher
a mowing-machine	une faucheuse
★ to hayrick, a haystack	une meule de foin
to load	charger
a cart	une charrette
the barn	la grange
to *get in, to gather in	rentrer

9

the potato, pl. -oes	la pomme de terre
the sugar-beet [ʃu:]	la betterave à sucre
a trailer	une remorque
★ hop(s)	le houblon
★ a hop-garden	une houblonnière

— **5.** Corn **ripens** in summer. If the weather conditions keep satisfactory, the farmer may expect a good **crop**. When corn is **ripe**, it must be **reaped**. This is the **harvest**. For ages corn used to be cut with a **sickle** or a **scythe**. Back-breaking work ! The noise of the **whetstone** going over the **blade** was typical of harvest time.

— **6.** Now the work is done mechanically by a **binder** (or **harvester**) which cuts the wheat and ties (or **binds**) it into **sheaves**. After some days the sheaves are collected and heaped in **ricks**. Later the **threshing-machine** will come to the farm to **thresh** the wheat, i.e. separate the grain from the **straw**. The grain pours out into **sacks** while the straw rick rises higher and higher.

In poor countries where the crop is small, treshing is still performed by means of **flails**. On highly mechanized farms you will find **combine harvesters** which perform all the above operations. When the harvester has gone over the field, nothing is left on the ground but the **stubble**.

— **7.** The sacks of grain are conveyed to the **flour-mill**, to be **ground** into **meal** and **flour**. In the old days the farmer would carry his grain to the **miller**. The **millstones** were driven either by the wind blowing on the **sails,** in the case of a **windmill**, or by water falling on a mill-wheel, in that of a **watermill**. Both are now things of the past.

— **8.** On stock-raising farms the growing of **hay** is essential. Hay is **grass** cut and dried for **fodder**. at **haymaking** time all the people of the farm turn out into the **meadows**, because, according to the proverb, you must make hay while the sun shines. The grass is **mown** with a **mowing-machine**. When it is dry it is piled into a **hayrick** (or **haystack**), or loaded on the **hay-cart** and carried to the **barn**. **Getting in** (or **gathering in**) the hay is a tricky job.

— **9.** Other jobs keep the farmer busy from daylight to dark. For instance, besides routine work on the farm, he must lift the **potatoes** and **sugar-beet**. He uses tractor-drawn **trailers** to gather them in.

In Kent there are **hop-gardens**. Hops are climbing plants, which together with barley are used for the making of beer.

GRAPE-GATHERING

Les vendanges

10

vine [ai]	la vigne
a vineyard [vinjəd]	un vignoble
the grapes	les raisins
a bunch of grapes ...	une grappe de raisin
to press, to crush ...	presser, écraser
★ a winepress	un pressoir
the juice [ʈ]	le jus
to squeeze out	exprimer
★ to ferment	fermenter
wine	le vin
a tank	une cuve
★ a cask	une barrique
a barrel	un tonneau
cider [ai]	le cidre
....	→ 23/10

FIELD FLOWERS
AND FIELD ANIMALS

Fleurs et bêtes des champs

11

to bloom	fleurir
a petal	un pétale
the daisy	la pâquerette
the buttercup	le bouton d'or

★ the cowslip	le coucou
★ the poppy	le coquelicot
★ the cornflower	le bleuet
★ the nettle	l'ortie
★ the thistle [t]	le chardon
to fade	faner
★ to wither	se flétrir

12

★ the fieldmouse	le mulot
★ the hedgehog	le hérisson
★ the mole	la taupe
★ a molehill	une taupinière
★ the weasel [i:]	la belette
★ the lizard	le lézard
a snake	un serpent
to *creep, crawl	ramper
a bite [ai]	une morsure
poisonous	venimeux
to hiss	siffler

13

★ the crows [ou]	les corbeaux
★ the raven [ei]	le corbeau (prop. dit)
★ the rook	le freux, la corneille
★ the magpie [-pai]	la pie
★ a scarecrow	un épouvantail
★ the hawk	le faucon
★ the lark	l'alouette
★ the swallow [ɔ]	l'hirondelle
★ the cricket	le grillon
★ the grasshopper	la sauterelle
insects and birds	→ 80/10-14

– 10. In England **vines** can only grow in a hothouse. In warmer countries **vineyards** produce large quantities of **grapes**. When the **bunches of grapes** are ripe they are gathered and **pressed** (or **crushed**) in a **winepress**. The **juice** of the grapes is **squeezed out** and left to **ferment**. In this way **wine** is obtained. It is left to mature first in **tanks**, then in **casks** or **barrels**. **Cider** is obtained in a similar way by pressing apples and collecting the juice.

– 11. Endless varieties of **flowers bloom**, or open out their **petals**, in fields and meadows : the white **daisy**, the yellow **buttercup**, the sweet-scented **cowslip**. Scarlet **poppies** and blue **cornflowers** come out in summer. The **thistle**, the emblem of Scotland, grows in barren places. **Nettles** sting. All flowers lose their colours, or **fade**, and finally **wither**.

– 12. Among the many smaller animals living in the fields the most common are the **fieldmouse**, the **hedgehog** which rolls into a ball when attacked, the **mole** which lives under the ground and reveals its presence by **molehills** on the surface, the **weasel** which feeds on smaller animals. **Lizards** and **snakes** are reptiles. The latter move by **creeping** (or **crawling**). Their **bite** may be **poisonous**. An angry snake will **hiss**.

– 13. To the **crow** family belong the **raven**, the **rook** and the **magpie**. The farmer puts up a **scarecrow** to frighten **crows** and other birds from his crops. The **hawk** is a bird of prey. The **lark**'s song is often heard high overhead. The sight of the **swallow** is the first sign of spring. Finally, the cheerful noises produced by those insects, the **cricket** and the **grasshopper**, are familiar to every nature lover.

XXII. – TREES AND FORESTS
LES ARBRES ET LES FORÊTS

1

a forest.............	une forêt
a wood	un bois
to *spread	s'étendre, s'étaler
woody..............	boisé
★ a grove	un bosquet
★ a clump of trees.....	un bouquet d'arbres
the outskirts	la lisière
★ a glade, a clearing ...	une clairière
the shade...........	l'ombre

2

a tree	un arbre
the trunk	le tronc
a bough [bau]........	un rameau
a branch	une branche
★ a twig..............	une brindille
a leaf, pl. leaves	une feuille
to *rise.............	s'élever
lofty...............	majestueux
the foliage	le feuillage
★ to rustle [t].........	bruire

3

the roots	les racines
★ the sap.............	la sève
the stem............	la tige
the bark	l'écorce

smooth	lisse
rough [r∧f]..........	rugueux
★ a stump	une souche

4

timber, lumber (Am.) .	le bois de construction
the woodcutter......	le bûcheron
to fell	abattre
to chop	couper, fendre
an axe, an ax (Am.) ..	une hache
to *saw [ɔ:].........	scier
to *split	fendre
★ a wedge	un coin
★ a faggot	un fagot
★ charcoal	le charbon de bois
★ a chainsaw..........	une tronçonneuse

5

a lumber-camp	un camp de bûcherons
a log	une bille, un tronc débité
a sawmill	une scierie
a lumber-jack........	un bûcheron
wooden.............	de bois
a hut...............	une cabane
★ a logcabin..........	une hutte de troncs d'arbre
★ tree-felling	le déboisement
★ reforestation	le reboisement

– 1. Vast **forests** and wild **woods** once **spread** over the whole of Great Britain. Very little of them is left nowadays. Still there are some **wood**y districts in the west and north. The countryside is hardly ever bare : there is always a **grove** or a **clump of trees** to be seen on the horizon. When you go picnicking, you choose a grassy spot on the **outskirts** of the wood or in a forest **glade** or **clearing**, in the **shade** of a tree.

– 2. A **tree** has one main **trunk** from which **boughs** and **branches** spread out. Hundreds of **twigs** bear the **leaves**. Some trees **rise** very high : they are **lofty**. Some bear dense **foliage** which rustles in the wind.

– 3. The **roots** spread out underground. They fix the tree to the ground and feed it : the **sap** circulates up the trunk or the **stem** of a plant. The trunk is covered with **bark** which is either **smooth** or **rough**. When a tree is cut down the part of the trunk remaining in the ground is the **stump**.

– 4. Trees serve us by providing **timber** (Am. **lumber**). The **woodcutter fells** the tree. He begins by partly **chopping** it with his axe (Am. **ax**), then he **saws** the rest of the trunk. The branches will be **split** by means of **wedges** : they supply firewood. The smaller branches are tied into **faggots**. These may be turned into **charcoal**. Tree-felling has now been made much easier by the use of **chainsaws**.

– 5. It is carried out on a large scale in countries like Canada. From the **lumber-camp** the cut-down trees float as rafts of **logs** down to the **sawmill** for sawing into planks. The men who work on those camps are **lumber-jacks**. They usually live in **wooden huts** or **logcabins**. Indiscriminate **tree-felling** and soil erosion account for the disappearance of many woodlands and some countries have had to enter upon vast **reforestation** schemes.

6

the oak..............	le chêne
★ an acorn [ei].........	un gland
★ the birch [ə:]........	le bouleau
slender	mince, élancé
★ the beech...........	le hêtre
★ the ash.............	le frêne
★ the elm.............	l'orme
★ the walnut tree	le noyer
★ the chestnut tree....	le châtaignier
★ the horsechestnut tree	le marronnier
★ the planetree........	le platane
★ the poplar...........	le peuplier

7

to *shed............	perdre
a needle	une aiguille
★ a cone..............	une pomme, un cône
the pine tree [ai].....	le pin
the fir tree [ə:]	le sapin
★ the cypress [ai]	le cyprès
★ the yew tree [ju:]	l'if
resin	la résine
an evergreen........	un résineux, un arbre à feuilles persistantes

8

to *overrun	envahir

★ rank	luxuriant
★ a shrub	un arbuste
★ brushwood..........	les broussailles
the undergrowth	le sous-bois
★ stunted.............	rabougri
★ a copse	un taillis
★ a thicket	un fourré
a bush [u]...........	un buisson

9

mistletoe [misltou]....	le gui
holly................	le houx
a berry	une baie
★ a sprig..............	une brindille
★ the bramble	la ronce
★ prickly.............	piquant
the blackberry.......	la mûre
the hazelnut [ei].....	la noisette

10

to *overgrow........	recouvrir
moss	la mousse
ivy [ai]	le lierre
★ the fern [ə:], bracken.	la fougère
★ to decay	pourrir
a mushroom.........	un champignon
★ edible	comestible
harmless............	inoffensif
poisonous...........	vénéneux

– **6.** The **oak** has been called the king of trees. Its fruit is the **acorn**. Other common trees are the **birch**, a graceful tree with **slender** branches, the **beech** recognizable by its smooth, grey trunk, the **ash** and the **elm**. **Walnut** and **chestnut trees** produce wood much prized for furniture-making. **Horsechestnuts trees** and **plane-trees** are often planted for ornamental purposes. There are numerous species of **poplars**.

– **7.** All the above trees are deciduous, i.e. they **shed** (or lose) their leaves in winter. Others have not leaves but **needles** and bear **cones**. Such are the **pine tree**, the **fir tree**, the **cypress**, the **yew tree**. **Resin** is collected from pines. All these trees are **evergreens**.

– **8.** It is sometimes difficult to walk across a wood because the soil is **overrun** by a **rank** vegetation of **shrubs** and **brushwood** : this is called the **undergrowth**. Most of the shrubs are **stunted** for lack of air and light. A wood of small growth is a **copse** and when the shrubs are closely set they form **thickets** or **bushes**.

– **9. Mistletoe** is a well-known parasitic plant. **Holly** bears bright red **berries** : a **sprig** of holly is a traditional decoration for the Christmas pudding. **Brambles** are **prickly** shrubs. Their fruit is called **blackberries**. All children like to go nutting, i.e. gathering **hazelnuts**.

– **10.** Some old trees may be **overgrown** with **moss** or **ivy**. The **fern** (or **bracken**) has a special way of reproducing itself. Many plants live in the **decaying** matter in the soil : such are **mushrooms** which are **edible**, or simply **harmless**. The **poisonous** variety are called toadstools.

★ the violet [ai]	la violette		the wolf, pl.-ves	le loup
★ the bluebell	la jacinthe des bois		★ the wild boar........	le sanglier
★ the briar [aiə]	l'églantier		the squirrel	l'écureuil
★ hawthorn	l'aubépine		★ the woodpecker	le pic
a heath [i:]	une lande		★ the turtledove [ʌ]	la tourterelle
heather [e] (inv.)......	la bruyère		★ to coo	roucouler
★ gorse, furze (inv.).....	l'ajonc		★ the owl [au]	le hibou
★ broom	le genêt		★ the cuckoo [kuku:]....	le coucou
			birds	→ 81/13-14
			hunting and shooting	→ 54/16-21

  — 11. In spring the woodland glades are brightened with flowers : **violets**, later on **bluebells** and wild roses. The **briar** and **hawthorn** also have beautiful flowers. Scotland has vast tracks of waste land, called **heaths**. Typical heathland flowers are the purple **heather** the yellow **gorse** (or **furze**) and **broom**.

  — 12. Animals like the **wolf** or the **wild boar** are no longer to be found in Britain, but many wild creatures are still hunted and shot. Nobody of course would think of shooting a **squirrel**. The tap-tap of the **woodpecker**, the **cooing** of the **turtledove** or the screech of the **owl** at night are familiar to all animal lovers. But no sound is more pleasing to the ear than the song of the **cuckoo**, the first sign of spring in Britain.

THE LIGHTER SIDE

  A mother lion woke up to find her cub chasing a hunter around a tree. "Junior", she scolded, "don't play with your food";

•

  Smart : "Look, here's a lion's track".
  Smarter : "Good ! You go and see where it went, and I'll go and see where it came from".

•

  "I certainly hope it doesn't rain today", one mother kangaroo remarked to another. "I just hate it when the children have to play inside".

  Kangaroo : "Where's the baby ?".
  Mother Kangaroo : "Good heavens ! My pocket's been picked".

•

  Teacher : "Name five animals found in the Arctic".
  Jimmy : "Seal, reindeer, and — er — three polar bears".

•

  In Africa some of the native tribes practise the strange custom of beating the gound with clubs and uttering wild, blood-curdling yells. Anthropologists call this a form of primitive self-expression. In America, they call it golf.

XXIII. – EXOTIC COUNTRIES
LES PAYS EXOTIQUES

1

the Eskimo(s)	les Esquimaux
★ a seal	un phoque
★ a walrus [ɔ:]	un morse
a bear [ɛə]	un ours
the fur [ə:]	la fourrure
a grunt	un grognement
★ a reindeer (inv.)	un renne
★ a penguin [-gwin]	un pingoin
a whale	une baleine
a mammal	un mammifère
★ whaling	la chasse à la baleine
★ a porpoise [-pəs]	un marsouin
a shark	un requin

THE FLORA AND FAUNA

La flore et la faune

2

a desert	un désert
barren	stérile
the palm-tree [l-]	le palmier
an oasis [-eisis] pl. oases [-eisi:z]	un oasis
the camel	le chameau, le dromadaire
★ a hump	une bosse
a caravan	une caravane
a track	une piste

3

the jungle	la jungle
wild [ai]	sauvage, féroce
flesh-eating	carnivore
the lion [ai]	le lion
★ a mane	une crinière
★ the lioness [ai]	la lionne
★ a lioncub	un lionceau

4

the tiger [ai]	le tigre
striped [ai]	rayé
the leopard [o]	le léopard
spotted	moucheté
the panther	la panthère
the claws	les griffes
to roar	rugir
to growl [au]	gronder

5

savage	sauvage, cruel
to *creep	ramper
to *steal	se glisser
★ a den, a lair	une tanière, un repaire
★ to lurk	se cacher
★ to crouch [au]	se tapir
a prey	une proie
to *leap, to bound	sauter, bondir
to *spring at	s'élancer sur
to *tear to pieces	mettre en pièces

– **1.** To-day there are still primitive people who hunt for food. The **Eskimo(s)** of the Artic lands hunt **seals, walruses** and polar **bears.** Seals are also hunted for their beautiful **fur.** The bear can be quite ferocious and its **grunt** is less than reassuring. **Reindeer** are used as domestic animals by the Laps in Lapland. **Penguins** are swimming birds.

The **whale,** the largest living animal, may be found in the coldest seas. **Whaling** is a prosperous industry. Another sea **mammal** is the **porpoise. Sharks** mostly live in warm seas. They have been known to attack and eat man.

– **2.** Some regions of the world are dry, **barren deserts.** In the midst of a desert, there may be water. Around the water grow some trees mainly **palm-trees.** This spot is an **oasis.** The **camel** has been called the ship of the desert : it is characterized by one or two **humps. Caravans** of heavily-laden camels may still be seen following the desert **tracks.**

– **3.** Most tropical countries are covered by **jungle.** Many **wild, flesh-eating** animals live there. The **lion** is the king of animals. The male has a magnificent **mane.** The female is the **lioness,** the young are the **lioncubs.**

– **4.** The **tiger** has a **striped** fur. The **spotted leopard** and the **panther** belong to the same cat family. Few smaller animals escape from their **claws.** Lions **roar.** Tigers **growl.**

– **5.** The jungle is full of **savage** creatures. At night the wild animals **creep** or **steal** out of their **dens** or **lairs.** They **lurk** (or hide) patiently, they **crouch** almost invisible, and when they have spotted their **prey,** they **leap** (or **bound**) from their hiding-place, and **spring at** the poor creature which they soon **tear to pieces.**

6

big game	les grands fauves
tame	apprivoisé
★ a snare	un piège, un lacet
a trap	un piège, une trappe
★ a pitfall	une trappe, une fosse
★ to struggle out	sortir à grand'peine
to slaughter [slɔːtə]	massacrer
★ an extinct [iks] species [iː ʃiːz]	une espèce disparue
★ a wildlife reservation	une réserve d'animaux sauvages
to *breed	se reproduire

7

a monkey [ʌ]	un singe
an ape [eip]	un (grand) singe
a gorilla	un gorille
nimble	agile
to *make faces	faire des grimaces
to ape	singer
★ the zebra	le zèbre
★ the giraffe	la girafe
★ the rhinoceros [rai-]	le rhinoceros
★ the kangaroo	le kangourou

8

★ herbivorous	herbivore
the elephant	l'éléphant

★ a tusk	une défense
ivory [ai]	l'ivoire
★ the trunk	la trompe
★ the hide [ai]	le cuir, la peau
the hippopotamus	l'hippopotame
the crocodile [-ail]	le crocodile
★ an amphibian	un amphibie

9

a snake	un serpent
★ poisonous	venimeux
★ the venom	le venin
★ the cobra	le cobra
★ the mongoose	la mangouste
★ the boa	le boa
★ the rattlesnake	le serpent à sonnettes
★ to rouse	éveiller, mettre en colère

10

★ rapacious	rapace
a bird of prey	un oiseau de proie
★ to swoop down	fondre sur
★ the beak	le bec
★ the talons	les serres
the hawk	le faucon
the eagle	l'aigle
★ the vulture	le vautour
★ the ostrich	l'autruche
★ the parrot	le perroquet
★ the bat	la chauve-souris

— 6. **Big game** shooting is a pastime for the very rich. Wild animals are also caught alive to be sent to zoos or menageries. When they are **tame** they may be made to work in a circus. They can be caught by means of **snares** and **traps**. Very seldom can an animal **struggle out** of the **pitfall** into which it has fallen.

After centuries of large-scale **slaughtering**, many **species** have become **extinct**. But man at last has become aware of the necessity of preserving what is left of **wild life**, and many **reservations** now exist where animals can live and **breed** freely.

— 7. Other jungle animals are **monkeys** and **apes**. Apes (e.g. **gorillas**) have no tails. Monkeys are very **nimble** creatures. Visitors at the zoo spend hours watching them **making faces** and **aping** everything they see.

Other well-known animals are the **zebra**, the long-necked **giraffe**, the **rhinoceros**, the **kangaroo**.

— 8. The **elephant**, in spite of its great size, is **herbivorous**. It has two formidable **ivory tusks** and a **trunk**. Its **hide** is particularly thick. The **hippopotamus** is an excellent swimmer, so is the **crocodile**, the largest of **amphibians**.

— 9. Some **snakes** are **poisonous** : their **venom** is deadly. The **cobra** is one of the most dangerous to man. The only animal that dares to attack it is the **mongoose**. The **boa** crushes its prey to death. The **rattlesnake**, when **roused**, makes a queer, rattling noise.

— 10. Some birds are **rapacious**. Birds of prey **swoop down** on their victims, and tear them with their **beaks** and **talons**. Such are the **hawk** and the **eagle**, described as the king of birds. The **vulture** feeds on dead animals. The **ostrich** has lost all power to fly. **Parrots** can imitate the human voice. The **bat** is not a bird but a mammal.

11

★ ebony	l'ébène
★ mahogany	l'acajou
★ rosewood	le palissandre
★ the cedar [iː]	le cèdre
a banana	une banane
an orange	une orange
a lemon	un citron
a pineapple	un ananas
a grapefruit	un pamplemousse
a date	une datte
a coconut	une noix de coco
the tea-plant	l'arbre à thé
the sugar-cane [ʃugə]	la canne à sucre
the cottonplant	le cotonnier

THE NATIVES

Les indigènes

12

a tribe [ai]	une tribu
wandering [ɔ]	errant, nomade

odd	bizarre, étrange
barbarous	barbare
bloodthirsty	sanguinaire
a cannibal	un cannibale
magic	la magie
★ witchcraft	la sorcellerie
★ a witchdoctor, a wizard (lit.)	un sorcier
★ a witch	une sorcière
★ to *cast a spell	jeter un sort

13

★ a bow [ou]	un arc
★ an arrow	une flèche
★ a spear [iə]	un javelot
★ a club	une massue
an explorer	un explorateur
to explore	explorer
to discover	découvrir
to starve to death, to die of starvation	mourir de faim
hostile nature	→ 71/15-17

– **11. Ebony, mahogany, rose-wood** are all very valuable exotic woods for cabinet-work. The **cedar** is a most beautiful conifer. A great deal of common fruit comes from overseas, such are **bananas, oranges, lemons, pineapples** and **grapefruits**. Two different varieties of palms produce **dates** and **coconuts**.
  Tea-plants, sugar-cane and **cotton-plants** are cultivated extensively.

– **12.** Some **wandering tribes** of wild men still live in the remotest districts of Africa and South America. The natives' customs are **odd**, sometimes **barbarous. Bloodthirsty cannibals** kill and eat their enemies. Many African natives still believe in **magic** and **witchcraft** : they obey their **witchdoctors** for fear they should **cast a spell** on them.
  Wizards and **witches** are familiar characters in children's fairy-tales.

– **13.** For ages these tribes made war on one another, using primitive weapons such as **bows** and **arrows, spears** and **clubs**. In the 19th century, several European **explorers** began to penetrate the « Dark Continent », **discovering** and **exploring** immense tracts of land. They often had to face hostile nature : some **starved to death** (or **died of starvation**, or thirst).

PROVERBS AND SAYINGS

It's the last straw that breaks the camel's back. C'est la dernière goutte qui fait déborder le vase (appr.).
You must not rouse the sleeping lion. Ne réveillez pas le chat qui dort.

XXIV. – TOWNS AND CITIES – *LES VILLES*
TOWN LIFE – *LA VIE URBAINE*

1

a capital	une capitale
a metropolis (Am.)	un grand centre urbain
a town	une ville
to live (in), *to dwell .	habiter
to settle	s'installer
a city	une cité, une grande ville
the City	la Cité de Londres
the citizens	les citoyens
a district	un quartier
local government	→ 122/15-16

2

populous	populeux
slums	des bas quartiers, des taudis
squalid [ɔ]	sordide
unhealthy	insalubre
unsafe	peu sûr
a lane	une ruelle
filthy	sale, infect
overcrowded	bondé, surpeuplé
★ dilapidated	délabré
to pull down	démolir (volontairement)
★ slum clearance	la disparition des taudis
★ rehabilitation	la rénovation

THE HOUSING PROBLEM
Le problème du logement

3

★ to bomb down	démolir (bombardement)
★ a prefab	une maison préfabriquée
a housing [z] estate . .	un lotissement, une cité
a suburb	un faubourg
quiet	tranquille
healthy	sain, salubre
safe	sûr

4

a flat	un appartement
a block of flats	une résidence
★ a tenement block	une maison de rapport
★ council houses	des maisons H.L.M. *(appr.)*
★ council flats	des immeubles H.L.M. *(appr.)*
soundproof	insonorisé
the environment [ai] . .	l'environnement
★ green areas	les espaces verts
★ a townplanner	un urbaniste

– **1.** London is the **capital** of Great Britain. In the U.S.A. a **metropolis** is a very large urban centre. The **town** you **live** (or **dwell**) **in**, in which your parents have **settled** may be large or small. A large and important town is a **city**, its inhabitants are **citizens**. The **City** (of London) is the centre of finance and business. Towns are divided into **districts**.

– **2.** Not so long ago, many **populous** districts were notorious for their **slums**, where poor people lived in **squalid**, **unhealthy** houses, along **unsafe lanes**. They slept in **filthy**, **overcrowded** rooms. Many of those **dilapidated** houses have been **pulled down**, as part of a **slum clearance** policy. In some rare cases the **rehabilitation** of old houses has been successfully tried.

– **3.** This was one aspect of the housing problem. Another one was that, after World War II, many people, were in desperate need of lodging, as their houses had been **bombed down**. **Prefabs** (i.e. prefabricated houses) were hastily set up and some are still in use, in spite of the large **housing estates** which have sprung up everywhere. Many people thus have had a chance of living in the **suburbs** of large towns. Their lives are **quieter, safer,** their conditions **healthier.**

– **4.** Another form of urban development was the building of **blocks of flats** and **tenement blocks**. Following the slum clearance policy, many families have been rehoused in **council flats** or houses. But their inhabitants are too often dissatisfied. Are their flats really **soundproof**? Have the **environment** requirements been seriously attended to? Are the **green areas** adequate? Such are some of the problems with which **town planners** and architects are confronted.

5

★ a dormitory town . . . . une ville dortoir
a New Town . . . . une ville nouvelle
★ the basic [eis] amenities [mi:] . . . . les équipements socio-culturels
commuting . . . . le transport du domicile au lieu de travail
a house of one's own une maison particulière
★ terraced houses . . . . . des rangées de maisons de style uniforme
a bungalow . . . . une maison sans étage
a detached house . . . . une maison isolée
a semidetached house une maison jumelle
a two-storied house . . une maison à un étage
the ground-floor, the first floor (Am.) . . . le rez-de-chaussée
the top floor, the upper storey . . . . l'étage supérieur

THE STREET

La rue

6

a row [ou] . . . . une rangée
★ a thoroughfare [θʌrəfɛə] . . . . une artère
main . . . . principal
a sidestreet . . . . une rue secondaire
an alley . . . . une ruelle, un passage
a stranger [ei] . . . . un étranger (à la ville)

7

to *lose one's way, to *get lost . . . . se perdre
★ a maze of lanes . . . . . un dédale de ruelles
the roadway, the pavement (Am.) . . . . . la chaussée
★ cobblestones . . . . des pavés
to tar . . . . goudronner

a pedestrian . . . . un piéton
the pavement, the side-walk (Am.) . . . le bord du trottoir
the gutter . . . . le caniveau
a drain, a sewer [sjuə] un égout
busy [i] . . . . affairé, actif
noisy . . . . bruyant
★ teeming . . . . grouillant
the passers-by . . . . . . les passants
rush hours [ʌ] . . . . les heures de pointe
congested . . . . embouteillé
a traffic jam . . . . un embouteillage

8

a cross-roads (sg.) . . . . un carrefour
the traffic lights . . . . . les signaux lumineux
a roundabout . . . . un rond-point
a vehicle [vi:ikl] . . . . . un véhicule
to stop . . . . s'arrêter
to start . . . . démarrer, repartir
★ amber . . . . orange (feu)
to cross . . . . traverser
a pedestrian crossing, a zebra crossing . . un passage pour piétons
to knock down [k] . . . . renverser
to *run over . . . . écraser

– 5. In contrast with the above urban developments, which are too often mere **dormitory towns**, **New Towns** have recently been built in Great Britain which provide, not only housing, but also employment, social services and full **basic amenities**, and have thus put an end to the drudgery of **commuting**.
The Englishman's love of gardening and **a house of his own** was to a large extent taken into consideration. The chief architectural feature of all New Towns is the large number of small **terraced houses**. But to avoid uniformity **bungalows, detached** and **semidetached houses** have also been built. Some of these may be **two-storied houses**, with a **ground-floor** (Am. **first floor**), and a **top floor** or **upper storey**.

– 6. Steets are bordered by two **rows** of houses or shops. They may be wide **thoroughfares** (that is, **main** streets) or **side streets**, even **alleys**. In some old towns a **stranger** will easily **lose his way** (or **get lost**) in a **maze of lanes**. The middle of the street is the **roadway** (Am. **pavement**). Some old lanes are still paved with **cobblestones**. All modern roads are **tarred** or asphalted (the Americans say paved).

– 7. **Pedestrians** walk on the **pavement** (Am. **sidewalk**). Vehicles stop along the **kerb**. Rain water flows down the **gutter** into **drains** and **sewers**.
A thoroughfare is generally **busy** and **noisy**. Its pavements are **teeming** with **passers-by**. At **rush hours** it may be **congested**. There may be a **trafic jam**.

– 8. The more important **cross-roads** are equipped with **traffic-lights** and **roundabouts**. When the lights are red all **vehicles** must **stop**, and they may not **start** until they turn to green. **Amber** is the intermediate colour. Pedestrians had better not **cross** the road except at the **pedestrian** (or **zebra**) **crossings**. Otherwise they might be **knocked down** and **run over**.

9

★ to swarm	grouiller, regorger
to hurry	se hâter
to rush	se précipiter
to queue up [kju:], to line up (Am.)	faire la queue
a crowd	une foule
to gather	se rassembler
to press	se presser, se serrer
to move along	circuler
★ a mob	une cohue, un attroupement

THE POLICE

La police

11

the police station	le poste de police
a policeman, a constable, a P.C.	un agent de police
to be on duty	être de service
to be off duty	ne pas être de service
information (sg.)......	des renseignements
to ask one's way	demander son chemin
★ a patrol	une patrouille
other functions	→ 122/17

THE FIREMEN

Les pompiers

12

the fire brigade [ei]....	la Cie de sapeurs pompiers
the fire engine [-in]...	la pompe à incendie
a house on fire	une maison en feu
to *set a thing on fire	mettre le feu à quelque chose
to *burn down	brûler, incendier
the ladder...........	l'échelle
a hose.............	un tuyau
★ the hydrant [ai], fireplug (Am.)........	la bouche d'incendie
to *put out	éteindre
to rescue	sauver
to escape	se sauver
★ a fire extinguisher....	un extincteur
an emergency exit ...	une sortie de secours
★ a firedrill...........	un exercice d'incendie

10

a square [skwə]......	une place
a park	un parc
★ railings	des grilles
★ an embankment	un quai (le long d'un fleuve)
★ a war memorial	un monument aux morts
a streetlamp	un lampadaire
a streetsweeper	un balayeur des rues
clean	propre
dirty...............	sale
filthy	dégoûtant
the dustmen	les éboueurs
refuse [-ju:s], rubbish (sg.), garbage (Am.)	les ordures, les déchets

− **9.** At rush hours, the steets are **swarming** with people, **hurrying** and **rushing** along. Others **queue up** (Am. **line up**) at the bus stops. When an accident happens, a whole **crowd** will **gather** and **press** forward, until a policeman comes up and orders them to **move along**. A noisy or hostile crowd is called a **mob**.

− **10.** In London there are many **squares** and **parks**. A park is surrounded by **raillings**. There is an **embankment** along the Thames. Many villages have their **war memorials**.
Streets are **lit** by **lamps. Street sweepers** keep them **clean**. The **dustmen** collect the **refuse** (or **rubbish**, Am. **garbage**) which would make them **dirty**, even **filthy**.

− **11.** In every district there is a **police station**. A policeman (or **constable**) may be **on duty** or **off duty**. When he is on duty one of his functions is to give **information** to a stranger who **asks his way**. In all large towns police **patrols** are organized regularly.

− **12.** In every town there is a **fire brigade**. A few seconds after hearing the **firemen's** bells, you can see the **fire engine** rushing past. There is a **house on fire** and, unless the firemen arrive in time, the neighbouring houses may be **set on fire** and **burnt down**. Soon the **ladder** is raised and the **hoses** connected to the **hydrant** (Am. **fire-plug**). They will sooner or later **put out** the fire and may have to **rescue** the people trapped in the house, unless they have already managed to **escape**. In all public places there should be **fire extinguishers** always handy, and an **emergency exit** always kept free. To accustom the pupils of a school, for instance, to behave properly in case of fire, **fire drills** are organized regularly.

TRAFFIC

La circulation

13

a (motor-) car, a motor, an automobile (Am.)	une automobile → 114/8-14
a taxi, a cab	un taxi
a tramcar, a streetcar, a trolley car (Am.).	un tram(way)
a bus	un autobus
a double-decker	un autobus a deux étages
a lorry, a truck (Am.).	un camion, un fourgon
a van	une camionnette
★ a horse-drawn cart . .	une voiture à cheval
★ a handcart	une charette à bras

14

the driver	le conducteur
the conductor	le receveur
the fare [ɛə]	le prix de la place
empty	vide
full	rempli
crowded	très chargé
crammed	bondé

15

★ the bustle [t]	l'animation
★ the uproar	le tumulte
★ the din	le vacarme
★ to rattle	gronder, rouler avec fracas
★ to clatter	faire un bruit de ferraille ou de sabot

★ to sound the horn, to hoot	klaxonner
underground	souterrain
a subway	un passage souterrain
the Tube	le métro de Londres
the Subway	le métro de New York

THE POST OFFICE

La poste, le bureau de poste

16

to post, to mail (Am.), a letter	mettre une lettre à la poste
a letter box	une boîte aux lettres
a pillar box, a mail box (Am.)	une borne postale
the postman, the mailman (Am.)	le facteur
to collect	lever
to deliver	distribuer
the mail	le courrier
a clerk [ɑ:]	un employé
to sort	trier

17

a stamp	un timbre
the counter	le guichet
★ a (slot)machine	un distributeur automatique
to *stick	coller
the postage rates	les tarifs postaux
the postmark	le cachet de la poste

– 13. In a modern town the density of the **traffic** is at times amazing. The streets are filled with all sorts of vehicles, private **motor-cars**, **taxis** (or **cabs**), **tramcars** (**streetcars** or **trolleycars** in the U.S.A.) and **buses** (most of which in England are **double-deckers**), **lorries** (Am. **trucks**) and **vans**, even **horse-drawn carts** and **handcarts**.

– 14. The man who drives a bus is the **driver**. The **conductor** is the one who collects the **fares**. Buses are seldom **empty**. At rush hours they are **full** of people, **crowded**, even **crammed**.

– 15. What **bustle** in the streets ! What noise ! In places it is an endless **uproar**, or **din** : trams **rattle** past, horse-drawn carts **clatter** along. A good thing motorists are not allowed to **sound** (or **to hoot**) **their horns** ! For pedestrians, **underground** passages (or **or subways**)) are a boon and a blessing.
In London the Underground Railway is called the **Tube**, in New-York the **Subway**.

– 16. When you have **a letter to post** (Am. **to mail**) you can either go to the post office and drop your letter in the **letterbox** or take it to the nearest **pillarbox** (Am. **mailbox**). The **postman** (Am. **mailman**) **collects** and **delivers** letters. The **mail** is carried to the post office where numerous **clerks sort** it.

– 17. Other **clerks** sell **stamps** over the **counter**. When the post office is closed you can get them from a **(slot)machine**. You **stick** the stamp on the top right corner of the envelope. For a few years there have been two **postage rates** for slower or quicker mail. The **postmark** bears the name of the town from which the letter is sent.

4

18

a postcard	une carte postale
to register.	recommander
a parcel.	un paquet
★ to seal.	sceller, cacheter
★ wax	la cire
★ a postal ordrer, a money order	un mandat-poste
★ a wire [waiə], a telegram	un télégramme
★ to fill in a form, to fill out a blank (Am.) .	remplir une formule, un imprimé

19

to phone.	téléphoner
★ a subscriber.	un abonné
a callbox.	une cabine téléphonique
to be on the phone ..	avoir le téléphone
to *ring up, to call...	appeler
the directory	l'annuaire
to dial [ai] a number..	composer un numéro
to *ring back.	rappeler
★ a reversed charge call.	un appel en P.C.V.
★ to *put s.o. through .	donner la communication

TOWN ENTERTAINMENTS
Les spectacles

20

to *put on a show...	monter un spectacle
a theatre [θiətə]	un théâtre

to act a play	jouer une pièce → 36/11
a company [ʌ]	une troupe
the players	les acteurs
an actor	un acteur
an actress	une actrice
a performance	une représentation
to *make up	se grimmer, se maquiller
to play a part	jouer un rôle
★ a rehearsal [ə:]	une répétition

21

the audience	le public
the house.	la salle
a programme, a program (Am.)	un programme
★ the cast	la distribution
the characters [k]	les personnages
to clap, to applaud ...	applaudir
★ to encore.	bisser
★ applause	les applaudissements

22

★ to be a failure; a flop	faire un four
★ to hiss.	siffler
★ to boo.	huer
★ to drop the curtain ..	baisser le rideau
the stage	la scène
★ the footlights	la rampe
★ the spotlights	les projecteurs
the curtain *rises....	le rideau se lève
the scenery [i:] (sg.) ..	le(s) décor(s)
the set	le décor (ensemble)
the producer	le metteur en scene
★ the prompter.	le souffleur
★ the wings.	la coulisse

— **18.** When you are on holidays you send your friends many picture **postcards.** Letters may be **registered.** Registered **parcels** must be **sealed** with **wax.** Money can be sent through the post by means of **postal orders** or **money orders.** At the post office you can also send a **wire** (or **telegram**) by **filling in** a special **form.** In America you **fill out a blank.**

— **19.** You can also **phone** from home if you are a **subscriber,** or from a **callbox** if **you are not on the phone.** To **ring** someone **up,** look up the **number** in the **directory,** then **dial** it. **Ring back** if one has left a message for you. To make a **reversed charge call,** you have to ask the operator **to put you through.**

— **20.** Many sorts of **shows** are **put on** in a **theatre. A play is acted** by a **company** of **actors** and **actresses.** In England there used to be no **performances** on Sundays. The **players make up** for the **parts they are playing.** Many **rehearsals** are necessary before the first night (or première).

— **21.** The **audience** fill the **house.** They buy **programmes** to know the **cast** and the list of **characters.** If the play is a success, the audience **clap** (or **applaud**), they may **encore** a speech or a song. A famous actor is greeted with great **applause.**

— **22.** On the other hand a play may be **a failure** and the actors may be **hissed,** even **booed.** Then the **curtain is dropped** in a hurry.
The **stage** on which the players act is lighted by the **footlights** and the **spotlights.** When **the curtain rises,** the audience admire the **scenery** and the **sets** devised by the **producer.**
In England the **prompter** stands in the **wings.**

23

★ the cloakroom . . . . le vestiaire
★ the interval, the inter-
    mission (Am.) . . . . . l'entr'acte
★ the pit . . . . le parterre
★ the stalls [ɔ:] . . . . les fauteuils d'orchestre
  a seat . . . . une place
★ a box . . . . une loge
★ the dress-circle, the
    balcony (Am.) . . . . . le balcon, la galerie
  to book . . . . louer, réserver
  to queue up [kju:], to
    line up (Am.) . . . . . faire la queue
★ the gallery, the gods
    (fam.) . . . . la dernière galerie, le para-
                  dis
  acoustics . . . . l'acoustique
  a concert-hall . . . . une salle de concert
  concerts . . . . → 39/24-28

24

  the cinema . . . . le cinéma → 28/11
  a cinema . . . . un cinéma
  to *go to the pictures,
    to the movies (Am.) aller au cinéma
  the screen . . . . l'écran
  what films, pictures,
    are on, showing ?. quels films donne-t-on ?
  the news . . . . les actualités
★ a documentary film . . un documentaire
  a cartoon . . . . un dessin animé

★ the feature film . . . . . le grand film
★ a producer . . . . un producteur
★ a director . . . . un metteur en scène, un
                   réalisateur

25

  a fun fair, an amuse-
    ment fair . . . . une foire d'attractions
  the circus [ə:] . . . . le cirque
  the ring . . . . la piste (circulaire)
  an acrobat . . . . un acrobate
★ a juggler . . . . un jongleur
★ a conjurer . . . . un prestidigitateur
★ a conjuring trick . . . . . un tour de prestidigitation
★ performing animals . . des animaux savants
★ a tamer . . . . un dompteur
  a clown [au] . . . . un clown

26

★ the menagerie [-dʒ-] . la ménagerie → 92/7-9
★ a showman . . . . un forain
★ a booth . . . . une baraque
  a fortuneteller . . . . une diseuse de bonne
                   aventure
★ a coconut shy . . . . un tir aux noix de coco
★ a rifle [ai] range . . . . . un tir à la carabine
★ a roundabout . . . . un manège
  to enjoy onself, to
    have fun . . . . s'amuser
  the merry-makers . . . . les gens en fête
★ fireworks (pl.) . . . . un feu d'artifice

— **23.** Before entering the house the spectators must leave their coats and umbrellas in the **cloakroom**. During the **interval** (Am. **intermission**) they can have refreshments. They sit in the **pit** or in the **stalls**. The most expensive **seats** are the **boxes** and the **dress-circle** (Am. **balcony**). They are **booked** well in advance. People **queue up** (Am. **line up**) for the cheaper seats, in the **gallery** (familiarly called the **gods**). The **acoustics** of a concert-hall should be excellent.

— **24.** More people are familiar with the **cinema** as an **entertainment** than with the theatre, and **cinemas** are far more numerous than theatres. Many people **go to the pictures** (Am. **to the movies**) once or twice a week and sit for hours in front of the **screen**. As often as not they will go to the pictures without knowing **what films** (or **pictures) are on** (or **showing)**.

    A cinema programme generally includes the **news**, a **documentary film**, a coloured **cartoon** and one, or even two **feature films**. The film industry largely depends upon **producers**. Some **directors** have won world-wide fame.

— **25.** Once or twice a year the big **fun fair** (or **amusement fair**) is held on the largest town square. There is no proper fair without a **circus**. Various thrilling attractions follow one another in the **ring** : **acrobats**, **jugglers**, **conjurers** performing **conjuring tricks** that take your breath away, **performing animals** and lion-**tamers**, and of course the **clowns** whose mere appearance makes the audience roar with laughter.

— **26.** Once the performance is over, you can go and visit the **menagerie** and then wander about the fair, enter the different **showmen's booths**, listen to the **fortuneteller's** predictions, try your skill at the **coconut shy** or the **rifle range**. There are all sorts of **roundabouts** for all ages. Every one **enjoys himself** (or **has fun**) in his own way and when the evening draws to a close the crowds of **merry-makers** will go and watch the wonderful **fireworks** that will be let off nearby.

Hôtels et restaurants

a restaurant.........	un restaurant
the waiter	le garçon
the waitress	la serveuse
the menu [menju:], the bill of fare	le menu
to order.............	commander
the bill (Am. the check)..........	l'addition
a tip, a gratuity	un pourboire
the lunch-counter....	le comptoir (restaurant)

27

accommodation (sg.)..	le logement
to *put up at a hotel	descendre dans un hôtel
a stay	un séjour
★ a suite [swi:t]........	un appartement
luxurious [-gzju-]	luxueux
full board	la pension complète
★ a guest-house, a boarding-house.......	une pension de famille
★ board and lodging ...	la nourriture et le logement
the charge..........	le prix, le tarif

29

a café	un café-restaurant *(appr.)*
a teashop...........	un salon de thé
a glass of beer	une verre de bière
a public house, a pub	un cabaret, un « pub »
a bar, a saloon (Am.) ..	un bar
alcoholic drinks	→ 23/9-10

— **27.** When a stranger comes to a town he must find **accommodation**. He generally **puts up at a hotel**. When Mr. Rockefeller comes to London for a fortnight's **stay**, he reserves a **luxurious suite** in a West End hotel. Seaside hotels usually provide **full board** for their residents.

Guest-houses (or **boarding-houses**) are cheaper. There you can find **board and lodging** at a moderate **charge**.

— **28.** **Restaurants** serve meals. A **waiter**, or a **waitress**, brings you the **menu** (or **bill of fare**) from which you can **order** your meal. Before you leave you pay the **bill** to which you must commonly add a **tip** (or **gratuity**). Cafeterias, snack-bars and sandwich-bars serve rapid, cheap meals. In England it's not rare to see people having their meals from the **lunch-counter**.

— **29.** If you go to a **café** or a **teashop**, you can order only soft (i.e. non-alcoholic) drinks or light meals. If you want to have a **glass of beer** or whisky you must go to a **pub** (or **public house**).

In America you will go to a **saloon** or a **bar**.

THE LIGHTER SIDE

Impatient man (waiting for public telephone directory): "Can't I help you find the number you want ?".

Young woman (sweetly): "Oh, I don't want a number. I'm looking for pretty name for my baby".

★

A boy applying for a job in a picture house was rushed into uniform and put to work. He was back an hour or so later and stated he was leaving the job.

"What's the matter, son ? Aren't the hours and pay good enough for you ?" asked the manager.

"Sure", the boy replied, "but I've seen the picture".

★

"I beg your pardon", said the man returning to his seat in the theatre, "did I step on Your toes when I left ?".

"You certainly did !" came the reply.

"Good, then I'm in the right row".

★

"How did you find your steak, sir ?".

"I looked under a small slice of onion and there it was".

★

Three ladies sat down at a table in a restaurant. The first ordered a pot tea, the second a cup of coffee, and the third said to the waitress; "I'd like a pot of tea too, and please make sure that the cup is clean".

Five minutes later the waitress came back with a tray and the orders. "First of all", she said, "which was the lady who wanted a clean cup ?".

★

A lady diner called the waiter over to her table and complained : "Waiter, these beans seem very stringy".

"Perhaps it would help, madam", suggested the waiter with a raised eyebrow, "if you tried eating them with your hat veil up".

★

XXV. – CALLINGS AND TRADES
PROFESSIONS ET MÉTIERS

1

choice	le choix
to * choose	choisir
an aim..............	un but
a scheme [ski:m]	un projet
clever [e]...........	intelligent
gifted	doué
able	capable
competent	compétent
★ a careers officer	un conseiller d'orientation
skill	l'habileté
ability.............	la capacité, le talent
to advise...........	conseiller
advice (sg.)	des conseils
to guide [gaid]	guider

THE LEARNED PROFESSIONS

Les professions libérales

2

a career [iə]..........	une carrière
knowledge [nɔ-] (sg.) .	les connaissances
learning.............	le savoir
professional men.....	hommes de professions libérales
★ theology divinity	la théologie
the law	le droit, la justice
justice..............	→ 122/17-25
to *read for the bar..	faire son droit

a lawyer [lɔ:jə]......	un homme de loi
a solicitor	un avocat, un notaire *(appr.)*
a barrister, a lawyer, an attorney (Am.) .	un avocat → 123/21

3

medicine...........	la médecine → 45/5-7
a doctor	un docteur
★ a physician..........	un médecin
famous [ei], renowned [au].............	fameux, renommé
the pratice [-tis]......	la clientèle
the fees	les honoraires
★ a general practitioner (G.P.)...........	un généraliste
a psychiatrist [saikai]..	un psychiâtre → 45/6
to *go in for teaching	entrer dans l'enseignement → VI
to *go through a course [ɔ:]	suivre des cours
a training college	une école normale

4

to have a taste for...	avoir le goût de
journalism [ə:].......	le journalisme
the fine arts	les beaux arts → 38/18-28
to have a bent for ...	avoir des dispositions pour
to *go on the stage..	faire du théâtre
politics (sg.)	la politique
business [biz-] (sg.) ...	les affaires
enterprising	entreprenant

– **1.** The **choice** of a profession is no easy matter. Many young people find it hard to **choose** a profession. At 20, they may have no **aim** in life, no ambitious **schemes**. They are either more or less **clever** and **gifted,** they have more or less **skill** and **ability**. If some **able, competent careers-officer** can **advise** and guide them, they should follow his or her **advice.**

– **2.** Most liberal (or **learned**) **professions** require **knowledge** (or **learning**). Most **professional men** have been through the university. If you want to become a clergyman, you must study **theology** (or **divinity**). If the **career** of **law** attracts you, you must **read for the bar**, then you will become a **lawyer,** either a **solicitor** or a **barrister,** in America an **attorney** or a **lawyer.**

– **3.** Dr. Scott, the **famous** (or **renowned**) **doctor** (or **physician**) studied **medicine** for 7 years. He has now a large **practice** and charges heavy **fees**. A doctor who is not a specialist is a **general practitioner.** A **psychatrist** specializes in the treatment of disorders of the mind.

Miss Ransom, who wants to **go in for teaching** is now **going through a course** at a **training college** or a University department of education.

– **4.** If a young man **has a taste for** writing, he can go in for **journalism.** The **fine arts** attract those who **have a bent for** painting or music.

Some young girls dream of **going on the stage** or becoming film stars.
Politics or **business** attract **enterprising** people.

5

a scientist [ai]	un scientifique
an engineer [iə]	un ingénieur
to succeed	réussir
to fail	échouer
a job, an employment .	une place, un emploi
to *make a living, to earn a livelihood [aiv-]	gagner sa vie

TRADESMEN

Les commerçants

6

to carry on a trade ..	exercer un métier
foodstuffs	les produits alimentaires
the grocer	l'épicier
the greengrocer	le marchand de légumes
the baker [ei]	le boulanger
the butcher [u]	le boucher
the fruiterer	le fruitier
★ the poulterer [ou] ...	le marchand de volailles
★ the fishmonger	le poissonnier
★ the dairyman	le crémier
the milkman	le laitier
★ a costermonger	un marchand des quatre saisons
the confectioner	le confiseur
★ the wine-merchant ..	le marchand de vin
the brewer [u:]	le brasseur
a brewery	une brasserie
to brew	faire de la bière

7

a tailor	un tailleur
★ a dressmaker	une couturière
★ a hosier [houʒə]	un bonnetier
★ hosiery	la bonneterie
★ a milliner	une modiste
★ a draper	un marchand d'étoffe
cloth [ɔ]	des étoffes
★ fancy goods	des nouveautés
★ an outfitter	un marchand de confections
ready-made	prêt-à-porter
a shoemaker, a cobbler	un cordonnier
★ a haberdasher	un mercier
★ small-wares	de la mercerie
a cleaner	un nettoyeur, dégraisseur
to press	repasser
★ a dyer [ai]	un teinturier
★ to dye	teindre
a laundry [ɔ:]	une blanchisserie
clothing, dress	→ 56/1-18

8

the building-trades ...	les industries du bâtiment → 9/4-12
to supply, to provide s.o. with sth	fournir qqch. à qqn.
a newspaper, a paper	un journal
to print	imprimer
a printer	un imprimeur
a printing office	une imprimerie
a printing press	une presse à imprimer
the type (inv.)	les caractères

— 5. But the majority think of becoming **scientists** or **engineers**. How many will **succeed**, how many will **fail** and have only obscure **jobs** (or **employments**), barely **making a living** (or **earning a livelihood**) ?

— 6. A **tradesmen** is a man who **carries on a trade**. Many tradesmen sell **foodstuffs**. For instance you go to **grocer's** (Am. grocery) for sugar and to the **greengrocer's** for vegetables. The **baker** sells bread, the **butcher** sells meat. You buy fruit at the **fruiterer's**, poultry at the **poulterer's**, fish at the **fishmonger's**. The **dairman** sells cheese and butter and the **milkman** delivers your milk to your very door. **Costermongers** have no shops and sell their goods in the streets. Less important are the **confectioner** who sells sweets, the **wine-merchant** and the **brewer** : beer is **brewed** in a **brewery**.

— 7. Other trades are connected with clothing. The **tailor** makes gentlemen's clothes, the **dressmaker** makes ladies's dresses. The **hosier** sells **hosiery**. Ladies buy their hats at the **milliner's**. The **draper** sells **cloth** and **fancy goods**, (both called dry goods in the U.S.A.). The **outfitter** sells **ready-made** clothes. The **shoemaker** (or **cobbler**) mends your shoes. The **haberdasher** sells **small-wares**. Now and then you send your clothes to the **cleaner's** to have them cleaned and **pressed**. The **dyer** will **dye** an old jacket. Dirty linen is sent to the **laundry**.

— 8. Besides the **building-trades** there are a great many trades that **supply** (or **provide**) us with the necessities of life. Could modern man do without his daily **newspaper** (or **paper**)? A paper is **printed** by a **printer** in a **printing office** on a **printing press** by means of different **type**.

9

the editor...........	le rédacteur en chef
a journalist [ai].......	un journaliste
a reporter...........	un reporteur
the national newspapers............	les grands quotidiens
★ the circulation.......	le tirage
★ the subscribers......	les abonnés
★ a leader.............	un éditorial
★ an issue	un sujet, un problème
★ a headline..........	un titre, une manchette

10

the publisher........	l'éditeur
to publish...........	publier
a paperback.........	un livre broché
a pocket-book.......	un livre de poche
a bookseller........	un libraire
a bookshop	une librairie
a hardback..........	un livre relié
★ to *bind [ai]	relier
★ a book-binder	un relieur
secondhand	d'occasion
a stationer [ei]	un papetier
stationery...........	la papeterie
notepaper...........	le papier à lettre
an envelope.........	une enveloppe

★ a tobacconist........	un buraliste
tobacco.............	le tabac
cigarettes...........	les cigarettes
★ to be a pipe-smoker .	fumer la pipe
★ a refill	une recharge
a (cigarette) lighter ..	un briquet
★ to *take snuff.......	priser

11

to be apprenticed [-tist]............	être mis en apprentissage
fit.................	capable
unfit................	incapable
to work one's way up	suivre la filière
to *set up in business	s'installer dans les affaires
a paying trade.......	un métier qui rapporte
to *make a fortune ..	faire fortune
to retire [ai]	se retirer, prendre sa retraite
a failure [-ljə]........	un raté → 110/4
★ further education	l'éducation postscolaire
an employer.........	un patron
an employee [i:]	un employé
an apprentice	un apprenti
★ adult education......	l'éducation permanente (appr.)
★ in-service training ...	la formation professionnelle
★ refresher courses	le recyclage

- **9.** The **editor**, helped by **journalists** and **reporters** prepares the paper for publication. Most **national newspapers** in England have their main offices in Fleet Street, London. Some have a **circulation** above a million. **Subscribers** all over the country eagerly await their **leaders** on the major **issues** of the day, or sensational news that make the **headlines. Local dailies** are also widely read.

- **10.** Books are **published** by a **publisher. Most** best-sellers are now available in **paperbacks** or **pocket-books,** as well as **hardbacks.** They are sold in a **bookshop** by a **bookseller. Books** may be **bound** by a **book-binder.** Cheaper copies can be got **secondhand.** A **stationer** sells **stationery, e.g. note-paper** and **envelopes.**
    You go to the **tobacconist's** for your **cigarettes** or **tobacco** if you **are a pipe-smoker** or to buy a **refill** for your **lighter.** People no longer **take snuff** as they used to.

- **11.** A young man may **be apprentriced.** If he proves **fit** for his job, he will **work his way up** and one day **set up in business** on his own account. If his trade is a **paying** one, he will soon **make a fortune** and will be able to **retire** from business. If he is **unfit,** he will fail, or end up as a **failure.** The State provides **further education** for persons after the school-leaving age. The young **employees** and **apprentices** can be released from work by their **employers** to attend specialized courses. **Adult education, in-service training** and **refresher courses** are also organized to enable people to develop their talents.

PROVERBS AND SAYING

Two of a trade never agree. Deux hommes du même métier ne s'entendent jamais.

Jack of all trades and master of none. Bon a tout, propre à rien (appr.).

For want of a nail, the shoe was lost. Les petites causes produisent les grands effets (appr.).

Choose neither women nor linen by candlelight. Il ne faut choisir ni sa femme, ni son linge à la lueur d'une bougie.

XXVI. – INDUSTRY – *L'INDUSTRIE*

CAPITAL AND LABOUR

Le capital et le travail

1

a factory, a plant	une usine
a manufacturer, a millowner...........	un industriel
to enter into partnership.............	s'associer
a partner	un associé
★ to *run a concern....	exploiter une entreprise
a company [ʌ], a corporation (Am.).....	une société
the manufacture.....	la fabrication
raw materials [iə].....	les matières premières
manufactured goods..	les produits manufacturés
★ genuine [dʒenjuin]	authentique, garanti
★ adulterated..........	falsifié
★ shoddy goods, trumpery goods (lit.)...	de la camelote

2

the manager	le directeur → *109/9*
an engineer [iə]......	un ingénieur
a workman..........	un ouvrier

★ a gang..............	une équipe
★ a foreman...........	un contremaître
★ a shift	une équipe, un poste
a mechanic [k].......	un mécanicien
skilled	qualifié
unskilled............	non qualifié
the wages [ei]	les salaires
to ask for a rise [ai], a raise [ei] (Am.).....	demander une augmentation
to *go on strike	se mettre en grève
★ a lockout	un lock-out
★ a labour dispute......	un conflit du travail
★ collective bargaining..	la concertation
a trade union [ju:], a labor union (Am.)...	un syndicat
a shop steward......	un délégué syndical

3

an industrialist	un industriel
a (handi)craft	un métier manuel
a craftsman	un artisan
craftsmanship	l'art, le métier
a workshop	un atelier
mass production	la fabrication en série
★ automation..........	l'automation
★ a computer	un ordinateur → *110/11*
★ the layman..........	le profane

– **1.** Industry needs both **capital** and **labour**. A **factory** (or **plant**) may be owned by a single person, the **manufacturer** (or **millowner**). Or several persons may **enter into partnership** (become **partners**) to **run a single concern** : this is a **company** (Am. **corporation**). The operation of making goods is called the **manufacture**. Generally **raw materials** are turned into **manufactured goods**. All articles produced in a factory should be **genuine** (opp. **adulterated**). Unfortunately **shoddy** (or **trumpery**) goods are not uncommon.

– **2.** At the head of a factory is the **manager**. Under him are several **engineeers**. The **workmen** are formed in **gangs** under the direction of a **foreman**. Workmen may be **skilled** or **unskilled**. They work in **shifts** of eight hours each. Those in charge of the machinery are **mechanics**.
Every week they get their **wages**. They may be dissatisfied with them and ask for a **rise** (Am. **raise**). If this is refused they may **go on strike**. To bring his employees to terms the employer may close his factory : this is a **lockout**. Very often, though, a **labour dispute** will be settled by **collective bargaining**. Workmen are organized in **trade unions** (**labor unions** in the U.S.). They elect **shop stewards** as their representatives.

– **3.** Before the Industrial Revolution **industrialists** did not exist, many workmen were **craftsmen**; they worked at home or in **workshops**. Their work was almost an art, requiring a good deal of **craftsmanship** : it was a **craft**, a **handicraft**.
Modern industry, on the contrary, is based on **mass production**. Recently the advent of **automation**, the progress of advanced technology, the development of **computer** systems have been opening new perspectives which are of baffling complexity to the **layman**.

Les mines et la métallurgie

4

coal-mining [ai].......	l'exploitation de la houille
the National Coal Board...........	l'équivalent des Charbonnages de France
the output.........	la production
a coalfield...........	un bassin houiller
a collier [ɔ]........	un mineur
a colliery [ɔ]........	une houillère
a shaft, a pit........	un puits de mine
to *dig............	creuser
a gallery...........	une galerie
★ to work a seam.....	exploiter un filon
★ a safety lamp.......	une lampe de sûreté
★ firedamp...........	le grisou
★ to *hew............	tailler
mechanical..........	mécanique
the yield [ji:]........	le rendement

iron [aiən]...........	le fer
★ a blast furnace......	un haut fourneau
★ molten.............	en fusion
★ a mould [ou]........	un moule
★ cast-iron..........	la fonte de fer
★ pig-iron............	la fonte brute
a plate.............	une plaque, une feuille
a sheet.............	une lame, une tôle
a bar..............	une barre
wire [waiə]..........	du fil de fer
★ a rolling mill........	un laminoir
a process...........	une opération, un procédé
a steel-works (sg.), a steel plant (Am.)..	une aciérie
★ stainless steel.......	l'acier inoxydable
★ to forge............	forger
★ to *cast...........	couler, fondre
★ a foundry [au].......	une fonderie

THE TEXTILE INDUSTRY

L'industrie textile

5

to extract...........	extraire
an ore..............	un minerai
★ to smelt...........	fondre
★ to crush...........	écraser
★ to *grind...........	broyer
★ an alloy...........	un alliage
★ non ferrous.........	non ferreux
brass..............	le laiton
bronze.............	le bronze
steel..............	l'acier
to mix.............	mélanger

7

wool...............	la laine
cotton.............	le coton
a cotton mill........	une filature de coton
to *spin...........	filer
to *weave..........	tisser
a hand-loom.........	un métier à main
a power-loom [pau-]..	un métier mécanique
synthetic, man-made fibres...........	des fibres synthétiques
★ hosiery [ʒ]..........	la bonneterie
★ knitwear [k].........	le tricot
materials...........	→ 36/3-4

– 4. **Coal-mining** is the oldest of British industries. The **National Coal Board** is responsible for virtually all coal **output** in Britain. There are many **coalfields** in Britain. The place where **miners** (or **colliers**) work is a **colliery**. **Shafts** (or **pits**) are **dug** sometimes to a great depth, the **galleries** are opened to **work the seams**. Miners carry **safety lamps** against the dangers of gases like **firedamp**. Coal used to be **hewn** by hand, but most of the work is now **mechanical**. The **yield** of coal-mines has increased proportionally.

– 5. **Metallurgy** consists of **digging out ores** and **smelting** them. Ores are **crushed** and **ground** mechanically. Alloys (**non ferrous brass** or **bronze, steel,** etc.) are made by **mixing** different metals.

– 6. **Iron** ore is carried to a **blast furnace** where it is smelted. The **molten** iron is poured into **moulds** where it solidifies to form **cast iron** or **pig-iron**. Cast iron is then refined into steel. Steel is manufactured into **plates, sheets, bars, wire,** laminated in **rolling mills**. Such **processes** take place in **steel-works** (Am. **steel plants**). Sheffield is famous for its production of **stainless steel**. Liquid steel is also pressed into shape or **forged; or it is cast** in **moulds**. This is done in a **foundry**.

– 7. The British **wool** industry is still one of the largest in the world. **Cotton** was Britain's largest export during the nineteenth century. **Cotton** is **spun** in **cotton mills**. In the **weaving** industry **hand-looms** were superseded by **power-looms**. A new and rapidly expanding branch of textiles is the production of **synthetic** or **man-made fibres** (such as rayon and nylon). The **hosiery** and **knitwear** industry is one of relatively small-scale enterprises.

10

OTHER INDUSTRIES

Autres industries

8

mechanical enginee-ring	la construction mécanique
electrical engineering	l'électrotechnique
electronics (sing.)	l'électronique
shipbuilding	la construction navale → 65/10-14
chemical [k] industries	industries chimiques
plastic	le plastique
to rot	pourrir
to rust	rouiller

9

glass	le verre
glassware	la verrerie, les cristaux
a glass-blower	un verrier
a car factory	une usine d'automobiles → 114/8-14
the assembly line	la chaîne de montage
★ a pottery(-works)	une poterie
★ an oven [ʌ], a kiln	un four
the aerospace industry	l'industrie aérospatiale → 118/26-28
★ pharmaceuticals [sju:]	l'industrie pharmaceutique → 44/3
footwear	la chaussure
paper and board	le papier et le cartonnage

energy, power	l'énergie, la force motrice
a thermal power station	une station thermique
a hydroelectric power station [hai-]	une centrale hydro-électrique
a dam	un barrage
an atomic power station	une centrale atomique
a nuclear power plant	une centrale nucléaire
★ a turbine [ai]	une turbine
★ a dynamo [ai]	une dynamo
★ to harness	utiliser, mettre en valeur

THE EQUIPMENT AND PLANT

L'équipement et l'outillage

11

a machine [ʃi:n]	une machine
★ to overhaul	réviser
★ a bolt	un boulon
★ a nut	un écrou
to loosen [s], to *come loose	se desserrer
to tighten	serrer, bloquer
a part	une pièce
blunt	émoussé
to sharpen	aiguiser
★ to solder	souder
to be out of order	être détraqué
to repair	réparer
to *take to pieces	démonter
to *put together again	remonter
the plant	l'outillage, les installations

– 8. Other industries are **mechanical** and **electrical engineering** (the latter including **electronics**), **shipbuilding** and **chemical industries**. The **plastic(s)** industry is a fast growing one. Whereas most materials are liable **to rot** or **rust**, nothing can alter plastic materials that way.

– 9. Highly industrialized countries produce **glass** for industrial purposes. A traditional product is hand-made cristal **glassware**. In some countries it is still possible to see the **glass-blower** blowing glass into shape.

In **car factories**, the component parts of a car are put together along immense **assembly lines**.

In a **pottery(-works)**, earthenware vessels are baked in **ovens**, called **kilns**, which are now fired by gas or electricity.

Some other industries, more or less flourishing, are the **aerospace industry**, **pharmaceuticals**, leather and **footwear, paper and board**.

– 10. The energy necessary to drive a factory is produced in a **power station**. There are **thermal power stations, hydroelectric power stations** set up where **dams** are built across rivers, and **atomic power stations**, or **nuclear power plants**. Electricity is produced by means of **turbines** and **dynamos**. The day may not be far when solar energy will be **harnessed**.

– 11. **Machines** need constant **overhauling**. **Bolts** and **nuts** may **come loose** (or **loosen**): they will have to be **tightened**. Cutting **parts** become **blunt**: they will need **sharpening**. Broken parts will have to be **soldered**. If a machine is **out of order**, mechanics will **take it to pieces**, and **repair** it. They will then **put it together again**. The **plant** of a factory must be renewed at intervals.

12

a steam engine [-dʒin]	une machine à vapeur
a boiler	une chaudière
a piston	un piston
a wheel..............	une roue
★ a shaft	un arbre de transmission
★ a belt................	une courroie
★ an internal combustion engine............	un moteur à explosion
elaborate............	compliqué, perfectionné
a machine tool	une machine outil
★ a lathe [ei]............	un tour
★ a boring machine.....	une foreuse, une perceuse

13

know-how	le savoir-faire
technology..........	la technique, la technologie
a technique	une technique
a technician	un technicien
technological	technologique
advances............	des progrès, des améliorations
an appliance [ai]	un appareil
to devise.............	inventer, imaginer
★ to develop...........	mettre au point
★ to process	traiter, tranformer

— 12. A **steam engine** includes a **boiler** and **pistons**. It can drive wheels **through a shaft** and **belts**. Steam engines have now been almost universally superseded by **internal combustion engines**. More and more **elaborate machine tools** are being used, suiting every type of requirement, ranging from watchmakers' **lathes** weighing a few pounds to **boring machines** weighing hundreds of tons.

— 13. A modern country must promote scientific and industrial research. **Technology** and **know-how** have become an essential field of study. A **technician** must be well versed in all the **techniques** of his trade. Thanks to the developments of **technology**, many **technological advances** have been made in industry and manufacturing. Most ingenious instruments and **appliances** have been **devised**, new techniques **developed**, new **processing** methods applied. Their field seems to be unlimited.

THE LIGHTER SIDE

Customer to manager of garage : "I've been watching that mechanic for the last 15 minutes. There's a man who is really consciencious about his work. He didn't spill a drop of oil an the ground. He put down the bonnet gently, fastened it securely, and left no fingerprints on it. He wiped his hands clean before opening the door, spread a clean cloth over the upholstery, meshed the gears noiselessly and then drove slowly into the street".
Manager : "Yes, that's his own car".

★

Mechanic : "Madam, I've found out what is wrong with your car. You have a short circuit in your wiring".
Lady Motorist : "Well, then, go ahead and lengthen it".

★

On the outskirts of an Oklahoma town are six service stations in a row. A sign in front of the first one reads :
"Last chance for gas — the next five stations are mirages".

★

A large, glossy car skidded to a stop outside the Tower of London and a well-dressed American tourist couple emerged.
The man quickly took in his surroundings and said to his wife :
"Right, dear — you do the inside and I'll take the outside !".

★

Speaking of cruises : if you look like your passport photograph, you need the trip.

XXVII. – COMMERCE AND BUSINESS
LE COMMERCE ET LES AFFAIRES

1

goods; wares (lit.)	les marchandises
the producer.........	le producteur
the consumer	le consommateur
to *sell	vendre
to *buy, to purchase [-tʃəs].............	acheter
the sale [ei]..........	la vente
the purchase	l'achat
★ a wholesaler [w]	un grossiste
★ a middleman	un intermédiaire
★ a retailer	un détaillant
to order.............	commander
to store.............	stocker, entreposer
a warehouse	un entrepôt

3

a (department) store ..	un grand magasin
a commodity	une denrée
a counter	un comptoir
a department	un rayon
the buyer	le chef de rayon
a lift, an elevator (Am.)	un ascenseur
an escalator	un escalier roulant
a shop assistant, a salesman, a clerk [əː] (Am.)	un employé, un commis de magasin
the customers.......	les clients
the patrons [ei]	les clients habituels
★ a shopwalker........	un inspecteur
a shoplifter	un voleur à l'étalage

SHOPS ANS STORES
Boutiques et magasins

2

a shopkeeper........	un petit commerçant
a shop, a store (Am.).	un magasin
★ a stall [ɔː]..........	un étal, un éventaire
a market............	un marché
to *go shopping	faire les courses
to *run errands......	faire les commissions
to trade in, to *deal in	faire le commerce de

4

the price............	le prix
how much is this worth ?..........	combien cela vaut-il ?
to *cost	coûter
to bargain..........	marchander
dear, expensive......	cher, coûteux
costly	de grande valeur
I can't afford (fam.) ...	je n'ai pas les moyens d'acheter
cheap	bon marché
a bargain	une affaire
★ the flee market......	le marché aux puces
★ to *sell on credit	vendre à crédit
★ hire purchase........	la location vente
★ the balance	le solde
★ instalments	les versments
money..............	→ 35/7-9

– **1.** Commerce is the moving of **goods** (or **wares**) from the **producer** to the **consumer**. Trade consists in **selling** and **buying** (or **purchasing**) goods. More than 15 per cent of the British population are engaged in the **sale** and **purchase** of goods. The **wholesaler** is a **middleman** between the manufacturer and the **retailer**. He **orders** goods in large quantities and **stores** them in his **warehouse**.

– **2.** The retailer, or **shopkeeper**, sells his goods in a **shop** (Am. **store**). Or he may have a **stall** in a **market**. Your mother **goes shopping** once or twice a week. When you have time to spare, you can **run errands** for her. Each shopkeeper **trades in** (or **deals in**) a special line.

– **3.** It is often more convenient to go shopping in a **(department) store**, where various articles and **commodities** are on sale on **counters** in the different **departments**.
   Each department is under a head, known as the **buyer**. You take a lift or an **escalator** to reach the upper floors. **Shop assistants** (or **salesmen**, Am. **clerks**) attend to the **customers** and **patrons**. A **shopwalker** supervises employees and customers and keeps an eye on possible **shoplifters**.

– **4.** The **prices** of all articles are marked. If not, you can ask the shop assistant "**How much is** this lamp **(worth**)?" or "How much does this hat **cost** ?". **But** it would be no use bargaining. Some goods are so **dear** and **expensive**, even **costly**, that you **cannot afford** them. On certain occasions however they can be bought **cheap**. Flea market shoppers are on the look-out for **bargains**.
   A large amount of goods are now **sold on credit**. In the **hire purchase system**, a partial down payment is effected. **The balance** must be paid off in **instalments** extending over several months or years.

5

to *pay cash	payer comptant
to *pay for a thing	payer un objet
the cashdesk	la caisse
to wrap [w]	envelopper
brown paper	du papier d'emballage
to tie [ai]	attacher
string	de la ficelle
tissue paper	du papier de soie
cardboard	du carton
adhesive [di:] tape	du ruban adhésif
a parcel	un paquet

6

to deliver	livrer
delivery	la livraison
free	libre, gratuit
to make a charge, to charge	faire payer, compter
★ a receipt [i:t]	un reçu
to *send, to consign [sain], to ship (Am.)	envoyer, expédier
to pack	emballer
a box, a case [keis]	une boîte, une caisse
canvas	de la toile
a label [ei]; a tag (Am.)	une étiquette
a bundle	un ballot
damage (sg.)	les dégâts, les dommages
★ the consignee [saini:]	le destinataire
★ to lodge a claim with	adresser une réclamation à
★ to make good a loss	compenser une perte

7

chain stores	des magasins à succursales multiples
a self-service store	un livre-service

a supermarket [sju:]	un supermarché
a shelf, pl. shelves	un rayon
★ a range	une gamme, un choix
foodstuffs	des produits alimentaires
groceries	des articles d'épicerie
a packet	un paquet
a bag	une poche
a tin, a can (Am.)	une boîte de conserves
a jar	un pot (en verre)
a brand	une marque (déposée)
★ the bakery stand	le rayon de la boulangerie
★ the meat counter	le rayon de la boucherie
★ a trolley	un chariot
the paydesk, check-out	la caisse

8

mail-order business	la vente par correspondance
★ a circular [sə:]	une circulaire
a catalogue, catalog (Am.)	un catalogue
an item [ai]	un article
★ cash on delivery (C.O.D.)	(livraison) contre remboursement

9

a firm [ə:], a concern	une firme, une entreprise
to manage [idz]	diriger
the General Manager	le Président-directeur-général
★ the Board of Directors	le conseil d'administration
★ the Managing Director, the President (Am.)	l'administrateur délégué
★ the head office	le siège social
★ a joint-stock company	une société par actions
★ a share	une action
★ a shareholder	une actionnaire

— 5. If you **pay cash,** you go to the **cashdesk,** where you **pay for** the article you have bought. It is **wrapped** for you in **brown paper** and tied with **string.** A fragile doll will be wrapped in **tissue paper** first, then placed in a **cardboard** box. **Adhesive tape** is very handy to make quick **parcels.**

— 6. Heavy goods can be **delivered free** (i.e. no **charge is made** for their **delivery**). A **receipt** must be signed by the customer. When fragile goods are **sent,** or **consigned** (an American would say **shipped**), over long distances, they must be carefully **packed** in **boxes,** or **cases,** or wrapped in **canvas,** with the customer's address on a **label** (Am. **tag**). But old clothes will simply be tied in a **bundle.** If the package has suffered some **damage,** the **consignee** can **lodge a claim with** the carrier, and **the loss,** if any, will be **made good.**

— 7. Other types of stores are well-known in England. They are called **chain stores,** e.g. Boot's Chemists and Woolworth's.
But the latest form of retailing is the **self-service store** and the **supermarket,** on the American model. In a self-service store the housewife can do all her shopping. She walks past the different **shelves** and helps herself from a complete **range** of **foodstuffs** and **groceries, packets** of rice, **bags** of sugar, **tins** (Am. **cans**) of fruit, **jars** of marmalade, which she can choose among different **brands.** She stops at the **bakery stand** and the **meat counter.** All her purchases are heaped on to a **trolley. All she has to do next is pay at the paydesk** (or **check-out**) when she goes out.

— 8. **Mail-order business** has grown to enormous size in the U.S.A. The customers receive **circulars** and illustrated **catalogues** (the American spelling is **catalogs**) containing thousands of **items.** The buyer generally pays the money for his purchase to the postman when the parcel is delivered : this is called **cash on delivery.**

— 9. Big commercial **firms,** or **concerns,** are managed by the **General Manager** and controlled by a **Board of Directors** presided over by the **Managing Director** (Am. **president**). Meetings are held regularly at the **head office.** A **joint-stock company** is one whose capital is divided into **shares,** held by **shareholders.**

the employers	le patronat		

the employers .... le patronat
the head, the boss (fam.) .... le patron
the staff .... le personnel
the executives ...... les cadres
an employee [i:] ...... un employé
to resign [zain] ...... se démettre
resignation [zig] ...... la démission

a traveller, a salesman (Am.) .... un voyageur de commerce
a sample .... un échantillon
an order .... une commande
to cancel .... annuler, résilier
trustworthy [wə: ði], reliable [ai] .... sûr, de confiance
a salary .... un traitement
a commission .... une commission

10

the office .... le bureau
a clerk [ɑ:] .... un employé
a shorthand typist [ai] une sténodactylo
to type .... taper à la machine
a typewriter .... une machine à écrire
an invoice .... une facture
an accountant .... un comptable
book-keeping .... la comptabilité
a cashier [iə] .... un caissier
an errand-boy .... un garçon de courses

13

a merchant [tʃ] ...... un négociant
to export .... exporter
to import .... importer
★ smuggling .... la contrebande
competition .... la concurrence
advertising [-tai-], publicity .... la publicité
a shop sign [sain] .... une enseigne
★ a display .... un étalage
a shop window ...... une vitrine
advertisements [-tis-], ads (fam.) .... des réclames, des annonces
a poster .... une affiche
a medium, (pl.) media [i:] .... un moyen publicitaire, pl. les (mass)media
a fair .... une foire
a show .... une exposition
★ the motor show ..... le salon automobile
★ a folder .... un dépliant, un prospectus
★ a booklet .... un livret, une brochure

11

★ an accounting machine .... une machine comptable
★ a dictaphone .... un dictaphone
★ to file [ai] .... classer
★ a card index .... un fichier
★ data [ei] processing... l'informatique
★ software .... le logiciel
★ data [ei] .... les données
★ hardware .... l'ordinateur (machine)
★ a terminal computer . un ordinateur satellite
★ the ledger .... le grand livre
★ loose [s]-leaf (adj.) ... à feuilles mobiles
★ a folder .... une chemise

The **employers** are still reluctant about state intervention in business. The **head** (familiarly the **boss**) has under him a numerous **staff**. The directors of a firm and all the **employees** can, for personal, or other reasons, **resign** (hand in their **resignation**).

— 10. In the **office** you find a number of **clerks, shorthand typists** who **type** the firm's letters and **invoices** on their **typewriters, accountants** well versed in **book-keeping, cashiers, errand-boys**.

— 11. The office equipment includes, in addition to the usual type-writers, **accounting machines, dictaphones,** a **filing system** and a **card index** system, where **index cards** are filed in alphabetical order. With the progress of **data processing**, much of the filing work is done in large companies by **sofware** engineers, feeding **data** to the **hardware**, or **terminal computer** in the office. The old-fashioned bound **ledger** has been superseded by a **loose-leaf** system. **Folders** are still useful for keeping documents ready to hand.

— 12. Commercial **travellers** (Am. **salesmen**) visit the firm's customers, showing them **samples** and taking their **orders**. If a customer is dissatisfied, he can **cancel** the order. All these people must be **trustworthy** (or **reliable**). They are paid **salaries**, plus **commissions**.

— 13. Some firms specialize in foreign trade. A **merchant** is a man who **exports** and **imports** goods on a large scale. Importing goods without paying duties is called **smuggling**.
In the **competition** between commercial firms, **advertising** (or **publicity**) plays a large part. **Shop signs** and the artistic **display** of goods in **shop windows** are very old means of attracting customers. **Advertisements** (or **ads** for short) in the papers and **posters** are the most commonly used. The latest **medium**, television, is by far the most expensive and effective. Commercial **fairs** and **shows** (e.g. **motor shows**) make a firm's products widely known. Visitors at fairs and shows come back with their arms loaded with **folders** and **booklets**.

XXVIII. – FINANCE AND ECONOMY
LES FINANCES ET L'ÉCONOMIE

BANKING
Les opérations bancaires

1

★ a prime [ai] mover....	un moteur (figuré)
a bank..............	une banque
a branch............	une succursale
an account..........	un compte
to *lend	prêter
a loan	un prêt, un emprunt
to borrow...........	emprunter
to cash a cheque [tʃek], a check .) ..	encaisser un chèque
to pay over the counter	payer au guichet
to discount	escompter
★ a bill of exchange ...	une lettre de change
★ a draft............	une traite
★ to be overdrawn.....	être à découvert
★ valuables	des objets de valeur
★ the vaults..........	les chambres fortes

2

insurance	l'assurance
a private [ai] person ..	un particulier
to *take out an insurance policy......	souscrire une police d'assurance
a premium [i:]	une prime
life assurance........	l'assurance-vie

3

to save, to *put by ..	mettre de côté
the savings	les économies
a savings bank	une caisse d'épargne
an interest.........	un intérêt
a deposit...........	un dépôt
a rate	un taux
to invest	placer, investir
an investment	un placement
a safe	un coffre-fort
★ a share, a stock (Am.)	une action
★ a bond, a debenture .	un bon, une obligation
★ securities	des valeurs
the Stock Exchange ..	la Bourse des valeurs (de Londres)
★ a broker	un courtier
safe	sûr, de tout repos
risky...............	hasardeux

PROFITS AND LOSSES
Profits et pertes

4

★ stock-taking........	l'inventaire
to settle an account .	régler un compte
★ the balance sheet ...	le bilan
★ the assets..........	l'actif
★ the liabilities [ai-]	le passif
to earn	gagner
to *spend...........	dépenser
the growth rate	le taux de croissance
management	la gestion

– **1.** Money is the **prime mover** of the economy. Hence the growing importance of **banking**. All big banks have **branches** all over the country. Banks open **accounts** for their customers. They **lend** them money (or grant them **loans**), when the latter want to **borrow** some (or want a **loan**). **Cheques** can be **cashed**, or **paid over the counter.** Banks **discount bills of exchange** or **drafts** – Mind your account is not **overdrawn ! They** also keep money and **valuables** in their **vaults.**

– **2. Insurance,** by covering the risks of loss and damage, gives a most valuable security to commerce. Fire, accident, marine insurances are in common practice. A **private person** can also **take out an insurance policy.** By paying regular **premiums,** he can for instance insure his life : this is called **life assurance** (or insurance).

– **3.** When a man has **saved** (or **put by**) some money, he can deposit his **savings** with a **savingsbank.** A small **interest** is allowed on his **deposit,** as the interest **rate** is low. If a man wants to **invest** large sums of money, instead of keeping them in his **safe,** he will buy **shares** (**stocks** in the U.S.A.) and **bonds** (or **debentures**), bearing the common name of **securities.** They are bought and sold on the London **Stock Exchange** through **brokers.** Some **investments** are **safe,** others are **risky.**

– **4.** In every firm an operation takes place every year, called **stock-taking.** All accounts are **settled** and the **balance sheet** is made out. If the **assets** exceed the **liabilities,** or to use familiar words, if the firm has **earned** more money than has been **spent,** if profits exceed losses and the **growth rate** has been positive, then **the management** has been good and the year a successful one.

to *lose	perdre	the balance of trade .	la balance commerciale
to *run into debts [b].	s'endetter	inflation	l'inflation
to owe [ou]	devoir	situations wanted....	les demandes d'emploi
★ insolvent	insolvable	situations vacant	les offres d'emploi
★ bankruptcy	la faillite	the standard of living	le niveau de vie
★ to *wind up [ai]	liquider	purchasing power....	le pouvoir d'achat
the debtor [b]	le débiteur		
the property	les biens		
to own	posséder		
the creditors	les créanciers		

ECONOMIC PROBLEMS

Les problèmes économiques

5

a policy	une politique
free trade	le libre échange
the law of supply and demand	la loi de l'offre et de la demande
protectionism	le protectionnisme
a tariff	une barrière douanière
an agreement	un accord
the ups and downs ..	les hauts et les bas, les vicissitudes
planned economy	l'économie planifiée

6

a crash	un krach
economics (sg.)	l'économie (science)
a boom	une vague de prospérité
a recession	une récession
a depression	une crise
a recovery	une reprise
a slump	du marasme

7

business is slack, dull	les affaires sont faibles
to engage	embaucher
★ to work overtime	faire les heures supplémentaires
★ business is at a standstill	les affaires sont au point mort
to discharge, to dismiss	renvoyer, congédier
to be *thrown out of work	être réduit au chômage
the unemployed	les chômeurs
the dole	les secours aux chômeurs
unemployment benefits	l'indemnité de chômage

8

a trend	une tendance
★ antitrust legislation ..	les lois anti-trust
★ a trust	un trust
★ a cartel	un cartel
★ a merger	une fusion
★ a take over	un rachat
★ a take over bid	une O.P.A
★ a multinational [næ ʃ-] (company)	une multinationale
★ a subsidiary	une filiale

In the reverse case, the situation may soon prove fatal. The firm may **lose** more and more money, **run into heavy debts**, without being able to pay off the sums it **owes**. Finally it may become **insolvent**, and be faced with **bankruptcy**. The company will be **wound up**, and the **debtor's property** (i.e. what he **owns**) sold to repay the **creditors**.

— **5.** The running of a firm naturally depends upon the economic conditions prevailing in the country and the world at large. Throughout the nineteenth century, commerce was left to follow its natural course : it was the **policy** of **free trade**, free competition and « laissez faire ». Prices fluctuated according to **the law of supply and demand**. But an increased competition among industrialized countries led to international trade wars. **Protectionism** became an American doctrine. **Tariffs** were raised to protect a nation's growing industry. Even when some sorts of **agreements** were concluded between nations, it became more and more necessary to control the **ups and downs** of economic life. No modern country can dispense with **planned economy**.

— **6.** Since the « Great **Crash** » of 1929 which put an end to the world's economic stability, the world has been enduring a number of economic cycles. **Economics** is trying to determine the laws, if any, governing these cycles. A long period of prosperity, culminating in a **boom**, is followed by a **recession**, which inevitably develops as a **depression**: but even then the hope of a **recovery** is looming ahead.
   We are all, unfortunately, familiar with some signs of depression : there is a **slump** in trade, the country's **balance of trade** becomes unfavourable, **inflation** is rampant, prices rise, the number of « **situations wanted** » increases, while that of « **situations vacant** » falls off. The **standard of living** and the **purchasing power** of the ordinary citizen tend to deteriorate.

— **7.** Tradesmen and workers bear the brunt of this deterioration. When **business is slack** (or **dull**), the employer stops **engaging** hands; **overtime** is restricted; some workers are even reduced to **short-time working**. If **business is at a standstill**, the employer is compelled to **discharge** (or **dismiss**) a number of workmen. If they cannot find another job, they are **thrown out of work**. In 1930 there were as many as 2,500,000 **unemployed** in Great Britain. They had only the **dole** to live on. Now they can draw decent **unemployment benefits**.

— **8.** Though they are both trading concerns, Mr James Hardman's, draper, and I.C.I. (Imperial Chemical Industries) belong to two different worlds. Indeed the **trend** to economic concentration has increased since the 1960s to an unprecedented degree. The **antitrust legislation** seems unable to stop the development of **trusts, cartels, mergers, takeovers**, whose chief purpose seems to be restricting and eliminating competition by any means at hand including **takeover bids**. And what about the **multinationals**, and their numerous **subsidiaries**, whose predominance on the world scene is more and more contested.

XXIX. – TRAVELLING – *LES VOYAGES*

1

to travel	voyager
to go on a journey [ə:]	partir en voyage
a conducted tour	
a package tour . .	un voyage organisé
a travel agency [ei] . . .	une agence de voyage
the route	l'itinéraire
an up-to-date guide-	
book [gai-]	un guide à la page

2

a trip	une excursion, un voyage d'agrément
to start, to *set out .	se mettre en route
to *leave	partir
luggage (sg.), baggage (Am.)	les bagages
a suitcase [sju:t keis] .	une valise
a travelling-bag	un sac de voyage
★ a rucksack [r∧k]	un sac à dos
★ a trunk	une malle

WALKING AND CYCLING

Voyages à pied et à bicyclette

3

to *go on foot	aller à pied → 54/15
slow	lent
fast	rapide

★ hiking [ai]	les excursions à pied
to hitch-hike [ai]	faire de l'auto-stop
to give s.o. a lift	prendre qqn. en stop
to *go for a walk, to *take a walk [wɔ:k]	faire une promenade
a cycle ride	une promenade à bicyclette
a bicycle [baisikl], a bike (fam.)	une bicyclette
cycling [ai]	le cyclisme, le vélo
to *ride (on) a bicycle	aller à bicyclette
a youth hostel	une auberge de jeunesse.

4

the frame	le cadre
★ the handlebar(s)	le guidon
to steer	diriger
the front wheel	la roue avant
the back wheel	la roue arrière
★ the spokes	les rayons
a tyre [ai], a tire (Am.)	un pneu
the inner tube	la chambre à air
★ a puncture	une crevaison
★ a patch	une pièce, une rustine

5

the pedals	les pédales
the chain	la chaine
★ a link	un maillon
the brakes	les freins
to brake	freiner
the saddle	la selle
★ a moped	un cyclomoteur
a motorcycle, a motor-bike (fam.)	une motocyclette

– **1. Travelling** is the general term. All young people like travelling (or travel). Some people favour **conducted tours**: they have to apply to a **travel agency**. Others prefer to organize their own **journeys,** and choose their own **route.** For this they must have an **up-to-date guidebook.**

– **2.** When we go for a **trip** on a Sunday, we like to **start** (set out) early in the morning. When we **go on** a long **journey,** we need a lot of **luggage** (Am. **baggage**): different **suitcases, rucksacks, bags,** and even a **trunk.** We must get everything ready long before we **leave.**

– **3. Hiking** (going on foot) is the **slowest** way to travel. In England **hiking** is very popular. **Hitch-hiking** – provided motorists will **give you a lift** – is of course **faster.** It is good to **go for long walks** now and then. If the weather is fine, many will prefer **cycling** – going for a **cycle ride, riding** their own **bicycles,** or someone else's. Cyclists and hitch-hikers find **youth hostels** most convenient.

– **4.** A bicycle is composed of the **frame,** the **handlebar** with which you **steer** the bike. There are two wheels, the **front wheel** and the **back wheel,** with many **spokes.** Round the wheel is a rubber **tyre** (Am. **tire**), with an **inner tube** inside. If you have a **puncture** you must know how to take the inner tube out and put on a **patch.**

– **5.** Other parts of your bike are the two **pedals,** the **chain** made up of a number of **links,** the **brakes** and the **saddle.** All boys dream of having a **moped** or even a **motorcycle** or a scooter.

TRAVELLING IN THE PAST
Les voyages autrefois

MOTORING
L'automobilisme

6

dangerous [ei]	dangereux
eventful	mouvementé
thrilling	passionnant
to travel on horseback	voyager à cheval
★ a stage-coach	une diligence
★ the coachman	le cocher
★ to crack one's whip	faire claquer son fouet
★ the guard [u]	le postillon
★ to sound the horn	sonner du cor
to pull up	s'arrêter
the inn	l'auberge
the innkeeper	l'aubergiste
a sign [sain]	une enseigne
★ accommodation for man and beast	ici on loge à pied et à cheval

7

reliable [ai]	sûr, digne de confiance
safe	sûr, sans danger
a robbery	un vol
to rob s.o. of sth	voler, dérober qqch. à qqn.
★ a highwayman	un voleur de grand chemin
★ the purse [ə:]	la bourse
a rider [ai]	un cavalier
★ to *set spurs	donner de l'éperon
to gallop	galoper

8

a (motor)coach	un car
★ to ply	faire le service
a motor-car	une auto → 97/13
to *drive	conduire
the driving licence [ai]	le permis de conduire
a used car	une voiture d'occasion
roadholding	la tenue de route
fuel consumption	la consommation de carburant
★ maintenance costs	les frais d'entretien
★ adjustable seats	des sièges réglables

9

a motorist	un automobiliste
to service	entretenir, réviser
the tank	le réservoir
petrol [e], gas (Am.)	l'essence
a petrol station, a filling station	un poste d'essence
the radiator [ei]	le radiateur
to check the pressure [-ʃə]	vérifier la pression
the headlights	les phares
oil	l'huile
the engine [-in]	le moteur
the safety belt	la ceinture de sécurité
★ the death toll	le chiffre des morts

− **6.** Travelling in the old days was more **dangerous** and **eventful** than now. People would **travel on horseback** or in **stage-coaches**. How **thrilling** to hear the **coachman cracking his whip** or the **guard sounding the horn** when approaching the village ! The coachman would **pull up** in front of the **inn**, with its brightly-coloured **sign** and its notice : **Accommodation for man and beast.** The **innkeeper** would come out, to greet the travellers.

− **7.** But all innkeepers were not **reliable** and all roads were not **safe. Robberies** were frequent and travellers were often attacked by **highwaymen. Riders** sometimes managed **to set spurs** to their horses and **gallop** away. But few people escaped without being **robbed** of their **purses.**

− **8.** Nowadays, **motorcoaches** have replaced stage-coaches and **ply** between all large towns. **Motor-cars** are more and more numerous on our roads. All boys dream of **motoring.** But before they are allowed to **drive** they must be 18 and obtain a **driving licence.**
   When buying your first car, either new or **used,** you should take a number of points into consideration, among others good **roadholding,** a low **fuel consumption,** low **maintenance costs, adjustable seats,** etc.

− **9. Every motorist** has his car **serviced** regularly. Even so he knows that before starting he must fill up the **tank** with **petrol** (Am. **gas**) at the **petrol station** (or **filling station**), put water into his **radiator, check** his **headlights** and the **pressure** of the tyres (Am. tires), as well as the level of the **oil** in the **engine,** and, last but not least, fasten his **safety belt** − the use of which has reduced the **deathtoll.**

10

the body............	la carrosserie
the springs..........	les ressorts
★ the shock absorbers ..	les amortisseurs
the windscreen, the windshield (Am.)..	le pare-brise
the bonnet, the hood (Am.)	le capot
the boot, the trunk (Am.)	le coffre
the spare wheel.....	la roue de secours
★ the bumpers	les pare-chocs

11

the controls	les commandes
the brake	le frein
the clutch	l'embrayage
the accelerator.......	l'accélérateur
the gear-lever [giə li:və]............	le levier de changement de vitesses
the (steering) wheel..	le volant
★ the choke...........	le starter
the gears [giəz]	les vitesses
the gear-box	la boîte de vitesses
the tools...........	les outils
a breakdown	une panne

12

highways	les routes à grande circulation
a traffic lane	un couloir de circulation
motorways, turnpikes (Am.)	les autoroutes

★ a bypass............	une déviation
★ a ring-road	une rocade
★ a flyover	un tobogan
★ a parking-meter	un parcmètre
a carpark, a parking lot (Am.)	un parking

13

the speed..........	la vitesse
the speedlimit.......	la vitesse autorisée
★ the highway code, the rule of the road ..	le code de la route
to *keep to the left..	tenir la gauche
careful.............	prudent
30 m.p.h.	trente milles à l'heure
a built-up area [ɛəriə].	une agglomération
the roadsigns [sainz]..	la signalisation routière
a crossing..........	un croisement
★ a level crossing......	un passage à niveau
★ a hairpin bend.......	un virage en épingle à cheveux
roads and lanes	→ 78/7-9

14

★ reckless............	imprudent
to *overtake	dépasser, doubler
to pass [ɑ:]	croiser, doubler
★ slippery............	glissant
★ to skid.............	déraper
★ to smash, to crash...	s'écraser
★ to overturn..........	se renverser
★ to bump along	cahoter
★ a jolt	un cahot
tiring [ai]	fatigant
restful..............	reposant

– **10.** The essential parts of a motor-car are the **body,** supported by **springs,** connected to **shock absorbers,** the **windscreen** (Am. **windshield**), the **bonnet** (Am. **hood**) which protects the engine, the **boot** (Am. **trunk**), which contains the luggage and the **spare wheel.** The body is protected by front and rear **bumpers.**

– **11.** Most important, of course, are the different **controls** : the **brake,** the **clutch,** the **accelerator,** the **gear-lever,** and the **steering wheel.** For cold starting, you must not forget to pull the **choke** control. If an automatic **gear-box** is fitted on your car, you need not change **gear.** Every motorist must have **tools** handy in case of a **breakdown.**

– **12.** Much progress has been made recently in road systems. **Highways** have been widened, with as many as four or six **lanes.** Hundreds of miles of **motorways** (Am. **turnpikes**) have been laid out. Local traffic has been improved by building **bypasses, ring-roads** and **flyovers.**

 To help solve the problem of parking, **parking-meters** have been installed in the centres of towns and **carparks** multiplied.

– **13.** Even though **speed** is strictly limited in most countries, a motorist must be **careful** and obey the prescriptions of the **highway code** (or the **rule of the road**), the chief one being of course **of keep to the left** of the road. A careful driver will not exceed the **speedlimit** : 30 m.p.h. (miles per hour) in any **built-up area.** He must observe **roadsigns** : **crossings, level crossings, hair-pin bends,** etc.

– **14. A reckless** driver may cause accidents when **overtaking** or **passing** another car. If the road is **slippery** his car may **skid** and **smash** (or **crash**) into a tree or **overturn** on the roadside. If the roads are bad, the car will **bump along** and passengers will have to bear the **jolts** of the road. Anyhow a journey is often **tiring** for the driver. So many people prefer to travel by train, which is more **restful.**

Les chemins de fer

15

a Railway (Am. Railroad) Company ...	une compagnie de chemin de fer
the track	la voie
a line...............	une ligne
a train..............	un train
to *keep in good repair	entretenir
★ a cutting............	une tranchée
a tunnel [ʌ].........	un tunnel
an embankment	un talus
a bridge	un pont
★ a viaduct [ai]........	un viaduc

16

a passenger train....	un train de voyageurs
a goods train, a freight train (Am.)	un train de marchandises
a steam train........	un train à vapeur
an electric, a diesel-electric [di:] locomotive..........	une locomotive électrique, diésel-électrique
a steam engine [-in]..	une machine à vapeur
the engine driver, the engineer (Am.)	le mécanicien
★ the stoker	le chauffeur
★ the guard [ʊ], the conductor (Am.)...	le chef de train
★ the inspector	le contrôleur

a carriage [-idʒ], a coach, a car (Am.).	une voiture, un wagon
the luggage van, the baggage car (Am.).	le fourgon à bagages
a fast train, an express train	un rapide
a through train	un direct
a dining car [ai]......	un wagon-restaurant
a sleeping car	un wagon-lit

18

to derail	faire dérailler
★ the points, the switches (Am.)	l'aiguillage
★ to collide [ai] with....	tamponner
the repairs	les réparations
★ a single track	une voie unique
to slow down	ralentir

19

the station [ei].......	la gare
to *see a person off .	accompagner qqn. au départ
to be late...........	être en retard
to miss	manquer
to start	partir à temps
to pack up	faire ses bagages
to label [ei]	étiqueter
to unpack...........	défaire ses bagages

— **15.** In England there are no independent **Railway Companies**. British Railways (B.R.) are now nationalised. A **train** runs on a **track**. Railways **lines** are very expensive to build and **keep in good repair. When** a line has to go through a hill, **cuttings** and **tunnels** have to be dug. When it goes across a valley, it runs over an **embankment** on a **bridge** or even a **viaduct**.

— **16.** For long, trains (whether **passenger trains** or **goods trains**, called **freight trains** in the U.S.A. and Canada) had been only **steam trains**. But **electric** and **diesel-electric locomotives** are now built in increasing numbers. A **steam engine** is driven by the **engine driver** (Am. **engineer**) assisted by the **stoker**. The man in charge of the train is the **guard** (Am. **conductor**). An **inspector** goes along the train to check the passengers' tickets.

— **17.** A passenger train is composed of several **carriages** (or **coaches**, Am. **cars**) and a **luggage van** (Am. **baggage car**). **Fast trains** (or **express trains**) have **dining cars** and **sleeping cars**. **Through trains** travel between London and all British cities.

— **18.** Accidents are now very rare. But you may now and then read about a train that has **derailed** when taking **the points** (Am. **the switches**), or has **collided with** another train. When this happens, and while **repairs** are being carried out, trains will run on a **single track** and have to **slow down** almost to walking pace.

— **19.** When you go to the **station** to catch the train, your friends and relatives will perhaps **see you off**. If you don't want **to be late** and **miss** your train, you must **start in time**. Don't wait till the last minute to **pack up** and **label** your luggage. You have plenty of time **to unpack** when you are back.

20

the booking office, the ticket office (Am.).	le guichet des billets
to *buy a ticket	prendre un billet
a single ticket, a one-way ticket (Am.)..	un billet d'aller
a return ticket, a round-trip ticket (Am.)	un aller et retour
a season-ticket	un abonnement
half-fare [ł]..........	demi-tarif
valid, available (Am.)..	valable
★ a porter.............	un porteur
★ to register...........	enregistrer
★ the left-luggage office, the checkroom (Am.)	la consigne

21

the bookstall [ɔ:], the newsstand (Am.)..	le kiosque à journaux
the waiting room	la salle d'attente
the refreshment-room	le buffet
the timetable, the schedule [k] (Am.) .	l'horaire
★ to punch............	poinçonner
the platform	le quai
the train is due at 6 .	le train est attendu à 6 heures

22

to pull in	entrer en gare
to *come to a standstill	s'immobiliser
to *get in, off	monter, descendre
crowded	plein
packed	bondé
★ a corner seat........	une place de coin
a compartment	un compartiment

---

the corridor	le couloir
★ the rack	le porte-bagages
★ the stationmaster blows his whistle [t]	le chef de gare siffle
to start	s'ébranler
you are off.........	vous voilà partis
to book, to reserve ..	réserver

A VOYAGE

Un voyage en mer

23

ships	→ 64/9-16
a passage, a crossing	une traversée
★ to moor..........	amarrer
★ a quay [ki:]	un quai
★ a wharf [ɔ:]	un appontement
a harbour, a port	un port
to embark..........	embarquer
to *go on board	aller à bord
★ the gangway	la passerelle d'embarquement

24

to sail	appareiller
the captain	le commandant
the bridge	la passerelle de commandement
the deck...........	le pont
★ a deckchair	une chaise-longue
★ a rug	une couverture de voyage
to pitch...........	tanguer
to roll	rouler
to be seasick........	avoir le mal de mer
to be a good sailor...	avoir le pied marin
a hovercraft........	un aéroglisseur
ships in distress.....	→ 66/17

— **20.** When you arrive at the station, you go to the **booking office** (Am. **ticket office**) to **buy your ticket,** 1st or 2nd class, **single** or **return.** (Am. **one-way** and **round-trip tickets**). **Season-tickets** allow you to travel freely. Children under 12 pay **half-fare.** If it is a return ticket, be sure it is still **valid** (or **available**) when you travel back.
　If you have some heavy luggage, you can leave it in the **left-luggage office** (Am. **checkroom**).

— **21.** If you arrive at the station early, you can buy a paper or magazine at the **bookstall** (Am. **news stand**) and then to go the **waiting room** or to the **refreshment room.** After a glance at the **timetable** (Am. **schedule**) to check up the time of your train, you get your ticket **punched** and go on to the **platform** along which the **train is due.**

— **22.** Soon the train **pulls in** and **comes to a standstill.** You **get in** (opp. **get off**) and unless the train is **crowded** or **packed,** you can choose a **corner seat** in a **compartment.** You put your bag on the **rack** above the seat. Soon **the stationmaster blows his whistle** or waves a flag, the train **starts. You are off** ! If you have not taken care to **book** (or **reserve**) a seat, you may have to do the whole journey standing in the **corridor.** Never mind ! you will sooner or later arrive at your destination.

— **23.** A journey at sea is called a **voyage.** The **passage** (or **crossing**) from France to England in a short one. The **ship** is **moored** in the **harbour** (or **port**) along the **quay** or **wharf.** Passengers **embark** : they **go on board** over the **gangway.**

— **24.** The ship **sails** in due time. The **captain** gives his orders from the **bridge.** In fair weather, it is best to stay on **deck** : if it is cool, one can sit in a **deckchair** with a warm **rug** round one's legs against the wind.
　If there is some **pitching** and **rolling,** one may **be seasick.** Everybody **is not a good sailor** ! Nowadays crossing the Channel on board a **hovercraft** is child's play.

25

a liner [ai]	un transatlantique
to call at	faire escale à
a cabin	une cabine
★ to book a berth [ə:] . .	retenir une couchette
★ to *come alongside . . .	accoster
to *go ashore	aller à terre
the landing	le débarquement
a passport	un passeport
to go through the cus-	
toms	passer à la douane
a customs officer	un douanier
★ liable [ai] to duty	passible de droits
★ a cruise [u:z]	une croisière

AEROPLANES

Les avions

26

a flight	un vol
to operate an airline .	exploiter une ligne aé- rienne
an aeroplane [εə], an airplane (Am.), a plane	un aéroplane, un avion
aircraft (inv. pl.)	des appareils
★ to hijack [ai]	détourner
the crew	l'équipage
★ an airman	un aviateur
the pilot [ai]	le pilote
★ the wireless operator	le radio

★ the navigator	le navigateur
★ the air hostess	l'hôtesse de l'air
★ the cockpit	le poste de pilotage

27

to steer	gouverner
★ the rudders	les gouvernes
an air-liner [ai]	un avion de transport
a four-engined plane .	un quadrimoteur
★ the wing span	l'envergure
★ the cruising [i] speed.	la vitesse de croisière
★ a piston engine	un moteur à pistons
a propeller	une hélice
a jet (plane)	un avion à réaction
★ a jet engine	un turboréacteur
★ a turbo-prop engine . .	un turbopropulseur

28

the airport	l'aéroport
the runway	la piste
to land	atterrir
to *take off	décoller
★ to *become airborne .	prendre l'air
★ blind-flying	le pilotage sans visibilité (P.S.V.)
supersonic transport .	l'aviation supersonique
★ operating costs	les frais d'exploitation
space flight	l'astronautique
a rocket	une fusée
an astronaut, a space- man	un astronaute
★ an artificial satellite [ai]	un satellite artificiel
★ the space shuttle	la navette spatiale

– **25.** Some voyages are very long. From London to Singapore the **liner** will **call** at many ports where the passengers will be allowed to **go ashore.** It is important to have a comfortable **cabin** and **book a berth** in time. When she reaches her destination, the ship **comes alongside** and the **landing** begins. Passengers must show their **passports** and **go through the customs.** The **customs officer** will ask them if they have anything to declare because many articles, like tobacco and spirits are **liable to duty.** Most liners now are specially equipped for **cruises.**

– **26.** A journey by air is a **flight.** More and more **airlines** are being **operated** over the surface of the earth. All sorts of **planes** (Am. **airplanes**) or **aircraft** carry passengers to all parts of the world unless they are **hijacked** on the way.

The **crew** of a plane includes several **airmen** : the **pilot,** the **wireless operator,** a **navigator** at their posts in the **cockpit,** and the **air hostess.**

– **27.** An aeroplane is **steered** by means of **rudders.** Some **air-liners** are **four-engined planes** with an enormous **wing span,** and a **cruising speed** of 400 m.p.h. They are driven by traditional **piston engines** and **propellers.** Modern aircraft are **jet planes** (**jets,** for short), driven by **jet** or **turbo-prop engines.**

– **28.** Planes **land** or **take off** along the **airport runways.** Flying in a jet is so smooth that passengers do not realize when it **becomes airborne.** Thanks to **blind-flying,** planes can land in the thickest fog. **Supersonic transport** is handicapped by its **operating costs** partly due to very high fuel consumption.

Ours is the age of **space flight,** with **rockets,** launching **artificial satellites** manned by **astronauts** (or **spacemen**). April 1981 saw the maiden flight of the American **space shuttle.**

XXX. – GREAT BRITAIN
LA GRANDE-BRETAGNE

GOVERNMENT AND ADMINISTRATION
LE GOUVERNEMENT ET L'ADMINISTRATION

1

the British Isles [ailz] . les Iles Britanniques
Ireland [ɑiə-] .... l'Irlande
England............. l'Angleterre
Scotland .... l'Ecosse
Wales .... le Pays de Galles
Ulster, Northern Ire-
land .... l'Ulster, l'Irlande du Nord
the United [ai] King-
dom .... le Royaume-Uni
Eire .... la République d'Irlande

2

the Britons.......... les Britanniques
the English.......... les Anglais
the Scots .... les Ecossais
the Welsh .... les Gallois
the Irish [ai]........ les Irlandais
a dialect [ai]........ un dialecte
a language.......... une langue
the flag............. le drapeau
★ the national anthem . l'hymne national
★ a motto [mɔtou]...... une devise

3

London .... Londres
Edinburgh [-bərə] .... Edimbourg
the Thames [temz] ... la Tamise
the North Sea....... la Mer du Nord
the (English) Channel. la Manche
the Straits of Dover . le Pas de Calais
the Channel Islands [ai] les Iles Anglo-Normandes

4

a colony .... une colonie
the mother country
[ʌ], the fatherland. la mère patrie
to emigrate .... émigrer
to settle .... s'établir
a settler .... un colon
the Empire.......... l'Empire colonial
autonomy, self-govern-
ment .... l'autonomie

5

self governing .... autonome
★ a Dominion .... une dominion
the Commonwealth .. le Commonwealth
Canada............. le Canada
Australia [ei] .... l'Australie
New-Zealand .... la Nouvelle Zélande
India .... l'Inde
Ceylon, Sri Lanka .... Ceylan

– 1. The **British Isles** are composed of a great number of islands : the largest is Great Britain, the second largest **Ireland**. Great Britain includes **England, Scotland** and **Wales.** Great Britain and **Ulster (Northern Ireland)** form the **United Kingdom.** The remainder of Ireland forms the Republic of Ireland, or **Eire.**

– 2. The inhabitants of Great Britain bear the name of **Britons.** They include the **English,** the **Scots** and the **Welsh** – the **Irish** populate Ireland. Although several **dialects** are still spoken, their common and official **language** is English. The English **flag** is called the Union Jack. The **national anthem** is « Gog Save the King/Queen ». The **motto** of Great Britain is « Dieu et mon Droit ».

– 3. **London** is the capital of England and **Edinburgh** that of Scotland. London is situated on the banks of the **Thames** which flows into the **North Sea.** England is divided from the Continent by the **(English) Channel,** the narrowest part of which is called the **Straits of Dover.** The **Channel Islands** lie off the French coast.

– 4. Nearly four hundred years ago, British seamen began to discover new lands and to found **colonies** overseas. More and more people left the **mother country** (the **fatherland**) and **emigrated.** These emigrants **settled** mostly in the New World. But there have been British **settlers** all over the five continents. Thus the British **Empire** was founded. The evolution towards **autonomy** (or **self-government**) or independence has taken place in this century.

– 5. Now several **self-governing** countries, formerly called **Dominions,** are Britain's partners as members of the **Commonwealth.** The chief ones are **Canada, Australia, New Zealand, India, Ceylon** – now **Sri Lanka** –

Malaya [ei]	la Malaisie	★ a by-election	une élection partielle
the West Indies	les Antilles	to elect, to return	élire, réélire
Malta [ɔ:]	Malte	to vote	voter
Cyprus [ai]	Chypre	the franchise [tʃaiz]	le droit de vote
★ a protectorate	un protectorat	a constituency	une circonscription électorale
★ under mandate	sous mandat		
South Africa	l'Afrique du Sud	the constituents	les électeurs
Pakistan	le Pakistan	polling	les élections
		the vote, the ballot	le vote, le scrutin
		★ an opinion poll	un sondage d'opinion
		★ a survey	une enquête
		★ a population sample	un échantillon

THE GOVERNMENT

Le gouvernement

6

a monarchy [k]	une monarchie
a monarch [k]	un monarque
a sovereign [g]	un souverain
the King	le roi
the Queen	la reine
the Crown	la couronne
the nobility	la (haute) noblesse
the Court [ɔ:]	la cour
Parliament [i]	le Parlement
the House of Lords	la Chambre des Lords
a peer	un pair
the House of Commons	la Chambre des Communes

8

a sitting	une séance
the Speaker	le Président de la Chambre
a bill	un projet de loi
an Act of Parliament	une loi
the Conservative Party	le parti conservateur
the Labour Party	le parti travailliste
a seat	un siège
the leader	le chef d'un parti
the Prime Minister	le premier ministre
the Opposition	l'opposition
★ the shadow cabinet	le contre gouvernement

7

a Member of Parliament, an M.P.	un membre des Communes, un député
the general elections	les élections législatives

9

the Government Departments	les ministères
the Treasury [-ʒəri]	les Finances
★ the Chancellor of the Exchequer	le Chancelier de l'Echiquier
the budget [ʌ]	le budget

Malaysia and some of the West Indies. The islands of Malta and Cyprus are now independent. There are also protectorates and territories under mandate. The Union of South Africa and Pakistan withdrew from the Commonwealth respectively in 1961 and 1972.

— 6. Britain is one of the few remaining monarchies, a country governed by a monarch (or sovereign), that can be a king or queen. Actually the Crown has a very restricted political role. The Monarch is still the head of the nobility and the centre of his (or her) social activity is the Court. The Sovereign opens each session of Parliament. It includes the House of Lords, or Upper House, composed of peers, two archbishops and a number of bishops — and the House of Commons.

— 7. The House of Commons (or Lower House) is the essential organ of British government. It consists of 635 Members, or M.P.'s. They are elected, or returned, at the general elections (or by-elections if necessary) by all men and women above 18 who are entitled to vote (or enjoy the franchise). The country is divided into 635 constituencies. The constituents are summoned on polling day. The vote (or ballot) is secret.

The purpose of opinion polls is to record the results of surveys carried out on population samples.

— 8. The sittings of the House of Commons are presided over by the Speaker. Parliament accepts or rejects the bills proposed by the government or M.P.'s. After it has passed through the two Houses and been signed by the Monarch, a bill becomes an Act of Parliament. The two major parties are the Conservative and the Labour Parties, the Liberal Party being smaller. The party with the largest number of seats forms the Government. Its leader becomes the Prime Minister, while the other main party becomes the Opposition and forms a shadow cabinet to take over in case of a change of majority.

— 9. Cabinet members are at the head of the various Government Departments. The Prime Minister is at the head of the Treasury, while the Chancellor of the Exchequer's function is to present the annual budget, anxiously

the taxes	les impôts	the income	le revenu
a taxpayer	un contribuable	the rich, the wealthy	les riches
★ tax evasion	la fraude fiscale	wealth, riches (pl.)	la richesse
the Foreign [ə] Secretary	le Ministre des Affaires Etrangères	luxury [lʌkʃəri]	le luxe
the Home Secretary	le Ministre de l'Intérieur	the well-to-do	les gens aisés
the Home Office	le ministère de l'Intérieur	to be well-off, comfortably off	être à l'aise
		★ substantial	cossu

12

10

politics (sg)	la politique
a policy	une (ligne) politique
a civil servant, a government official	un fonctionnaire
the Civil Service	l'administration
the Administration (Am.)	le gouvernement

SOCIETY

La société

11

a democracy	une démocratie
democratic	démocratique
a nobleman	un noble
a title [ai]	un titre
the gentry	la petite noblesse
the middle class(es)	la bourgeoisie, la classe moyenne
the working classes	la classe ouvrière
wage-earners	les salariés

13

poor [uə]	pauvre
badly off, hard up	dans la gêne
poverty	la pauvreté
★ to be in reduced circumstances	être dans la gêne
need	le besoin
★ needy	besogneux
a beggar	un mendiant
to beg	mendier
★ alms [a:mz] (inv.)	l'aumône

14

★ a pauper	un indigent
★ the workhouse	l'asile, l'hospice
★ the Welfare State	l'état-providence
★ family allowances [au]	les allocations familiales
★ old age pension	la retraite vieillesse
★ a social worker	une assistante sociale

expected by all **taxpayers** waiting to know how heavy the **taxes** will be – unless they crookedly indulge in **tax evasion**. The **Foreign Secretary**, the **Home Secretary** are prominent cabinet members whose departments have kept their traditional names, i.e. the **Home office**, the Foreign Office.

– **10.** All the people who share responsibilities in government-work have chosen **politics** as their career. The cabinet decides upon the **policy** of the government. It is carried out by about three million **civil servants** (or **government officials**) collectively called the **Civil Service**. In the U.S., the term **Administration** is applied to the President and his cabinet.

– **11.** Britain is a **democracy** (a **democratic** country). Yet, class differences are still marked, though not as deeply as they used to be. British society comprises the nobility (**noblemen** wearing **titles**), the **gentry, the middle and working-classes** – mostly **wage-earners**.

– **12.** According to **income** differences, people fall into three groups : the **rich** (the **wealthy**), who enjoy a fair amount of **wealth** or **riches**, and can afford to live in **luxury**. Then the **well-to-do-** who are **well-** or **comfortably-off** and belong to the **substantial** middle classes.

– **13.** Finally, some people are **poor,** or **badly off** (or **hard up**). Some have always lived in poverty while others, once rich, are now in **reduced circumstances**. In some of the poorer countries, some people lack the bare necessities of life, they are **needy** or live in **need**. Few **beggars** are now to be seen in Britain, i.e. people reduced to **begging** for **alms** from passers-by.

– **14.** A century ago, **paupers** were sent to the **workhouse** where living conditions were deplorable. Now, all Britons enjoy the benefits of the National Health Service under the **Welfare State** : social security, free medical attention, **family allowances** and **old age pensions** for which **social workers** play a particularly important role.

LOCAL GOVERNMENT
Le gouvernement local

15

★ a Metropolitan Authority .... un département urbain *(appr.)*
a county [au] .... un comté
a district............ un arrondissement (appr.)
a parish............. une paroisse
a council............ un conseil
the citizens .... les citoyens
local elections .... les élections municipales
a councillor [au]...... un conseiller
to *hold office....... être en fonctions
★ an alderman........ un échevin *(appr.)*
★ the chairman .... le président
the mayor [mɛə].... le maire
the Lord Mayor...... le Lord-Maire
to *hold a meeting .. tenir une séance
the town-hall........ l'hôtel de ville
★ the rates............ les taxes locales
★ a ratepayer.......... un contribuable
Greater London...... le Grand Londres

16

a clinic .... un dispensaire
a nursing home...... une clinique, une maison de santé
a hospital........... un hôpital → 45/6-7
a nurse .... une infirmière
an ambulance .... une ambulance
first-aid............. les premiers secours
★ a stretcher.......... une civière, un brancard
★ the emergency ward . la salle des urgences
a helicopter .... un hélicoptère
★ blood [ʌ] transfusion . la transfusion sanguine

LAW AND JUSTICE
La loi et la justice

17

a policeman on the beat .... un agent qui fait la ronde
a patrol car .... un véhicule de patrouille
★ the deterrent effect .. l'effet dissuasif
a criminal, an offender un délinquant
a crime, an offence, an offense (Am.)..... un délit, une infraction, un crime
a juvenile delinquent . un délinquant juvénile
★ an old lag (fam)...... un récidiviste
★ a criminal record ..... un casier judiciaire

18

to be caught red-handed, in the act ... être pris sur le fait
a murderer........... un meurtrier
to be guilty [ɥ]....... être coupable
murder .... le meurtre
★ with malice aforethought.......... avec préméditation
★ manslaughter........ l'homicide involontaire
★ assault and battery .. coups et blessures
★ rape [ei] .... le viol
★ bribery [ai]........... la corruption
★ a bribe [ai]........... un pot de vin
★ blackmail .... le chantage
★ fraud, swindle....... l'escroquerie
★ forgery .... faux et usage de faux
★ to forge............. contrefaire
to *put under arrest, to *take into custody............. mettre en état d'arrestation
prison, gaol [dʒeil], (Am) jail......... la prison
★ to release [iːs] on bail.. relâcher sous caution
a drug addict........ un drogué
to take drugs .... se droguer

− 15. Britain is divided into newly created **Metropolitan Authorities,** and **counties** subdivided into **districts** and **parishes.** Each of these areas is administered by a **council** chosen by the **citizens** at the **local elections.** **Councillors hold office** for three years, London **aldermen** for six. A town-council **chairman** is a **mayor,** called the **Lord mayor** in 12 of the major cities. Council **meetings are held** in the **town-hall.** Councils assess the **rates** to be paid by **ratepayers.** In 1963, the G.L.C. or Greater London Council was created to administer the **Greater London** area.

− 16. Social and public services are under the control of local authorities. Medical assistance is given in **clinics, nursing homes** and **hospitals** by a skilled staff of doctors and **nurses.** In the case of an accident, an **ambulance** is rushed to the scene and **first-aid** given to the patient who is then laid on a **stretcher** and taken to the hospital **emergency ward,** if necessary with a **helicopter.** There, **blood transfusion** may be performed.

− 17. The chief function of the police is to maintain law and order. A **policeman on the beat** or a **patrol car** has the best **deterrent effect** on potential **criminals** and **offenders.** More and more **crimes** or **offences** (Am. **offenses)** are due to **juvenile delinquents** who have been committing offences against the law at an increasingly early age. The police also find **old lags** with long **criminal records** at it again.

− 18. The easiest case for the police is when they catch criminals **red-handed** or **in the act. Murderers** are **guilty** of **murder** because they have killed someone **with malice aforethought,** not to be confused with **manslaughter,** due to chance or accident.
    Murderers as well as people suspected with **assault and battery, rape, bribery** (offering **bribes), blackmail, fraud** or **swindle** and **forgery** − i.e. **forging** cheques − are either **put under arrest (taken into custdy)** and sent to **prison** or **gaol** (Am. **jail)** or **released on bail. Drug addicts** who have been **taking drugs** for too long are sent to hospital for treatment.

19

a thief, pl. thieves ...	un voleur
a theft.............	un vol
to *steal sthg. from..	dérober qqch. à
a robber............	un voleur à main armée
robbery............	un vol avec violences
a burglar..........	un cambrioleur
a burglary..........	un cambriolage

20

an inquiry [ai]	une enquête
to investigate a crime.	enquêter sur un délit, sur un crime
evidence, proof (coll.).	des preuves
a witness..........	un témoin
to *make a statement	faire une déclaration
to confess a crime....	avouer un délit
★ an indictable [ai] offence............	un délit pénal
★ a summary offence...	une infraction légère
to try.............	juger
★ the Crown Court	la Cour d'Assises
a judge............	un juge
★ the Magistrates' Court............	le tribunal de police
a Justice of the Peace, a J.P.............	un juge de paix

21

the defendant, the accused...........	l'accusé
to *bring to trial.....	faire passer en jugement
to charge with	accuser de
to plead	plaider
guilty [ʉ], not guilty ..	coupable, non coupable
a barrister, a solicitor .	un avocat

★ a wig..............	une perruque
★ a gown	une toge
★ the Prosecuting Counsel [au]..........	l'avocat de l'accusation du ministère public *(appr.)*
★ the Prosecution	le ministère public
★ the defending counsel	l'avocat de la défense
★ the Defence, (Am.) Defense............	la défense
★ to summon a witness	citer un témoin
★ to *take the oath....	prêter serment
★ to *swear..........	jurer
★ to examine.........	interroger
★ to cross-examine.....	faire subir un contre-interrogatoire

22

a lawsuit [ju:], a case.	un procès (civil)
★ the plaintiff	le poursuivant, la partie plaignante
★ to sue for damages ..	demander des dommages
★ a pleading	une plaidoirie
★ an out-of-court settlement	un arrangement à l'amiable
to *hear a case......	entendre une affaire

23

to *bring in, to return a verdict.........	rendre un verdict
to convict	reconnaître coupable
to pass a sentence ..	prononcer une condamnation
to discharge........	libérer

– **19.** Criminal law also deals with **thieves** who **steal from** others, thereby committing a **theft,** and **robbers,** some of whom made the headlines by robbing banks or organizing the Great Train **Robbery** in England in 1963. The holiday season is the best for **burglars** to commit **burglaries** in the half empty cities.

– **20.** The police then have to hold an **inquiry** (an 'inquest' in case of murder). They will **investigate the crime,** looking for **evidence (proof),** asking **witnesses to make statements,** trying to get the suspect **to confess his crime. Indictable offences** – the more serious – are tried before a **Crown Court** with a jury and a **judge, summary offences** before a **Magistrates' Court** composed of 3 **Justices of the Peace (J.P's),** usually nonprofessional.

– **21.** The **accused** is **brought to trial.** In court, the **defendant** is **charged** with the crime. He can **plead guilty** or **not guilty.** A **barrister** or **solicitor,** wearing a **wig** and **gown,** like the judges, will act as **Prosecuting Counsel** (speaking for the **Prosecution**), another as **Defending Counsel.** Witnesses are **summoned** and asked **to take the oath** on the Bible, or **swear** solemnly to tell the truth, and nothing but the truth. They will be **examined** and **crossexamined** by the two counsels.

– **22.** In a civil **lawsuit** or **case,** the **plaintiff** will **sue** the defendant, usually **for damages.** Before the hearings, **pleadings** are made by both sides, with the possibility of an **out-of-court settlement.** If no settlement is reached, the **case is heard** by the judge.

– **23.** The verdict is **brought in (returned)** by the jury in the Crown Court, the J.P's in the Magistrates' Court. If the accused is found guilty, he is **convicted** and the judges **pass the sentence.** If he is found not guilty, he is **discharged** and leaves court a free man.

★ to release on parole...   mettre   en   liberté conditionnelle

the culprit	le coupable
to sentence	condamner
life imprisonment	la prison à vie
★ solitary confinement [ai]..............	la réclusion
to serve a sentence..	purger une peine
a fine [ai]............	une amende
compensation	des dommages et intérêts
★ a Borstal, a reform school (Am).......	une maison de redressement
★ to put on probation ..	mettre en liberté surveillée

★ hard labour..........	les travaux forcés
★ to transport	déporter
★ a convict............	un forçat
the death penalty....	la peine de mort
★ the gallows	la potence
to hang (rég)	pendre
to behead	décapiter
to *shoot	fusiller
the electric chair	la chaise électrique

– **24.** The **culprit** can be **sentenced** to so many months' or years' **imprisonment,** or even **life imprisonment** for murder. If harrassed by prison inmates, he can ask for **solitary confinement** while **serving his sentence.** In a civil suit, the defendant can be sentenced to pay **a fine,** receiving an order for the payment of costs, **compensation** or restitution. Young offenders sometimes get sent to a **Borstal,** or a **reform school** in America. Or the judge may **put them on probation** or **release them on parole.**

– **25.** In the old days, criminals could be sentenced to **hard labour** or **transported** – e.g. to **Australia.** They were then called **convicts.** The **death penalty** was abolished in Britain in 1966. Before, the culprit was sent to the **gallows** and **hanged. In other countries, he can be beheaded** or **shot,** or sent to **the electric chair** or gas chamber.

THE LIGHTER SIDE

THE professeur of law was lecturing on courtroom procedure. "When you are fighting a case and have the facts on your side, hammer on the facts. If you have the law on your side, hammer on the law."

"But if you don't have the facts or the law," asked a student, "what do you do ?"

"In that case," the professor said, "hammer on the table."

●

IN a hurry to keep an appointment, the executive parked in a no-parking zone, leaving a note on the windshield saying : "I'm on official business."

He returned to find a traffic ticket on which the policeman had written : "So am I."

SNOB : "My family can trace its ancestors to William the Conqueror."

Friend : "Really ? Next thing you'll be telling me is that your forebears were in the ark with Noah, when the great flood came."

Snob : "Gracious, no. My people had their own boat."

●

JUDGE : "Now tell the court how you came to take the car."

Accused : "Well, it was parked in front of the cemetery, so I thought the owner was dead."

●

JUDGE : "I'll give you 3 days or 20 dollars."

Defendant : "I'll take the 20 dollars."

XXXI. – THE ARMED FORCES
LES FORCES ARMÉES

THE ARMY

L'armée de terre

1

the three services ...	les trois armes
the Army	l'armée de terre
the Navy [ei]........	la marine de guerre
the Air Force	l'armée de l'air
★ an ex-service man, a war veteran......	un ancien combattant
★ the Infantry	l'infanterie
★ the Armoured Corps [ps]	les blindés
★ the Cavalry	la cavalerie
★ the Artillery	l'artilerie
★ the Engineers........	le génie
the Intelligence Service	le service des renseignements

2

a regiment	un régiment
a battalion	un bataillon
a company	une compagnie
★ a platoon...........	une section
★ a section...........	un groupe de combat
★ a squad [ɔ].........	un escadron

3

an infantryman	un fantassin
a soldier	un soldat
a private [ai]........	un simple soldat
the rank and file.....	la troupe
★ a non-commissioned officer, an N.C.O...	un sous-officier
★ a corporal..........	un caporal
★ a sergeant [ɑ:]......	un sergent
★ a tommy (fam.)	un soldat anglais
★ a G.I. (fam.)..........	un soldat américain (1939-1945)

4

an officer	un officier
a lieutenant lef-], Am. [lu-].............	un lieutenant
a captain	un capitaine
a major	un commandant, un chef de bataillon
a colonel [kə:nl]......	un colonel
a general	un général
a brigadier..........	un général de brigade
a field marshal	un maréchal
★ a staff officer	un officier d'état-mahor
the headquarters	le quartier général

5

conscription, the draft (Am.)	la conscription

– **1.** A modern nation's armed forces include **three** fighting **services : the Army,** the **Navy,** the **Air Force.** Men restored to civilian life after fighting in the army are called **ex-service men** (or **veterans**).

The Army includes several branches : the **Infantry,** the **Armoured Corps,** which has replaced the former **Cavalry,** the **Artillery.** There are non-fighting units, like the **Engineers** and the **Intelligence Service.**

– **2.** The British Army includes a number of **regiments.** But the tactical unit is the **battalion,** divided into four **companies.** Each company consists of three **platoons,** each platoon is divided into **sections** or **squads.** A cavalry regiment is divided into **squadrons.**

– **3.** An **infantryman** will first serve as a common **soldier,** or **private.** Common soldiers constitute the **rank and file.** A private may rise to the rank of **non-commissioned offices** (or **N.C.O.**) : **corporal,** then **sergeant** and sergent-major. A British soldier is familiarly called a **tommy.** American soldiers were known as **G.I.'s** during the Second World War.

– **4. Officers** include **lieutenants, captains, majors, generals.** A **brigadier** is the general officer who commands a brigade (i.e. three battalions). The commander-in-chef is as a rule a **field marshal.** He is assisted by a number of **staff officers,** all working at **headquarters.**

– **5. Conscription** (the **draft**) non longer exists in Britain or the U.S., which makes it so much easier for

★ a conscientious objec-
tor .... un objecteur de conscience
a volunteer .... un volontaire
to enlist .... s'enrôler
a recruit [i·]......... une recrue
the barracks (pl.)..... la caserne
training .... l'entraînement
to drill .... exercer, instruire
drill .... l'exercice
★ a fatigue (duty)...... une corvée

8

the kit, the outfit.... l'équipement
a rifle [ai]........... un fusil
★ the butt .... la crosse
★ the barrel .... le canon
a firearm............ une arme à feu
a machine gun ...... une mitrailleuse
★ a submachine gun ... une mitraillette
★ a sten gun .... un fusil-mitrailleur
ammunition (sg.) ..... des munitions
a cartridge .... une cartouche
a bullet [u] .... une balle
shooting .... → 54/18-19

6

a manœuvre [u:] ..... une manœuvre
a review .... une revue
to review........... passer en revue
★ to muster .... se rassembler
a parade [ei]........ un rassemblement, une
prise d'armes
a march-past .... un défilé
to march past ...... défiler devant
to be on duty ...... être de service
★ to *stand .... être de garde
★ a sentry .... une sentinelle
★ a sentry-box .... une guérite
to *go on leave...... aller en permission

9

a pistol .... un pistolet
a revolver, a gun (Am.) un revolver
a shot .... un coup de feu
a sword [w]........ un sabre, une épée
★ the blade .... la lame
★ the sheath [i:] ...... la gaine
★ the scabbard .... le fourreau

10

an arm, a weapon [e]. une arme
gunpowder.......... la poudre à canon
a gun, a cannon (inv.). un canon
a cannonball .... un boulet de canon
a shell............. un obus
to *burst .... éclater
to explode .... faire explosion
★ the report .... la détonation
★ a long-range gun .... un canon à longue portée
★ to shell .... bombarder, canonner
★ to defuse.......... désamorcer

7

a uniform [ju:] ...... un uniforme
in full dress .... en grande tenue
in battle dress...... en tenue de combat
a helmet *......... un casque
★ a bearskin .... un bonnet à poil
★ a badge........... un insigne
★ a stripe [ai]....... un galon
★ a medal........... une médaille
★ an order .... une décoration

conscientions objectors. All soldiers are **volunteers** who **enlist** for a given period. The **recruits** are lodged in **barracks** or camps where they undergo a special **training.** They are **drilled** (or they go to **drill**) every day. They have to submit to routine work and **fatigue duties.**

– 6. Troops take part in **manœuvres** and **reviews.** They assemble, or **muster,** for **parades** and **march pasts. On** important occasions they **are reviewed** by their commanding officer as they **march past.**
At regular intervals they **are on duty.** For instance, they **stand sentry.** A **sentry** stands in front of his **sentry-box.** Soldiers **go on leave** regularly.

– 7. Soldiers wear **uniforms.** They may be **in full dress** or **in battle dress.** When in battle dress they wear steel **helmets.** The famous Guards are dressed in blue trousers, red tunics and tall **bearskins.** The various ranks are distinguished by **badges** and **stripes.**
At a parade, officers will wear their **medals** (or **orders),** e.g. the V.C., the D.S.O., etc.

– 8. When they go to camp, soldiers have to pack up their **kit** (or **outfit).** They carry their **rifles.** A rifle is made up of a wooden **butt** and a steel **barrel.** Other **firearms** used by infantrymen are **machine guns.** These require a great deal of **ammunition,** that is **cartridges** holding **bullets.**

– 9. Officers are armed with automatic **pistols,** or **revolvers** (Am. **guns).** The noise produced by the firing of a firearm is the **shot.**
Cavalrymen used to flight with swords. A sword consists of a long steel **blade,** either straight or curved, normally protected by a **sheath,** or **scabbard.**

– 10. Man has always been clever for inventing more deadly **arms** (or **weapons).** When **gunpowder** was dicovered, **guns** (or **cannon)** were built. **Cannonballs** were very primitive projectiles. They were eventually replaced by **shells** which **burst** and **explode** when reaching their mark. The sound of the explosion is called the **report.** During the First World War German **long-range guns shelled** Paris. Unexploded shells have to be **defused.**

11

a tank	un tank, un char
★ an armoured car	un blindé
★ the caterpillars	les chenilles
a mine	une mine
a bomb [b]	une bombe
to bomb [b]	bombarder
a rocket	une fusée
★ a guided [ai] missile . .	un engin téléguidé, un missile

THE NAVY

La marine de guerre

12

the Admiralty	l'Amirauté
the First Lord of the Admiralty	le Ministre de la Marine
a naval officer	un officier de la marine
an admiral	un amiral
a sailor, a seaman . . .	un marin, un matelot
the marines	l'infanterie de marine
a fleet	une flotte
★ a squadron [ɔ]	une escadre

13

a warship	un navire de guerre
a battleship, a man-of-war	un cuirassé
★ a turret	une tourelle
★ a cruiser [i-]	un croiseur
★ a destroyer	un contre-torpilleur
a submarine	un sous-marin
a torpedo, pl. -oes [i:] . .	une torpille

★ a torpedo boat	un torpilleur
★ a launch [ɔ:]	une vedette
★ a frigate	une frégate
a convoy	un convoi
an aircraft carrier	un porte-avions
★ a minelayer	un mouilleur de mines
★ a mine sweeper	un dragueur de mines
★ a landing craft (inv.) . .	un chaland de débarquement
★ a U-boat	un sous-marin allemand
nuclear submarines . .	les sous-marins nucléaires

THE AIR FORCE

L'aviation

14

★ a squadron [ɔ]	une escadrille
a plane	un avion → 118/26-28
aircraft (inv.)	des avions (coll.)
★ a flighter	un chasseur
★ a bomber [b]	un bombardier
to *fly over	survoler
the target [[-git]	l'objectif
an air raid	un raid aérien
the alarm . . . . : . . .	l'alerte
a shelter	un abri
to *shoot down	abattre
★ an anti-aircraft gun . .	un canon anti-aérien
★ to bale out	sauter en parachute
★ in-flight refuelling	le ravitaillement en vol

15

★ a troop carrier	un transport de troupes
a parachute [-ʃuːt] . . .	un parachute
a parachutist	un parachutiste
★ airborne forces	les forces aéroportées
★ a glider [ai]	un planeur

— **11. Tanks** and other **armoured cars,** running on **caterpillars,** were first built in 1916. All sorts of **mines** and **bombs** were used on a large scale during the Second World War; many towns were **bombed,** until the explosion of the first atomic bomb in 1945 marked the beginning of a new era. Thousands of highly sophisticated weapons are ready for use in case of war such as **rockets** and all kinds of **missiles.**

— **12.** Though the British Navy no longer holds first rank in the world, it is still to be reckoned with. Its personnel includes **naval officers (admirals,** captains, lieutenants, etc.) and ordinary **sailors** (or **seamen).** The **marines** are a body of soldiers maintained by the admiralty for service at sea or on land. Divisions of the Royal Navy under command of a single officer are called **fleets** (e.g. the Home Fleet) or **squadrons.**

— **13.** Modern **warships** are classed as **battleships** (formerly called **men-of-war)** all **armour-clad** (or **armoured)** ships carrying big guns **in turrets, cruisers, destroyers, submarines** and various other ships. **Torpedo boats** and **launches** are equiped to fire **torpedoes** at enemy ships. **Frigates** are specially built to protect merchantmen in **convoy. Aircraft carriers** have storage space for many aeroplanes below the flight deck. **Minelayers** and **minesweepers** are fitted out for the laying and sweeping of mines. **Landing craft** were used in great numbers for landing operations in Normandy on D-Day, June 6, 1944. German submarines were familiarly called **U-boats. Nuclear submarines** now patrol the depths of the sea.

— **14.** The Royal air force (R.A.F.) comprises a large number of **squadrons.** There are two main types of **planes** (or **aircraft): fighters** and **bombers fly over** the enemy country and when they have reached their **target,** they drop their bombs. This is an **air raid.** By this time the **alarm** has been given and people run to underground **shelters.** Some planes may be **shot down** by **anti-aircraft** guns, but their crews may escape by **baling out.**
   In-flight refuelling is necessary for those military planes which are now in flight twenty-four hours a day.

— **15.** Planes can also be used to carry soldiers : they are **troop carriers;** they carry **parachutists** who are dropped with their **parachutes** and equipment. **Airborne** forces can also be carried in **gliders** taken in tow by planes; they are then landed behind the enemy lines.

WAR AND PEACE

La guerre et la paix

16

warlike	guerrier
to wage, to *make war on	faire la guerre à
friendly [i-]	amical
hostile [-tail]	hostile
to declare war upon .	déclarer la guerre à
the war *breaks out .	la guerre éclate

17

to invade [ei]	envahir
to conquer	conquérir
to be at war	être en guerre
a campaign [ɕ]	une campagne
★ the vanguard [ʉ]	l'avant-garde
★ the rearguard [ʉ]	l'arrière-garde
★ the main body	le gros de l'armée
to *meet	(se) rencontrer
★ to *draw up	s'aligner
★ to *fight a pitched battle	livrer une bataille rangée
★ to fire at close [s] quarters	tirer à bout portant
★ a hand-to-hand fight, struggle	un corps à corps

a victory	une victoire
victorious	victorieux
a defeat	une défaite
vanquished	vaincu
to *win	gagner
to *lose	perdre
to yield ground	céder du terrain
to retreat, to *withdraw	battre en retraite, se retirer
to chase [-eis], to pursue	poursuivre

19

to resist	résister
to *put to flight	mettre en fuite
★ to rout [au]	mettre en déroute
to crush	écraser
★ panic-stricken	pris de panique
a pursuit [ju:]	une poursuite
a disaster	un désastre
★ reinforcement	des renforts
to check	arrêter, enrayer

20

★ a siege [i:]	un siège
★ a stronghold	une forteresse
★ to besiege	assiéger
★ to *lay siege to	mettre le siège devant
★ an assault	un assaut
★ to surrender	se rendre
★ to starve out	réduire par la famine
★ to sally out	faire une sortie
★ to *break through the lines	percer les lignes

— **16.** The history of the human race has unfortunately been, to a large extent, one of more and more merciless wars. These involved first **warlike** tribes or peoples. Then organized nations **waged** (or **made**) **war on** one another, until the last two World Wars led Western civilization almost to the verge of ruin.

For often futile reasons, a once **friendly** king would become **hostile** to his neighbour and **declare war upon** him, unless a **war broke out** without any previous declaration.

— **17.** His armies **invaded** and **conquered** the enemy territory. Two countries might **be at war** for many long years and a fresh **campaign** would often fail to bring about a decision. Strategy was very important. An army was divided into the **vanguard**, the **rearguard** and the **main body.** When two armies **met**, they **drew up** and **fought a pitched battle.** The soldiers **fired at close quarters** and a battle would often end in a **hand-to-hand fight,** or **struggle).**

— **18.** A battle ends with a **victory** for the **victorious** general, and with a **defeat** for his **vanquished** opponent. The former **wins** the day, the latter **loses** it. The vanquished army will have to **yield ground**, then **retreat** (or **withdraw)** and the opponent will **chase** (or **pursue)** it.

— **19.** If the former are unable to **resist,** they will be **put to flight** and **routed,** and eventually **crushed. Panic-stricken** soldiers will throw away their weapons. The **pursuit** will end in **disaster** for them. Or again, if they receive **reinforcement,** they may turn back and **check** the enemy pursuit.

— **20.** In the old days **sieges** were very frequent. When a town or a **stronghold** had to be taken, the enemy **besieged** it (or **laid siege to** it). Many **assaults** were made. If the town refused to **surrender,** the enemy tried to **starve it out.** The besieged troops attempted to **sally out, to break through the** enemy **lines.**

21

★ to *take by storn....	prendre d'assaut
★ to *put to the sword [w].............	passer au fil de l'épée
★ to plunder..........	piller
★ the booty..........	le butin
to destroy..........	détruire
to *lay waste.......	dévaster
to *flee............	s'enfuir
to escape..........	échapper à
★ bombed out........	sinistré

22

trench warfare......	la guerre de tranchées
the front line........	la première ligne
barbed wire........	les barbelés
a patrol [ou]........	une patrouille
to harass..........	harceler
the outposts........	les avant-postes
to push back.......	repousser
an attack...........	une attaque
to relieve..........	relever
★ a dug-out..........	un abri, une cagna

23

casualties [- ʒju-]....	les pertes
to kill, to *slay......	tuer
wounded, injured...	blessé
missing............	manquant
unhurt............	indemne
safe and sound......	sain et sauf
war cripples.........	les invalides de guerre → 49/3

24

★ to encircle [ə:]......	encercler
to be taken prisoner.	être prisonnier
to *set free.........	libérer
a hostage..........	un otage
★ a ransom..........	une rançon
a spy.............	un espion

25

★ a truce............	une trêve
to ask for peace.....	demander la paix
to conclude peace....	conclure la paix
to sign a treaty.....	
the UNO...........	les Nations Unies
military balance.....	l'équilibre des forces
NATO.............	l'OTAN
★ nuclear deterrents...	les armes de dissuasion nucléaire

− **21.** This would seldom succeed. When a town was **taken by storm** more often than not the inhabitants were **put to the sword**, the houses were **plundered** and the victors shared the **booty**. The monuments were **destroyed** and the whole town was **laid waste**. Very few people could **flee** from the place and **escape** the victors' fury. Modern warfare has caused thousand of people to be **bombed out**.

− **22. Trench warfare** characterized the 1914-18 war. **Front line** trenches were often very near each other, separated only by two rows of **barbed wire. Patrols** were frequently sent over to **harass** the enemy. The soldiers in the **outposts** were continually on the look-out, ready to **push back** an enemy **attack**. They were regularly **relieved** and coul find relative safety in the **dug-outs**.

− **23.** After a battle the list of **casualties** may be a long one. Some men are **killed** (or **slain**), others **wounded** (or **injured**), others **missing**. Lucky are those who have escaped **unhurt** (**safe and sound**). There are still many **war cripples** in all European countries.

− **24.** If soldiers are **encircled** and they surrender, they are **taken prisoner**. They will be **set free** only when the war is over. In the old days prisoners of note might be kept as **hostages,** or they had to pay a heavy **ransom**. Enemy **spies** are court-martialled and shot.

− **25.** After a battle the commanders of the opposing armies may agree on a suspension of arms, or **truce**. A defeated nation **asks for peace**. Sooner or later **peace is concluded** and **a treaty signed**. After the First World War the League of Nations failed to secure a lasting world peace. Will the present **UNO** (United Nations Organization) also disappoint the hopes of the whole world ? Unfortunately the present state of peace seems to be based essentially on **military balance** between the Great powers − the US and **NATO** versus the Soviet countries − and **nuclear deterrents**.

5

XXXII. – CHURCHES AND RELIGION
LES ÉGLISES ET LA RELIGION

1

a church............	une église
a cathedral [i:].......	une cathédrale
an abbey [æbi].......	une abbatiale
the front...........	la façade
the porch...........	le porche
the nave...........	la nef
the vault...........	la voûte
lofty...............	haut, élevé
a pillar............	un pilier
a column [ʀ]........	une colonne

2

the congregation.....	les fidèles
a pew [ju:]..........	un banc d'église
the pulpit [u].......	la chaire
★ the aisles [ailz]......	les bas-côtés
the altar [ɔ:].......	l'autel
★ the choir [kwaiə], the chancel.........	le chœur
★ stained glass windows	des vitraux

3

the bells...........	les cloches
the steeple.........	le clocher
a tower [au]........	une tour

a spire [ai]..........	une flèche
★ a dome.............	un dôme
★ a pinnacle..........	un clocheton
to carve	sculpter
★ Norman, Romanesque	roman
★ Gothic.............	gothique
★ Perpendicular........	gothique « perpendiculaire »

4

to believe	croire
a belief	un croyance
to worship	adorer
worship............	le culte
an idol [ai].........	une idole
★ a pagan [ei]........	un païen
★ the heathen [i:] (coll.) .	les païens
a god.............	un dieu
a goddess..........	une déesse
Buddhist............	bouddhiste
Mohammedan	mahométan
a Muslim [u], moslem.	un Musulman
Judaism	le judaïsme
a Jew [dju:].........	un Juif
a creed	une croyance, une foi
faith...............	la foi
faithful	fidèle
fanaticism..........	le fanatisme

– **1.** In every town there are several **churches.** Every city has a **cathedral** or an **abbey** (for instance, St. Paul's Cathedral or Westminster Abbey in London). The **front** of the church is often highly decorated. When you enter the church through the **porch,** you find yourself in the **nave.** The **lofty vault** is supported by **pillars** or **columns.**

– **2.** The **congregation** sit in the **pews** and listen to the sermon preached from the **pulpit.** There are often **aisles** on each side of the nave. The **altar** stands in the middle of the **choir** (or **chancel**). The nave is lighted by many-coloured **stained glass windows.**

– **3.** The **bells** are hung in a **steeple**; a square steeple is a **tower**; when it is pointed it is called a **spire.** Salisbury Cathedral has the loftiest spire in Great Britain. Some churches have no steeples but a **dome,** with **carved pinnacles.**
   The most famous English cathedrals belong to the **Norman** (or **Romanesque**) and to the **Gothic** and **Perpendicular** styles.

– **4.** Primitive man believed in obscure forces and **worshipped idols.** The **belief** in spirits and the **worship** of images are still the essentials of religion for the **pagans** (or the **heathen**). Greece and Ancient Rome believed in many **gods** and **goddesses** wearing human appearances.
   But most peoples of mankind now believe in one God and their religions are deeply spiritual. The most widespread are the **Buddhist** and the **Mohammedan** religions (the latter being professed by the **Muslims** or **moslems**). The oldest one is **Judaism** and many **Jews,** in the course of history, refused to surrender their **creed** and suffered for their **faith** (for being **faithful** to their creed).
   Indeed religious **fanaticism** is still a bane in the history of mankind.

5

a Christian	un chrétien
the Lord	le Seigneur
the Almighty	le Tout-Puissant
Christ [ai]	le Christ
Christianity [kris-]	le christianisme
Christendom [t]	la chrétienté
a martyr	un martyr
martyrdom	le martyre
a pilgrim	un pèlerin
holy	saint
a saint	un(e) saint(e)
★ a shrine	un reliquaire, un sanctuaire
to pray	prier

6

the Bible [ai]	la Bible
the Gospel	l'Evangile
★ doomsday	le jour du jugement dernier
the souls	les âmes
pious [ai]	pieux
to bless	bénir
heaven [e]	le ciel
paradise [-ais]	le paradis
an angel [ei]	un ange
to curse	maudire
hell	l'enfer
the devil	le diable

★ a demon [i:], a fiend [i:]	un démon
an atheist [ei]	un athée
sins	les péchés

7

the Church of England	l'Eglise d'Angleterre
the Established Church	l'Eglise Etablie
the Anglicans	les Anglicans
an archbishop	un archevêque
a bishop	un évêque
a clergyman	un ecclésiastique
a parson	un prêtre ou pasteur
a parish	une paroisse
the vicar	le curé
the curate	le vicaire
a living	un bénéfice, une cure
High Church	la « Haute Eglise »
Low Church	la « Basse Eglise »

8

a service	un service
★ a hymn [n]	un hymne
★ a psalm [p-l]	un psaume
★ the choir [kwaiə]	le chœur
a prayer [εə]	une prière
to preach	prêcher
a sermon [ə:]	un sermon
the collection	la quête

– 5. For the **Christian**, God, or **the Lord**, is the supreme being who created the universe. God's Son, Jesus **Christ**, came down to earth as a man to save mankind. **Christianity** spread rapidly over the world and the story of civilisation is to a large extent that of Christian peoples or **Christendom**. The early Christians were **martyrs** to their faith. Throughout the ages **pilgrims** visited in millions the **holy** places where the **saints** had suffered **martyrdom** and **prayed** at the **shrines** where their remains were preserved.

– 6. The **Bible** is the word of God to men and the history of Christ is recorded in the **Gospel**. Christians believe that on **doomsday**, or Judgment Day, God will raise the dead and judge them according to their deeds on earth. The **souls** of **pious**, good men will be **blessed** and carried to **heaven** (or **paradise**) by God's messengers, the **angels**. The souls of the wicked will be **cursed**, and precipitated to **hell**, there to suffer eternal torments at the hands of the **devil** and his cruel **demons** (or **fiends**).

People who do not believe in the existence of God are **atheists**.

– 7. The **Church of England**, or the **Anglican** (or **Established**) **Church** was created by the Reformation of Henry VIII. Its head is the sovereign. There are two **archbishops** and a number of **bishops**. An Anglican **clergyman** is often called a **parson**. When in charge of a church he is **vicar** of a **parish**, sometimes assisted by a **curate**. The parish is referred to as a **living**.

There are two extreme tendencies within the Anglican Church, between which the clergyman can choose for himself. They are called **High Church** and **Low Church**.

– 8. An Anglican **service** includes the singing of **hymns** and **psalms** by the church **choir** and the recitation of **prayers**. The clergyman mounts the pulpit to **preach** (or deliver a **sermon**). Then a **collection** is made.

the Nonconformists, the Dissenters....	les Dissidents	the Roman Catholic Church..........	l'Eglise Catholique romaine
the Puritans.........	les Puritains	the Pope............	le pape
a sect, a denomination	une secte, une confession	a priest.............	un prêtre, un curé
the Salvation Army...	l'Armée du Salut	to *say, mass.......	dire la messe
a chapel............	un temple	to confess..........	confesser
a minister..........	un ministre	communion..........	la communion
★ Freemasonry [ei]....	la franc-maçonnerie	★ a monk, a friar [ai]...	un moine, un frère
		★ a nun..............	une religieuse
		★ a monastery........	un monastère
		★ a convent..........	un couvent
		★ an abbey...........	une abbaye
		★ an abbot..........	un abbé

— 9. In Britain, Protestants other than Anglicans are called **Nonconformists** or **Dissenters**, officially Free Churches. They continue the **Puritan** tradition whose influence over the English and American ways of life has never ceased to be felt. The chief **sects** (or **denominations**) are the Presbyterian Church of Scotland, the Methodists, the Baptists, the **Salvation Army**, etc. A Nonconformist place of worship is known as a **chapel** and Nonconformist clergymen are called **ministers**. Although it is not a religion, British and American **Freemansonry** has a strong religious background.

— 10. The **Roman Catholic Church** owes allegiance to the **Pope** in Rome. Its Clergymen are called **priests**. They **say mass**, **confess** penitents and administer holy **communion**. The regular clergy includes **monks** (or **friars**) and **nuns** living in **monasteries** and **convents**. A monastery of the highest rank is an **abbey**, governed by an **abbot**.

PROVERBS AND SAYINGS

Ill gotten goods seldom prosper. Bien mal acquis ne profite guère.

Honesty is the best policy. L'honnêteté est la meilleure des politiques.

A good name is better than riches. Bonne renommée vaut mieux que ceinture dorée (appr.)

He that goes a-borrowing goes a-sorrowing. Argent emprunté porte tristesse

Do to others as you would be done by. Faites aux autres ce que vous voudriez qu'on vous fit.

Do your duty, come what may. Fais ton devoir, advienne que pourra.

The evil that men do lives after them. Nos actes nous suivent (appr.).

Let well alone. Le mieux est l'ennemi du bien (appr.).

A fault confessed is half redressed. Péché avoué est à moitié pardonné.

It is never too late to mend. Il n'est jamais trop tard pour s'amender.

God helps those who help themselves. Aide toi le ciel t'aidera.

Every man for himself, and God for us all. Chacun pour soi et Dieu pour tous.

Talk of the devil and he will appear. Quand on parle du loup on en voit la queue (appr.).

Better to reign in Hell than serve in Heaven. Il vaut mieux être le premier en enfer que le dernier au ciel.

XXXIII. – FEELINGS – *LES SENTIMENTS*

1

sensitive	sensible
to *feel	sentir, se sentir
to experience	éprouver
★ to arouse, to stir	susciter, faire naître
a mood	une humeur
★ to repress, to curb. . . .	refréner, maîtriser
to be in a good temper (or humour)	être de bonne humeur
to be bad-tempered. .	avoir mauvais caractère
★ a disposition	un caractère, une tendance
★ a man of even temper	un homme au caractère égal

2

★ to *take to heart	être très affecté
upset, cut up	ému, remué, troublé
★ to *come over s.o. . . .	s'emparer de qqn.
to *break down, to collapse	s'effondrer

3

composed (lit.), calm [-]	calme, tranquille (après l'émoi)
quiet	calme, doux (car.)
quietly	calmement; sans bruit
★ to flare up	s'emporter, exploser
cool	calme, qui ne perd pas la tête
to cool off	se calmer
★ to settle down	s'apaiser
★ composure, calm (n.) [-]	
. . . .	le calme

4

excitable	impressionnable, nerveux
excited	nerveux, agité, énervé
exciting	passionnant
excitement	l'émoi, l'agitation, l'énervement
★ impassioned	véhément, fougueux
★ to work oneself up, to get worked up	s'exciter, s'emballer
thrilling	empoignant, saisissant
★ stirring	émouvant
to be thrilled	ressentir une forte émotion.
to be moved to tears	être ému aux larmes
★ unfeeling	impitoyable, inhumain
heartless	sans cœur
★ callous	endurci, insensible
cold-heartedly	sans pitié (adj., adv.)

LOVE AND HATE

L'amour et la haine

5

to like	bien aimer, trouver sympathique
likeable	sympathique, gentil
to *take to s.o.	se prendre de sympathie pour qqn.
to be fond of	bien aimer, être amateur de
to miss	manquer (= regretter l'absence de)
to be keen on sth . . .	avoir la passion de
to be keen on + ger/ to do	tenir beaucoup à
★ to have a soft spot for	avoir un faible pour qqn.
★ to *fall for s.o.	tomber amoureux de qqn.

– **1.** The Smiths are **sensitive** people who **feel** concerned about others. They **experience** all sorts of feelings. Your troubles **arouse** their pity. Whatever your **mood**, you will find them understanding, **repressing** their emotions and always appearing to **be in a good temper**; they don't want to be thought **bad-tempered** : they are people of a pleasant **disposition** whose **even tempers** everyone appreciates.

– **2.** John tends to **take** his failures **to heart**; he is really **upset** (or **cut up**) by them; a feeling of despair **comes over** him and he nearly **breaks down** when he hears he has failed in something.

– **3.** People of a **quiet** disposition usually keep **composed** (or **calm**); they rarely lose their head but remain **cool**. If ever they do **flare up** in anger, they **cool off** rapidly, soon **settle down** and recover their **composure**.

– **4.** **Excitable** children get **excited** when they are watching an **exciting** film on T.V. The more **impassioned** ones **work themselves up** about the **thrilling** and **stirring** adventures the heroes go through; some **get** so **worked up** that they are **moved to tears** when the **unfeeling** (or **callous**) villain **cold-heartedly** kills the hero.

– **5.** I **like** Anna very much. I would **like her** to stay with us. She is a very **likeable** child. I **took to** her the moment I saw her among the refugees. She **is** very **fond of** my own children. I hope she does not **miss** Africa too badly and the music and dances she **was** so **keen on**. But as she **is** very keen **on** joining in (or **to join in**) everything we do, she will soon get used to life in France. Already my elder son seems to **have a soft sport for** her (or to have **fallen for** her).

6

to *feel attracted to s.o.............	éprouver de l'attirance pour qqn.
attractive	séduisant(e), jolie
★ appeal (n.)...........	l'attrait, l'attirance
★ to appeal to s.o.	plaire à qqn.
to *fall in love (with).	tomber amoureux (de)
to be in love (with) ..	être amoureux (de)
to love..............	aimer qqn., adorer qqch.
a lover..............	un(e) amant(e)
★ affectionate	affectueux

7

to dislike	ne pas aimer, trouver antipathique
to hate	détester
★ to loathe [louð].......	avoir en horreur
★ loathsome [louðsəm]..	répugnant
to be sick of	en avoir assez de
★ to be fed up with (fam.)	en avoir marre de
I can't stand (or bear)	je ne peux pas supporter
★ a curse	une malédiction, un fléau
★ to curse	maudire
hatred [heitrid]	la haine
hateful	odieux

8

★ to dote on	adorer, être passionné de
to care for	trouver bien, aimer, avoir un penchant pour
to be mad about	être fou de
★ to love to distraction .	aimer à la folie
★ congenial [iː]........	qui présente des affinités, proche
★ bliss..............	la félicité, le bonheur suprême

a blessing...........	une bénédiction
to bless.............	bénir
★ to entice (s.o. to do) ..	séduire, entraîner (qqn. à)

PREFERENCE AND INDIFFERENCE
La préférence et l'indifférence

9

to *feel like	avoir envie de (voir ex.)
I'd rather	je préférerais (voir ex.)
to want.............	vouloir, avoir besoin ou envie
to wish	souhaiter, vouloir, regretter (voir ex.)

10

anxious to do	très désireux de
★ to be after...........	convoiter
eager (to do)	impatient, avide (de)
to long for	soupirer après
★ to hanker after/for...	désirer passionnément

11

to prefer (to do)	préférer (+ inf.)
to have a good mind to do.............	avoir grande envie de
I don't mind (+ ger.)..	cela m'est égal (de)
I don't care	je m'en moque
★ It is all the same to me	cela m'est égal, cela revient au même
to be reluctant (to do).	éprouver une certaine répugnance (à)
half-hearted (adj.), half-heartedly (adv.)	sans enthousiasme

— 6. When two young people **feel attracted to** each other, when they find each other **attractive** (or when they **appeal to** each other), they **fall in love**. Then they **are in love**, they **love** each other, they **love to** be together, they become **lovers** and are very **affectionate**.

— 7. Every man should be taught to **dislike**, even **hate** (or **loathe**) racism which is a **loathsome** sin. Racialists say they are **sick of** (or **fed up with**) the Blacks, the Arabs or the Jews; they **can't stand** (or **bear**) living with them; they say they are **a curse**. Who could deny that such **hatred** of other human beings is **hateful** ?

— 8. Elvis Presley's fans simply **dote on** his songs. It is not just that they **cared for** his music, they were **mad about** him, they **loved him to distraction**; these fans find his singing **congenial** to them and listening to his records (which are one of the **blessings** of civilisation) is **bliss** to them. The Hit Parades try to **entice** them to buy more and more of his records.

— 9. No, I don't **feel like** a movie (I don't **feel like** going to the movies) to-night. I'd **rather** stay in; I'd **rather you** went on your own. I **want to** wait for Robert; I don't **want him to** find the house empty. I **want** dinner fixed for him when he gets back. I **wish he were** here now, I **wish I had** him with me. I **wish I could** be alone with him and I do **wish you would** leave me alone !

— 10. He appears very **anxious to** please her; perhaps he **is after** her fortune. He certainly is very **eager to** give her everything that she **longs for** (or **hankers after**).

— 11. "Would you **prefer to** fly to the States in Concorde or in a Jumbo Jet ? I **have a good mind to** try the supersonic". "I **don't mind** (or I **don't care**) how I fly. I **don't mind** flying in Concorde; it's **all the same to** me. I'm always **reluctant to** be air-borne anyway. I shall always be **half-hearted about** planes (or about flying). I find air

dull	ennuyeux	to feel sorry for s.o.	avoir de la peine pour qqn.
uninteresting	inintéressant	★ agony	l'angoisse, la grande souffrance
boring	ennuyeux, barbant	★ agonizing [ægɔnaizi ŋ]	atroce, poignant
★ tedious (lit.)	fastidieux	pain	la douleur (physique), la peine (morale)
interest	l'intérêt (porté à qqch.)		
enthusiasm	l'enthousiasme	to ache [eik]	faire mal, être douloureux
★ engrossed in	absorbé, plongé dans	★ to moan	gémir, se lamenter
to yawn [jɔːn]	bâiller	★ to mourn sth., for s.o.	pleurer qqch., pleurer la mort de qqn.
to bore	ennuyer		
to get bored [bɔːd]	s'ennuyer		
boredom [bɔːdəm]	l'ennui		

12

never mind	peu importe
★ to flag	se relâcher
★ to skip	sauter
★ to weary	lasser
★ irksome (lit.)	ennuyeux, fastidieux
★ wearisome	lassant
to be weary (of)	être las (de)

SADNESS AND JOY
La tristesse et la joie

14

★ sorry (lit.)	piteux, misérable
★ plight (lit.)	situation, état
★ dismal	sombre, triste
melancholy (n.) (adj.)	la mélancolie, mélancolique
★ cheerless	peu gai, déprimant
uneasy	mal à l'aise, gêné
to *feel uncomfortable	
	ne pas avoir l'esprit tranquille
painful	douloureux, pénible

13

lonely	seul (qui se sent seul)
sad	triste
★ gloomy	sombre, lugubre, attristant
moody	d'humeur changeante, morose
lifeless	sans vie, sans entrain
sorrow	la douleur (morale)
grief	le chagrin
★ bleak	triste et froid
★ dreary	morne, lugubre
★ to feel sorry for oneself	s'apitoyer sur son sort

15

cheerful	gai, réconfortant
lively [ai]	vivant, plein d'entrain
playful	enjoué
gay	gai, réjoui
to be in high spirits	être en train, en verve
★ to rejoice (to do) (lit.)	se réjouir (de)
merry	joyeux, gai
genial [iː]	plein de bonne humeur ou de bienveillance
joy	la joie

trips **dull** and **uninteresting**; even **boring** and **tedious** at times". "Try and show a little **interest**, some **enthusiasm**; I am always **engrossed in** books about planes; they don't start me **yawning**; they don't **bore** me; I don't get **bored** when I'm reading them. I don't know what **boredom** is".

— 12. "**Never mind**", he said. "I can see your interest is **flagging**; I'll **skip** a page or two; I don't want to **weary** you with **irksome** details. I don't find them **wearisome**, but you do. I can see you're **weary of** me (or of listening to me)".

— 13. The romantic hero is always **lonely, sad** and **gloomy**. Not **moody** exactly, nor **lifeless**, but rather a person full of **sorrow** and **grief**. He walks over the **bleak** moors on a **dreary** November day. He usually **feels sorry for** himself (and perhaps we **feel sorry for** him). He often suffers **agony** (he is in **agonizing pain**) over unrequited love. His heart **aches**, he does not speak but **moans**. Dressed in black, he **mourns** his lost love (or he **mourns for** his lost Lady).

— 14. Old people are indeed in a **sorry plight** when the **dismal** winter months come round. How **melancholy** they feel, shut up in their **cheerless** homes. You feel **uneasy** (or **uncomfortable**) when you think of their **painful** lives.

— 15. It is a **cheerful** sight to watch **lively** children play their games or tell stories in a **playful** tone. When they are **gay** (or **in high spirits**) their parents **rejoice to** hear their **merry** songs and a **genial**-looking child gives his parents great **joy**.

TEARS AND LAUGHTER

Les larmes et le rire

16

to *burst into tears ..	fondre en larmes
to sob	sangloter
to cry, to *weep.....	pleurer
★ to heave, to breathe a sigh	pousser un soupir
to sigh	soupirer
★ to *shed tears.......	répandre des larmes
to *weep for joy.....	pleurer de joie

17

to smile at.........	sourire à ou de
to laugh [la:f]	rire
to laugh at..........	se moquer de
laughter [la:ftə]	le rire
a laugh	un rire
★ a fit of laughter	un fou-rire
to *burst out laughing	éclater de rire
★ to roar, to *shake with laughter	rire à se tordre, rire aux éclats
★ to giggle...........	rire bêtement ou nerveusement
★ to grin.............	sourire en grimaçant
★ to beam (with)	rayonner (de)

HAPPINESS AND UNHAPPINESS

Le bonheur et le malheur

18

glad	content, heureux
to cheer up	retrouver son entrain

(a) comfort	le (un) réconfort
to cheer s.o. up	remonter le moral de qqn.
to comfort	réconforter, consoler
comfortable	rassuré, tranquille
★ to be content with ...	se contenter de
★ contented (with)	satisfait, content (de)

19

satisfactory	satisfaisant
satisfied (with).......	satisfait (de)
pleased (with/to do) .	content, satisfait (de qqch./de + inf.)
to please	plaire à
(a) pleasure [e]	(un) le plaisir
to have pleasure in ..	avoir plaisir à
pleasant [e]..........	agréable, sympathique
carefree............	insouciant, sans souci
★ gratified (with/at)....	satisfait et/ou flatté (de)

20

relieved	soulagé
(a) relief	(un) le soulagement
★ to solace [sɔlis] (lit.)...	consoler
★ soothing	calmant, apaisant

21

to enjoy sth./ + ger....	bien aimer, prendre plaisir à qqch./à + inf.
to enjoy oneself......	s'amuser
delighted (with sth./to do)	ravi, enchanté (de qqch./de + inf.)
delightful	délicieux, ravissant
happy	heureux
happiness	le bonheur

— 16. Children **burst into tears** easily when annoyed. They often **sob** and **cry** when scolded. Grown-ups, on the contrary, think **weeping** (or **crying**) in public undignified; when alone, they **heave** (or **breathe**) **sighs** (or they **sigh**) or even **shed tears** but they do so in silence. Sometimes, they **weep for joy**.

— 17. A fond mother **smiles at** her child's pranks. Whatever he does makes her **laugh**, but she does not like people to **laugh at** her leniency. **Laughter** is good for you. It is nice to have a good **laugh** now and again, although a prolonged **fit of laughter** may hurt you ! Some people will **burst out laughing** loudly and **roar** (or **shake**) with laughter for hours on end. School-girls are said to be given to **giggling** and **grinning** at their teachers who certainly do not **beam with** joy when they notice this.

— 18. "I'm **glad** you've come; **I cheer up** when I see you; your presence is a great **comfort** and **cheers me up** (or **comforts me**) and makes me feel **comfortable**. When you're away I have to be **content with** my dog's company; he (my dog) looks **contented** enough **with** me.

— 19. I found Jim's paintings **satisfactory** and told him I was **satisfied with** him. He was **pleased to** be congratulated and **pleased that** the picture pleased me. I always **have pleasure in** commending his work. He is a **pleasant carefree** chap and always seems **gratified with** the remarks I make.

— 20. I was **relieved** (or it was a great **relief** to me) to hear that she could **solace** her ailing mother who found her presence most **soothing**.

— 21. Jane **enjoys** music (or playing music); she **enjoys herself** most when she is performing a solo. She is **delighted to** be given a chance to perform again tonight. It will be **delightful** to watch how **happy** she will look.

★ an optimist . . . . un optimiste
★ optimistic (adj.) . . . . . . optimiste
   to be fortunate . . . . . avoir de la chance
★ a pessimist . . . . un pessimiste
★ pessimistic (adj.) . . . . . pessimiste

22

disappointed (with/in)   déçu (de)
(a) disappointment . . .   (une) la déception
what a pity, what a
shame ! . . . .   quel dommage !
★ discontent (n) . . . .   le mécontentement, l'in-
                                     satisfaction
★ discontented, dissatis-
fied (with) . . . .   mécontent, insatisfait (de)
uncomfortable . . . .   désagréable
bitter . . . .   amer
bitterness . . . .   l'amertume
★ a grievance . . . .   un grief
★ to be annoyed with
   s. o. (for) . . . .   être contrarié, agacé par,
                                     en vouloir à qqn. (de)

23

★ to be vexed (with) . . .   être   fâché   (contre),
                                contrarié
★ (a) vexation . . . .   (une) la contrariété, (un) le
                                désagrément
a hardship . . . .   une épreuve, un moment
                                difficile
to *go through . . . . . .   passer par
to complain . . . .   se plaindre
a complaint . . . .   une plainte, une réclama-
                                tion
a trial, an ordeal . . . . .   une épreuve douloureuse

24

to worry, to be wor-
ried . . . .   se faire du souci, s'en
                                faire
a worry . . . .   un sujet d'inquiétude
to care (about) . . . . . .   se faire du souci, se
                                préoccuper (de)
troubles [∧] . . . .   des ennuis
to be in trouble . . . . .   avoir des ennuis
to get into trouble, to
let oneself in for
trouble . . . .   s'attirer des ennuis

25

anxious (about) . . . . . .   inquiet (de)
anxiety . . . .   l'inquiétude
to be sorry (about/to
do/that) . . . .   être désolé (de qqch./de
                                + inf./que)
to regret + ger . . . . . .   regretter de (porte sur le
                                présent ou le passé)
to regret + inf. . . . . . .   regretter de (porte sur
                                l'avenir)
concern (n.) . . . .   la préoccupation, l'inquié-
                                tude
to be concerned . . . . . .   s'inquiéter, être inquiet
unhappy . . . .   malheureux
miserable [i] . . . .   malheureux, triste
misery [i] . . . .   la misère, la détresse
misfortune . . . .   l'infortune
unfortunate
[∧nfɔ:tʃənət] . . . . .   qui n'a pas de chance,
                                malheureux
★ wretched [retʃid] . . . . .   (p.) malheureux, infortuné;
                                (ch.) lamentable, très
                                mauvais
★ a wretch [w] . . . .   un malheureux, ou un mi-
                                sérable (= scélérat)

She is **an optimist** (an **optimistic** person) and thinks she will be **fortunate** in her career. I'm **pessimistic** about her chances of getting to the top; she does not practice enough.

− **22.** A disenchanted man is constantly **disappointed with** what happens to him. Everything is a **disappoint-ment** to him. He keeps sighing. "**What a pity** (or **what a shame**) that this should happen to me". Such **discontent** is not unusual. **Discontented** people lead an **uncomfortable** life. They are **bitter** (and this **bitterness** reflects a **grievance** they have), and even **annoyed with** others **for** being happy.

− **23.** I was **vexed with** him (it was a great **vexation to** me) that he did not realise the **hardships** I had **gone through**. It is true that I do not often **complain** that my whole life is a **trial** (or an **ordeal**).

− **24.** "What are you **worrying** about ? You always look **worried**. What's your **worry** today ?". "I **care about** other people's unhappiness. They all have so many **troubles**. They all seem to be **in trouble** all the time". "I think that they **get into trouble** (or **let themselves in for trouble**) of their own accord".

− **25.** "I'm **anxious** about my health". "I'm **sorry about** that; I'm **sorry** (to hear) **that** you're not well. I **regret** not being able to help you. Perhaps such **concern** is not justified; everybody is **concerned about** their health. But that should not make you feel **unhappy** (or **miserable**), although poor health is the greatest **misery** of all, I agree. But there are other **misfortunes** and so many **unfortunate** (or **wretched**) people that you ought to feel concern about too".

DESPAIR AND HOPE

Le désespoir et l'espoir

26

★ to be in low spirits ..	se sentir tout triste, sans entrain
despair	le désespoir
to be in despair, to have lost hope ...	être désespéré
to despair (of + ger.)...	désespérer (de)
★ dejected, downcast ..	déprimé, abattu
depressed...........	déprimé
to *get s.o. down, to depress	déprimer qqn.
hopeless	(p.) dont on ne peut rien tirer; (ch.) désespéré, sans issue
★ disheartened, dispirited	découragé, abattu
desperate [despərit]...	(p.) prêt à faire n'importe quoi; (ch.) acharné, désespéré

27

(a) hope	(un) l'espoir
to hope (for sth.) (to do)	espérer (qqch.) (+ inf.)
★ to be hopeful........	avoir bon espoir, être optimiste
★ to wreck, to dash....	anéantir, briser
★ a fond hope	un fol espoir

to *lose heart	se décourager
to *take heart	reprendre courage
to look forward to sth./to + ger	se faire une joie à l'avance de qqch./de + inf.
★ a faint glimmer of hope	une faible lueur d'espoir
★ shattered or blighted hopes	espérances anéanties ou flétries

SURPRISE

La surprise

28

(a) surprise	(une) la surprise
to surprise	surprendre
surprised (at) (to do) ..	surpris (de) (de + inf.)
astonished (at) (to do) .	étonné (de) (de + inf.)
★ taken aback (by)	déconcerté, interloqué (de)
amazed (at).........	stupéfait (de)
amazing	stupéfiant
★ stunned (by)........	abasourdi (par)
★ stupendous	prodigieux
★ astounded (at/by)	stupéfait, atterré (de/par)
★ bewildered (by) [i]	désorienté, dérouté (par)
unexpected	inattendu
★ staggered (on + ger.)..	renversé, frappé de stupeur (de + inf.)
to wonder [∧] (if).....	se demander si
to wonder at/that ...	s'étonner de/que
no wonder [∧]	ce n'est pas étonnant

– **26.** He had **been in low spirits** for quite some time. **Despair** had come over him; he **was in despair,** he had **lost hope**; he now **despaired of** ever being able to be happy again, **of** anyone being able to pull him out of his **dejected** (or **downcast**) state. He had been **depressed** too long; everything **got him down**; it really was **hopeless**; he had a feeling he was a **hopeless** man. Such a **disheartened** (or **dispirited**) man is **desperate**. Only **desperate** efforts from the doctor could save him.

– **27.** We all cling to **hope**; we all **hope for** a better life, **to** be happier one day. However **hopeful** we may be, events do come that **wreck** (or **dash**) our **fondest** hopes and cause us to **lose heart**. But we **take heart** again; we start **looking forward to** the future (**to being** able to do pleasant things); there is a **glimmer of hope,** however faint; let's hold on to it before our hopes are **shattered** (or **blighted**) again.

– **28.** Peter : "Is that you, John ? What a nice **surprise** ! You sure **surprised** me !" – John : "Well, Peter I was **surprised, astonished** even, **to** find you home, actually" – Peter : "I'm **amazed,** I'm really **taken aback**; it's **amazing** that you should say that, I'm rarely **away**" – John : "I'm **stunned,** Peter, that you should take my remark thus. It is **stupendous** how people will get angry over nothing. I'm really **astounded at** your reaction" – Peter : "Sorry, John, I was so **bewildered by** your **unexpected** phone call, I was **staggered,** really I was, John, **on** hearing your voice. I **wondered** if I heard right. **No wonder** I said a few silly things. Please, John, forgive me".

FEAR

La peur

29

to be afraid (of) (of + ger.)	avoir peur (de)
to frighten	faire peur à
to be frightened (of) .	être effrayé (de)
to *take fright (at) . . .	prendre peur, s'effarer (de)
★ to *put s.o. off	déconcerter
frightfully	horriblement
fright	le trac, l'effroi
to be nervous	éprouver de l'appréhension
to be scared (of)	être effrayé, épouvanté (de)
to shudder, to *shake (with)	trembler (de)
★ appalling [əpɔːliŋ]	épouvantable
★ appalled (at/by)	horrifié (de/par)

30

★ weird [wiəd]	mystérieux et inquiétant
★ awe-inspiring [ɔː-] (lit.)	qui inspire l'effroi
★ to *strike terror in s.o.	frapper qqn. de terreur

terrible	terrible, horrible
★ to *stand in awe of s.o. [ɔː]-	avoir une crainte respectueuse de qqn.
awful	épouvantable (sens affaibli)
awfully	horriblement
to dread [e] (+ ger.) . . .	redouter (de + inf.)
dreadful, fearful	terrible, redoutable
formidable	redoutable
★ terrific (fam.)	formidable (appréciatif)

31

to fear (+ ger.)	craindre (de + inf.)
★ to have a misgiving, a foreboding that . . .	avoir le pressentiment que
★ dismayed (at)	épouvanté, consterné (de)
for fear that, lest (lit.)	de crainte que
horrified (at)	horrifié, scandalisé (de)
to deter s.o. (from) [ditəː]	décourager, dissuader qqn. (de) (par la peur)
a deterrent [diterənt] . .	un élément, une force de dissuasion
★ timid	peureux
★ timorous	timoré, craintif
★ panic-stricken	pris de panique

– **29.** Actors should not be **afraid of** the public (**of** appearing in public). If the audience **frightens** them, if they are **frightened of** being on the stage, if they **take fright** and are **put off** every time someone coughs or scrapes a chair, they must be **frightfully** unhappy. Stage **fright** is considered normal. Actors can't help feeling **nervous** before going on, but if they are **scared of** failure to the extent of **shuddering** (or **shaking) with** fear, then the prospect of performing must be **appalling**.

– **30.** "There was a **weird** look, something **awe-inspiring** in his eyes, that **struck terror in** the hearts of people. It was **terrible** how everybody **stood in awe of** him and felt **awfully** ill at ease. People **dreaded** running into him in the street; that would have been so **dreadful** (or **fearful**) and **formidable** an experience". "Don't you think, the beginning of my story is **terrific** ?".

– **31.** Some nervous, easily frightened children **fear** the dark; they **fear** going to sleep without a light on. They **have a misgiving** (or **foreboding**) that some wild beast will go for them. They are **dismayed at** the prospect of a lonely night. **For fear that** (or **lest**) children **should** be scared by this, most parents leave the lights on, although they are **horrified at** the thought of the expense. Trying to **deter** the kids **from** leaving the light on is no good; threats might act as a **deterrent** for a time, of course, but in the long run, a **timid** (or **timorous**) child will be **panic-stricken**.

XXXIV. – HUMAN BEHAVIOUR
LE COMPORTEMENT HUMAIN

PRIDE AND SIMPLICITY
L'orgueil et la simplicité

1

proud (of sth.) (of + *ger*)	
....	fier (de)
pride	la fierté
self-satisfied	content de soi
★ conceited	infatué de soi-même
self-confident........	sûr de soi
★ to presume on	abuser de
★ to presume to do.....	oser, prendre la liberté de
to boast (of) (that) ...	se vanter (de) (que)
★ to brag	fanfaronner
★ a braggart	un fanfaron
to show off	parader, faire de l'épate

2

humble	humble, modeste
★ homely (adj.).........	sans façon, simple
modest	modeste, modéré; pudique
mild	(très) doux
★ meek	soumis, résigné
simple	simple, innocent, ingénu
gentle	doux, sans violence
tolerant (of)	tolérant (à l'égard de)
resigned (to).........	résigné (à)
reserved	réservé
★ unobtrusive	discret, qui ne se met pas en avant
diffident	qui manque de confiance en soi

SELFISHNESS AND GENEROSITY
L'égoïsme et la générosité

3

selfish	égoïste
★ unselfish, selfless	sans égoïsme, dévoué
to sacrifice (**to** *sth*) (to + *ger*)	sacrifier (à)
generous...........	généreux
★ self-indulgent........	qui ne se refuse rien
★ self-denying	qui renonce à soi
a miser [ai]	un avare
miserly (adj.)........	avare
★ to grudge	accorder à contre-cœur
miserliness, avarice [i]	l'avarice
★ to stint	lésiner sur

4

mean [adj.]	ladre, chiche, mesquin
★ niggardly...........	*(adj.)* pingre; *(adv.)* chichement
thrifty (adj.).........	économe
thrift (n.)...........	l'économie
to save	économiser; (faire) gagner (du temps, etc.)
to save s.o. + ger ...	épargner, éviter à qqn. de
to save up	faire des économies
★ to *cut down on.....	réduire, restreindre
★ to *cut back on	réduire (par rapport aux prévisions)

– 1. Jenny is **proud of** her father; she is **proud of** being his daughter; her **pride** is justified. Her father is, in no way, a **self-satisfied** (or **conceited** man). He is **self-confident**, which is no fault but he never **presumes on** people's good-naturedness nor does he **presume to boast of** his achievements; he never **boasts of** being (or **that** he is) a well-known film director; he never **brags about** anything; he is no **braggart**. In a word, he does not **show off**.

– 2. She was a **humble** woman who lived a **homely** life. She was **modest** in her needs and of a **mild** disposition. Some people thought her too **meek** and even **simple** as they put it. Actually, she was just **gentle** and **tolerant of** other people's weaknesses and had become **resigned to** being considered too **reserved**. An **unobtrusive** person is often misjudged and thought to be **diffident**.

– 3. Unlike a **selfish** man, an **unselfish** man does not think only of himself. He **sacrifices** his own interest **to** helping others. Such a **generous** attitude is not to be expected from **self-indulgent** people but is to be found in **self-denying** people.
   A **miser**, or a **miserly** person, **grudges** his best friend the use of his telephone and will carry his **miserliness** to the extreme of **stinting** praise !

– 4. A **mean** or **niggardly** man should not be confused with a **thrifty** one. **Thrift** is regarded as a virtue. Shopping wisely **saves** people money; it **saves them** spending more than is necessary; they can **save up** that way or by **cutting down on** luxuries or **cutting back on** planned expenses.

5

★ a spendthrift	un dépensier
extravagant	*(p.)* dépensier; *(ch.)* dispendieux
★ lavish of	prodigue de
to waste, to squander	gaspiller
drunkenness	l'ivrognerie, l'ivresse
greed, greediness	la cupidité, l'avidité; la gourmandise
greedy	âpre (au gain); gourmand
★ lustful	lascif, luxurieux
★ lust	la luxure

COURAGE AND COWARDICE

Le courage et la lâcheté

6

courage [k∧ridʒ]	le courage
courageous [ei]	courageux
★ plucky (fam.)	courageux, qui a du cran
★ pluck (fam.)	le cran
to persevere (in + ger.)	persévérer (à + inf.)
★ gallantly (lit.)	avec bravoure
★ to *stick it out	tenir jusqu'au bout
brave (adj.)	brave
to brave	braver
to dare	oser
to dare sth.	affronter qqch.
★ to challenge	défier
a challenge	un défi
daring (adj.)	audacieux
bold	hardi, téméraire
★ challenging	stimulant

★ spirit	le courage, le caractère
★ spirited	plein de courage, d'ardeur
nerve	le sang-froid, l'assurance
fearless, dauntless	intrépide
★ fool-hardy	téméraire, casse-cou

7

★ to dodge	esquiver, s'esquiver
★ to evade	se soustraire à, se dérober à
a coward [kauəd]	un lâche
cowardice [kauədis]	la lâcheté
cowardly (adj.)	lâche

LAZINESS AND ENERGY

La paresse et l'énergie

8

lazy	paresseux
laziness	la paresse
idle	oisif, désœuvré
idleness	l'oisiveté
careless	insouciant; négligent
to overlook	oublier par négligence
★ an oversight	un oubli, une inadvertance
★ slack	nonchalant, négligent
★ to slacken up	se relâcher, devenir négligent
★ casual	désinvolte, cavalier
★ casually	avec désinvolture; (dit) en passant

— **5.** A **spendthrift** is an **extravagant** person who is **lavish** of his own or other people's money. He **wastes** (or **squanders**) it freely. A man may be given both to **drunkenness** and **greediness** (or **greed**). You may be **greedy for** food or for money. A **lustful** person gives in to **lust**.

— **6.** It takes **courage** (or you have to be **courageous**) to bear up under the stress of illness. Only the **plucky** ones (or those with **pluck**) **persevere in** hoping for recovery and **gallantly stick it out**. It is easier to be **brave** in battle and **brave** the perils of war. **Dare** anyone say they would **dare** the prospect of an operation without some nervousness ? I **challenge** anyone **to take up the challenge**. Only **daring** (or **bold**) people find the prospect of an operation **challenging** and show sufficient **spirit**. How many people are **spirited** enough to have the **nerve** to face hazards that only **fearless, dauntless** or, should I say, **fool-hardy** ones think nothing of ?

— **7.** Because he had artfully **dodged** a clever man's attack, because he had **evaded** a question that concerned his war-time record, people called him a **coward**, blamed his **cowardice** (or his **cowardly** attitude).

— **8. Lazy** people avoid unnecessary efforts; their **laziness** easily gets the better of them; they prefer to remain **idle**, although **idleness** is said to be the root of all evil. If you are **careless**, you may **overlook** an important point, and an **oversight** may mean failure, so don't be **slack**, don't **slacken up**. Don't put on a **casual** air when answering questions; don't make loud remarks **casually**.

energy	l'énergie
energetic	actif, énergique
★ hardworking (adj.)	travailleur
★ painstaking	*(p.)* appliqué; *(ch.)* soigné
★ dash (n.)	l'entrain, l'allant
spirit	l'ardeur, la fougue
care	le soin
to be careful (to do)	être soigneux ou prudent; veiller (à + inf.)
to take care (of)	s'occuper de, prendre soin de, faire attention (à)
★ to be punctual	être à l'heure

PRUDENCE AND IMPRUDENCE

La prudence et l'imprudence

10

prudent [u:]	prudent, réfléchi
★ to caution [ɔ:]	mettre en garde
cautious	prudent, circonspect
★ to *take heed (of)	faire cas (de), faire attention (à)
★ heedful (of)	vigilant, qui tient compte de
to beware (inf./imp.)	se méfier, prendre garde
★ wary [wɛari]	circonspect, méfiant
serious	sérieux, réfléchi
★ dedicated	sérieux, dévoué
earnest	*(p.)* sérieux, consc300cieux; *(cpt.)* fervent, ardent
to be in earnest	ne pas plaisanter
stern	sévère, austère
industrious	travailleur, laborieux
★ sober [ou]	calme, posé

steady [e]	régulier, stable
★ steadfast [stedfa:st]	constant, inébranlable

11

rash	imprudent, précipité, inconsidéré
reckless (of)	imprudent, insouciant (de)
★ heedless (of)	inattentif (à); étourdi, insouciant
★ indiscretion	action inconsidérée, faux pas
★ unwary	sans méfiance, imprudent
★ indiscreet	inconsidéré

12

unsteady	instable; peu sérieux
changeable	changeant
capricious	capricieux
out of caprice	par pur caprice
★ fanciful	1. *(p.)* fantasque, fantaisiste
	2. *(ch.)* fantaisiste, étrange
frivolous	frivole
★ wayward	capricieux, difficile à mener
★ flighty	léger, frivole
a freak	un marginal
★ freakish	bizarre (presque monstrueux)
a fit	un accès (colère, rire, etc.)
fitful	irrégulier; d'humeur changeante
fitfully, by fits and starts	par à-coups, par accès
a whim	un caprice, une lubie
★ whimsical [-z-]	saugrenu; fantasque
★ a prank	une espièglerie; une farce

— **9.** In times of unemployment, **energy** (or being **energetic**) is not enough to get you a job. Even the most **hardworking** and **painstaking** applicants will be turned down. They are full of **dash** and **spirit** when they apply; they fill in the forms with great **care**, they are **careful to** make the right impression; they **take care of** every detail and, of course, they **are punctual**.

— **10.** "It would be **prudent** to wait till the tide is out; the guard **cautioned** me against quicksands." "All right, you can't be **cautious**. You did well to **take heed of** the guard's advice; one should always be **heedful** of experts' viewpoints." "**Beware of** the sands' the guard said to me in a **wary** voice, and I know he is a **serious dedicated** man." "I know him too, he is a very **earnest** fellow who takes an **earnest** interest in protecting bathers. I'm sure he **was in earnest** about the hazards of the sands." "He must have been. He looked almost **stern**." "**Industrious** people may give that impression. They have a **sober** expression on their faces. He is one of many **steady** workers who do their jobs with **steadfast** zeal."

— **11.** That was a very **rash** statement. It's rather **reckless of you to** talk like that. Even if you're **heedless of** the consequences, such an **indiscretion**, if made by the **unwary**, may lead to an **indiscreet** action.

— **12.** He is a very **unsteady** person. Very **changeable** and **capricious**. He does things **out of caprice**, the most **fanciful** and **frivolous** things you could ever imagine. I consider such **wayward, flighty** people **freaks**. As for that **freakish** guy, I go into **fits** each time I see him. Being so **fitful**, he disturbs me so I can only work **fitfully (by fits and starts)**. His **whims** have to be continually indulged, and he plays the most **whimsical pranks** on me.

XXXV. – MORAL STANDARDS
LES CRITÈRES MORAUX

1

to behave	se comporter; se conduire
to behave oneself	se tenir bien
behaviour	la conduite, le comporte-ment
to misbehave	se mal conduire
misbehaviour	la mauvaise conduite
character	le caractère; la force de caractère
temperament	le tempérament
fly into a temper	s'emporter
temperamental	changeant, capricieux
personality	la personnalité

GOOD AND EVIL

Le bien et le mal

2

morals (pl.)	la morale
morality	les principes moraux, la probité
morale (n.) [-ɑ:-]	le moral (de qqn.)
moral (adj.)	moral, conforme à la morale
moral (n.)	la morale (d'une histoire)
standards	les critères
an evil [i:vl]	un mal
evil (n.)	le mal (sens religieux)

evil (adj.)	mauvais, pervers; néfaste
good	le bien (sens religieux)
to *do evil/good	faire le mal/le bien
to *know right from wrong	distinguer le bien du mal, le juste de l'injuste

3

right (adj.)	bon, juste, convenable
wrong (adj.)	mauvais, injuste, non convenable
★ righteous [raitʃəs]	*(p.)* droit, vertueux; *(cpt.)* juste, justifié
★ correct, proper [ɔ]	bienséant
virtue, virtuous	la vertu, vertueux
vice, vicious	1. le vice, vicieux 2. haineux, méchant
a defect	un défaut
a fault	une faute; un travers
★ shortcomings	les points faibles
a quality	une qualité
a principle	un principe
on principle	par principe
wicked [wikid]	méchant, pervers
loose [lu:s]	*(p.) (cpt.)* dissolu, relâché
★ foul [au]	*(cpt.)* odieux, infâme
★ outrageous [autreidʒəs]	*(cpt.)* révoltant, scandaleux
to be strict (with)	être sévère (envers)
low (adj.) (adv.)	vil; bas
great	*(cpt.)* élevé, noble
★ lofty	élevé, sublime

– **1.** If you don't **behave yourself,** if your **behaviour** is not good enough, then I'll report you. You're not a child any more. Children **misbehave** but the concept of **misbehaviour** is foreign to them. You have no **character,** you have the **temperament** of a child. Don't **fly into a temper** all the time. I can't stand **temperamental** people, and anyway it shows a lack of **personality.**

– **2.** The problem when studying **morals** is that **morality** is so relative. After a couple of hours poring over certain philosophers' works I've no **morale.** The philosophers never agree as to what is **moral.** The **moral** of what I'm saying is that nothing is absolute. We all have different **standards.** What one man considers to be **an evil,** or **evil** as defined by the church, is not necessarily **evil** in my books. The church's idea of **good** is also difficult to understand. One can **do** more **evil** by being dogmatic than **good** by being tolerant. But whatever one's ideas, one must **know right from wrong.**

– **3.** Whether you think my action is **right** or **wrong,** you still don't have to look so **righteous** about it all. The **correct** and **proper** thing is to explain to me why you consider certain things to be **virtues,** to be **virtuous** actions, and others to be **vices,** to be **vicious.** If there is a **defect** in my character, is that my **fault**? We all have **shortcomings,** but we have **qualities** too. A **principle** of mine is not to take people at their face value. I do this **on principle,** as people who may seem **wicked** or **loose** may not really be so. Even if someone's behaviour seems **foul** and **outrageous** I am very **strict with** myself and try not to jump to hasty conclusions. I wouldn't want to fall as **low** as some and though my behaviour may not be **great,** my ideals are **lofty.**

4

to *set an example (to)	donner l'exemple (à)
to *do, to perform one's duty (by)	faire, accomplir son devoir (envers)
responsible (adj.)	(p.) responsable; digne de confiance, sérieux
	(ch.) qui comporte des responsabilités
★ to indulge in	s'abandonner à
★ to indulge	montrer trop d'indulgence envers
be tempted (to do) . . .	être tenté (de)
conscience	la conscience morale
to have a good, clear conscience	avoir la conscience tranquille
guilt [gilt]	la culpabilité
guilty (of)	coupable (de)
conscientious	consciencieux
innocent, guiltless . . .	innocent
to be narrow, broadminded	avoir l'esprit étroit, large
shame	la honte
to be ashamed (of)	avoir honte (de)
shameful	(cpt.) honteux, scandaleux
★ disgrace	le déshonneur
★ disgraceful	déshonorant
★ shameless	(p.) éhonté; impudique
	(cpt.) honteux, abominable
★ unashamed (at)	sans vergogne, qui n'a pas honte (de)
★ shamefaced	(cpt.) embarrassé, penaud

5

scrupulous	scrupuleux
unscrupulous	peu scrupuleux, indélicat
remorse (sg.)	le ou les remords
to repent	se repentir de
to own up	avouer, reconnaître
to confess (to + ger.) .	confesser, avouer (avoir fait)
to *make up for	compenser, rattraper

★ to *make good	réparer une injustice
★ to redeem	racheter

MORAL JUDGMENT

Le jugement moral

6

to judge	juger
a judgment	un jugement
to misjudge	mal juger, se tromper sur le compte de
to criticize s.o. (for) . .	critiquer quelqu'un (de)
(a) criticism	la critique, le fait de critiquer; une critique
a critic	un critique (personne)
critical	(p.) qui a l'esprit critique
	(cpt.) critique, sévère
★ to disparage [-pærid ʒ].	déprécier, parler en termes peu flatteurs de
to *find fault with . . .	trouver à redire à
to disapprove of	désapprouver
to accuse s.o. (of)	accuser quelqu'un (de)
to despise s.o. (for) . . .	mépriser quelqu'un (de)
★ despicable, contemptible	méprisable
contempt	le mépris
contemptuous	méprisant
to scorn	dédaigner, ne faire aucun cas de
★ to spurn	mépriser; repousser avec mépris
to look down on	considérer avec mépris
★ to *run down	ravaler, diminuer (l'importance de), décrier
ridiculous	ridicule
★ preposterous	absurde; contraire au bon sens
to sneer at	se gausser de, rire de (avec mépris)
★ to jeer at	se moquer, rire de (de façon grossière)

– **4**. Peter wanted to **set an example to** his brother John and at the same time to **perform his duty by** his mother. He was now the head of the family, and would be held **responsible for** John's activities. He could no longer **indulge in** his favourite past-time, and didn't want to **indulge** John too much either, though at times he was **tempted to** do so. After all he had a **conscience**, and to have **a good, clear conscience** is better than having a feeling of **guilt**. He was not **guilty** of anything, because he was such a **conscientious** person. But although **innocent, guiltless**, a **narrow-minded** person would not consider him the same way a **broad-minded** person would. There was no **shame** in the family, nobody had anything to be **ashamed of**, there was nothing **shameful** about their behaviour. But **disgrace** falls so easily on a family, and he was frightened that John might do something **disgraceful**. The **shameless** behaviour of the neighbours, who were completely **unashamed at** their own actions, would have left Peter very **shamefaced**.

– **5**. The vicar was very **scrupulous** in making **unscrupulous** people show a little **remorse**. He didn't ask them to **repent** entirely, but at least to **own up**, to **confess to** having done something wrong. If they could **make up for** their action, if they could **make good**, then this would **redeem** them.

– **6**. It's never easy to **judge** people objectively. A **judgment** is always influenced by one's personal ideas, and it is all too easy to **misjudge** people. However, one can **criticize** others, without serious consequences. A **criticism** is acceptable when the **critic** is honest, and genuinely **critical**, but he must not **disparage** his victim injustifiably. If he **finds fault with** someone, if he **disapproves of** him, then this is one thing. But if he **accuses** that person of a crime, for example, just because he already **despises** that person, then this is wrong. However **despicable** or **contemptible** the person may be, do not hold him in **contempt** as this is in its turn a **contemptuous** attitude. The result will be that others will **scorn** you, will **spurn** your work, will **look down on** you and **run you down** among themselves. It would be too **ridiculous**, too **preposterous**, to be **sneered** and **jeered at** in your own turn.

7

to deserve..........	mériter
deserts	les mérites, ce qu'on mérite
to have a right to ...	avoir le droit de
★ to be entitled to sth./ to do............	avoir droit à, avoir le droit de + inf.
to approve of	approuver
approval	l'approbation
to praise.............	faire l'éloge de
★ praiseworthy	louable, digne d'éloges
to esteem............	estimer (qqn.); priser (qqch.)
★ to overrate..........	surestimer
★ to underrate	sous-estimer, mésestimer
to admire	admirer
to look up to	respecter, avoir de la considération pour
to respect...........	respecter
respectful (of)........	respectueux (de)
respectable..........	honorable, convenable
to congratulate s.o. (on)..............	féliciter qqn. (de)
to flatter............	flatter
★ to advocate	préconiser
★ to commend s.o. (on) .	faire l'éloge de qqn.; parler en termes flatteurs de qqn. (pour qqch.)
wonderful, marvellous	merveilleux
popular	populaire, aimé

8

to reproach s.o. (for + ger) (with sth).....	reprocher à qqn. (de) (qqch.)
to blame s. o. (for) ...	reprocher à qqn. (qqch. ou de)
to blame sth. on s.o..	rejeter la responsabilité de qqch. sur qqn.
to lecture	sermonner

★ to *take s.o. to task, to *chide (lit.).....	réprimander, tancer
to scold.............	gronder
★ to *tell s.o. off (fam.).	attraper qqn.
(a) scandal	un scandale, la médisance, les cancans
★ a scandal-monger....	un cancanier; une mauvaise langue
to slander...........	calomnier
★ dishonourable [ɦ]	(cpt.) déshonorant
★ a blot...............	une tache, une souillure
★ to defile [difail]........	souiller; profaner
to *do s.o. credit, to be a credit to s.o.	faire honneur à qqn.
★ to *pay s.o. a tribute [tribju:t]..........	rendre honneur à qqn.
worthy of [ə:]	digne de
★ dignified	digne, plein de dignité
★ stately.............	noble, élevé, plein de dignité
to award [ɔ:].........	accorder, décerner
unworthy of..........	indigne de
★ disreputable	(cpt.) peu honorable; (p.) perdu d'honneur; (lieu) mal famé, louche
to *think ill of.......	penser du mal de
to *speak ill of	dire du mal de
not to *think much of	ne pas avoir très bonne opinion de

9

fame	le renom, la célébrité
famous (for)	célèbre (pour ou par)
★ renowned (for).......	connu, célèbre (pour)
well-known (to)......	bien connu (de)
unknown (to)........	inconnu (de)
to have, to get a good name...........	avoir, s'attirer une bonne réputation
notorious............	qui a une triste notoriété
★ a spotless, stainless reputation........	une réputation sans tache

– 7. You got what you **deserved** – your just **deserts**. If you disagree you **have a right to** complain, you **are entitled to** write to the president. If you don't **approve of** his decision then do write. I doubt if your letter will meet with his **approval,** as his decision is final. When it's a question of **praising** someone, we never agree as to how **praiseworthy** he is. You thought the president **esteemed** you. I think that you have **overrated** yourself, though admittedly he may have **underrated** you a little. However, **I admire** the president, **I look up to** him and respect him. If you had been a little more **respectful of** him, if your clothes had been a little more **respectable,** then perhaps it would have been you I'd have **congratulated on** getting promoted. Perhaps you should have **flattered** him a little, as I **advocated** when I first met you. **I commend him on** his wonderful, marvellous decision, and do remember that he is very **popular.**

– 8. Why **reproach me for** hitting him ? Why don't you **reproach him with** something ? You should **blame him for** starting things, but you always **blame** everything on me. It's not fair. Any excuse to **lecture** me. Well now I'm going to **take you to task.** It's my turn to **chide** and **scold.** You've **told me off** once too often. You create **scandals** where there aren't any. You're a right **scandal-monger. Slandering** people is a **dishonourable** way of behaving. You've got **blots** on your character too, so don't **defile** mine. Instead of doing people **credit,** you're a **credit to** no one. Can't you ever **pay** anyone **a tribute** or is no one **worthy of** praise, in your opinion ? Most people are **dignified, stately,** you ought to **award** them credit for that. Very few people are **unworthy of** at least some praise. Agreed if someone is **disreputable** it is easy to **think ill of** him, but do you have to **speak ill of** everybody ? I must say, you **don't think much of** humanity.

– 9. When I grow up I want **fame.** I want to be **renowned** (or **famous**) for my contribution to the world of knowledge. At the moment I'm only **well-known to** my family and completely **unknown to** the outside world. But in order to **have** (or **to get**) **a good name,** because I certainly don't want to be **notorious,** I'll have to develop a **spotless, stainless reputation.**

XXXVI – HUMAN RELATIONS
LES RELATIONS HUMAINES

BALANCE OF POWER
Les rapports de force

1

to rule (over)	régir, être le maître (de)
authority	l'autorité
ambitious	ambitieux
ambition	l'ambition
to rival [raivl]	rivaliser avec
impressive	impressionnant
★ bossy (fam.)	qui aime à commander
authoritative	autoritaire
★ to boss s.o. around (fam.)	donner des ordres à qqn.
to impress	impressionner
strong	fort
★ patronizing	condescendant
inferior (to)	inférieur (à)
strength	la force
superior (to)	supérieur (à)
to compete with	concurrencer
rivalry [raivlri]	la rivalité

2

weak	faible
to *give in, to yield (to) (lit.)	céder (à)
★ to back down (from) .	reculer, renoncer (à)
★ to *abide by	rester fidèle (à)
to grant	accorder
★ to back out (of)	se retirer (de)

a slave	un esclave
slavery	l'esclavage
docile [deusail]	docile
obedient (to) [-i:-]	obéissant (envers)
to obey [-ei]	obéir à
to comply (with)	se soumettre, se conformer à
(a) weakness	la (une) faiblesse
dependent (on)	tributaire, dépendant (de)

3

★ unruly	indiscipliné, turbulent
disobedient (to)	désobéissant (envers)
★ to turn down	refuser qqch. ou qqn.
to refuse (to do)	refuser (de + inf.)
to resist	résister à
to revolt (at)	révolter; se révolter (contre)
revolting	répugnant, révoltant
to disobey	désobéir à
★ to *stand up to	(ch.) résister (à l'usure); (p.) tenir tête à

4

to allow [-au]	permettre, autoriser (v. ex.)
to *let s.o. do	laisser faire qqn.
to be allowed to do ...	avoir le droit de
to enable s.o. to do ...	permettre (donner la possibilité) à qqn. de
to *leave s.o. alone, to let s.o. be	laisser qqn. tranquille
to *forbid	interdire (voir ex.)

– 1. Despotic monarchs **ruled over** their subjects with arbitrary **authority**. They were **ambitious** and in their **ambition rivalled** one another in an **impressive** display of power.
  The manager of our firm is a **bossy** man; he gives **authoritative** orders; he particularly enjoys **bossing around** anyone easily **impressed** by his **strong** will and his **patronizing** attitude; his employees feel **inferior** and haven't got the **strength** to answer back. As he considers himself **superior** he hates whoever tries to **compete with** him for his position. Any form of **rivalry** is suppressed.

– 2. **Weak**-minded people easily **give in** (or **yield**) **to** anybody's views; if they are trying to make any claims, they soon **back down from** their position; they rarely **abide by** their promises; if they **grant** you a favour, they are liable to **back out of** their decision.
  Slaves were expected to be **docile** and **obedient**; they had to **obey** their masters faithfully and to **comply with** all their whims and **weaknesses**. They were entirely **dependent on** their masters for everything.

– 3. He was known to be **unruly** and **disobedient**. So people **turned down** his applications for jobs; they **turned him down** because he **refused to** obey orders and **resisted** all forms of authority. He **revolted at** all established rules; he said they were **revolting** and so he **disobeyed** them. He could **stand up to** anyone.

– 4. She didn't **allow** smoking in class but she **allowed** the students **to** smoke outside the class; she **let them smoke** in the yard; they **were allowed to** by the headmaster too. The breaks were short and did not **enable** the students **to** smoke more than one cigarette. Other than that, she **left** the students **alone**. She did not **forbid them**

to ban	interdire (officiellement)	to *make friends (with)	se lier d'amitié (avec)
to order s.o. to do	ordonner à qqn. de	friendly (to)	sympathique, gentil (avec)
★ to *bid s.o. do (lit.)	même sens	in a friendly way	amicalement
★ exacting	exigeant	to *get along with	s'entendre avec
to *get s.o. to do	faire faire qqch. à qqn. (l'en persuader)	unfriendly (to)	hostile, peu amical (envers)
to *make s.o. do	faire faire qqch. à qqn. (l'y contraindre)	★ a bond	un lien
to compel s.o. to do	obliger qqn. à faire	friendship	l'amitié
compulsory	obligatoire		

5

to repress	réprimer, contenir (un sent.)
★ to *put down	réprimer, faire cesser
to suppress	étouffer (un sent.); taire, ne pas révéler
to threaten [e] (to do) (with)	menacer (de + inf.) (de qqch.)
a threat [e]	une menace
to *drive s.o. to sth./ to do	conduire, pousser qqn. à qqch./ à + inf.
★ to prompt s.o. to sth./ to do	inciter, pousser qqn. à qqch./à + inf.
to interfere (with) [iə]	intervenir, se mêler (de)
interference [iə]	l'intervention
★ to step in	intervenir (de façon active)
to demand (that)	exiger (que)
a demand	une exigence

SOCIAL BEHAVIOUR

Le comportement social

6

a friend	un(e) ami(e)
a close friend	un ami intime
to be friends (with)	être amis (avec)

7

good breeding	la bonne éducation
to *bring up	élever (un enfant)
★ discretion [e]	la prudence, le discernement
good manners	les bonnes manières
well-behaved or well-bred	bien élevé
nice	gentil, sympathique
polite (to)	poli (avec)
★ courteous (to) [ə:]	courtois (envers)
tactful	plein de tact, qui a du tact
discreet [i:]	réservé, discret, prudent
self-conscious	intimidé, embarrassé
embarrassed	gêné
shy, bashful	timide
to blush	rougir
★ timid, timorous	timoré, craintif, peureux
★ the years (or the age) of discretion	l'âge de raison

8

★ easy-going	insouciant; peu exigeant; facile à vivre
★ casual	cavalier, insouciant, désinvolte
to *make a fuss	faire des histoires
to be fussy	faire des embarras, être tatillon
particular	méticuleux, difficile, exigeant
★ fastidious	difficile à contenter, délicat

to bring sandwiches along, although this was **banned** officially. The headmaster had to **order her to** (or **bid her**) stop this practice. He was a very **exacting** man in this respect. As he could not **get her to** admit he was right, he finally **made her** (or **compelled her to**) comply with his own rules which he said were, by their very nature, **compulsory**.

– 5. You can't **repress** the natives' desire for independence for ever. You may manage to **put down** a rebellion and **suppress** the natives' wishes for a while. You can, of course, **threaten** to punish the rebels (or **threaten** the rebels **with** punishment). This **threat** will only **drive** (or **prompt**) them to desperate moves (or **to do** desperate things), all the more so as other countries will **interfere** and **step in** to **demand that** they should be given independence.

– 6. John is a **close friend**. We've **been friends** for twenty years. I **made friends** with him in England. He is a very **friendly** chap. We **get along** very well. We never exchange an **unfriendly** word. The **bonds** of **friendship** between us are very strong.

– 7. People of **good breeding** are aware that **bringing up** children well is no easy task. They must have patience and **discretion** in doing so. **Good manners** have to be taught again and again, if they want their children to be **well-behaved** (or **well-bred**), i.e. **nice, polite** and **courteous to** others, **tactful** and **discreet**. Over-**self-conscious** children are said to be **shy** or **bashful**. They easily **blush** when spoken to. If they are **timid** or **timorous**, everything frightens them. When a child reaches the **years** (or the **age) of discretion**, he is supposed to be able to judge and decide for himself, to show **discretion** in his behaviour;

– 8. **Easy-going** friends are **casual** and tolerant enough not to **make a fuss** about everything. They are not **particular** (or **fastidious**) about anything. In fact they **can't be bothered to** argue. They are easy to please. Such

★ I can't be bothered to (fam.)	ça m'embête de, j'ai la flemme de
★ manageable	facile à mener, à diriger
★ to *make a nuisance [nju:səns] of oneself	se rendre insupportable
ill-bred, ill-behaved...	mal élevé
to be a nuisance.....	être empoisonnant, assommant
bad manners	les mauvaises manières
coarse	grossier, vulgaire
★ to be a bother (to)...	être un ennui (pour qqn.)
to bother	contrarier, ennuyer
tactless	qui manque de tact
impolite (to)	impoli (envers)
rude (to)	impoli, grossier (envers)
★ off-hand (adj.)........	désinvolte, sans-gêne
noisy	bruyant
★ boisterous	tapageur, turbulent
to worry	tourmenter, ennuyer
★ to harass	harceler
to disturb	déranger
rough..............	qui manque de douceur; peu raffiné; brutal
★ to put oneself out for	se déranger, se mettre en frais pour qqn.
to bother to do.....	se donner la peine de + inf.
★ to *put s.o. out	gêner, déranger qqn.
★ inconsiderate (of)	qui ne pense pas à; qui manque d'égards pour

9

eager (to do)	avide, très désireux (de + inf.)
curious	qui a de la curiosité; indiscret
curiosity	la curiosité
inquisitive...........	trop curieux
★ cheeky (fam.)........	culotté, insolent
★ to poke one's nose into, to be nosey (sl.)	mettre son nez dans; fouiner
to treat s.o.........	traiter (quelqu'un)
to ill-treat..........	maltraiter
treatment	la façon de traiter qqn.

to deal with........	s'occuper de, faire qqch. à propos de
★ saucy (fam.)	insolent
★ to approach s.o.......	aborder, faire une démarche auprès de qqn.
★ cheek (fam.)	le culot

10

to be on speaking terms............	s'adresser la parole, se connaître assez pour se parler
formal	cérémonieux, guindé
informal............	détendu, sans cérémonie
an acquaintance	une connaissance, une relation
★ a nodding acquaintance	qqn. qu'on connaît de vue ou vaguement
★ to stand on ceremony (with)...........	faire des cérémonies, des manières (avec)
★ prim (adj.)	collet-monté
jolly	(p.) joyeux, boute-entrain; (cpt.) « chic », « sympa »
a social evening	une soirée entre amis
sociable............	sociable
★ companionable	qui se lie facilement, agréable en société
to be alone, (all) by oneself, on one's own	être seul (non accompagné)
to be, to feel lonely or lonesome	se sentir seul
★ sullen.............	maussade, renfrogné
★ to sulk.............	bouder
to do sth. by oneself.	faire qqch. tout seul (sans aide)
a bore	un raseur
to *show up (fam.)...	se présenter, se montrer
★ prepossessing (lit.)....	(p. cpt.) agréable, engageant, avenant
★ to put in an appearance............	faire une apparition faire acte de présence

manageable people never make a nuisance of themselves. Ill-bred (or ill-behaved) children are a nuisance. Their bad (or coarse) manners are a bother to others (they bother them). They are tactless or impolite (or rude) to everyone, behave in an off-hand manner, are noisy and boisterous; in short, they worry (or harass) people around them. They don't mind disturbing people. Their rough behaviour may even lead to hooliganism. They certainly don't put themselves out for others and won't bother to change their plans even if they know they are likely to put you out. They are inconsiderate of everybody.

— 9. Everyone is eager to know what is happening next door. Everyone who is curious (or shows curiosity), that is. But don't be inquisitive. It's cheeky to poke one's nose into other people's private lives. You must treat your neighbours as friends; don't ill-treat them. Your treatment of them, that is the way you deal with them, reveals your true personality. Don't be saucy when you approach them for the first time. Cheek is out of place on such an occasion.

— 10. George and I are no longer on speaking terms. He is so formal and I am more informal. Indeed, none of my acquaintances, even mere nodding acquaintances, stands on ceremony with me. I can't stand prim people; give me jolly people every time. For me, a social evening is a success only when it is attended by sociable and companionable guests who never leave you on your own (in which case you might feel lonely), never sulk and do things by themselves (like helping themselves to drinks). Speaking of George, he is a bore. The first time he showed up I was taken in by his prepossessing manners. Now I don't want him even to put in an appearance again.

to entertain (s.o.)	recevoir (qqn.), divertir, distraire (qqn.)
entertainment	divertissement; spectacle
to be amused by	trouver qqch. amusant
it is fun (to do)	c'est amusant (de + inf.)
to have fun, a good time	bien s'amuser
to enjoy oneself	s'amuser, passer un bon moment
for fun.	pour rire
funny.	drôle, amusant
to *take part (in), to participate (in)	participer (à)
to join in.	se joindre à
★ to be cooperative	être prêt à participer
to share	partager
a share	une part, une contribution
★ to do one's share	y mettre du sien

12

honesty [h]	l'honnêteté
honest [h]	honnête
honestly [h].	avec honnêteté, « vraiment », « sincèrement »
★ upright	droit, intègre
just	juste, impartial
fair	équitable, loyal
★ square	(cpt.) honnête, franc
dishonest	malhonnête
unfair.	déloyal, injuste
★ crooked [krukid]	malhonnête, tortueux
★ dubious [dju:bjəs].	équivoque, douteux
★ shady (adj.)	louche

13

good (to)	bon (envers)
kind (to)	bienveillant, aimable (envers)
kindly (adj.) to	bienveillant (envers)
to *do s.o. a kindness, a favour	montrer de la gentillesse, rendre service à qqn.
for charity's sake	par charité
human.	humain (espèce)
humane [ei]	humain, compatissant
thoughtful, considerate (of)	(p.) prévenant (pour); (cpt.) qui tient compte (de)
★ it is thoughtful, considerate of you to	c'est une délicate attention de votre part de
★ considerateness (to/ for)	les attentions, les égards (pour)
★ out of consideration for	par égard pour
for the sake of	dans l'intérêt de, pour l'amour de
on behalf of.	au nom de/pour le compte de
to encourage s.o. to do	encourager qqn. à + inf.
to *do s.o. a good turn	rendre service à qqn.
grateful (to s.o.) (for) .	reconnaissant (envers qqn.) (de)

– **11.** Mary **entertains** a lot; she **entertains** her friends with all sorts of anecdotes which are a real **entertainment**. The guests are **amused by** her charming stories; they say it's **fun to** be with her, that they **have fun** (or **have a good time**) at her parties; they really **enjoy themselves**. They pull one another's legs **for fun**, just because it is **funny**. Everyone **takes part in** (or **participates in** or **joins in**) the games she organises for them. Everyone is **cooperative** and all **share** what food there is : everyone gets **a share** of it. And, as for the washing-up, everyone **does his share**.

– **12.** "You can't doubt the **honesty** of such an **honest** tradesman !" "**Honestly**, I'm not sure he is as **upright** as you make out." "Try and be **just** and **fair to** him. You can't deny that he always gives you a **fair** (or **square**) deal. You probably think all tradesmen are **dishonest**. It's most **unfair to** think that. Some may be **crooked** or use **dubious** means to attract customers but not all resort to such **shady** devices.

– **13.** It is all right to be **good** (or **kind**) to animals but it is even more important to be **kindly to** people. You ought to **do your friends a kindness** (or **a favour**) whenever the occasion arises, not just **for charity's sake**, not just because they are **human** beings and you want to be thought **humane** and **thoughtful of** others. It would be **considerate of** you, for instance, **to** give help to your next door neighbour. That would be a way of showing **considerateness for** him. He would know that you were helping him **out of consideration for** him and not **for his** dog's sake. I'm saying this **on behalf of** no particular organisation, I'm just saying what I feel is right. I always **encourage people to do** their neighbours **a good turn**. I will be **grateful to** your **for** taking my advice.

unkind (to).	peu aimable, dur, méchant (envers)
★ harsh (to)	dur, sévère, sans indulgence (envers)
★ thoughtless, inconsiderate (of).	peu prévenant, qui manque d'égard pour
to be hard on s.o. . . .	être dur, sévère, pour qqn.
to discourage s.o. (from + ger.)	décourager qqn. (de + inf.)
to humiliate	humilier
to harm.	faire du mal ou du tort à
to *do s.o. harm.	faire du tort, nuire à qqn.
★ to *mean s.o. harm . .	vouloir du mal à qqn.
★ to wish s.o. harm. . . .	souhaiter du mal à qqn.
★ vicious.	(cpt.) haineux, méchant; (p.) pervers
cruel (to).	cruel (envers)
ungrateful (to)	ingrat (envers)
★ to *make mischief [mist ʃif], bad blood between	semer la discorde entre

fierce	(cpt. p.) violent, brutal; (asp.) farouche, féroce
★ unfaithful (to).	infidèle (à)
★ faithless	déloyal
nasty	1. (p.) désagréable, hargneux 2. (cpt) méchant, déplaisant, obscène
★ to *get into mischief [mist ʃif]	s'attirer des ennuis
★ to *mean mischief. . . .	avoir de mauvaises intentions
★ mischievous [-i-].	(cpt.) (p.) espiègle, (ch.) nuisible
★ to be up to some mischief	méditer quelque bêtise
★ malice [æ]	la malveillance, la méchanceté
★ malicious.	méchant, rancunier
jealous (of) [e].	jaloux (de)
out of jealousy [e]. . . .	par jalousie
envy at/of [envi]	l'envie concernant qqch./ à l'égard de qqn.
to envy	envier
envious (of)	envieux (de)

to help s.o. (to do/with)	aider qqn. (à + inf./dans)
helpful (to)	serviable (envers)
★ to meddle with/in . . .	se mêler de (de façon indésirable)
faithful (to).	fidèle (à), consciencieux, digne de confiance
★ to *stand up for, to stand by	défendre, prendre la défense de
to support, to back up	appuyer, soutenir
to protect (from)	protéger (de)
to shelter (from)	abriter (de)
to give shelter (to). . .	donner abri (à)
★ to assist	assister, aider

TRUST AND DISTRUST

La confiance et la méfiance

genuine [dʒenjuin]	authentique, sincère
true (to).	vrai, loyal (envers)
(the) truth.	la vérité
truthful	(p.) honnête, qui dit la vérité; (ch.) véridique, honnête.
★ plain-dealing	(adj.) franc et loyal; (n.) la loyauté
to be plain-spoken, out-spoken.	avoir son franc parler
to trust.	faire confiance à

– 14. Senior executives have no call to be **unkind** and **harsh to** those under them. There is no reason why they shoud be **thoughtless of** (or **inconsiderate of**) the interests of their inferiors. Besides, by being **hard on** them, they **discourage** them **from** working hard. Why should they **humiliate** them ? Humiliation **harms** people (or **does people harm**). Some executives, perhaps do not **mean** (or do not **wish**) their employees any **harm**. Perhaps they don't realise how **vicious** and **cruel** their attitude to them is and therefore wrongly accuse them of being **ungrateful to** them. Nothing **makes mischief** (or **bad blood**) between people more than unkindness.

– 15. According to tradition a good husband is expected to **help** his wife **to do** housework (or **with** the housework) and to be **helpful to** her in every possible way, but a husband should not **meddle with** things he is no good at, e.g. cooking. He should remain **faithful to** his wife and should **stand up for** her (or **stand by** her) when she needs to be **supported** (or **backed up**). It is also, according to law, the husband's duty to **protect** (or **shelter**) his wife **from** financial difficulties and **give** her **shelter** when she needs to be **assisted** in any way.

– 16. He was a very **fierce**-looking person. Just looking at him I imagined the sort of person who would be **unfaithful to** his wife, just generally **faithless** and **nasty**. Yet he never **got into mischief** and never **meant mischief**. Occasionally he was **mischievous**, he'd **be up to some mischief**, but there was no **malice** behind it. He wasn't **malicious**, and never **jealous** of anyone. He never acted **out of jealousy**, had no **envy** of people, **envied** no one. I was **envious** of him.

– 17. She was **genuine**. Always **true to** her word, always speaking **the truth**. She was **truthful** and also **plain-dealing**. As she was **plain-spoken** (or **outspoken**) many people **trusted** her, they found her **trustworthy**. They

trustworthy	digne de confiance	a traitor	un traître
★ to entrust sth. to s.o. .	confier qqch. à qqn.	★ to bribe	corrompre, soudoyer
★ to entrust s.o. with . . .	charger qqn. de	★ a bribe	un pot de vin
confidence, trust . . .	la confiance	★ double-dealing	(adj.) fourbe (n.) la dupli-
to be confident (of) . .	avoir confiance (en)		cité
untrue	faux, inexact	★ to trick (s.o. into + ger.)	duper, amener à faire (par
false (to)	(ch.) faux, trompeur; (p.)		la ruse)
	perfide (envers)	to cheat (s.o.	
★ (a) falsehood	la fausseté, un mensonge	into + ger.)	tricher, frauder, amener à
★ so-called	soi-disant		faire (de façon mal-
to lie	mentir		honnête)
a lie	un mensonge	★ to twist	déformer, altérer (des
a liar	un menteur		faits, etc.)
to exaggerate	exagérer	to fool	berner, mystifier
★ to *blow up	grossir démesurément	to deceive [-i:]	tromper, duper
		deceptive	trompeur, fallacieux
		★ deceitful	fourbe, faux, mensonger
		★ deceit	la fourberie
		deception	la supercherie, la trompe-
			rie, la duplicité

18

to promise [prɔmis] . . .	promettre
a promise	une promesse
to commit oneself (to) .	s'engager (à), se compro-
	mettre
to be, to *stand com-	
mitted to sth./to	
+ ger	être engagé à qqch./à +
	inf.
to rely on, to depend	
on	compter sur
reliable, dependable . .	sûr, sur qui on peut
	compter, sérieux
★ non-committal	(cpt.) qui n'engage pas
★ to be non-commital . .	(p.) ne pas s'engager, être
	réservé
★ to *bind oneself to do .	s'engager à + inf.
★ to undeceive	détromper

19

to distrust, to mistrust	se méfier de, se défier de
to betray	trahir
a betrayal	une trahison
★ treacherous (adj.) [e] . .	traître
★ treachery [e]	la perfidie

20

★ to *mislead	induire en erreur
★ misleading (adj.)	trompeur, fallacieux
unreliable	(p.) peu sûr, peu sérieux;
	(ch.) à quoi on ne peut
	pas faire confiance,
	inexact
★ untrustworthy	(p.) indigne de confiance;
	(ch.) peu sûr, sujet à
	caution
★ to dissemble	dissimuler (des senti-
	ments, etc.)
★ to *fall for	se laisser prendre à, se
	laisser séduire par
★ a hoax	une farce, une supercherie
★ (a) humbug [hʌmbʌg] . .	(p.) un faiseur, un enjôleur;
	(ch.) de la blague, des
	balivernes
★ bogus (adj.) [bougəs] . .	fantôme, prétendu, de
	complaisance

would **entrust** their most precious belongings to her and **entrust** her **with** their innermost secrets. Such **confidence** or **trust** is rare. We cannot be **confident of** the faithfulness of just everybody. She never said anything **untrue** or **false**. I never heard her utter a **falsehood**, give a **so-called** piece of information which would turn out to be incorrect. She never **lied**. She couldn't tell a **lie** but could always tell a **liar**, perhaps because of the way they have of **exaggerating** things, of **blowing** them **up**.

– **18**. You **promised** you would come. You gave me your **promise**. You **committed yourself** yesterday, and I now consider you to **be** (or **stand**) **committed to** doing what you said. I thought I could **rely** (or **depend**) **on** you but you don't seem as **reliable** (or **dependable**) as I first thought. If you didn't want to do it you should have given a **non-committal** answer, you should have **been non-committal**. If you **bind yourself to** do something you should do it. Or else you should **undeceive** those who think that you keep your word.

– **19**. You should always **distrust** people you don't know. Because once they have **betrayed** you it will be too late. A **betrayal** can never be forgiven. You can usually tell if someone is **treacherous**, if there is a risk of **treachery** and such **traitors** should be killed. Don't try to **bribe** them as they will probably turn the **bribe**, in their **double-dealing** way, into a new method of **tricking** you (or of **tricking you into** trusting them). They will always **cheat you** into believing them, and **twist** everything you say. Don't be **fooled** by them as they are old hands at **deceiving** people. Their apparent attitudes can be very **deceptive**, as they are so used to making **deceitful** statements through their life of **deceit** that **deception** is second nature to them.

– **20**. She had **misled** him all along. She continually made **misleading** statements, but he hadn't realised just how **unreliable** they were, just how **untrustworthy** she was. She had **dissembled** her real feelings and pretended to **fall for** him to gain his confidence. It was all a **hoax**, a load of **humbug**. Even her qualifications were **bogus**. She

to pretend (to do), to *make believe (that)	faire semblant (de + inf.) (que)
(a) pretence	un faux semblant, un faux prétexte
to *hide (from)	cacher (à)
to conceal (from)	dissimuler (à)
★ fake, put-on	truqué, monté de toutes pièces
★ artful	habile, trompeur
★ (a) sham	un imposteur, l'imposture
★ to sham	simuler, contrefaire

21

candid, frank	sincère, franc
★ artless	naïf, ingénu
plain (adj.)	(p.) (cpt.) simple, direct, honnête
straightforward	(p.) (cpt.) direct, qui va droit au but
sincere	sincère
hypocrisy	l'hypocrisie
a hypocrite	un(e) hypocrite
hypocritical (adj.)	hypocrite
★ underhand	(p.) sournois; (cpt.) en dessous, tortueux
★ sly (adj.)	rusé, sournois
★ crafty	rusé, cauteleux
cunning (adj.)	(p.) malin; (cpt., ch.) ingénieux
cunning (n.)	la ruse, l'habileté
★ to decoy (into)	leurrer, attirer (dans)

PATIENCE AND ANGER
La patience et la colère

22

patient (with)	patient (envers)
★ to be patient of (lit.) ..	supporter
impatient	impatient
★ to be impatient (of) (lit.)	mal ou ne pas supporter
to *put up with	supporter, s'accommoder de
★ not *to stand for (fam.)	ne pas tolérer, ne pas accepter
★ to tax s.o.'s patience	mettre à l'épreuve la patience de qqn.
I can't bear, stand (to do or ger.)	je ne peux pas supporter (de + inf.)
a fit, an outburst of anger or temper ..	un accès de colère ou de mauvaise humeur
short-tempered	d'un caractère emporté
quick-tempered	à l'humeur vive
to *keep one's temper	rester calme
to *lose one's temper	s'emporter, perdre son calme

pretended to agree with everything he did, to **make believe that** he was the only man in her life. But finally she had had to drop the **pretence**. Because she had met someone else. It was difficult to **hide** her new love **from** him, there is a limit to how much she could **conceal from** him. Then he realised that her statements had all been **fake** (or **put-on**), that she was an **artful sham**, but that she could **sham** no longer.

  — **21.** With that **candid** look in his eyes he said to her "Look, I'll be perfectly **frank**, I think your mother is rather an **artless** sort of woman. Your father, with his **plain straightforward** way of speaking seems so **sincere**, but as for her, I think that she is guilty of **hypocrisy**. And there's nothing worse than a **hypocrite**. She doesn't say what she thinks, is really **hypocritical**, and hopes to get away with it. My own father used to behave in an **underhand** way, the **sly crafty** old man, but I was more **cunning** than he. I guess his **cunning** has rubbed off onto me. For example, I got really good at **decoying people into** situations they were then unable to get out of!

  — **22.** Mary is always **patient with** other people. It isn't always easy to **be patient of** other people's whims and I personally am inclined to be **impatient**. I'm very **impatient of** people I find stupid. Mary **puts up with** the most incredible people but I won't **stand for** stupidity. It **taxes my patience** so much that I **can't bear** (or **stand**) being with stupid people for more than half an hour. Anymore and I have a **fit** (or an **outburst**) of anger (or **temper**). That's my problem. I'm so **short-tempered**, so **quick-tempered** that I find it hard to **keep my temper**. Mary, on the other hand, never **loses** hers.

23

to be angry (at) (with)	être en colère (de qqch.) (contre qqn.)
to get angry	se mettre en colère
to be cross (fam.)	être d'humeur massacrante
★ to be beside oneself with	ne plus contrôler (un sentiment)
furious, mad (fam.), sore (U.S.) (with)	furieux (contre)
★ to *make s.o. wild, to infuriate	rendre furieux
to *make, *drive s.o. mad	faire enrager
to madden	exaspérer, rendre fou
★ to *fly into a passion	s'emporter
passionate	emporté; véhément
indignant (at)	indigné (de)
★ wrath (lit.) [rɔ:θ].	le courroux
★ touchy, testy	susceptible
★ petulant (lit.).	irascible

24

to provoke	agacer
★ to aggravate (fam.)	exaspérer
to offend	offenser, blesser
to be offended (at)	être froissé (de)
★ to *take offence (at), to *take exception (to)	se froisser, se formaliser (de)
to annoy	contrarier
to hurt s.o.'s feelings	blesser qqn.
★ offensive	(cpt.) insultant, choquant; (ch.) déplaisant
★ to *take amiss	prendre en mauvaise part
to get on s.o.'s nerves (fam.)	taper sur les nerfs de qqn.

to resent	être blessé par, se froisser de
resentful	rancunier
★ nettled	piqué au vif, vivement irrité

QUARREL AND RECONCILIATION
La querelle et la réconciliation

25

to *speak one's mind	dire sa façon de penser
to *give s.o. a piece of one's mind	dire son fait à qqn.
to quarrel (with)	se quereller (avec)
quarrelsome	querelleur
★ to *fall out	se disputer, se fâcher
abuse (sg.) [s]	des insultes
to abuse [z]	insulter; dire du mal de
★ to abusive [s]	(p.) grossier (cpt.) injurieux, offensant
to have an argument (with)	se disputer (avec), avoir une vive discussion (avec)
to have a row (with) [rau]	se quereller violemment (ou bruyamment) (avec)
★ to have a tiff	avoir une petite querelle (d'amoureux)
★ to bicker	se chamailler
★ to pick a quarrel with	chercher des noises à
★ to nag at	faire des reproches incessants à
unpleasant	(p. cpt.) désagréable

— **23.** Please don't be **angry with** me. Don't **get angry**. What with you being **cross** and him **beside himself with** rage, the atmosphere is not very relaxed. He's furious, he's **mad at** the cat. It **makes** him **wild**, it **infuriates** him to see me giving it so much attention. It **drives me mad to** see how jealous he is. But if he **maddens** me much more I'm likely to **fly into a passion**, into a **passionate** rage. I'm really **indignant at** his unjustified (or unwarranted) **wrath**. He's so **touchy**, a really **testy** old man. Horrible **petulant** old thing !

— **24.** Don't **provoke** him, you'll only **aggravate** him. Be careful not to **offend** him. He's **offended at** the slightest thing, he **takes offence at** (or **exception to**) nearly everything we say to him. I try not to **annoy** him, not to **hurt his feelings** but I can't always avoid saying something which isn't **offensive**. If he said the same things to me I wouldn't **take** them **amiss**. I quite understand his attitude is **getting on your nerves**. I know you **resent** his way of taking things. I'm becoming **resentful of** him and **nettled** by him myself.

— **25.** Why don't you **speak your mind** ? Why not **give him a piece of your mind** ? You're always **quarreling** with him, though it seems to me that he's the more **quarrelsome** of the two of you. Or have you really **fallen out** this time ? Did he shout **abuse** at you, did he **abuse** you ? I find his behaviour very **abusive**, but I don't want to **have an argument with** you about him. All I can say is that every time I see him he's **having a row with** someone. I wouldn't mind if it was just **a tiff**, but he does more than **bicker**, he really **picks quarrels** with people. Please don't think I'm **nagging at** you, but I do find the whole thing highly **unpleasant**.

to reconcile s.o. with	réconcilier qqn. avec
to *become reconciled	se réconcilier
★ to patch up a quarrel	se raccommoder (provisoirement)
★ to *make it up (with)	se réconcilier (avec), se remettre bien ensemble
★ to come to terms with	accepter, se résigner à
to compromise (with).	faire un ou des compromis (avec)
to overlook..........	laisser passer
★ to wink at	fermer les yeux sur
to ignore	ne pas tenir compte de, faire semblant de ne pas voir
★ to smooth things over	arranger les choses
to *make up for	compenser, rattraper
to *forgive s.o. (for + ger.)	pardonner à qqn. (de)

to excuse s.o. (for + ger.)	excuser qqn (de)
to be excused (from)..	être excusé, dispensé de
to apologise (to s.o. for)...............	s'excuser auprès de qqn. de
to *make, to offer an apology	présenter des excuses
an excuse	un prétexte
to be sorry..........	être désolé; regretter
to beg s.o.'s pardon..	demander pardon à qqn.
★ to allow for, to make allowance for	tenir compte de
sympathy	la compassion, la pitié
sympathetic.........	compréhensif; solidaire
to sympathize (with).	compatir (à), montrer de la compréhension
for pity's sake.......	par pitié
to pity..............	avoir pitié de
pitiful..............	(p.) compatissant; (ch.) pitoyable, lamentable
to be, to feel sympathetic (to)	montrer de la compréhension (à l'égard de)

pitiless, ruthless......	sans pitié, cruel
★ relentless, unrelenting	implacable, impitoyable
to revenge oneself (on s.o.) (for sth.)	se venger (sur qqn.) (de qqch.)
★ to avenge s.o. or sth..	venger qqn. ou qqch.
★ unsympathetic.......	dépourvu de compassion ou de compréhension
★ to *take it out on s.o. (fam.)	s'en prendre à qqn.
★ to pull s.o. up (fam.)..	faire la leçon à qqn.
to *get away with...	s'en tirer, faire qqch. impunément
★ out of spite	par rancune, par dépit
★ spiteful	(p. cpt.) rancunier, malveillant
★ to *bear s.o. a grudge	garder rancune à qqn.

COMMUNICATION

La communication

to *tell s.o. (sth.)	dire (qqch.) à qqn. (accent mis sur la personne)
to *tell s.o. about sth.	parler à qqn. de qqch.
to *tell s.o. to do....	dire à qqn. de + inf.
to *tell s.o. that	dire à qqn. que
to *say sth. (to s.o.)..	dire qqch. (à qqn.) (accent mis sur ce qui est dit)
to *say to s.o. that ..	dire à qqn. que
to *say (to s.o.) + "..."	dire (à qqn.) (avant une citation)
★ articulate	qui s'exprime aisément
to mention	mentionner; parler en passant de
to *bring sth. up	mettre qqch. sur le tapis (pour en discuter)

— **26.** I'll have to **reconcile him with** her as soon as possible, because if they don't **become reconciled** it will be too late to **patch up the quarrel.** They had better **make it up,** even if they have to **compromise** and **overlook** a few things, **wink at** a few others and **ignore** the rest. If I manage to **smooth things over** then perhaps this will **make up for** what I said to them and they will **forgive me for** saying it.

— **27.** I will **excuse you for** not attending the lesson if you wish to **be excused from** it, so that you may go and **apologise** (or **make, offer an apology**) to John **for** what you did to him. It'll be **an excuse** to see him personally. You will be **sorry** if you don't **beg his pardon** and I'm sure he'll **allow for** (or he'll **make allowances for**) your strange conduct. He has **sympathy** for most people when they have problems. He will show a **sympathetic** attitude, I'm sure he'll **sympathize.** But **for pity's sake** don't ask him to **pity** you, there is nothing more **pitiful** than asking someone to **be** (or to **feel**) **sympathetic to** someone else who isn't really in trouble.

— **28.** The most **pitiless, ruthless** person on earth will have problems the day he meets a **relentless, unrelenting** adversary, who wishes to **revenge himself,** to **avenge** the wrong he has suffered. He will be totally **unsympathetic** and will **take it out on** the wrongdoer. However much the wrongdoer tries to **pull up** his adversary he won't **get away with** it. He might act **out of spite,** he might be **spiteful** and the adversary will always **bear him a grudge.**

— **29.** She **told me** the story yesterday. She **told me about** how she had **told her boyfriend to** do the cooking for a change. She **told him that** she had had enough of slaving for him. When she **said this to** me last week, when she **said to me that** she was going to try and change her boyfriend's ideas I **said to her** "You are so **articulate** that I'm sure you'll only have to **mention** this to your boyfriend once and he'll understand. You've **brought** things **up** before

to hint at	faire allusion à	to *show	se voir, être visible
★ to *give, drop s.o. a hint	donner à qqn. une indica-tion	to *show s.o. sth. (s.o. that).	montrer, faire voir qqch. à qqn. (à qqn. que)
★ I can take a hint.	je comprends à demi-mot	to *give s.o. away . . .	trahir qqn.
★ what are you driving, at, getting at ? . . .	où voulez-vous en venir ?	★ to *let s.o. into a se-cret	mettre qqn. dans le secret
to *teach (s.o. sth.) (s.o. to do)	enseigner (qqch. à qqn.) (à qqn. à + inf.)	★ to hush (up).	taire, étouffer (une nou-velle), faire taire qqn., se taire
to ask (s.o.) for sth . .	demander qqch. (à qqn.)		
to ask (s.o.) a question	poser une question (à qqn.)		
to ask s.o. to do.	demander à qqn. de + inf.		
to answer (s.o.) sth.) (s.o. to do)	répondre (qqch. à qqn.) (à qqn. de + inf.)		
to answer (s.o.) that .	répondre (à qqn.) que		
to answer a question	répondre à une question		

DISCUSSION

La discussion

30

the subject-matter. . .	le sujet (d'un livre)
a topic.	un sujet (de conversation)
★ topical	d'actualité
to argue (with)	discuter, échanger des ar-guments (avec)
★ a weighty, flawless ar-gument	un argument de poids, sans faille

★ to urge s.o. to do (lit.)	presser qqn. de + inf.
to advise s.o. (about sth.) [-z-]	donner des conseils à qqn. (sur qqch.)
to advise s.o. to do . . .	conseiller à qqn. de + inf.
advice (sg.) [-s]	des conseils
advisable.	conseillé, recommandé
★ clue	indice, fil directeur
to suggest (+ ger.) . .	suggérer, proposer (de)
a suggestion	une suggestion, une pro-position
to *let s.o. know (about).	mettre qqn. au courant (de)
to *keep s.o. informed (of)	tenir qqn. au courant (de)
to *hear of	entendre parler de
information (sg.)	des renseignements
news (sg.).	des nouvelles
to *hear from	avoir des nouvelles de (di-rectement)

to have an argument (with).	se disputer (avec)
an issue	un problème (à débattre)
★ to join, to take issue with	discuter, contester l'opi-nion de
the point, the matter at issue.	l'objet du débat
to debate	discuter de la valeur de
to debate about.	débattre de
a discussion	une discussion
debatable	discutable, contestable
to discuss	discuter de
★ to have it out with (fam.)	s'expliquer avec

and you've only had to **hint at** what you wanted to say. My boyfriend is not so good. I start by **giving** (or **dropping**) **a hint**, but as **he can't take a hint** he always says to me ''**What are you driving at, what are you getting at ?''** I'll have to **teach him to** be quicker on the uptake. Do you know I sometimes **ask him for** something but he's so slow he **asks me** the most ridiculous **questions** before he understands what I'm **asking him to** do. What do you **suggest** I do ?'' She **answered me to** be patient. She **answered that** in order to **answer my question** she'd have to think about the problem first.

– **30.** Mary, a social worker, **urged John to** see his G.P. as soon as possible, as only a doctor could **advise him about** the various courses of treatment. The doctor would no doubt **advise him to** see a specialist, who would be able to give expert **advice**. Mary told John it was **advisable** to see a G.P. first, as she hadn't a **clue** who the best specialists were. John could always **suggest** a specialist himself, of course, but if the G.P. **suggested** seeing someone else, then his **suggestion** would probably be better. Mary reminded John that he must **let the doctor know about** his past and also **keep herself informed** of what the doctor proposed. ''I've **heard of** your doctor, she has a good reputation. She will keep personal **information** to herself, so you must give me **news** of what's happening. I want to **hear from** you personally, John – it'll **show** on your face if you're hiding anything,'' said Mary, sternly. But then she smiled. After all, John had **shown her that** he wanted to be helped and she had promised not to **give him away** to his friends. As he had **let her into his secrets,** she had promised to **hush up** any unpleasant rumours.

– **31.** Why don't you use the **subject-matter** of that article as a **topic** of conversation ? It's very **topical** and it'll give you the opportunity to **argue with** Philip, I'm sure you can produce some **weighty, flawless arguments** but don't **have** too much of **an argument with** him, as the **issue** isn't that important. If you **join** (or **take**) **issue with** him then don't forget that the **point** (or **matter**) **at issue** is the article and not your opinion of him. You can **debate** the article, but don't **debate about** personal feelings as the validity of such **discussions** is **debatable**. Just **discuss** things calmly. After all, you can always **have it out with** him about his personal faults another day.

32

logical (adj.).........	logique
logic (n.)	la logique
★ to be very much to the point	(p.) être rigoureux, bien serrer le sujet
	(ch.) être un bon argument, bien s'appliquer
★ to be off the point...	(p.) être à côté de la question ; (ch.) être hors de propos, mal venu
to come to the point.	en venir au fait
to miss the point....	ne pas voir où on veut en venir
to wander away from	s'écarter de
★ to *make one's point	présenter ses arguments
★ to *make a point of + ger	se faire un devoir de + inf.
a case in point	un exemple, un cas précis
to have a point......	avoir un ou des arguments solides ; présenter de bonnes raisons
★ to stretch a point....	forcer un peu les choses ; faire une concession, une exception

33

to *take sth. up	aborder qqch. (pour en discuter)
to *take sth. up with s.o.	discuter de qqch. avec la personne concernée (oralement ou par écrit)

★ to *take s.o. up (short)	interrompre et corriger qqn.
to talk sth. over	discuter, débattre en détail de
to *take sides, to side (with)...........	prendre parti (pour)
to change sides	changer de camp
partial (towards)	partial (envers)
★ to be partial to	avoir un faible pour
impartial	impartial
★ to be positive (about) (that)	être sûr (de), catégorique ; affirmer (que)
positively	absolument, certainement

34

to explain (to) (that)...	expliquer (à) (que)
an explanation	une explication
a ground (for)........	une raison (de faire ou de dire)
★ groundless	sans fondement
to justify............	justifier
to account for	expliquer, rendre compte de
★ unaccountable	inexplicable, incompréhensible
to imply sth./that	sous-entendre qqch./que
I *understand that ...	je crois comprendre que
to specify sth./that ..	préciser qqch./que
to remark, to point out (to s.o.) that	faire remarquer (à qqn.) que

— **32.** You have a very **logical** way of thinking. **Logic** is obviously your strong point. You are always very concise and **very much to the point**, unlike other people who **are** always **off the point**. Unfortunately, although you **come to the point** very quickly the others often **miss the point** of what you are saying and even tend to **wander away from** the problem. In order to **make your point**, do you **make a point of** always choosing easy ways to illustrate the **case in point** ? I must say you **have a point** if you do this, though perhaps occasionally you **stretch a point**, for argument's sake.

— **33.** Michael **took up** the problem of racialism. He **took it up with** Mr. Singh, who was forever **being taken up short** by his boss, Mr. Smith. Mr. Smith and Mr. Singh found it almost impossible to **talk over** this problem and Michael was clearly **taking sides** with (or **siding with**) Mr. Singh. The latter's reaction was one of surprise. "How come you have **changed sides,** Michael ? You always used to be **partial towards** your fellow countrymen even though you claimed to be **partial to** a good objective discussion. I never found you very **impartial**, I must admit". "Well" replied Michael "I'm **positive** that you're right, I've listened to you for long enough now, and am **positively** sure that you are right."

— **34.** How many times have I **explained to** you **that** your **explanation** is most unconvincing. If you really have **grounds for** acting the way you did then please tell me. So far, your action seems completely **groundless**. **Justify** yourself. How can you **account for** last night, for example ? Your movements were **unaccountable**. Don't think that I'm **implying** something, **implying that** you were being in any way dishonest, but I **understand that** you were absent between 8 p.m. and 10 p.m. Also my source of information **specified that** you never usually go out Monday evenings. Let me **remark** (or **point out**) **that** all this is none of my business and that I'm only trying to help.

AGREEMENT AND DISAGREEMENT
L'accord et le désaccord

35

to accept............	accepter (qqch.)
to agree (on).........	être d'accord (sur)
to agree to sth.......	donner son accord à qqch.
to agree to do	accepter de + *inf.*
★ to be agreeable to sth./to do (fam.)...	accepter qqch./de + *inf.*
to admit (to + ger./that)	admettre (que)
admittedly (adv.)	il faut bien le reconnaître
★ to acknowledge [-ɔ-] (+ ger./ that)	reconnaître (que)
★ to qualify	apporter des réserves à, nuancer (une opinion)
★ a qualification	une réserve, une restriction

36

to disagree (with)	être en désaccord (avec)
★ to differ (with) [difə] ..	ne pas être d'accord (avec)
★ I beg to differ (lit.)	permettez-moi de ne pas être d'accord
★ to agree to differ	garder chacun son opinion
to clash.............	entrer en conflit, se heurter
★ to *give s.o. the lie ..	démentir qqn.; l'accuser de mentir
★ to *give the lie to sth.	démentir, démontrer la fausseté de

to deny (+ ger./that) .	démentir, nier que
to object (to).........	s'opposer à, protester contre
to raise objections (to)	soulever des objections (à)
★ objectionable	inacceptable, désagréable
to contradict	contredire
contradictory	contradictoire
★ to *come to a deadlock	aboutir à une impasse
to be right	avoir raison
the right + noun....	celui qu'il faut, le bon
to be wrong.........	avoir tort
the wrong + noun ..	pas celui qu'il faut, le mauvais + nom (= se tromper de)
to be mistaken (about)	se tromper, faire erreur (sur)

37

to protest [prətest]....	protester
★ to raise a protest [proutest]	élever une protestation
★ to dispute	contester
a dispute	un conflit
disputable...........	contestable, discutable
to question	mettre en doute
questionable	contestable, douteux
★ unquestionable	indiscutable, hors de doute
★ unquestioned........	indiscuté, incontesté
to challenge sth.	contester qqch.
to challenge s.o. (to do), to dare s.o. to do..............	défier qqn. (de + *inf.*)
★ to pick up a challenge	relever un défi
★ challenging..........	stimulant
★ to contend that	soutenir que

– **35.** Yes, I **accept** what you say. I **agree on** the main idea though I don't **agree to** everything you say. However I do **agree to do** what you suggest, particularly as you are usually so **agreeable to** what I suggest, I **admit to** having disliked you in the beginning, **admittedly,** but I now **acknowledge that** I was wrong. Let me **qualify** what I have just said, because without **qualification** you may well misunderstand.

– **36.** Tony and Margaret **disagreed.** They always **differed** and the most common remark they were heard to make was "**I beg to differ**". In fact they had **agreed to differ** right from the start though this did not prevent them from **clashing.** Tony was forever **giving** Margaret **the lie,** who retaliated by **giving the lie to** what Tony said. She **denied** wasting money, she **denied that** she spent too much and at the same time she **objected to** his meanness. He **raised objections to** her behaviour and she found his behaviour **objectionable.** They spent hours **contradicting** each other, and as their attitudes were **contradictory** they inevitably **came to a deadlock.** She said **she was right,** she had the **right attitude,** and he replied that she **was wrong,** she had the **wrong attitude.** Of course both **were mistaken** !

– **37.** There is nothing to stop you from **protesting,** you are free to **raise a protest** if you wish. But I **dispute** your arguments as I feel you might cause a **dispute.** You may **question** everything, but in this case I find your motives **questionable** and it is **unquestionable** that your action, up until now **unquestioned,** will be **challenged** by others. I **challenge** (or **dare**) **you to** defend your position. You always **pick up a challenge,** you like a **challenging** situation but I **contend that** you are heading for a rude awakening.

38

to state (that)	faire état de, déclarer (que)
to *make, to issue a statement........	faire, publier une déclaration
to declare (that)	déclarer, affirmer, proclamer (que)
to claim	réclamer
to claim to do/that ..	affirmer + inf./que
★ to *make, to *put in a claim	adresser une réclamation
★ to affirm (that)	affirmer (que)
to prove (that).......	prouver (que)
(a) proof	une preuve (matérielle), des preuves
evidence (sg.)	des preuves, des témoignages
★ to expose	discréditer, montrer la fausseté de
★ to explode	démasquer, dénoncer
to allege sth./that [aledʒ]	affirmer, prétendre qqch./que
★ alleged.............	prétendu, présumé
★ allegedly (adv.)	à ce qu'on prétend
★ on every account.....	sous tous les rapports
★ on no account.......	sous aucun prétexte
on account of	en raison de
★ to vindicate	justifier, prouver le bien fondé de

39

★ to *bear out.........	confirmer qqch., appuyer qqn.
to confirm (that)......	confirmer (que)
to testify (sth./to sth.)	(ch.) être la preuve de ; (p.) témoigner (de)
a testimony	un témoignage, une déclaration
to witness	assister, être témoin de
a witness	un témoin
to *swear (to do) (that)	jurer (de + inf.) (que)
to stress	mettre l'accent sur, appuyer sur
to emphasize........	attirer l'attention sur, faire ressortir
★ to *lay emphasis on .	souligner, insister sur
to insist that	affirmer avec insistance que
to insist (on/upon)....	insister (sur), exiger
to insist on + ger.....	vouloir absolument + inf.
to persuade s.o. of sth./to do........	persuader qqn. de qqch. / de + inf.
★ persuasive	persuasif
to *get s.o. to do....	faire faire qqch. à qqn. (= obtenir de lui que)
to *get the better of.	l'emporter sur qqn.
to convince s.o. (of sth./that)	convaincre qqn. (de/que)
★ to act from conviction	agir par conviction
★ to prevail upon s.o. to do (lit.)	amener, décider qqn. à + inf.
★ to be satisfied (that) .	être convaincu (que)
to talk s.o. round	amener qqn. à changer d'avis
★ to wheedle, to coax s.o. (into + ger.)..	enjôler, faire faire qqch. à qqn. (en l'enjôlant)
to talk s.o. out of....	faire renoncer ou faire abandonner qqch. à qqn. (à force de lui parler)
to dissuade s.o. (from sth./from + ger.)..	dissuader qqn. (de qqch./ de + inf.)

– **38.** The union leader has just **stated** the views of the men. He has **made** (or **issued**) **a statement declaring that** they **claim** higher wages and better working conditions. He **claims to** be speaking for all his men; he **claims that** they have **made** (or **put in**) an official **claim** to the management. He **affirms that** they can **prove that** some of the machines are dangerous. They have **proof,** and some people are willing to give **evidence** to **explode** the myth that there are no problems in industry and to **expose** the bosses for what they are. The men **allege that** some of the machines haven't been repaired for two months and that the **alleged** cause of accidents is not the real one. They are **allegedly** going to stop using all the machines which they consider dangerous and they will study them **on every account. On no account** will they stop working altogether, **on account of** their desire to cooperate with the management and thus **vindicate** their arguments.

– **39.** What he says **bears out** my argument. It **confirms that** he is capable of **testifying** in my favour. His **testimony** is valid as he **witnessed** the event. He is a valuable **witness** and has **sworn to** help me. I **stressed** the danger that this might bring and **emphasized** my desire to avoid causing him trouble. I **laid emphasis on** this point but he **insists that** it is all right, he **insists on** the necessity of helping me, he **insists on** helping me as much as he can. Originally I tried to **persuade him** to keep out of the affair but his arguments were so **persuasive** that he **got me** to agree. His arguments **got the better of** me, he **convinced me that** he was **acting from conviction.** It isn't always easy to **prevail upon someone** to help you; he must **be satisfied that** he is really indispensable and there are no risks. But in this case he had to **talk me round,** he had to **wheedle** (or **coax**) me **into** accepting his help, and there was no way of **talking him out of** this idea, I just couldn't **dissuade** him.

XXXVII. – THE MIND – *L'ESPRIT*

INTELLIGENCE AND MADNESS
L'intelligence et la folie

1

★ versatile [-tail].......	aux talents, aux possibilités variés
(a) genius [i:].........	le (un) génie
endowed with	doté de, pourvu de
keen...............	vif
intelligence..........	l'intelligence
gifted (for)	doué (pour)
★ to have a turn for ...	avoir des dispositions pour
★ to have a genius for .	avoir le génie de
★ a man of parts (lit.)...	un homme aux talents divers
★ brainy (fam.)........	intelligent, « doué »
intelligent...........	intelligent
clever [e]..........	habile
bright	brillant
smart..............	intelligent, vif d'esprit; débrouillard
★ shrewd [u:]..........	perspicace, subtil
sharp..............	alerte, pénétrant; (p.) rusé → 155/21
lively	rapide; vif; (p.) vivant
★ to have the knack (of)	avoir le coup de main (pour)

2

wit................	l'esprit, le bel esprit
witty..............	spirituel
a wit	un homme d'esprit
★ nimble-minded	à l'esprit agile
★ quick on the uptake (fam.)............	qui saisit vite
humour............	l'humour

★ insight............. la perspicacité, la connaissance intime, la pénétration
good at, clever at.... fort pour, habile à
humorous .... humoristique

3

dull................	lent à comprendre
dim	pas très doué
stupid	stupide, bête; abruti
★ slow on the uptake (fam.)............	qui saisit lentement
★ a simpleton	un simple d'esprit
a fool.............	un imbécile, un idiot
silly	sot, stupide, niais
foolish	stupide, ridicule

4

★ a craze	un engouement
folly	la folie, la sottise
★ a piece of folly	une folie
giddy [gidi]	qui a le vertige; écervelé, étourdi
absent-minded	distrait
★ to be at one's wits' end	ne plus savoir que faire
★ to dote on	être fou de
★ unwise	pas sage, imprudent
to *drive s.o. crazy, nuts (sl.)	rendre qqn. cinglé
to *go mad	devenir fou

– **1.** Leonardo da Vinci was a **versatile genius, endowed with** a **keen intelligence, gifted for** art, **having a turn for** music as well as **a genius for** science and philosophy. He was **a man of parts**.
– John was a very **brainy** (or **intelligent, clever, bright, smart, shrewd**) man with a **sharp, lively** mind. He **had the knack** of making things clear to his friends.

– **2. Wit** depends chiefly on brilliancy of language. Oscar Wilde wrote several **witty** comedies. **Wits** enjoy the company of **nimble-minded** people who are **quick on the uptake. Humour** requires deeper **insight** into human nature. British people have a sense of humour; they are **clever** (or **good**) at telling **humorous** stories about themselves.

– **3. Dull** (or **dim, stupid**) people are **slow on the uptake**. He is such a **simpleton** that you cannot make him understand anything. « You **fool** ! That's a **silly** (or **foolish**) thing to do ».

– **4.** Peter is their only child. He has **a craze for** planes and wants to become a pilot, but his parents say it is **folly** (or a **piece of folly**); the idea makes them **giddy** because he is too **absent-minded**. They **are at their wits' end** trying to plan his future. They **dote on him,** which is very **unwise**. Their excessive affection is beginning to **drive him mad** (or **crazy**). Peter is slowly **going mad**.

a lunatic [lu:]	un(e) aliéné(e)		
insane (adj.)	fou, dément		
mental (fam.)	fou	**6**	
★ level-headed	pondéré		
wise (adj.)	sage	to *understand	comprendre
wisdom	la sagesse	to *make out	saisir ; distinguer
to *pay attention (to)	faire attention (à)	★ to gather that	conclure que
to *see to, to see about	s'occuper de, veiller à	to grasp	saisir pleinement
		to see, to get the point	voir ce dont il s'agit
★ he is none the wiser (for it)	il n'(en) est pas plus avancé	to miss the point	ne pas voir où on veut en venir
to concentrate (on)	se concentrer (sur)	there is no point in	cela n'a pas de sens de
★ to focus one's attention (on)	concentrer son attention (sur)	to fail to understand	ne pas réussir à comprendre
to call, to catch, to attract, to *draw attention (to)	attirer l'attention (sur)	to misunderstand	mal comprendre, mal interpréter
look out ! watch out !	attention !	what's the point (of) ?	à quoi ça sert (de) ?
sane	sain d'esprit	that's not the point	ce n'est pas là le problème
to reason	raisonner	to *make a mistake	faire une erreur
(a) reason	la raison, une raison	★ to mix things up, to get mixed up	tout mélanger
reasonable	raisonnable ; modéré	to be mistaken	se tromper, faire erreur
sensible	sensé, judicieux ; raisonnable	to *mistake for	prendre pour qqn. ou qqch. d'autre
sense	le bon sens	to realise	se rendre compte
there is no sense in	cela ne rime à rien de	to be aware of	être conscient de, au courant de
unreasonable	déraisonnable ; exhorbitant	★ to be conscious of	avoir conscience de
★ senseless	insensé, stupide	to notice [nou-]	remarquer
nonsense	l'absurdité, une absurdité	to *take sth. into account	tenir compte de qqch.
to talk nonsense	dire des bêtises	★ to reckon [rekən] with	compter avec
		to be unaware of	ne pas être conscient de
		★ unawares (adv.)	à l'improviste, au dépourvu
		to *take no notice (of)	ne prêter aucune attention (à)
		to ignore	ne pas tenir compte de, feindre de ne pas connaître ou savoir

— 5. A **lunatic** is said to be **insane** though you would be **mental** to think he can never be **level-headed**. However **wise** you think you are, remember that **wisdom** is not absolute. **Pay attention to** what others say, **see about** their problems, even if you couldn't care less. They'll **be none the wiser** as to your real attitude. If you **concentrate** (or **focus**) your attention **on** what they say, you'll be able to **call** (or **catch, attract, draw**) attention **to** what you have to say.

— **Look out ! Watch out !** This exclamation, coming from a **sane** person who can **reason**, is bound to be based on **reason**, and you will be considered a **reasonable, sensible** person who has **sense**. There's **no sense in** upsetting people for nothing, it's an **unreasonable** and **senseless** thing to do; it's sheer **nonsense**.

— 6. She didn't **understand** what was happening. She couldn't **make out** what was going on, though she had **gathered that** something important had just taken place. In order to **grasp** the situation, to **see** (or **get**) **the point** of it all, she needed help. But he had **missed the point**. He saw **no point** in explaining because he had **failed to understand** that she had **misunderstood**. "**What's the point of** explaining ?" he asked. "But **that's not the point**", she said. "We can all **make a mistake**; we can all **mix things up** (or **get mixed up**)", she went on. "We can all **be mistaken**. You're obviously **mistaking me for** somebody else".

— In a large family, each member must **realise** that he is not alone. They should be **aware** (or **conscious**) of the other members of the family. They should all **notice, take into account** (or **reckon with**) their brothers' and sisters' wishes. They should not be **unaware of** all the problems, or they'll be caught **unawares**. If one of them **takes no notice** of the others, if he **ignores** them, family life will become impossible.

7

curious	curieux
inquisitive	curieux, indiscret
★ to probe into	scruter, sonder, explorer
★ to pry into	fouiller dans
to study	étudier
to examine, to look into	examiner
to *go into	entrer dans le détail de
★ to search for	chercher à trouver
to check	vérifier
to inquire into, to *make an inquiry into	faire une enquête sur
to inquire about, to *make inquiries about	se renseigner sur
to *find (that)	constater, s'apercevoir que
to discover	découvrir
to *find out	trouver
to look for	chercher
★ to investigate (sth.)	enquêter (sur qqch.)
to *come across, to *hit upon	tomber sur
to *make a discovery	faire une découverte
★ a clue	un indice
★ to rack one's brains	se creuser la tête
★ to *seek	chercher à obtenir

8

to *think (of or about)	penser (à); réfléchir (à)
to *think twice	y réfléchir à deux fois
★ to *think better of it.	se raviser
to change one's mind	changer d'avis
to *think sth. over	réfléchir à qqch.
★ to ponder over sth. (lit.)	peser dans son esprit
★ to *give sth. a second thought	réfléchir à nouveau à qqch.
on second thoughts	à la réflexion

★ well thought-out	bien conçu, réfléchi
★ to brood over	réfléchir tristement à, ressasser
to consider	considérer, réfléchir à
to consider, to contemplate + ger.	envisager de + inf.
an idea	une idée
to occur to s.o., to dawn upon s.o. that	venir à l'esprit de qqn. que
★ to flash upon s.o.'s mind that	venir brusquement à l'esprit de qqn. que

LEARNING AND KNOWLEDGE
L'acquisition des connaissances

9

learned [-id]	érudit, savant
to learn	apprendre
to revise, to look over	réviser, revoir
to be ignorant of	ignorer
★ shallow	superficiel
★ extensive	étendu
knowledge (sg.) [nɔlidʒ]	la connaissance, des connaissances
to know (how to)	savoir (comment + inf.), connaître
to *hear of or about	entendre parler de
to be acquainted with	être au courant de
★ well-read [-red]	cultivé
educated	qui a fait des études
★ (to have) a smattering of	(avoir) des rudiments de
★ a scholar [ɔ]	un érudit
well-known	connu
★ scholarly (adj.) [ɔ]	érudit, savant
★ to swot up (sl.)	bucher (qqch.)

— 7. Some journalists are very **curious** or **inquisitive**; they **probe into** scandals and **pry into** people's private lives. They don't just **study** (or **examine**, **look into**) an item of news, they **go into** all the details, **searching for** the underlying scandal. Sometimes, they do not even **check** to see if it is true.

— A police inspector **making an inquiry** (or **inquiring**) **into** a criminal case has to **inquire** (or **make inquiries**) **about** all the facts. If he finds that he cannot **discover** (or **find out**) what he is **looking for** in the life of the victim, he must **investigate** elsewhere. If he is lucky, he will **come across** (or **hit upon**) a significant **clue** which will lead him to an important **discovery**. If he is not lucky, he will have to **rack his brains** to find other elements or **seek** his colleagues' advice.

— 8. You **think** before you act, don't you ? You **think of** what you have to do. Before making a decision, you must **think twice**. If you **think better of it**, don't hesitate to **change your mind**. But anyway, **think the matter over** (or **ponder over it**), **give it a second thought**, as, **on second thoughts**, what seemed a well **thought-out** plan may well mean you're heading for misfortunes that you will **brood over** for the rest of your life.

— If I **consider** my position, I can't **contemplate** (or **consider**) taking a holiday this year. I had **an idea** of going to Italy but it has **occurred to** me (or it has **dawned upon** me) **that** I can't leave the office as my boss is ill. It has just **flashed upon** my mind **that** I'll have to take on more responsibilities.

— 9. A **learned** man spends his life **learning**. After he has **learnt** some chapters, he **revises** them (or he **looks over them**). He is never **ignorant of** the new books on his subject, of which he has not **shallow**, but **extensive knowledge**. If you say to him that you've **heard of** an article, he is always **acquainted with** it. He is what is called a **well-read**, **educated** man. If you say to him that you only **have a smattering** of history, he will tell you as a **scholar** what the **well-known**, **scholarly** books are that you've got to read. Then you can start **swotting** the books up.

10

to wonder [∧]	se demander
a wonder [∧]	une merveille, un miracle
★ to work wonders	faire des miracles
to guess	deviner
to *make a guess	essayer de deviner
to be at a loss	être très embarrassé
a riddle	une énigme
a miracle	un miracle
★ to *put s.o. out	démonter, dérouter qqn.
to puzzle	intriguer, rendre perplexe
a puzzle	un problème incompréhensible

to recollect	se rappeler; réussir à se rappeler
★ to conjure up [k∧ndʒə]	évoquer (comme par magie)
a memory	un souvenir (dans la mémoire)
a conjuror [k∧ndʒərə] .	un presdigitateur
★ a keepsake	un souvenir (donné à qqn.)
★ in remembrance of . . .	en souvenir de
★ my memory fails me .	ma mémoire me fait défaut
to *forget	oublier
to *leave out	omettre (délibérément ou non)
★ to *sink into oblivion (lit.)	sombrer dans l'oubli
unforgettable [∧n-] . . .	inoubliable

MEMORY – IMAGINATION

La mémoire – L'imagination

11

(a) memory	la mémoire, une mémoire
to record [rikɔːd]	enregistrer, garder la trace de
a record [rekɔːd]	une trace
to remember (that) . . .	se rappeler (que), se souvenir de
to remember + ger . . .	se rappeler avoir fait
to remember to do . . .	se rappeler, ne pas oublier de + inf.
★ a souvenir	un souvenir (touristique)
to remind s.o./to do/ that	rappeler à qqn./de + inf./que
to remind s.o. of sth. . .	rappeler qqch. à qqn.
to recall sth. to s.o. . . .	rappeler (= évoquer) qqch. à qqn.

12

to *dream (of)	rêver (de/à)
to have a dream	faire un rêve
fancy	l'imagination, la fantaisie
to fancy	imaginer, s'imaginer
★ fancy s.o. doing that !	qui croirait (on aurait cru) que qqn. ferait (on aurait fait) cela !
imagination	l'imagination
imaginative	doué d'imagination
to imagine	imaginer
imaginary	imaginaire
creative	créateur
to create [kriːeit]	créer
★ to picture to oneself .	se représenter, s'imaginer
(a) creation	la (une) création
inventive	inventif
to invent, *to make up	inventer, créer

– 10. People **wonder** how the Seven **Wonders** of the World came into existence. Whoever created them certainly **worked wonders**. We **guess** (or **make a guess**) sometimes but we **are** still **at a loss**. To solve the **riddle** would be a **miracle**. We are really **put out, puzzled**, by this insoluble **puzzle**.

– 11. **Memory records** the events of our life; that's how we keep **record** of our past. I have a good **memory**. I **remember** my last trip to Scotland five years ago. I distinctly **remember** walking over the hills in the rain. I **remember to** show you the **souvenirs** I brought back. Please, do **remind me to**. Scotland **reminded me of** (or **recalled to me**) a film I had seen at school ten years before. I **recollected** things our teacher had said about Scotland. It **conjured up** all sorts of **memories** from school.

One day a **conjuror** came to the school. He gave the teacher a **keepsake, in remembrance of** his visit. But **my memory fails me. I forget** what he gave her. Something he had **left out** of his act. So many things **sink into oblivion**, but that day was **unforgettable**.

– 12. Every young man **dreams of** writing novels; he even **has dreams** about it, writes in **fancy**. He **fancies** himself as a great writer, "**Fancy me** being a writer !" If he has a lot of **imagination**, that is if he is **imaginative**, he can **imagine** stories and write about **imaginary** characters. A **creative** writer can **create** a whole universe that he **pictures to himself**. His **creation** can only be described as **inventive** if he **invents** (or **makes up**) all sorts of adventures.

13

to *foresee	prévoir (l'avenir)
unforeseen	imprévu
unforeseeable	imprévisible
foresight	la prévision, la prévoyance
to *forecast	prévoir (le temps)
to *foretell	prédire
a prospect	une perspective
★ to anticipate	s'attendre à
★ prospective	à venir, futur ; éventuel
★ to forestall	devancer, prévenir
to wait	attendre (voir ex.)
to expect	s'attendre à (voir ex.)
★ to *come up to expectation	répondre à une attente

she is sure, certain of winning ; she is sure, certain she'll win	elle est sûre, certaine de gagner
she is sure, certain to win	elle gagnera sûrement, certainement
★ to ensure that	assurer, garantir que
★ to assure s.o. that	assurer à qqn. que
★ positive	absolument sûr, catégorique
to *make sure of/(that)	s'assurer de ; veiller à (ce que)
surely, sure (adv. U.S.)	sûrement, à coup sûr
★ to insure	assurer (compagnie d'assurances)
★ to secure	obtenir, s'assurer
★ to be assured of	tenir pour certain

OPINION

L'opinion

14

doubtful	1. douteux, équivoque 2. hésitant, incertain
suspicious (adj.)	1. suspect 2. soupçonneux
to doubt sth./s.o.	douter de qqch./qqn.
to doubt whether/if	douter que
not to doubt that	ne pas douter que
to question	mettre en doute
to suspect s.o. (of)	soupçonner qqn. (de)
a suspect	un suspect
undoubtedly	sans aucun doute
doubtless (adv.)	probablement
to *take sth. for granted	considérer comme allant de soi

15

★ to assume	présumer, tenir comme établi
★ an assumption	une hypothèse, une supposition
to suppose	supposer
★ I take it (that)	j'imagine (je suppose) que
he is supposed to be	il est censé être
suppose (that)	et si ; imaginez que
supposing (that)	au cas où
to believe	croire
to believe in + ger	être partisan de
belief (in)	la croyance ; la confiance (en)
unbelievable	incroyable
★ credulous [e]	crédule
★ gullible (lit.)	jobard, naïf

— **13.** It is not always easy to **foresee** the consequences of one's acts, though an act which is **unforeseen** or **unforeseeable** may be dangerous. Not everybody has a gift for **foresight**. Meteorologists do **forecast** the next day's weather but no one can really **foretell** the future. Anyone who could would have good **prospects** of a successful career.

Police **anticipate** trouble from **prospective** demonstrations and try to **forestall** them by **waiting for** the demonstrators (to turn up or **waiting till** they turn up) where the latter do not **expect** them (or **expect them to** be). Will the demonstration **come up to expectation** ?

— **14.** You never know whether a **doubtful** (or **suspicious**) character tells the truth. Although he may claim "I hope you don't **doubt** my being honest" the police always **suspect him of** lying and **doubt** his word. They may **doubt whether** he is telling the truth and usually **don't doubt that** he is lying to them; so they tend to **question** everything he says. About the **suspect**, **undoubtedly**, they have an opinion and they are **doubtless** right in not **taking** his story **for granted**. They are not **sure** either **of** holding the culprit.

— "Is he **sure** (or **certain**) to be late ?" "Well, I can't **ensure that** he will be here on time, although he **assured me that** he'd leave early but what I am **positive** about is that he will **make sure of** coming. **Surely** he can't forget. His company is sending him along to **insure** me against all risks ; he wouldn't fail to **secure** a deal ; you can **be assured of** that".

— **15.** We must not **assume** that a man is guilty without sufficient evidence, for our **assumption** may prove wrong. **I suppose** (or **I take it**) that everyone agrees with this. In England a man **is supposed to** be innocent until he is proved guilty. **Suppose** he really were innocent after all ? We can't **believe** just any testimony ; **I believe** in sifting the evidence.

I have no **belief** in some witnesses who come up with **unbelievable** statements. I am not that **credulous** (or **gullible**).

to ask s.o.'s opinion ..	demander son avis à qqn.
to be of the opinion that	être d'avis que
in my opinion, to my mind	à mon avis
★ to form an opinion	se faire une opinion
★ to be of a mind with.	être du même avis que
to regard s.o. as, to consider s.o. to be.	considérer que qqn. est
★ I reckon (that) (fam.). .	je pense; j'estime que
to reckon s.o. to be,.	estimer que qqn. est
as far as I am concerned	en ce qui me concerne

16

★ to infer	déduire
to conclude	conclure
to *draw, *come to a conclusion	tirer, en arriver à, une conclusion
as a conclusion	en conclusion
to have an impression that	avoir l'impression que
to be prejudiced [predʒudist]	avoir des préjugés
★ to be bias(s)ed [baiəst]	être partial
a prejudice [predʒudis]	un préjugé
a bias [baiəs]	un parti-pris, une tendance
impressive	impressionnant
★ to qualify	nuancer; apporter des réserves à
★ a qualification	une réserve, une restriction, une nuance

MEANING
Le sens – La signification

17

to indicate	indiquer
a meaning	un sens, une signification
meaningless	dénué de sens, incompréhensible
to *mean	signifier, vouloir dire
★ to *stand for	représenter
a synonym	un synonyme
synonymous (with) ...	synonyme (de)
significant	significatif, important
★ to *tell from	distinguer de

18

to specialize (in)	se spécialiser (dans)
particularly	en particulier
especially	surtout
in general; generally .	en général; généralement
generally speaking ...	d'une manière générale
peculiar (to)	particulier (à)
(a) characteristic (n. adj.)	(une) caractéristique (n./ adj.)
★ a distinctive feature ..	un trait distinctif
to characterize	caractériser
special	spécial
specific	spécifique
typical (of)	typique (de)

— "Are you **asking my opinion** ? Well, I **am of the opinion** that Bach is a greater musician than Mozart; **in my opinion**, he has more depth. I have **formed this opinion** over years of practising both. Perhaps you **aren't of a mind with** me ? I **regard him as** (or I **consider him to be**) a definitely greater genius". "I **reckon** you're right; I also **reckon** Bach **to be** a greater genius, but, **as far as I am concerned**, I prefer listening to Mozart".

— **16**. You mustn't **infer** (or **conclude**) **from** his attitude that he is cold-hearted. Don't **draw conclusions** so hastily. **I have an impression** you are **prejudiced** (or **biased**) against him. I know you have a **prejudice** (or a **bias**) against young people. Actually he was deeply moved by the very **impressive** ceremony. You'd better **qualify** your harsh judgement; such a **qualification** wouldn't come amiss.

— **17**. A dictionary **indicates** the **meanings** of words that are **meaningless** to you; it says what the words **mean**, it tells you what the various abbreviations **stand for** and it lists **synonyms**. Though words may be **synonymous with** each other they usually have **significant** differences and the dictionary helps you to **tell** one word **from** its synonym.

— **18**. This Professor has **specialised** in English poetry, **particularly** (or **especially**) in the Romantic poets. **In general** (or **generally speaking**), he is interested in the kind of lyricism which is **peculiar** to that period; it is a **characteristic** of (or a **distinctive feature** of, or it **characterizes**) that period. He takes a **special** interest in Keats and his **specific** love of beauty, which is **typical of** his work.

XXXVIII. – ACTION – *L'ACTION*

1

to need	avoir besoin de *(voir ex.)*
to need, to want + ger	avoir besoin de + *inf.* passif
★ needless to say	cela va sans dire
there is no need to . .	ce n'est pas la peine de
necessary, needful . . .	nécessaire
unnecessary	non nécessaire, inutile
necessity	la nécessité
★ to necessitate	nécessiter
requirements	les besoins, les exigences
to require (sth. of s.o.)	demander, exiger (qqch. de qqn.)
★ to call for	appeler, exiger (un effort, etc.)

CHOICE AND DECISION
Le choix et la décision

3

a motive [ou]	un motif, un mobile
to *drive (s.o. to do) .	pousser (qqn. à + inf.)
★ to motivate [ou]	motiver
to pick out, to *choose	choisir
a choice	un choix
an aim	un but
to aim at	avoir pour but
to aim at + ger (U.S. : to do)	avoir pour but de + *inf.*
★ to pick and choose, to be choosy	faire le difficile
a target [ta:git]	un objectif, une cible
★ aimless	sans but, sans objet
★ intentional	voulu, fait à dessein
★ unintentional	involontaire

2

essential	essentiel
indispensable	indispensable
★ doomed (to do)	condamné (par le destin) (à + inf.)
fate, destiny	le sort, la fatalité, le destin
this is *bound to happen	cela arrivera forcément
★ lot	le sort, l'avenir
★ doom	le destin (funeste)
unavoidable, inevitable	inévitable

4

★ purposeful	*(p.)* tenace, *(ch.)* qui a un but ou un sens
to *mean, to intend to do	avoir l'intention de + *inf.*
★ to *set one's mind on, to be bent on + ger	vouloir à tout prix + *inf.*
★ to be intent on	tenir absolument à
a purpose	un but, une intention
on purpose	exprès
a proposal	une proposition, une offre
★ to propose to do	se proposer de + inf.

— 1. I **needn't** tell you that if you **need** a new car (if you **need to** buy a new car), this is something that **needs** thinking out. **Needless to say, there is no need to** rush to the nearest garage. Some advice may be **needful** (or **necessary**) to save you running into **unnecessary** expense. The **necessity** of consulting someone is obvious. Buying a car **necessitates** some careful advice. Your choice depends on your own **requirements**. The salesman may **require you to** make up your mind on the spot. Tell him that he **requires** too much **of** you and that such a purchase **calls for** extreme care.

— 2. It is **essential** and **indispensable for** every human being **to** bear in mind that he is **doomed to die**. Such is man's **fate** (or **destiny**). Drunkards **are bound to** die of cirrhosis. Their **lot** is a hard one. They should be conscious that they are going to their **doom**. The effects of heavy drinking are **unavoidable** (or **inevitable**).

— 3. We call **motive** that which **drives us to** (or **motivates us to**) do something. We **pick out** (or **choose**) a course of action, we make a **choice**. When we set ourselves an **aim** which is hard to achieve, when we **aim at** something difficult, when we **aim at** doing (US : **to do**) something difficult, we can't always **pick and choose** (or **be choosy**). Whatever our **target** may have been, it would be **aimless to** claim that what we have achieved was **intentional** if visibly it was **unintentional**.

— 4. When a **purposeful** child **means** (or **intends**) to have something, when he has **set his mind on** getting it (or **he is bent on** getting it), if he is really **intent on** it he will achieve his **purpose** by turning down, **on purpose**, any **proposal** that does not fit in with what he **proposes to do**.

5

to consider	réfléchir à
★ to sleep on it	se donner une nuit de réflexion
to hesitate	hésiter
★ to be in two minds ..	être indécis
★ to waver (lit.)	hésiter, balancer
★ to *withdraw (from) ..	se retirer (de)
★ to drop out (of)......	se retirer (de), abandonner
a drop out	un marginal, qqn. qui abandonne
★ to back out (of)......	se dédire (de)

6

to *know one's own mind	savoir ce qu'on veut
to *make up one's mind	se décider
to decide (to do)......	décider (de + inf.)
a decision	une décision
to resolve to do	prendre la résolution (ou la décision) de + inf.
★ to *stick to (fam.)....	s'en tenir à
to settle	fixer, arranger

PREPARATION

La préparation à l'action

7

(to be) ready (to do)..	(être) prêt (à + inf.)
to *get ready	se préparer
to prepare (for)	se préparer (à)
to be prepared to do..	être prêt à, disposé à + inf.

preparations.........	les préparatifs
readily	volontiers
to arrange	organiser, prévoir
arrangements	mesures, dispositions
★ to go about it	s'y prendre
an experiment	une expérience (qu'on fait)
to try..............	essayer, mettre à l'épreuve
on trial	à l'essai
★ to experiment with...	expérimenter
experienced	(p.) expérimenté
inexperienced	(p.) inexpérimenté
experience	l'expérience (acquise)
an experience	ce qui arrive à qqn.
to test sth., to give sth. a test	vérifier, tester qqch.
to experience........	éprouver, connaître
★ to have a try (at), a go (at) (fam.).........	essayer, tenter le coup

8

to plan	projeter, prévoir
to plan to do........	projeter de, se proposer de + inf.
★ to *take steps.......	prendre des mesures
★ to scheme to do [ski:m]	avoir pour projet ou ambition de + inf.
★ to devise	imaginer, concevoir
to design [dizain]......	concevoir les plans de
a design	une conception, un dessin, un motif
to develop, to perfect.	mettre au point
a device	un procédé, un dispositif
★ to contrive to do	trouver moyen de + inf.
★ a scheme [ski:m]	un vaste projet
★ to contrive	inventer, concevoir
designed for.........	destiné à
designed, devised to do..............	conçu pour + inf.
★ a patent [peitənt]	un brevet

– 5. "I have **considered** your suggestion all day but I would like to **sleep on it**; I still **hesitate; I'm** still **in two minds** about it." "Well, don't **waver** too long as I might **withdraw from** the project and **drop out**." "You wouldn't be a **drop out**. You wouldn't **back out**, or would you?"

– 6. You don't **know your own mind**. Can't you **make up your mind** and **decide** to come with us? Is it such a hard **decision** to make? You ought to **resolve to stick to** what has been **settled**.

– 7. "Are you **ready** to go? You must **get ready** quickly. Why didn't you **prepare for** the journey while I was out?" "I was quite **prepared** to make all the **preparations**; I would **readily** have **arranged** everything (or made the necessary **arrangements**), if I had known how to **go about it**." – To carry out an experiment, a scientist often buys and **tries** new equipment. He has it **on trial** for a short period and **experiments with** it during that period; only an **experienced** scientist, not an **inexperienced** one, with a great deal of **experience** (derived from perhaps more or less fortunate **experiences**), can **test** a new apparatus (or **give it a test**) with accuracy. He may **experience** a setback or two but will **have** another **try** (or **go**) at it until he brings it off.

– 8. He says he is **planning** a trip abroad (he is **planning** to go abroad). But he has not **taken** all the necessary **steps** yet; one thing he is **scheming to** do is to **devise** a method by which he could travel light; he has **designed** several types of suitcases which are very original in **design** indeed. He is working hard to **develop** (or **perfect**) a **device** by which he could **contrive to** carry as little luggage as possible. His **scheme** is to **contrive** a type of luggage, **designed for** older people, **designed** (or **devised**) to help them, for which he could take out a **patent**.

Voies et moyens

to be able to do.....	être capable de, pouvoir + *inf.*
to be unable do to....	être incapable de + *inf.*
ability..............	la capacité, la compétence
inability............	l'incapacité, l'incompétence
disability...........	l'infirmité, l'invalidité
★ capable (of)........	capable (de), apte à
★ incapable (of).......	incapable (de), inapte à
I can't afford this.....	je n'ai pas les moyens d'avoir cela
I can't afford to do ...	je ne peux pas me mettre de + *inf.*
to enable s.o. to do...	permettre (donner la possibilité) à qqn de
helpless.............	incapable de se débrouiller seul
powerless (to do)	impuissant, incapable (de)
power	le pouvoir, la puissance
powerful............	fort, puissant

11

a way	une façon, un moyen
★ in the way of	pour ce qui est de
in this way	de cette façon
by the way	à propos
★ to have a way (with).	avoir une façon de s'y prendre (avec)
a means (sg.)........	un moyen
by means of	au moyen de
by all means	à tout prix; « je vous en prie »
★ to *think, to *see fit.	juger convenable, trouver bon de
by no means........	en aucune façon

10

skilled	qualifié, expérimenté
practical	*(p.)* à l'esprit pratique *(ch.)* réalisable, utilisable
clumsy	*(p.)* maladroit, lourd *(ch)* peu maniable *(cpt)* gauche
awkward [ɔːkwəd]....	*(p.)* peu adroit; (sit.) embarrassant
★ to fumble (at)	manier maladroitement; commettre des gaucheries
skill (at).............	l'habileté, l'adresse (à)
skilful	adroit, habile
★ matter of fact (adj.) ..	terre à terre, prosaïque

12

★ to *take a course of action	adopter une ligne de conduite
a policy [ɔ]..........	une politique (dans un domaine particulier)
to adapt	adapter
★ a process [prouses]....	un procédé
a method	une méthode
methodical	méthodique
★ (a) fashion...........	une façon; la mode
to practise [-i]........	s'exercer, pratiquer
practice [-i].........	la pratique, l'entraînement
a trainee [-iː]........	un(e) stagiaire
training	la formation
to train s.o. (in)......	former qqn. (à)

– 9. If only I were **able to** do what I liked. But I'm **unable to**. It's not a question of **ability** or **inability**, or even a question of **disability**. I'm physically **capable of** almost anything. And I refuse the very idea of being **incapable of** doing something. But **I can't** always **afford** things. I have financial problems. And I have a certain image to protect. So I **can't afford to** do everything I'd really like to. If only there were a system which **enabled** people **to** do what they wanted.

He was a **helpless** invalid who was **powerless to** move about on his own. He lost the **power to** do so when he was taken ill, ten years ago. He used to be such a **powerful** man.

– 10. John would like to become a **skilled** potter but I don't think it is a **practical** idea; his movements are so **clumsy** (or **awkward**), he **fumbles at** things so much that he will never acquire the necessary **skill at** working at the wheel; he will never become **skilful** enough. Besides he is so **matter of fact** that he will be blamed for his lack of imagination.

– 11. The best **way** of seeing what they have to offer **in the way of** regional products is to go to the shop yourself. **In this way** you'll see everything first hand. **By the way,** if you **have a way with** people this will help you to get all the information you want. Whatever **means** you choose, be it **by means of** money or persuasion, **by all means** feel free to act entirely as you **think** (or **see**) **fit,** but **by no means** lose the client.

– 12. "You must always **take a course of action** within the framework of a general **policy,** but you may need to **adapt** it, if the **processes** and **methods** available require you to do so. Be **methodical** in your decisions though don't just follow **fashion**. I always **practise** what I preach and have discovered that **practice** does make perfect, be it piano playing or anything else. Joking apart, you are a good group of **trainees** and I hope your **training** will allow you to **train** others **in** our new techniques.

available	disponible
spare (adj. épit.)	de trop, de reste, disponible
I can spare (s.o.) sth .	je peux me passer de, disposer de, donner qqch. (à qqn.)
to spare s.o. + ger . .	éviter à quelqu'un de
★ to have at one's disposal	disposer de
a condition	une condition (à remplir)
on condition (that)	à condition que
a situation	une situation (provisoire)
a position	une position (localisation ou du corps); une place (hiérachie)
to be in a position to . .	être en mesure de
a state	(ch.) (p.) un état

15

to act	agir
to perform	accomplir, exécuter
★ to accomplish	réaliser, mener à bien
★ a deed	une action, un acte
★ a feat	un exploit
to attend to, to see to	s'occuper de, apporter son attention ou ses soins à
to see about	s'occuper de, porter remède à
to see (that)	veiller à ce que
to look after	s'occuper de, soigner
★ to undertake (to do) . .	entreprendre (de + inf.)
to *set about to do . .	se mettre à; s'y prendre pour (+ inf.)
to *take over (from) . .	prendre la suite (de); remplacer qqn.
★ to proceed to do	se mettre en devoir de + inf.
★ to tackle	aborder, prendre à bras le corps

14

occasional	qui se produit de temps en temps
occasionally	de temps à autre
on the occasion of	à l'occasion de
★ I have no occasion to .	je n'ai aucune raison de, pas lieu de
a chance	une possibilité, une chance
chance	le hasard
an opportunity	une occasion (à saisir)

16

busy (+ ger.) [bizi] . . .	occupé (à faire)
★ engaged (in)	occupé, pris (par)
to *take sth. up	se mettre à quelque chose
to *go in for	se spécialiser dans, s'adonner à
leisure (sg.) [leʒə]	les ou des loisirs
leisurely (adj.) (adv.) . . .	non pressé, tranquille; sans hâte
work	le travail, du travail
a piece of work	un travail (spécifique)
a job	un emploi
to work	travailler

— **13.** There is a room **available** in my house, it's a **spare** room. And I can **spare you some** furniture. This will **spare you** spending money on new things. You will **have** the bathroom **at your disposal** but there is a **condition**. You may take baths **on condition that** you do not use too much hot water. What is your present **situation** ? I think the **position** of the house will help. And anyway you **are in no position to** complain, considering your **state** at the moment.

— **14.** The **occasional** film interests me and I **occasionally** go to the theatre, usually **on the occasion of** a birthday or anniversary. **I have no** other **occasion to** go out. If I had the **chance to** go out more often I would, but **chance** has it that my brother has all the rights and I'm just a girl. If only I had the **opportunity** !

— **15.** The hospital system being what it is, when one tries to **act** one **performs** more than a **deed**, one **accomplishes** a **feat**. The nurse wanted to **attend to** (or **see to**) the victim of the road accident. She wanted to **see about** the problems of the patient, to **see that** he was properly **looked after**. She **undertook to** inform his parents of what had happened. She **set about to** phone them when another accident case arrived. Will you **take over** please, Nurse, came the order from the doctor. She **proceeded to** do what she was told and **tackled** the new case.

— **16.** He was so **busy reading**, he was so **engaged in** what he was doing that he didn't hear his wife talking on the phone. "Are you sure the plumber can't come for another three weeks ? Oh dear, then my husband will have to **take up** plumbing. The problem is that now he has so much **leisure** for reading he takes everything else at a **leisurely** pace. **Work** is an activity he has forgotten. I can't remember the last time he did **a** decent **piece of work**. Since he gave up his **job** he hasn't **worked** for more than ten minutes."

17

to avoid (+ ger.)	éviter de (+ inf.)
★ to shun (lit.)	fuir, éviter
★ to shirk (lit.)	se dérober à, se soustraire à
to *give up (+ ger.) . .	renoncer à (+ inf.)
to get rid of	se débarrasser de (quelque chose ou quelqu'un de gênant)
to dispose of	se défaire de (qqch. devenu inutile)
disposable	à jeter après usage

18

to use [-z-]	utiliser, se servir de
to be used as	servir de
to use up	utiliser jusqu'au bout
to be of use [-s-]	être utile, servir
to be in use	être utilisé
to exhaust [ɔ:]	épuiser
inexhaustible	inépuisable
★ to resort to	avoir recours à
★ to misuse	faire mauvais usage de
★ to come into use	se répandre
★ to go out of use	ne plus être employé
to apply (to)	appliquer (à)
to make the most of .	tirer le meilleur parti possible de
to make the best of .	se contenter, s'accommoder de

19

it's no use, it's no good (+ ger.)	ça ne sert à rien de (+ inf.)
what use is it (to do) ?	à quoi cela sert-il de (+ inf.) ?
useful	utile
★ handy	pratique; facile à utiliser
useless	inutile
I could do with this . .	ça m'arrangerait d'avoir cela
to do without	se passer de
to go without	se passer de, se trouver sans
to make do with	s'arranger, se débrouiller avec
★ to dispense with (lit.) . .	se passer de
★ to make shift with . . .	s'accommoder de
efficient	(p.) efficace, compétent; (ch.) sûr, de bon rendement
effective	(ch.) efficace, marquant

20

★ futile [fjuːtail]	vain, inefficace
advantageous	avantageux
a drawback, a disadvantage	un désavantage
to *take advantage of	profiter, abuser de
an advantage	un avantage
a profit [ɔ]	un bénéfice (argent)
profitable	profitable, rentable
to profit from	tirer profit de
★ an asset	un atout (sens figuré)
★ to *stand s.o. in good stead	rendre service à qqn (= être utile)

— **17.** If you want to **avoid** problems with other people you must not **shun** them. Neither must you **shirk** your work. And if you decide to **give up** smoking, then don't forget to **get rid of** all your ashtrays and cigarette lighters. You can **dispose of** them as you like, though it would be easier if they were made of some **disposable** material.

— **18. Use** it however you like, but remember that it must **be used as** a substitute. If you don't **use it up** it won't have **been of** much **use**. If it **is** still **in use** next time I see you, then you won't have **exhausted it**. It will be, at least until then, **inexhaustible**. You will have to **resort to** devious means, to **misuse** it, to destroy it. I know that certain things **come into use** and **go out of use** as regularly as the sun rises and sets, but do **apply** your experience **to** the problem, **make the most of** what you have learnt, in order to **make the best of** the situation.

— **19.** It's **no use**, it's **no good** going on. I can't bear it any more. **What use is it** to continue, however **useful** or **handy** the relationship, if the outcome is **useless** ? I could **do with** a drink right now, though I **could do without** a hangover to-morrow morning. But if I **go without** food, and then drink, the result is inevitable. I'll have to **make do with** what I've got, I'll have to **dispense with** the extras, I'll have to **make shift** with my few things. It's not an **efficient** way of behaving, but it's very **effective**.

— **20.** Your argument is completely **futile**. I can at least tell the difference between something which is **advantageous**, and a **drawback**. The **disadvantage** is that people often try to **take advantage of** me. But when they think they have the **advantage**, that they will even make a **profit**, that's when I react. So it's sometimes **profitable** to keep quiet first. If you want to **profit from** a situation, then your best **asset** is to say nothing. This is a principle which has always **stood me in good stead**.

DIFFICULT AND EASY

Difficile et facile

23

to cancel	annuler
difficult	difficile
to have difficulty in + ger.	avoir du mal à (+ inf.)
with difficulty	difficilement
hard (adj.)	dur, difficile
hard (adv.).	dur, sans relâche
★ ticklish	délicat (à résoudre, à manier)
★ tricky (ch.).	compliqué, délicat
tough (fam.) [t ∧ f]	rude, pas facile
intricate	confus, compliqué
★ involved	embrouillé, compliqué
★ trying	(p.) qui met à l'épreuve, fatigant; (ch.) pénible, fâcheux
easy.	facile
★ ease.	l'aisance
easiness	la facilité (de qqch.)
★ to facilitate.	faciliter
smooth (adj.).	sans heurts, sans obstacles
smoothly (adv.)	*mêmes sens*
with facility, easily . . .	facilement

21

an effort [efət]	un effort
to try.	essayer (qqch.)
to try to do	essayer de (+ inf.)
to try + ger.	faire l'expérience de
an attempt	une tentative
to attempt to	tenter de
★ an endeavour (lit.) [e.]. .	un effort
★ to *strive (to do) (lit.). .	s'efforcer de (+ inf.)
a strain.	un effort excessif, une tension
to strain	faire des efforts intenses; trop demander à
to go to the trouble of + ger., to take the trouble to do.	se donner la peine de
★ a spurt	un effort (bref et intense)

22

to *come up against .	se heurter à
to *meet with	rencontrer (un obstacle)
★ a hitch (fam.)	une anicroche, un accroc
★ a snag (fam.)	une difficulté cachée
to remedy [remedi] . . .	remédier à; pallier
to solve.	résoudre
★ to be overcome (with).	être accablé; écrasé de
to remove	supprimer, enlever
to *get over, to *overcome	surmonter
to work out	mettre au point, trouver
★ to be beyond remedy	être sans remède
★ to be overwhelmed (with).	être accablé de, être au comble de
to check	contrôler
to prevent s.o. from + ger., to stop s.o. + (from) ger.	empêcher qqn. de (+ inf.)
★ to hinder	entraver, gêner, empêcher
★ to rule out	éliminer (par le raisonnement)

24

to warn.	avertir, prévenir
(a) danger	le danger, un danger
(a) risk.	le risque, un risque
dangerous, unsafe. . . .	dangereux, peu sûr
★ chancy	incertain, risqué
a hazard	un risque, un péril
★ to impair	diminuer, abîmer
★ to jeopardize [dʒepədaiz].	compromettre les chances de
harmful (to)	nocif, nuisible; préjudiciable à
harmless.	inoffensif; sans danger
safe	à l'abri; sûr, sans danger
safely (adv.)	sain et sauf; sans accident; sans danger
to save	sauver
to rescue	secourir
to escape	échapper à
to escape (from).	s'échapper de; échapper à

— 21. Make an **effort** and **try** it. **Try to** like it. **Try** imagining that it is something else. Make an **attempt**. **Attempt to** put yourself in my place. Just a little **endeavour**. If you **strive** it won't be that much of **a strain**. I wouldn't want to **strain** you, but please at least **go to the trouble** of trying. **A quick spurt** and it will all be over.

— 22. In life you always **come up against** (or **meet with**) **hitches** and **snags**; defects have to be **remedied**, serious problems to be **solved**. Never let yourself **be overcome with** discouragement; obstacles can be **removed** with perseverance, difficulties **overcome** (or **got over**), solutions **worked out**. No evil **is beyond remedy**. Though he was **overwhelmed with** grief, he managed to **checks** his tears. I suppose our presence **prevented him from** crying (or **stopped him from** crying).
I may be **hindered** by the snow from getting to your place. That is a possibility that can't be **ruled out**.

— 23. You had better **cancel** it. It shouldn't be **difficult**. But if you **have difficulty in** doing so, then call me. He replied **with difficulty** that it was **hard**, even though he was working **hard** on it. It was a **ticklish** problem, a **trickly, tough** thing to handle. The more **intricate** and **involved** a problem becomes, the more **trying** it is. If only he had something **easy**. Then he could show with what **ease** he can handle problems; the **easiness** of the affair. But I wasn't prepared to **facilitate** things for him. When everything is **smooth**, when all goes **smoothly**, is there **with facility** (or **easily**) where is the chance to prove oneself?

— 24. "I **warned** you of the **danger**, that it was **dangerous, unsafe**, "she screamed." You took the **risk** yourself, it was very **chancy**. Such a **hazard** might have **impaired** your sight for ever, and thus **jeopardized** your future career. I know what is **harmful**, what is **harmless** and **safe**. You have come out of it **safely** because he was there to **save** your sight. He **rescued** you in time. You have **escaped**. You have **escaped from** a life of darkness, but it

to have a narrow es-cape.	échapper de justesse		
to stand a chance . . .	avoir des chances de réussir		
to do s.o. good	faire du bien à qqn.		
to do s.o. harm	faire du mal à qqn.		

SUCCESS AND FAILURE
La réussite et l'échec
25

to manage to [mænidʒ]	arriver à, réussir à
to manage it	y arriver
to succeed in + ger. . .	réussir, parvenir à + inf.
successful	(ch.) réussi
to be successful	(p. ch.) avoir du succès
(a) success	le succès, la réussite; un succès
to perform	accomplir, exécuter
performance	l'accomplissment, l'exécution
to carry out	mener à bien, réussir
to achieve	obtenir; mener à bien, réussir
an achievement	une réalisation, une réussite, un exploit
★ accomplishment	(sg.) la réalisation, l'achèvement, la chose accomplie; (pl.) des talents de société

26

to complete [i:].	achever, parfaire
★ not to fail to do	ne pas manquer de (+ inf.)
to improve	améliorer, s'améliorer
an improvement (on). .	une amélioration (par rapport à)
★ a break-through	une grande découverte; une percée

progress (sg.) [ou]	le progrès, des progrès
★ to progress [prougres]. .	faire des progrès, avancer
to get better	aller mieux
★ to look up (fam.)	s'améliorer, reprendre
to catch up on/with .	rattraper, se mettre à jour de
to be better off	se trouver mieux, dans une meilleure situation
to be all the better for	se trouver bien de qqch.
to cope (with)	faire face (à), venir à bout de, se tirer de
★ to thrive (on) (lit.)	prospérer; tirer profit (de)

27

to miss	rater, manquer
to go wrong.	ne pas marcher
unsuccessful	(ch.) non réussi, infructueux
to be unsuccessful . . .	ne pas réussir
to fail	échouer, ne pas réussir
★ to fail s.o.	faire défaut à, laisser tomber qqn.
★ to fail to do	= v. + nég.; omettre de
★ to fail s.o.	coller qqn. (examen)
to fail (in)	échouer à (examen)
(a) failure [feiljə]	l'échec, un échec
a failure	un(e) raté(e) (p.)
★ to go amiss	aller de travers
★ to come to grief [i:] . .	avoir des malheurs; tourner mal
★ to get worse	empirer
★ to deteriorate	(se) dégrader, (se) détériorer
★ to worsen.	s'aggraver
to be worse off.	(p.) se trouver dans une plus mauvaise situation
to be none the worse for	ne pas s'en porter plus mal
to damage [dæmidʒ] . .	endommager
damage (sg.).	des dégâts

was a narrow escape. Ten minutes later and you wouldn't have stood a chance I know it doesn't do you any good if I shout at you now, but it certainly can't do you any harm, either."

— 25. How did she manage to do it ? How did she manage it ? it isn't easy to succeed in doing work in her field, in fact very few attempts are completely successful. In order to be successful, to be a success one has to perform many operations, and each performance has to be carried out as if it were the only, the crucial one. To achieve such fame so young is a real achievement, and the accomplishment of her dreams.

— 26. In order to complete your study of Max Ernst you must not fail to go and see the latest exhibition. This will improve your knowledge of his work, and the pictures shown are an improvement on his early stuff. His real break-through came when his technical progress became apparent. But in order to progress you must work. There was a period when things weren't too good, then they began to get better. Things were looking up. But if you want to catch up on all the exhibitions in Paris at the moment you'd be better off if you played cards less often. You'd be all the better for a bit of culture and I'm sure that not only would you be able to cope with all the shows, but you'd thrive on them.

— 27. The day I missed breakfast everything went wrong. It was one of those days. I got off to an unsuccessful start, and from then on, everything else I did was unsuccessful (or failed). Why did my alarm-clock have to fail me that day, of all days ? Why did it fail to go off ? I got to my exam late and all het-up and of course the examiner failed me. I had never failed (in) an exam before, but this was a complete and utter failure and I can assure you I don't like to think that I'm a failure. But somehow I knew that that was only the beginning and that something else would go amiss before the day was out. I was bound to come to grief, whatever I did. Sure enough, as the day went on things got worse and I was worried that my work would deteriorate even further. I developed a headache which worsened by the hour and I couldn't imagine being worse off. So I decided to go to a pub and drown my sorrows. I staggered out of the pub a couple of hours later, apparently none the worse for drink and promptly crashed into a ladder, which fell, damaging a shop window, causing £500 worth of damage.

XXXIX. – WILL, FREEDOM AND HABIT
LA VOLONTÉ, LA LIBERTÉ ET L'HABITUDE

1

to have a will of one's own	savoir ce qu'on veut
★ dogged	opiniâtre, tenace, résolu
★ to lack will-power . . .	manquer de volonté
★ self-willed.	volontaire
★ to yield (to)	céder (à)
★ to have it all one's own way	n'en faire qu'à sa tête
to persist (in + ger.) . .	s'obstiner (à + *inf.*)
★ obstinate	obstiné
stubborn.	têtu
★ wilful.	(*p.*) entêté (*v.* plus bas)
★ headstrong	qui tient tête; impétueux
perverse	entêté (dans l'erreur ou le mal); contrariant
you will have it that .	vous soutenez que
★ wilful	(*cpt.*) voulu, délibéré, prémédité (*v.* plus haut)
to leave it to s.o. to do	s'en remettre à qqn. du soin de + *inf.*
to be willing (to do) . .	bien vouloir, être prêt à (+ *inf.*)

★ to volunteer (to do) . . .	se porter volontaire (pour + *inf.*)
★ to volunteer	donner, offrir spontanément (des renseignements)

2

★ to be at liberty to do	être libre de (autorisé à) + *inf.*
to be free (to do)	être libre (de + *inf.*)
freedom, liberty	la liberté
to be up to s.o. to do	être à qqn. de + *inf.*
★ on an impulse	de façon irréfléchie
self-control.	la maîtrise de soi
★ deliberate [delibrət]. . . .	délibéré, voulu
to pull oneself together	se reprendre, se ressaisir
★ to collect oneself.	reprendre son sang froid
★ to curb	modérer, réfréner, contenir
★ a scope	champ, portée, domaine; compétence

— 1. "You sure **have a will of your own**", he said to her. "With such **dogged** determination as yours, one can't say you **lack will-power**. In fact, I've never seen anyone as **self-willed** as you are. You'll never **yield to** anybody, you must **have it all your own way**. Once you've got an idea in your head you **persist in** pursuing it to the bitter end. At first, I thought you were merely **obstinate, stubborn** even, but now I think you're acting like a **wilful** child, a **headstrong** brat — no, I'd go even further, you're downright **perverse**. You **will have it that** it was an accident, but I'm convinced that it was **wilful** murder. I'll **leave it to the police** to find out the truth but I'm quite **willing to volunteer** information".

— 2. In a country where people **are** not **at liberty to** say or write what they think, not **free to** express themselves, where **freedom** and **liberty** are mere words in the dictionary, sooner or later these oppressed people will revolt. It **is up to the foreign media** to report this when it happens. Of course the journalists must not write just whatever comes into their heads, **on an impulse**, but must use **self-control** in a **deliberate** attempt to convey the events and problems in question. They must **pull themselves together**, whatever their feelings. If they don't **collect themselves**, if they don't **curb** their tongues but let their emotions run away with them, then the events will be distorted. Once the situation has calmed down, books can be written which go beyond the **scope** of the events themselves, and put them into a historical context.

to be in the habit of .	avoir l'habitude de
to *get into a habit . .	prendre une habitude
★ to shake off a habit . .	se débarrasser d'une habitude
to *take to + ger. . . .	se mettre à + *inf.*
I can't help + ger. . . .	je ne peux m'empêcher de + *inf.*
★ to *become addicted to	s'adonner à
to *get used, accustomed to sth./ + ger.	s'habituer, s'accoutumer à qqch./à + *inf.*
a drug-addict	un drogué
I can't help it	je n'y peux rien

a stranger.	un inconnu; qqn. qui ne connaît pas (qqch.)
★ quaint	singulier, original, vieillot
unusual	inhabituel
★ peculiar	peu habituel, pas comme les autres
odd	bizarre, excentrique, extraordinaire
queer.	singulier, étrange, qui met mal à l'aise
strange	inconnu, nouveau
unheard-of	inouï, inconnu jusque là
usual	habituel, ordinaire
as usual	comme d'habitude
commonplace (adj.). . .	banal
common	commun, habituel
★ a peculiarity	une singularité, une manie
★ an oddity.	(ch.) une bizarrerie; (p.) un original

— **3**. He's **in the habit of** smoking as soon as he wakes up. He **got into this habit** years ago and now he can't **shake it off**. Now he's **taken to** smoking cigars. I **can't help** worrying that he'll **become addicted to** drugs next, that he'll **get used to** (or **accustomed to**) taking drugs, and that he'll be **a drug-addict**. It's no good your telling me not to worry, I **can't help it**.

— **4**. Andrew is **a stranger** in this **quaint** and remote village; he delights in its **unusual** old fashioned houses, the **peculiar** accent of the **odd**-looking inhabitants, their **queer** way of talking, their **strange** customs, their **unheard-of** stories in the pub, so different from the **usual, commonplace** conversations. It **is common** for many people to laugh at such **peculiarities** (or **oddities**). He doesn't.

There are two things to aim at in life : first, to get what you want; and after that, to enjoy it. Only the wisest of mankind achieve the second.

L.P. SMITH

Nothing so needs reforming as other people's habits.

Mark TWAIN

In giving freedom to the slave we assure freedom to the free, ... honourable alike in what we give and what we preserve

Abraham LINCOLN

The use of force alone is but temporary. It may subdue for a moment, but it does not remove the necessity of subduing again; and a nation is not governed which is perpetually to be conquered.

Edmund BURKE (1729-1797)

All the world is queer save thee and me, and even thou art a little queer.

Robert OWEN

Your face, my thane, is a book where men May read strange matters.

W. SHAKESPEARE (Macbeth)

XL. ABSTRACT RELATIONS
LES RELATIONS ABSTRAITES

CAUSE AND EFFECT
La cause et l'effet

1

to cause [ɔ:].........	causer, provoquer
to cause to do	faire + *inf.*, être cause que
a cause.............	une cause
to *bring about	amener, provoquer
★ to entail.............	entraîner (par voie de conséquence)
to involve (+ *ger.*)....	nécessiter (de + *inf.*), entraîner (par sa nature)
to be involved in	être impliqué dans
to depend on	dépendre de
★ to *come of.........	provenir, résulter de
to be due to	être dû à

2

to follow (from)......	suivre, découler de
following (prep.)......	à la suite de
to influence	influencer
★ to tell (on)	porter, avoir un effet (sur)
to *lead to	conduire, mener à
to *lead s.o. to do...	amener qqn. à + *inf.*
★ to *make for	contribuer à, faire naître
an effect.............	un effet
to contribute to......	contribuer à

★ to *bring sth. to bear on..............	faire peser qqch. sur, jouer de qqch. (pour obtenir un résultat difficile)
to attribute to, to put down to	attribuer à
to result (from).......	résulter (de)
to result in + ger.....	avoir pour résultat (que)
a result	un résultat
a consequence	une conséquence
★ the outcome	l'aboutissement, la conséquence
★ the upshot..........	le résultat, la conclusion

3

to tend to do	avoir tendance à + *inf.*
a tendency..........	une tendance
a trend	une tendance, une orientation générale
★ he is apt to do	il est enclin à, il a tendance à + *inf.*
★ this is apt to do.....	cela risque de, cela est susceptible de + *inf.*
★ this/he is liable to do	cela est susceptible de + *inf.*; il est sujet à, exposé à + *inf.*
this/he is likely to do	il y a des chances pour que; on peut s'attendre à ce que cela/ il...
it is likely that........	il est probable que
★ likely (adj.)..........	probable, qui risque de, vraisemblable

— 1. It is often hard to find out what has **caused** a road accident. What **caused** a driver **to** bump into another car? What may have been the **cause** of the bumping? What **brought it about?** A moment's inattention may **entail** a crash. Driving **involves** constant attention; it **involves** giving all one's attention to the road. Why people are **involved** in a crash **depends on** other factors too. The accident may **come of** (or **be due to**) the road being wet.

— 2. It **follows from** the previous story that an inquiry **following** an accident should not **influence** the driver involved in any way. Very often, the shock **tells on** the driver and this may **lead to** inaccurate statements (or **lead** the driver **to** make inaccurate statements), which **makes for** uncertainty as far as the police are concerned. The police should **bring** their experience **to bear on** the establishment of the truth and not **attribute to** (or **put down to**) the driver's recklessness an accident that **results from** other causes. Such an error might **result** in the driver's being banned from driving, a very unfortunate **result** (or **consequence**). The **outcome** of an inquiry may be of consequence to the driver's future. The **upshot** of all this is that great care is required in such inquiries.

— 3. Fashions **tend to** (or have a **tendency to**) change and people **tend to** (or have a **tendency to**) follow the latest **trends** like sheep. Young people particularly are **apt to** buy new clothes and that is **apt to** cost them a lot of money. They are **liable to** overspend. Such a habit is **likely to** (or **it is likely that** such a habit will) continue and a **likely** result is that these people will run out of money.

4

luck	la chance
lucky	1. chanceux, qui a de la chance
	2. qui porte chance
a chance	une occasion, une chance
chance	le hasard
by (any) chance	par hasard
to *take a chance	prendre un risque
he chanced to meet her	il la rencontra par hasard
to *come across, to chance upon	rencontrer (par hasard)
★ casual	fortuit, fait ou dit en passant
★ casually	en passant, comme si de rien n'était
★ haphazard/ly	(adj.), (adv.) fortuit, au petit bonheur, par hasard
to coincide (with)	coïncider (avec)
random (adj.)	fait au hasard
at random (loc. adv.)	au hasard

REALITY AND APPEARANCE

La réalité et l'apparence

5

to exist	exister, être
existing	existant, qui existe
★ extinct [iksti ɳt]	disparu, éteint
extant [ekstænt]	qui existe encore, qui subsiste
actual	réel, véritable (la chose elle-même)
actually	en fait, en réalité, effectivement, d'ailleurs
★ actuality	la réalité (de qqch.), la matérialité

real	réel (≠ fictif)
really	vraiment, en réalité
reality	la réalité
present (adj.)	présent
to attend	être présent à, assister à
★ attendance	l'assistance à qqch.; la présence, l'assiduité

6

absent (from)	absent (de)
to be away (from)	être parti (de)
to miss sth	constater, l'absence de
to miss + ger.	faillir, s'en falloir de peu
missing (adj. épit.)	absent, disparu, manquant
to be missing	manquer (= avoir disparu)
(the) lack of	le manque de
to lack	manquer de
★ to be wanting (in) (lit.), to be lacking (in)	faire défaut, être dépourvu de
for lack of	par manque de
to be short of	être à court de
to *run short of	se trouver à court de
a gap	un trou, une lacune
★ we've run out of	nous n'avons plus de
★ this item has run out	cet article est épuisé
★ devoid of	dépourvu de

7

to appear	paraître, apparaître
appearance	l'apparition ou l'apparence; l'aspect
apparently	semble-t-il, apparemment
to seem	sembler
to look + adj.	avoir l'air (à la vue)
to sound + adj.	avoir l'air (à l'ouïe)
it looks as if it were/ was over	on dirait que c'est fini

– **4.** You can't trust only to **luck** if you gamble. You may be **lucky** once and never draw a **lucky** number or have another **chance** of winning again. On the other hand, **chance** may be kind to you. If, **by (any) chance,** you win a lot of money, **take** no **chance. I chanced to** meet a gambler once who **came across** a system or so he thought. Such a **casual** occurrence is not unusual. Someone may say **casually** to a gambler : "Why do you choose your numbers **haphazardly ?** Don't you know your lucky number **coincides with** your birth-date ? So no more **random** choice. Don't play **at random !**".

– **5.** Science studies all that **exists** on earth. It is concerned with all **existing** forms of life. For **extinct** species, it carries on its research from **extant** documents (e.g. fossils). The **actual** aim of science is to find out when life **actually** began, the **actuality** of which is hard to establish. Science deals with **real** facts only. Science **really** can't be bothered to inquire into the **reality** of Unidentified Flying Objects (UFO's). Some people report that they have been **present** at places where beings from outer space have turned up. Lots of people **attend** lectures on these subjects. **Attendance** at these lectures is high.

– **6.** Mr James was **absent from** home. He had been **away** for a fortnight. When he came home, he **missed** money from his safe. To think that he had just **missed** being hit over the head by the burglar ! How long had the money **been missing ? Lack of** information in this respect was a snag for Police Inspector H.W. Davies, who was not **lacking in** (or **wanting in**) intuition. **For lack** of foresight, Mr James would **be short of** (or **run short of**) money. There was a definite **gap** in his budget. Fortunately, the car dealer had **run out of** the car model he had ordered (or the model had **run out**). The situation was not **devoid of** irony.

– **7.** When he **appeared** on the stage that day (or when he made his **appearance**) the audience **apparently** did not **seem** to be thrilled. He **looked** taken aback and **sounded** strange. **It looked as if** his career were over; his

you look as if you were tired	on dirait que vous êtes fatigué
it looks like being a fine day	ça promet d'être une belle journée
to disappear	disparaître
★ to vanish (lit.) [æ].....	disparaître, s'évanouir (fig.)

ELEMENTS

Les éléments

9

to be part of	faire partie de
a piece of news, information, impudence	
....	une nouvelle, un renseignement, une insolence
a piece of..........	un morceau de
a bit of (fam.)........	un bout de
★ a scrap of...........	un fragment, une bribe de
to *leave...........	laisser
I've got £ 10 left	il me reste £ 10
There's one book left	il reste un livre
to remain	1. rester, subsister (après qu'on ait ôté les autres éléments)
....	2. rester (inchangé)
to change...........	changer
★ the remainder	le reste, les autres (ch. ou p.)
★ a remnant..........	un reste, une bribe (partie restante d'un tout)
the rest............	le reste, ce qui reste, les autres (ch. ou p.)
to *keep............	garder ; se conserver
to include	inclure, comprendre (se dit d'un ensemble)
★ to enclose..........	joindre (par ex. dans une lettre)
to consist of	comprendre, se composer de
to consist in + ger ...	consister à + inf.
to be made up of....	comprendre, comporter (diverses parties)

8

to happen (to s.o.) ...	(event.) arriver (à qqn.)
I happen to know him	il se trouve que je le connais
to occur [ə'kəː].......	(event.) se produire
to *take place.......	avoir lieu
to prove, to turn out to + B.V.........	se révéler + inf.
an event [i'vent].......	un événement
eventful	mouvementé ; mémorable
uneventful	calme, sans incident, monotone
possible.............	possible, éventuel
impossible	(p., ch.) impossible
possibly.............	1. (avec can) éventuellement, par hasard (selon contexte)
	2. (avec cannot) absolument pas
	3. peut-être
a possibility	une possibilité, une éventualité
eventually..........	finalement, en fin de compte
she is bound to do ..	il est inévitable, il est certain qu'elle (+ verbe)

career, at the start, had **looked like** being a great one. He walked about hesitantly then **disappeared**. The audience's restlessness **vanished** at once.

— 8. "Something must have **happened to** him. **I happen to** know him rather well. If anything had **occurred**, if anything unexpected had **taken place**, if he were to **prove to** (or to **turn out to**) have had only a slight accident, I'm sure he would have phoned up. I know you can't foresee **events** and although his life so far has not been an **eventful** one — it has been **uneventful** in fact — this does not mean that he hasn't had a nasty accident. That is a **possible** assumption, although I find it **impossible** to envisage it" "Do you think you can **possibly** get in touch with the police ? You know that I can't **possibly** do it myself". "Get in touch with the police ? **Possibly**. But it's no good your trying to hide from them any longer. One **possibility** that you can't rule out is that they will **eventually** find you out. They **are bound to**".

— 9. Running short of money is **part of** life. I've just heard that my unemployment benefit has run out : that is a bad **piece of news** ! I hardly have **a piece of** bread or **a bit of** food or **a scrap of** anything. My husband has **left** me no money at all. All **I've got left** is hope that **there is** some money **left** somewhere in the house. There does **remain** that possibility. So I must **remain** calm. I can **change** some of my furniture for something cheaper and spend the **remainder** of the money. With the **remnants** of the material and the **rest** of the kapok that I have **kept**, I'll be able to make cushions to sell. The butter in the fridge will **keep**, I hope. But I can't think of a solution that will **include** an answer to all my problems. Oh, I know ! I'll write to the Smiths and ask them to reply and **enclose** a few pound notes. That's it ! My plan **consists of** just one letter (or it **consists in** writing just one letter). Isn't the solution to our worries sometimes **made up of** a number of clever ideas like that ?

10

to *make up	constituer, compléter
to mix (up)..........	mélanger
★ to *blend	mélanger (harmonieusement), unir, fondre
★ to balance	équilibrer
★ to *offset	compenser, contrebalancer
to *make up for	compenser, dédommager
to contain..........	contenir
the content(s)........	(pl.) le contenu; la contenance; (sg.) la substance, le fond
to add (to)	ajouter (à)
★ to complete [i:]......	achever
to *withdraw (from) ..	(se) retirer (de)
to remove (from) [u:] ..	enlever, supprimer (de)

RELATIONS

Les relations

11

a link...............	un lien, un chaînon
to link (up).........	lier, relier; se rejoindre
to refer to	se rapporter à; faire allusion à
to refer s.o. to	renvoyer qqn. à
to have to do with s.o.	avoir affaire à qqn.
to have sth. to do with	(p.) être pour qqch. dans (ch.) avoir un rapport avec
★ to relate	rattacher (des ch. entre elles)

★ to relate to	avoir trait à
★ to be related to	se rattacher à
★ to have a bearing on, to bear a relation to	avoir un rapport avec
to be connected (with)	être lié, relié (à ou avec)
a relation............	1. une relation, un rapport
	2. un parent (autre que père ou mère) (aussi dans ce sens, a relative)
a relationship	relation (sens 1)

12

to fit (s.o.)	convenir, bien aller (à qqn.) (matériellement)
to fit in (with).......	s'accorder, cadrer (avec)
fit (adj.) (for)	1. (ch.) qui convient (matériellement) (à), bon, propre (à)
	2. (p.) apte, capable; en forme (pour)
★ to overlap (sth.)	se chevaucher, recouvrir en partie, coïncider avec
to agree with s.o.	convenir, réussir à qqn.
to match............	aller bien ensemble, s'harmoniser
to match sth.	être assorti à, assortir
to suit s.o...........	faire l'affaire, convenir, aller bien à qqn.
suitable.............	qui convient, approprié
a pattern [pætən].....	un modèle, un exemple
a model [ɔ].........	un modèle (une maquette, etc. ou sens figuré)
a design	un motif, un dessin

– **10.** The various elements that **make up** his personality are difficult to make out. He can be methodical at times and on other occasions he **mixes** things **up**. He **blends** work with leisure and manages to **balance** his time between both. Whenever he has worked too long, he **offsets** the effects by going for a walk and when he gets back he **makes up for** lost time by speeding up his rhythm. He has written a book that **contains** interesting points. I find the **contents** of the book good, although some people do not entirely approve of its **content**. He is going to **add** some information to it shortly. When he has **completed** the new edition, the publisher will **withdraw** the old edition **from** circulation, though I personally wouldn't have **removed** it.

– **11.** Detectives look for **links** between the various clues. They try to see how they **link up**. A witness may have said something that **referred to** someone else or he may have **referred** the police to another witness. The police may also **have to do with** a false witness who sometimes **has something to do with** the crime. So detectives try hard to **relate** the various testimonies and concentrate on those that **relate to** (or **are related to**) the case. A clue may sometimes seem to **bear** no **relation to** (or to **have** no **bearing on**) the case. Sometimes also, elements **are connected** which seemed at first to bear no **relation** to each other. **Relations** (or **relatives**), not just the parents of a witness, may have to be approached and their exact **relationship to** the suspect will have to be established.

– **12.** The part-time secretarial job she was offered **fitted** her; it also **fitted in with** her other occupations. It was a job that was **fit for** a young woman and she felt she was **fit for** the position. The working hours did not **overlap** the T.V. programmes and working part-time **agreed with** her ! With the extra money, she would at last be able to buy a bag and shoes that **matched**; they would also have to **match** her coat. The clothes she was wearing at the moment **suited** her. She went into various shops to look for clothes of a **suitable pattern**. She at last chanced upon a **model** which was just the **design** she was looking for.

13

to imitate	imiter
to copy [kɔpi]	copier, reproduire
to separate (from) [sepɔreit]	séparer (de)
separate (adj.) [seprit] . .	séparé, distinct
to compare to or with.	comparer à ou avec
to compare with	soutenir la comparaison avec
to *make, to *draw a comparison (with) .	établir une comparaison (avec)
(as) compared with, in comparison with . .	par rapport à
★ to *bear, to *stand comparison with . .	soutenir la comparaison avec
★ to *set off	mettre en valeur, faire valoir
alike (adj. attrib.)	semblable, pareil
alike (adv.)	pareillement, de la même manière
similar (to)	semblable (à)
a likeness (to)	une ressemblance (avec)
to resemble	ressembler à
a resemblance (to)	une ressemblance (avec)
★ to *take after s.o. . . .	tenir de qqn.
★ to equal [iːkwəl]	égaler qqn. ou qqch.

★ to be equal to sth./to + ger	être à la hauteur de, être de force à
★ to identify (with)	identifier ou s'identifier (à)
★ identical (with)	identique (à)

14

unlike	1. (adj.) différent de
. . . .	2. (adv.) à la différence de
different (from)	différent (de)
to *make a difference (to)	tout changer (pour qqn./à qqch.)
to differ (from)	être différent (de)
★ dissimilar (to)	dissemblable, différent (de)
as opposed to	par contraste avec, à la différence de
on the contrary	au contraire
opposite [prep.]	en face de
the opposite (n.)	le contraire
opposite (adj.)	contraire, complètement différent
I can tell one from the other	je peux distinguer l'un de l'autre
you never can tell . . .	on ne sait jamais

– **13.** Samantha thought it was time she stopped **imitating** her mother and **copying** everything she did, even though they worked together. She wanted to **separate** her home life **from** her professional life, so she had moved into a **separate** flat. But she kept **comparing herself to** her mother and kept thinking she did not **compare with** her. Perhaps it is wrong to **make** (or **draw**) such **comparisons**. Many of her friends said that, **as compared with** (or **in comparison with**) her mother, she often proved to be the better of the two or at least that she definitely **bore** (or **stood**) **comparison with** her. Samantha endeavoured to **set off** her eyes, as mother and daughter were otherwise **alike**, particularly when they dressed **alike**; her clothes often were very **similar to** her mother's. Everybody pointed out a definite **likeness** between them. There is no doubt that Samantha **resembled** her; there was a marked **resemblance** between them. Samantha also **took after** her mother in matters of taste and, in this respect too, she **equalled** her. Samantha always feared that she would not **be equal to** the task of giving her mother satisfaction (or not **be equal to** giving...). But however **alike** they may have been, was it normal that the girl should try to **identify herself with** her mother (or be **identical with** her)?

– **14.** Jim and Tony are very **unlike** each other. **Unlike** Jim, Tony is short; they are **different** in height. This does not **make** any **difference to** their friendship, of course! Jim **differs from** Tony in many respects. Their tastes, to begin with, are **dissimilar**. Jim's preference, **as opposed to** Tony's, goes to football. **On the contrary**, the twins who live **opposite** my house are the **opposite** of Jim and Tony; they do not have **opposite** views and look so alike that I can't **tell one from** the other. But perhaps appearances are deceptive, **you never can tell**.

XLI. – IMPORTANCE AND DEGREE
L'IMPORTANCE ET LE DEGRÉ

ADJECTIVES SHOWING DEGREE AND IMPORTANCE

Adjectifs marquant le degré et l'importance

1

to matter . . . . avoir de l'importance
never mind . . . . peu importe
to a certain extent . . . dans une certaine mesure
to value . . . . faire cas de, estimer
to be of great value . avoir une grande valeur
worth, value . . . . la valeur
to be worth £ 5 . . . . . valoir £ 5
to be worth + ger. . . valoir la peine de, mériter de
to be worth it, to be worth while . . . . . . valoir la peine
★ to *make a difference tout changer →182/14
to *go as far as to do aller jusqu'à + inf.
★ to trifle with . . . . jouer, plaisanter avec
★ a trifle . . . . une vétille, une bagatelle
to *measure [meʒə] . . . . mesurer
★ to *set, to *lay great store by . . . . attacher grand prix à
★ to *make much of . . . faire grand cas de
★ to *prevail . . . . (ch.) régner, dominer

2

bare (épit.) . . . . tout juste suffisant, à peine de quoi
chief (épit.) . . . . principal
★ comprehensive . . . . . . complet, qui donne une vue d'ensemble
decided . . . . net, caractérisé, marqué
definite . . . . précis, net
distinct . . . . net, très marqué
★ downright . . . . absolu, véritable
essential . . . . essentiel
evident . . . . évident
★ faint . . . . léger, vague
★ foremost . . . . premier, le plus en vue
★ exhaustive . . . . approfondi, qui épuise le sujet
★ extensive . . . . étendu, ample → 164/9
★ immaterial . . . . peu important
important . . . . important
leading . . . . premier, important, prépondérant
main (épit.) . . . . principal
mere [miə] (épit.) . . . . simple, rien que

– **1.** Of course, friendship **matters** to me; **never mind** what some people may say. **I value** friendship more than anything else; it is **of greater value to** me than money : I know a friend's **worth.** You can't say friendship **is worth** so many pounds; such a position **isn't** even **worth** discussing. Believe you me, make as many friends as you can; it's **worth it**; friends **make a difference to** your whole life. I'd **go as far as to** say that friendship isn't something to be **trifled with.** It'd be silly to quarrel with friends over **trifles;** you can **measure** a friend's attachment by his ability to overlook his grievances. The reason why **I set** (or **lay) great store by** (or **make** so **much of)** friendship is because I'm sure that if friendship **prevailed** all over the world, we'd all be the better for it.

– **2.** – **bare** : he earned a ~ living; approved by a ~ majority; the ~ necessities of life; this is a ~ possibility. – **chief** : the ~ topic of conversation; the ~ thing to remember. – **comprehensive** : a ~ description; a man with a ~ mind. – **decided** : there is a ~ difference between them; he is a man of ~ opinions. – **definite** : I want a ~ answer; he appointed a ~ time and place – **distinct** : there is a ~ chill in the air; I've noticed a ~ improvement in his English. – **downright** : it's a ~ lie; ~ nonsense. – **essential** : is this ~ to you ? – **evident** : he looked at her with ~ pride. – **faint** : she occasionnally affected a ~ accent; I haven't the **faintest** idea what you mean – **foremost** : he was the ~ painter of his period. – **exhaustive** : an ~ inquiry, study. – **extensive** : ~ knowledge, repairs, inquiries. – **immaterial** : that is quite ~ to me; he has raised ~ objections. **important** : an ~ decision, book, man; he played an ~ part in the events. – **leading** : the ~ men of the day; the ~ lady; the ~ industries of Great Britain. – **main** : the ~ railway line, street; the ~ point of an argument; the ~ stream of political thought. – **mere** : her accent was ~ affectation; she was still a ~ child; the ~ thought of this upsets me.

3

★ **momentous** (lit.)	capital, important	**slight**	léger, de peu d'importance
obvious	évident, manifeste	★ **tremendous** (fam.)	énorme, formidable
★ **petty**	insignifiant, menu	★ **trifling** [ai]	sans conséquence, insignifiant
plain	clair	**trivial** [i]	banal; (p.) peu sérieux, superficiel
poor	médiocre, piètre		(ch.) banal, insignifiant
★ **prevalent** [prevələnt]	dominant, général	**unimportant**	sans importance
principal	principal	★ **utmost, uttermost** (lit.)	
★ **scant**	limité, peu abondant		extrême
★ **scanty**	à peine suffisant, rare	★ **utter**	absolu, total
scarce	rare, peu abondant		
★ **sheer**	pur et simple, véritable, absolu		

— **3**. — **momentous** : a ~ decision, occasion; the risks are too ~ to be faced lightly. — **obvious** : an ~ difference, reason, fact; that was the ~ thing to do. — **petty** : ~ details, troubles; ~ expenses, offences. — **plain** : it is my ~ duty to tell you this; he used ~ and precise terms; the meaning of this is quite ~ — **poor** : a ~ violinist; ~ visibility; a ~ excuse. — **prevalent** : the ~ fashions, ideas, disease in that country. — **principal** : the ~ witness, ingredient, dancer in the ballet. — **scant** : he paid ~ attention to what I said; a ~ income, vegetation; ~ success. — **scanty** : a ~ rice-crop; ~ hair, means; a ~ meal. — **scarce** : a ~ moth; eggs are ~ this year. — **sheer** : by ~ chance; this is ~ nonsense, a ~ waste of time; a work of ~ imagination; in ~ desperation. — **slight** : a ~ error, headache, improvement. — **tremendous** : at ~ speed; a ~ explosion, meal; he is a ~ eater, talker. — **trifling** : a ~ error, sum of money; of ~ value; this is no ~ matter. — **trivial** : a ~ task, offence, loss, activity. She knew him for a ~ taster in love and life. — **unimportant** : money, he says, is ~ to him. — **utmost** : of the ~ importance; with ~ care. — **utter** : in ~ darkness; he is an ~ scoundrel, an ~ stranger to me.

I shall be telling this with a sigh
Somewhere ages and ages hence :
Two roads diverged in a wood, and I...
I took the one less travelled by,
And that has made all the difference.

Robert FROST

I've just learnt about his illness; let's hope it's nothing trivial.

Irvin COBB

If I were a medical man I should prescribe a holiday to any patient who considered his work important.

Bertrand RUSSEL

You know my method. It is founded upon the observance of trifles.

Sir Arthur CONAN DOYLE

XLII. – CHANGE – *LE CHANGEMENT*

1

to change............	(v.i/v.t) changer, (se) transformer
to change into	(se) transformer en
(a) change...........	le (un) changement
for a change	pour changer
to turn into + n.....	(se) transformer en + n
★ to *undergo a change.	subir un changement
★ varied [vɛərid].......	varié
various [vɛəriəs]......	divers; plusieurs
★ vary [vɛəri]	(v.t/v.i) varier
variety [vəraiəti]	variété; diversité
to exchange [ei](for) ..	échanger (contre)
★ miscellaneous [misil-einjəs]............	varié, disparate

EVOLUTION
l'évolution

2

to *grow [əu] (+ adj.).	devenir (+ adj.) (= par la loi de la nature); grandir; (ch.) faire pousser; pousser
★ to *grow into (+ n)...	devenir assez grand pour mettre, entrer dans + n
★ to *grow out of (+ n).	devenir grand au point de ne plus pouvoir mettre + n
★ to *grow into (+ n)...	devenir (+ n), en grandissant
to *grow out of (+ n/ ger.)	perdre l'habitude de (+ n/ inf.) en grandissant
to *become (+ n/adj.).	devenir (+ n/adj) (= commencer à être)
to *get (adj.).........	devenir (= changement d'état)
increase [i:](in)	augmentation (de); accroissement
to increase (by)	(v.t/v.i) (s') accroître (de); augmenter (de)
to increase to........	(v.t.) porter à; (v.i.) atteindre
to decrease [di:kri:s]...	(v.i/v.t) diminuer, décroître/réduire
to decrease from... to .	(faire) passer de ... à ... (en diminuant)
decrease [di:kri:s]	diminution, baisse
★ increasingly	de plus en plus, de façon croissante
★ to turn + adj. (fml) ...	devenir
★ to *go (+ adj. de couleur)	devenir
★ to *go (+ adj.; état pire ou permanent).....	devenir

– 1. Once upon a time-she began- there was a magician who wanted to **change** the world. He wanted to **change** people **into** animals, but such **change** wasn't easy to bring about. So he decided that, **for a change,** he would **turn** people **into** flowers, beginning with his village. He waved his arms about, recited a magic spell and, before his eyes, the village **underwent a** tremendous **change**. All the men **turned into** hollyhocks and all the women **into** roses. But this wasn't **varied** enough for the magician, who had had visions of a garden of **various** different kinds of flowers. So he **varied** his spell, though opinions **vary** as to what he did exactly and, hey presto, the village was full of a wonderful **variety** of flowers. The magician then **exchanged** some of his flowers **for** animals and birds, until he had a **miscellaneous** collection of botanical and zoological specimens that any naturalist would be proud of.

– 2. When I was young I **grew** very fast, unlike the cabbages my father tried to **grow** in the kitchen garden ! I was given a winter coat one Christmas, two sizes too big for me, but by the following winter I had not only **grown into it** but almost **grown out of it** already. (I had **grown into** quite a big girl for my age). "I wish she would **grow out of** biting her nails as fast as she **grows out of her clothes**" my mother exclaimed to my father. "She's **becoming** very **expensive** to dress, this is **becoming a nightmare**. I'm **getting** fed up with buying her new clothes all the time. You'll have to give me an **increase in** her clothing allowance. You'd better **increase it by** 25 %, to cover costs". "I can't **increase it to** £ 60 per month" replied my father. "I can't afford it. I've already **decreased** my other expenses **by** 10 %, but there is no way I can **decrease** them from £ 100 to £ 85, much as I would like to. Such a **decrease** is impossible. Life is getting **increasingly** more expensive and I'm **turning grey** with the worry of it all. Yes, look, I'm **going** grey at the temples, at my age; if this goes on much longer I'll **go crazy**".

3

4

★ to alter [ɔːltə].......	modifier
★ alteration	modification
alternative (to)	choix, alternative (à)
★ to have no alternative but to do.........	n'avoir d'autre choix que de + inf.
★ to switch (from... to...)	faire passer, transférer de... à...
★ to shift (to).........	(v.i.) bouger; (v.t.) affecter à
to move [uː]........	(v.t.) déplacer; muter; (v.i.) remuer, se déplacer
★ to substitute [sʌbstitjuːt] for s.o.	assurer la suppléance de qqn.
to replace [ripleis] s.o. .	remplacer qqn.
★ to substitute (for)	substituer (à)
★ a substitute (for)	remplaçant (de), suppléant (de); produit de remplacement (pour/de)
develop [diveləp]......	(v.t.) développer; aménager (v.i.) apparaître, se manifester (symptôme, etc.)

to *begin............	(v.i./v.t.) commencer
★ to *begin by + ger....	commencer par + inf. ou en + p. présent
to *begin to do/ + ger. ..	commencer à + inf.
★ to *begin with sth....	commencer par qqch.
★ to *begin with/to start with.......	d'abord
to start	(v.i.) se lancer, s'y mettre; (v.t.) entamer; se mettre à qqch.; déclencher
to start with	v. ci-dessus : to begin with
to start to do/ + ger. ...	se mettre à + inf.
★ to start with/for a start..............	v. ci-dessus : to begin with
to *grow on s.o......	plaire de plus en plus à qqn.
★ to diminish [i]	(v.t./v.i) diminuer, se réduire
★ to lessen............	(v.t./v.i) (s') amoindrir, (s') atténuer
★ to dwindle away (to) .	s'amenuiser (jusqu'à ne plus être que)
★ unfailing	inépuisable
extend [ikstend]......	(s') élargir, (s') étendre
★ curtail [kəːteil].......	écourter, tronquer, réduire
★ supersede [sjuːpəsiːd] .	supplanter, prendre la place de

– **3.** Smith, the personal manager, wanted to **alter** the rota but knew that he would have to consult Brown, the shop steward, first. No **alteration** could be made without prior consultation, unless he wanted to put the unions back up. The **alternative to** consultation was an industrial dispute and that was the last thing he wanted, so he had **no alternative but to** call Brown into his office. "Good morning, Brown, I've called you in to discuss the new rota. I've decided to **switch** half a dozen people **from** the first shift **to** the second one and wanted your suggestions. I propose the qualified workers in C. section. What do you think?" Smith **shifted** uneasily in his chair, while waiting for Brown's reaction. "Well", said Brown, "that doesn't seem a good idea to me. If you **move** all of them, you'll have problems; if one or two are off sick, you won't have anybody qualified to **substitute for them** or **replace them**, and the others won't be able to cope. You can't **substitute** machines **for** men, you know, at least not in C. section. In my opinion, C. section needs to be **developed**, so you'd better think again. If you **move** everybody, then I think you can expect trouble to **develop** and I wouldn't like to be in your shoes when that happens.

– **4.** Jane, a journalist, was having one of those days. It had **begun** that morning, when the sub-editor had **begun** the day **by** shouting at her. He had **begun to** shout at her because she never **began** working before 9 a.m. If I **begin** today **with** an argument, she thought, how on earth will I get through the week? "**To begin with...**" shouted back at the editor, then stopped. What was the use of shouting? Once the editor shouted you could never stop him. If he wanted to **start** an argument, then let him finish it, too, she decided. She turned her back on him and **started to** work. She had hardly **started** writing when the phone rang. It was the editor, telling her to drop everything and rush across London to cover some routine event. "I thought this running around London interviewing people would **grow on** me", she muttered under her breath, "but my enthusiasm is **diminishing** by the hour, not to say by the minute. It **lessens** much more it'll **dwindle away to** nothing, and then where will I be?" But then her natural **unfailing** cheerfulness came to her rescue. After all, such assignments allowed her to **extend** her experience and she could always **curtail** the interview if it was really uninteresting, and get back to the book she was writing. It was nearly finished and she hoped it would **supersede** all the others which were already on the market.

CONTINUATION

la continuation

5

permanent [pɜːmənənt].......	permanent, fixe
temporary [tempərəri] .	temporaire, intérimaire
provisional..........	provisoire
interrupt [intrʌpt].....	interrompre
★ uninterruptedly......	de façon ininterrompue
★ break out..........	éclater, se déclarer
★ outbreak............	commencement, premiers signes (d'une maladie); déclenchement, explosion (de violence)
to postpone [əu] sth/ + ger.............	remettre à plus tard qqch./de + inf.
★ to *put sth off/put off + ger. (fam.).....	= to postpone
to *go on...........	passer à l'antenne, être diffusé
to *go on...........	continuer
to *go on with sth ..	continuer qqch.
to *go on + ger.....	continuer à + inf.
★ to continue (to do/ + ger.).............	continuer à + inf.
to carry on...........	se poursuivre
to carry on with sth .	poursuivre qqch. (activité)
to carry on + ger....	continuer à + inf.
to *keep on + ger. ..	ne pas cesser de + inf. →73/7

THE END

la fin

6

★ to be at an end	être terminé, être arrivé à son terme
to be over	(event, period) fini
to be up...........	(time) terminé
★ to be out..........	(day) fini; (fire) éteint
to have a break	faire une pause
★ timely (adj.).........	opportun
to cease, to *leave off	(v.i/v.t.) cesser, (s') arrêter →73/7
to cease to do/ + ger	cesser de + inf.
★ ceaseless	incessant, continuel
final	définitif, sans appel
★ to continue + ger./to.	continuer à + inf. → §5
★ to go on to do sth ...	faire qqch. ensuite (v. go on + ger. §5)
sudden	soudain
suddenly............	brusquement
to finish (+ ger.).....	(v.i/v.t) finir (de + inf.)

– **5.** The **permanent** newsreader was on sick leave for three months and had been replaced by a **temporary** newsreader. At the same time part of the BBC was being redecorated, so the news was being read from a **provisional** studio set up on the fourth floor, where they would not be **interrupted** by the painters. The painters had been working **uninterruptedly** for the previous two weeks, but then, just when everything seemed to be under control, a fire **broke out**. To make matters worse, half the secretarial staff had succumbed to an **outbreak** of flu. The news editor **postponed** his holiday and even **postponed** going to see his dentist, in order to cope with everything. Much though he hated to **put off** his dental appointment, not to mention **putting off** going on holiday, he did not really have much choice, as the news had to **go on**. He rushed from one office to the other, shouting and gesticulating, but the staff took no notice and just **went on with** their work as if everything were normal. The typists **went on** typing, the telexes **continued to** come in and everything **carried on** as usual. The painters **carried on with** their painting and, despite everything, the BBC **carried on** broadcasting to the nation. After all, the BBC must **keep on** broadcasting, whatever happens !

– **6.** The holiday **was** almost **at an end,** the vacation **was** almost **over** and they were enjoying their last two days together. They had been playing chess and had decided to limit each move to three minutes. "Time's up", said Ann to Peter. "If you don't stick to the rules the day'll **be out** before we've finished the game. Anyway, I'm thirsty, let's **have a break**". At that moment John came in, muttering about **timely** warnings, clouds and shipwrecks. "Have you heard the news ?" he said. "It'll never **cease to** amaze me that people risk their own lives, and other people's lives, through sheer stupidity. Yet lifeboatmen never **cease** caring about their fellow human beings in distress". As he spoke the others became aware of the **ceaseless** patter of rain against the windows. "As for you two, there's no way you're going out to sea in this weather, even if this is the end of the holiday. You're not to go out, and that's **final**". John **continued** talking, partly to himself, partly to the others. Having exhausted the subject of disasters at sea he then **went on to** talk about the weather. A **sudden** flash of lightning stopped him and then **suddenly** the lights went out. "Oh well", he said, searching for a match, "You'll have to **finish** playing chess by candle-light".

to *go on	se passer
to *go on for + n ...	approcher de (âge, heure)
★ continuous [kəntinjuəs]	continu, ininterrompu
★ continual [kəntinjuəl] ..	continuel, très fréquent
resume [rizju:m]	(v.t/v.i) reprendre (une activité), se remettre à qqch.
★ resumption [ʌ]	reprise (d'une activité)
★ to *set s.o. + ger ...	amener, porter qqn. à + inf.
to survive [səvəiv]	(v.i/v.t) survivre (à)
survival	survivance, survie
★ to *come to a standstill	s'arrêter, s'immobiliser
★ to *come to a deadlock	aboutir à une impasse, être au point mort
★ to subside	s'affaisser; se calmer, s'apaiser
★ to have done with sth	en avoir fini, terminé avec qqch.
★ to have done + ger. .	en avoir fini de + inf.

8

★ to tide s.o. over	tirer qqn. d'embarras (provisoirement) dépanner qqn.
★ process [prəuses]	processus
be in process	être en cours
★ to span	couvrir (une période)
to delay [dilei] (in + ger.)	tarder (à + inf.); s'attarder
to delay	(v.t) retarder; remettre à plus tard
delay (in + ger.)	retard (à + inf.)
★ to linger (over).	(ch.) persister, subsister; (p.) s'attarder (à/sur)
★ to dally (over)	traîner, lambiner (sur)
★ to tarry (lit.)	s'attarder, tarder; rester, demeurer
steady [e]	régulier; stable; constant
steadily	régulièrement; sans arrêt ou interruption
★ fitful	agité (sommeil); intermittent (cpt), changeant (temps)
★ fleeting	bref et rapide (regard); fugace (souvenir); éphémère, passager (sensation)

− **7.** "I don't know what's **going on** outside in the hospital grounds", he grumbled, sitting upright in bed. "I know I'm **going on for** sixty five, but this **continuous** pain didn't seem normal, so I came in for a check-up and a good rest. But this **continual** drilling and banging and changing. It's enough to make you ill ! The noise stops at around one o'clock, but then **resumes** at about two thirty. From about two fifteen onwards I get all tense, waiting for the **resumption** of the banging. But it's **set me** thinking about those who spend all day every day in such a noisy environment. I don't know how they **survive**. Maybe, as Darwin said, it's the **survival** of the fittest, though they can't be fit, if you ask me. If I had to work under such conditions, things would soon **come to a standstill**. What's more, all negotiations would **come to a deadlock** until the way was found for the noise to be reduced". Jim **subsided** back against the pillow, his irritation **subsiding** gradually. At that moment the nurse came up to him and shook her finger disapprovingly. "Now, let's **have done with** all this agitation, Mr. Brown, or you'll never get better. When you've **done** complaining drink up your medecine, then try and get some sleep".

− **8.** Doctor Ware gave Bill some medecine to **tide him over** until he could have a stomach operation at the end of the month. The doctor also explained to Bill the **process** of digestion and told him about the research which **was** currently **in process**. "Research into such disorders has only **spanned** the last twenty years, but we now understand things better. But you shouldn't have **delayed** so long **in** coming to see me, because treatment shouldn't be **delayed**. A **delay in** treating stomach disorders can lead to complications. Anyway, take this medecine, it will ease the pain. If the pain **lingers**, then come back and see me. And don't rush your meals. **Linger over** them, take your time. I know you don't like to **dally over** your food, but it's for your own good. You should **tarry** a while, after your meal, too, before hurrying off to do things. Don't worry, though, your pulse is **steady** and, once you've had the operation, your health will **steadily** improve. By the way, how are you sleeping ? The odd **fitful** night won't do you any harm, but if you can't sleep, I'll give you something to take". The doctor gave Bill a **fleeting** yet penetrating look. "it's a routine operation", he said, "you'll be as right as rain in no time at all'.

OLD AND NEW

ancien et nouveau

9

★ **haste** [heist]	hâte, diligence
★ **to hasten (to do)** [heisən].	se presser; s'empresser (de + *inf.*)
★ **hasty**	hâtif; précipité
current [ʌ]	actuel; courant, commun
★ **in current use**	d'un usage courant
★ **contemporary (with)** (adj.)	contemporain (de)
new	nouveau; neuf
old	ancien; vieux
old boys	anciens élèves
to be out of date	ne plus être à jour; être démodé; ne pas être de son temps
to be up to date	(*ch.*) être à jour, au goût du jour; (*p.*) être à la page, de son temps
to *bring sth up to date	mettre à jour; moderniser qqch. ●

to follow	(*v.t / v.i.*) suivre; s'ensuivre
★ **remote** [riməut]	éloigné, lointain (temps ou espace)
★ **ancient** [einfənt]	antique; ancien
to approach, *draw near	(*v.i.*) (s')approcher; être proche (dans le temps)

10

late (adj)	feu, défunt
★ **precede** [prisi:d] (with) .	(*v.i. / v.t*) précéder; faire précéder (de)
previous [pri:vjəs].	précédent
former	ancien; antérieur
overlap [əuvəlæp]	coincider en partie; (se) chevaucher
prospect [prɔspekt] ...	chance; perspective, avenir
★ **to decay** [dikei]	s'altérer, se détériorer; décliner, s'affaiblir
★ **to fade**	(*v.i.*) passer (couleur); se faner; baisser (lumière)
★ **rate**	rythme, taux
★ **pace**	allure; pas
★ **keep pace with**	ne pas se laisser dépasser par

– **9.** John wrote the invitation to the annual dinner and drew up the guest list in great **haste**. He **hastened to** show them to Barry, who took one look at them and told him to do them again. "You've been too **hasty**, my dear chap, half those addresses are wrong. David's **current** address is in London, not Bristol. And what kind of spelling is that – it may have existed in the past but is no longer **in current use**, it's **contemporary with** Shakespeare, if you ask me. Make out a **new** list of our **old boys**, this is completely **out of date**, just like your English ! You really ought to be more **up to date**, you know. **Bring** the list **up to date** – get Philip to help you, he's been **following** the activities of our members. I know he's got everyone's latest address, including Peter's who's living in a **remote** corner of Scotland. Peter's living in some **ancient** castle, near the coast, doing research or something. And get a move on, Easter is **approaching**, we must get the invitations out in time".

– **10.** The **late** Ann Drake was an expert in old tapestries and often gave lectures on the subject. She would usually **precede** her talks **with** some amusing anecdote and, if she was the second of two speakers, would always make some witty comment on the **previous** speaker's talk, before beginning her own. One of her **former** class-mates tells us that, at school, Ann Drake was interested in both history and art and so chose to study tapestries, where her two interests **overlapped**. She didn't think there was much **prospect** of getting a job in such a field, but in fact made a brilliant career. She married a chemist, who specialized in techniques to stop materials such as wools from **decaying** with age, and to stop colours from **fading** at such a fast **rate**, whether in sunlight or artificial light. Ann Drake had a very quick mind and tended to walk at a smart **pace** to match. In fact, both physically and mentally it was very difficult to **keep pace with** her.

1 ————————— **A** —————————

Ideas, books, stories, plots, descriptions may be :

original : original.
new : nouveau.
old : vieux, ancien.
plain : simple, sans recherche.
superficial : superficiel.
deep : profond.
vague : vague.
low : bas, vil.
real : réel.
unreal : irréel.
realistic : réaliste.
lively : vivant, vif.
pleasant : agréable.
unpleasant : déplaisant, désagréable.
dramatic : dramatique.
tragic : tragique (genre littéraire).
tragical : tragique (événement).

ridiculous : ridicule.
comic : comique (genre littéraire).
comical : comique, drôle, risible.
poetic : poétique (ayant les qualités de la poésie).
poetical : poétique (écrit en vers).
epic [e] : épique.
lyric : lyrique (genre littéraire).
lyrical : lyrique (prétendant l'être).
classical : classique.
romantic : romantique.
long : long.
short : court.
brief : bref.
instructive : instructif.
remarkable : remarquable.
fair : assez bon.
acceptable : acceptable.

good : bon.
excellent : excellent.
first-rate : de tout premier plan.
poor : médiocre.
bad : mauvais.
funny : drôle.
amusing : amusant.
moving : émouvant.
cheering : réjouissant.
uninteresting : sans intérêt.
flat : plat, fade.
dull : terne.
captivating : captivant.
exciting : passionnant.
probable : vraisemblable.
improbable : invraisemblable.
ironical : ironique.
complete : complet.
incomplete : incomplet.
detailed : détaillé.

2 ————————— **B** —————————

Ideas, books, stories, plots, descriptions may be :

up to date : moderne, au goût du jour.
significant : significatif.
hollow : creux.
relevant : pertinent.
irrelevant : hors de propos.
vile : bas, vil.
psychological : psychologique.
autobiographical : autobiographique.
sentimental : sentimental.
likely : vraisemblable - ≠ **unlikely**.
incredible : incroyable.
unbelievable : id.
outstanding : remarquable, éminent.
indifferent : passable, médiocre.
diverting : divertissant.
entertaining : distrayant, amusant.

humorous : humoritisque.
witty : spirituel.
tedious [i:] : ennuyeux.
tiresome : fastidieux.
lengthy : qui a des longueurs.
stirring [ə] : émouvant.
thrilling : poignant.
pathetic : pathétique, touchant.
minute [mai'nju:t] : détaillé, minutieux.
judicious [i] : judicieux.
ludicrous [u:] : risible, grotesque.

Images, metaphors, similes ['similiz], may be :

apt : heureux, qui convient.
cunning : habile; ingénieux.
far-fetched : forcé.
impressive : frappant, impressionnant.

A writer may be :

a man of parts : un homme de talent.
a man of weak or slender parts : un homme de peu de talent.
versatile ['və:sətail] : aux talents variés.

The tone may be :

sincere [sin'siə] : sincère.
affected : affecté, peu naturel.

The atmosphere may be :

pleasant : agréable.
unplesant : désagréable, déplaisant.
successfully rendered : bien rendu.
unsuccessfully rendered : mal rendu.

3 ————————— **C** —————————

Ideas, books, stories, plots, descriptions may be :

well-put : bien exprimé.
badly put : mal exprimé.
shallow : peu profond.
jejune [dʒi'dʒu:n] : stérile, aride.
trivial : banal, insignifiant.
lofty : élevé, sublime.
of little worth : de peu de valeur.

consistent : logique, qui se tient.
inconsistent : peu logique, contradictoire, qui ne se tient pas.
hackneyed : rebattu.
spirited : plein de vigueur.
homely : simple, sans apprêt.
thorough [ʌ] : minutieux.
pungent [ʌ] : mordant, caustique.
preposterous [ɔ] : contraire au bon sens, ridicule.

The style should not be :

discursive : diffus.
cramped : embarrassé.
crabbed : pénible, laborieux.
involved : embarrassé, embrouillé.
abstruse [u:] : abstrus.
recondite [ri'kɔndait] : obscur.
entangled : enchevêtré.
stodgy : lourd, pesant.
ponderous : lourd, ampoulé.

4 ———————————— **A** ————————————

Images, metaphors, similes may be :

justified : justifié.
skilful : habile.
striking : frappant.

A writer may be :

gifted : doué.
talented : de talent.

The style may be :

clear : clair.
concise [-'sais] : concis.
precise [-'sais] : précis.
simple : simple.

plain : clair, sans ornements.
natural : naturel.
direct : direct.
abstract : abstrait.
concrete : concret.
conversational : de la conversation.
colloquial [ou] : familier.
lively [ai] : vif, animé.
vigorous : vigoureux.
powerful : fort, puissant, qui a de la vigueur.
poetic : poétique.
realistic : réaliste.
prosaic [prou'zeiik] : prosaïque.
varied ['ɛə] : varié.
neat : élégant, choisi.
crisp : nerveux, vif.

The style should not be :

obscure : obscur.
weak : faible.
poor : pauvre.
dry : sec.
confused : confus.
confusing : embrouillant.
unvaried : qui manque de variété.
monotonous : monotone.
dull : terne.
vulgar : vulgaire.
artificial : artificiel.
repetitive : qui se répète.
commonplace : banal.
old fashioned ; out-of-date : démodé.
coarse : grossier.
affected : affecté, peu naturel.
colourless : sans couleur.

5 ———————————— **B** ————————————

The analysis may be :

subtle ['sʌtl] : subtile.
illuminating : lumineuse.

The style may be :

accurate [ae] : précis.
compact : concis.
elaborate : recherché.
polished : châtié.
precious : précieux.
refined : raffiné.
subtle : subtil.
straightforward : direct.
allusive : allusif.
complex : complexe.

matter of fact : terre à terre,.
vivid : vif.
sparkling : brillant, pétillant.
effective : frappant.
incisive [ai] : incisif.
impressive : impressionnant.
homely : simple (qqfs péjor.).
well-balanced : bien équilibré.
colourful : coloré, pittoresque.
analytical : analytique.
slashing : mordant, cinglant.

The style should not be :

inaccurate : imprécis.
diffuse [di'fju:s] : diffus.

profuse : profus, excessif.
prolix [ou] : prolixe, délayé.
digressive [dai'gresiv] : digressif.
rambling : décousu.
archaic ['ei] : archaïque.
awkward ['ɔ:kwəd] : gauche.
clumsy : maladroit.
overcharged : surchargé.
wordy : délayé, verbeux.
pedantic : pédant.
facile ['faesail] : facile.
feeble : faible.
loose [s] : relâché.
lengthy : plein de longueurs.
devoid of... : dépourvu de....
flashy : superficiel, d'un faux brillant.

6 ———————————— **C** ————————————

cloyed : surchargé.
gaudy [ɔ:] : clinquant.
meretricious : factice, d'un éclat criard.
bombastic : pompeux.
turgid : boursouflé.
flatulent : prétentieux, boursouflé.
slipshod : négligé.
lax : peu précis, relâché.
slovenly : débraillé.
trashy : de camelote, de mirliton.
crack : à effet.

obtrusive : qui se fait remarquer, indiscret.
high-flown : grandiloquent.
verbose [-'bous] : verbeux, prolixe.
prosy [ou] : prosaïque, terre à terre.
barren : stérile.
drab : terne.
trite : banal.
obsolete : désuet.
antiquated : vieillot.
jejune [ʒi'dʒu:n] : aride.
new-fangled : trop moderne.

overwrought : trop travaillé.
over-meticulous : trop méticuleux.
indecorous : de mauvais goût, déplacé.
stilted : guindé.
jerky : saccadé.
flaunting [ɔ:] : tapageur.
finicky : vétilleux.
simpering : minauder.
curt : sec, cassant.
didactic : didactique.
ranting : déclamatoire.
flimsy : creux, faible.

Ideas, books, stories, plots, descriptions may be :

mock-heroic [ou] : burlesque.
discrepant : contradictoire.
nonsensical : absurde.
irksome [əːksəm] : ennuyeux.
toilsome : ardu, indigeste.
enthralling : captivant.
engrossing : absorbant.
poignant : poignant.
apposite : juste, approprié.
long-winded [i] : interminable.
circumstancial : détaillé.
packed with details : bourré de
 détails.
brimming with : débordant de.

Images, metaphors, similes may be :

unfortunate : malheureux.
felicitous : bien trouvé, heureux.

arresting : qui retient l'attention,
 attachant.
laboured [ei] : travaillé, trop élaboré.

The atmosphere may be :

strained : tendue.
frigid : glaciale.
genial [iː] : empreinte de cordialité.

The tone may be :

subdued : discret.
mincing : affecté, minaudier.
passionate : emporté.

The analysis may be :

searching : fouillée.
thorough : approfondie, minu-
 tieuse, consciencieuse.

comprehensive : complète.
exhaustive : qui couvre tous les
 aspects, complète.

The style may be :

terse : élégant, précis.
chastened [tʃeisnd] : sobre.
unobtrusive [-ˈtruːsiv] : discret.
graphic : pittoresque.
glowing : coloré.
gorgeous : somptueux, splendide.
spirited : vigoureux.
ornate [ei] : imagé, fleuri.
adorned : orné, enjolivé.
unadorned : sans ornements,
 simple, naturel.
cogent [ou] : convaincant.
efficient : efficace.
forcible : qui porte.
telling : expressif, qui marque.
racy : plein de verve, qui sent le
 terroir.
pithy [i] : plein de sève.
pungent : mordant.

LITERARY APPRECIATION II

to criticize [ˈkritisaiz] : critiquer.
critical : critique, exigeant, porté à critiquer.
critically : en critique, d'un œil sévère.
criticism [kritisizəm] : une critique (de qqch.).
a critic : un critique (métier).
to comment [ɔ] on : commenter, faire le commentaire de.
comment [e] : commentaire, observation.
to make comments : faire des commentaires.
*to lead up to : conduire à, amener (un sujet, un dénouement, etc.).

It is said that **to criticize** is to better appreciate, but it is very difficult to criticize fairly the work of a living or recent poet such as T.S. Eliot, as any present **critical** judgment on him is bound to be and can only be hypothetical and only the **criticisms** of **critics** yet to appear can in any way pretend to be definitive. By this I do not mean that, as contemporaries of Eliot, we should not **comment on his work**; in fact, the **comments** we, living in the same milieu as he, **make on Eliot** can help to overcome the shortcomings of later critics. Thus there is a progression which **leads up to valid criticism**.

to impress : faire impression sur, frapper qqn.
impressive : impressionnant, émouvant.
to throw light on : éclairer, jeter le jour sur (un sujet).
*to bring out : faire ressortir, mettre en valeur.
to summarize : résumer
to inspire : inspirer qqn. **(with)** : qqch. à qqn.
inspired (pers. ch.) : inspiré **(by)** : tiré de.

What **impresses us** about his work to day may not be what will impress future generations, but our judgments cannot but **throw light on the contemporary scene** in which Eliot lived and **bring out the events** and currents of thought that influenced him. Thus well-directed comments and explanations by contemporaries **summarize** what would be very difficult for our successors — the research into understanding Eliot's environment. We can say how he **inspires us, with what** emotion **he inspires us** and also how his work was partly **inspired by other contemporary works** and currents of literary and philosophical thought.

9 ——————————— B ———————————

*to show great insight : montrer bcp de finesse, de pénétration **(into)** : dans qqch.
*to show a lack of thought : manifester un manque de réflexion.
appreciative or appreciatory : élogieux.
to heighten [ai] : augmenter (l'intérêt, etc.), rehausser, faire ressortir (la beauté, etc.).
to analyse [æ] : analyser – analysis [æ].
to detect : déceler.
to conceal : cacher qqch. **(from)** : à qqn.
*to throw sth. into relief : mettre en relief.
to reveal : révéler qqch. **(to)** : à qqn.

Dickens **shows great insight into** the social problems of his day, whereas other authors **show a** marked **lack of thought** about such matters. Critics have written **appreciative** reviews of the way he has **heightened** our awareness of life in the last century and helped us to **analyse** it. In his writings we can **detect** his sensitivity through his refusal to **conceal** real living conditions **from** the readers. Indeed he **throws** the stark poverty of the times **into-relief** and **reveals** the horror in all its detail.

to lengthen : allonger – ≠ to shorten : raccourcir.
*to grow or become longer : s'allonger – ≠ to become.
shorter : se raccourcir, devenir plus court.
to broaden : élargir (le sens); s'élargir – **(into** : jusqu'à devenir qqch).
to abridge : abréger – -ment.
to dwell on : s'étendre, insister sur.
to enlarge upon : discourir, s'étendre sur.

He **lengthens his novels** considerably with descriptions of the prevailing social conditions. Several people have tried **to shorten his books,** for instance to make them readable to children, in order **to broaden their culture.** But in order that their minds should be broadened, their appreciation of the world needs to be **broadened into a proper comprehension** of it, which cannot really be achieved with **abridged** versions. Dickens **dwells on social misery** because it was very prevalent and he felt the need to **enlarge upon it,** so as to try to right the situation.

10 ——————————— C ———————————

climax [ai] : comble, apogée, point culminant – ≠ anticlimax : chute, retombée.
to sustain the interest : soutenir l'intérêt.
craftsmanship [a:] : le fini, l'exécution soignée, l'habileté consommée, l'art.
to flag : se relâcher, tomber.
to enhance [a:] : rehausser, accroître, relever (la beauté, etc...).
drift : tendance générale, portée (d'une œuvre), but (d'un auteur).
to synthetize ['sin θitaiz] : synthétiser, faire la synthèse de.
synthesis (pl. : -es) ['sin θisis, -i:z] : la synthèse.
*to spin out : délayer, allonger qqch.

Milton often approaches the **climax** of "Paradise Lost" – the eating of the apple – only to turn away into **anti-climax** at the last moment with a consummate **craftsmanship** that confounds one. The reader's interest never **flags** throughout the twelve books. Milton **enhances his work** by means of his glorious command of the English language, so that, no matter how poetical his expression might be, we never lose the **drift** of what he is saying and we never feel that he is simply **spinning out the story** just to make it longer.

*to set off sth. to advantage : mettre en valeur.
to evince : montrer, manifester (une qualité, etc.).
in a nutshell : en deux mots.
*to put it in a nutshell : pour me résumer.
in other words : en d'autres termes.
nicety : exactitude, précision; finesse, subtilité.
to expatiate [eks'pei ʃieit] **(on)** : développer, s'étendre sur.
gist [dʒist] : le fond, l'essence, la substance, le vif (d'un sujet).
pith : la moëlle, l'essence, la quintessence de.

His elevated and oratorical style **sets off his grand** subject to its **fullest advantage** and he **evinces** unequalled power over words. **In a nutshell** (or to **put it in a nutshell**), his mastery of the English language is sublime. **In other words** he uses the language and its **niceties** as a painter would use colours and its shades. In the first twenty or so lines of the poem, he **expatiates on his reasons** for writing it, the **gist** of which is that he is trying to "justify the ways of God to man", putting the **pith** of his subject before us from the start, that we may see it mirrored throughout the work.

11 —————————————— A ——————————————

to describe [ai] : décrire.
***to give a description** [i] : faire une description.
descriptive [dis'kriptiv] : descriptif.
to rhyme [ai] : rimer **(with)** : avec, faire rimer (des mots), mettre qqch. en vers.
rhymed : écrit en vers.
to quote [ou] : citer **(from)** : tirer des citations de qqch. ou qqn.; citer qqch. de qqch. ou qqn.
quotation : citation **(from)** : de qqch. ou qqn.
***to draw a picture (of)** : tracer le tableau de qqch. ou de qqn., décrire qqn. ou qqch.
***to come alive** [ai] **or to life** : prendre vie.
to illustrate ['iləstreit] : illustrer qqch.
to be illustrative ['iləstreitiv] **(of)** : fournir un exemple de qqch.

Wordsworth reaches his peak when he **describes** his beloved nature. To **give** such **a description** of nature, to be so **descriptive** and at the same time to write poems that **rhyme**, is not within everyone's scope. Many modern scholars **quote from** Wordsworth; their works are full of **quotations from** his poems. The best scholars are able to **draw a picture of** Wordsworth in such a way that he **comes alive**. They **illustrate** their articles with details on his life and carefully choose examples of his poems which **are illustrative of** the great poet's art.

to represent : représenter qqch. ou qqn.
to contrast [kən'traːst] : mettre (divers éléments) en contraste, en opposition **(with)** : avec qqch. – faire contraste **(with)** : avec qqch.
contrast [k'ɔntraːst] : contraste (entre deux éléments).
in contrast (with) : par contraste avec qqch.
to form a contrast : faire contraste **(to)** : avec qqch.
to characterize ['kæriktəraiz] : caractériser, être caractéristique de.

The way Wordsworth **represented** nature **contrasted with** the way in which other poets wrote. The **contrast** between his poetry and that of other poets is very great. **In contrast with** the others, his use of words is unique; his style **forms a contrast to** the work of his predecessors and **characterises** the beginning of a new period in English poetry.

to express : exprimer qqch. – **expressive** : expressif – **(of)** : qui exprime qqch.
to sum up : résumer.
***to take up a subject** : aborder un sujet.
to return to a subject : revenir à un sujet.
***to deal (with)** : traiter de.
to render : rendre, interpréter – **(into)** : rendre, traduire qqch. en qqch. d'autre.
***to put sth. well** (≠**badly**) : bien (≠ mal) dire ou raconter.
as my teacher puts it : pour reprendre l'expression de mon professeur.

It is not always easy to **express** one's ideas in poetry, to write poetry which is **expressive of** one's feelings, because poetry is a stylised and somewhat artificial form to **sum up** one's impressions and attitudes. Once you have **taken up a subject** it is best to keep at it rather than wander from it, because it is delicate to **return to a subject** once you've left it to deal with something else. If you are successful in the way you **render** your thoughts **into** verse, if you **put your feelings well**, then you will move your reader. But **as my teacher** once put it, "all of you can scribble on paper, but how many will ever be able to write something that can be called poetry ?".

12 —————————————— B ——————————————

to picture : peindre, dépeindre, représenter.
to picture to oneself : se représenter, s'imaginer.
to depict : décrire, dépeindre.
to sketch : esquisser, dessiner à grands traits.
a sketch : une esquisse.
to portray : faire le portrait de qqn., dépeindre, décrire (une scène).
portrayal : portrait, peinture, description – **portrait** : portrait (peinture).

On reading Macbeth, every reader **pictures** the characters differently. Some **picture to themselves** Macbeth as a villain, others as a victim. Shakespeare **depicts** his characters so vividly yet so subtly; he **sketches** their lives and actions in such a way that they become real to us. In a single **sketch** he portrays the times he lived in, yet this **portrayal** of people and their psychology is still valid today – an everlasting **portrait** of mankind, their strengths and their weaknesses.

13 — B

to outline : tracer les grandes lignes, exposer à grands traits.
to call up : évoquer, faire penser à.
account : récit, narration.
to give an account of : faire le récit de.
to revive : faire revivre qqch. ; reprendre vie.
a touch of sth. : une pointe, un grain de.

He is not content merely to **outline** his characters, but **calls up** many details in his **accounts** of wars, battles and conflicts. When he **gives an account of** a particular battle, he **revives** the scene for us in a wonderful way, thanks to that **little touch of** something which is so often lacking in other writers.

to create [kriːeit] : créer ; **-tive ; -tion.**
to invent : inventer ; **inventive** : inventif.
inventiveness : don d'invention, invention.
to embody : incarner, personnifier.
to convey : transmettre, communiquer qqch. ; **(to)** : à qqn.

Shakespeare **creates** a world of real and imaginary characters, for whom he **invents** a number of incidents. It is the sign of great **inventiveness** that his characters **embody** real feelings, hopes and aspirations and that he **conveys** this **to** the reader — he **conveys** the impression that all the characters are real people, like you and me.

to summarize [sʌməraiz] : résumer qqch., récapituler.
to wander away (from) : s'éloigner (du sujet).
to keep to : ne pas s'écarter de.
to make a point : démontrer un point, exposer un point de vue.
to touch upon : effleurer (un sujet).
touched with : teinté ou rehaussé de ou par.
treatment : manière de traiter (un sujet).
to touch up : relever, rehausser.
to tackle : aborder (un sujet) ; s'attaquer à.
to treat : traiter (un sujet).
to approach : aborder (une question) ; se mesurer à.
approach (to) : façon d'aborder qqch. ; interprétation.

It is difficult to **summarize** Shakespeare in a few words. He is a writer who never **wanders away from** his subject, who always **keeps to the point** he is **making**. He has probably **touched upon** all human emotions and each of his characters is **touched with** that stroke of genius which is peculiarly Shakespeare's. His **treatment** of detail is so good that it would be an insult to attempt to **touch up** his descriptions. Every actor dreams of **tackling** the great roles of Shakespeare, but very few are good enough to be able to **treat** the subjects adequately. They may **approach** some of the great roles, but their **approach to** them is not always satisfactory.

14 — C

to scan : (v.t.) scander (des vers) ; (v.i.) être rythmé, pouvoir être scandé.
to allude (to) : faire allusion à — **allusion (to)** — **allusive** : allusif, qui contient une allusion — **(to)** : à.
to evoke : évoquer, faire naître, faire surgir ; susciter (un sentiment).
to caricature [kærikətjuə] : caricaturer qqch. ou qqn.
to banter : badiner, persifler ; railler qqn. (de façon enjouée).
skit : parodie, charge ; **(on)** : de.
to delineate [dilinieit] : peindre, dépeindre (un personnage), décrire (scène).

To be able to **scan** Shakespeare's verse without sounding stilted is no mean achievement. I only have to **allude to** school plays and other amateur performances — an **allusion** which may be cruel, but is realistic. In a good performance the actor will **evoke** the character of the hero, while a poor actor will merely **caricature** the hero. Of course not all of Shakespeare's heroes are serious ; some may **banter** each other in a **skit on** the mores of a particular social group, but whoever the hero may be, Shakespeare **delineates** his characters in his own inimitable manner.

to harp upon : rabâcher, rebattre les oreilles de qqn. de.
to visualize : rendre visible, se représenter, se faire une image de.
to impersonate [impəːsəneit] : imiter, usurper l'identité de.
to permeate [pəːmieit] (v.t.) : pénétrer dans, imprégner ; **(through)** : s'infiltrer, se répandre dans.
to symbolize : symboliser — **symbolic(al)** : symbolique — **(of)** : qui symbolise (qqch.).
to pervade : s'insinuer dans, imprégner, envahir.

Bad actors are always **harping on** the fact that they are never asked to play Shakespeare. They are unable to **visualize** themselves on stage and do not realise that what they do most of the time is merely **impersonate** the characters when they ought to be identifying with them. If it does not **permeate through** to their thick skins that they are poor actors who need to work hard to improve, then they will never play Shakespeare. Shakespeare **symbolizes** all that is great in British literature and needs great actors to play him. It is **symbolic(al) of** Shakespeare's greatness that all school-children in Great Britain study at least one of his plays, which shows how much his ideas and style have **pervaded** British literature.

PRINCIPAUX « FAUX-AMIS » OU « MOTS-SOSIES »

Comme dans les autres chapitres du livre, les mots d'une moindre fréquence d'occurence ou appartenant à des domaines spécifiques (technique ou autre) ou encore d'un emploi littéraire sont précédés du signe ★ (1).

ability : capacité, compétence, aptitude.

abuse (v.) : 1. injurier, insulter ; 2. maltraiter ; 3. abuser de.

abuse (n. sg.) : 1. insultes, invectives ; 2. abus ; 3. mauvais traitements (enfant).

abusive (adj.) : 1. injurieux ; 2. abusif.

★ **academic** (adj.) : 1. doué pour/ayant le goût des études ; 2. universitaire ou scolaire ; 3. irréaliste.

★ **academic** (n.) : universitaire.

accommodate : 1. loger ; 2. contenir ; 3. (s') accommoder.

accommodation : 1. logement ; 2. arrangement, compromis ; 2. accommodation (vue).

★ **accomplishment** : don, talent.

★ **account** (n.) : 1. compte, comptabilité ; 2. récit, compte-rendu ; 3. motif, raison.

account (v.) : ~ for : expliquer, justifier.

achieve : 1. atteindre (objectif) ; 2. réaliser, mener à bien ; 3. accomplir.

achievement : 1. réussite, succès ; 2. réalisation, résultat, œuvre ; 3. exploit.

★ **Act** : loi.

★ **act** : 1. numéro (cabaret, etc.) ; 2. acte.

actual : réel, véritable.

actually : 1. en réalité, en fait ; 2. vraiment, effectivement ; 3. d'ailleurs.

address : 1. discours (électoral) ; 2. adresse.

★ **adept** (adj./n.) : ~ at/in : expert en.

administration (US) : gouvernement.

★ **admission** : 1. aveu ; 2. entrée ; 3. accès/admission.

advertise : 1. faire connaître ; 2. faire de la publicité ; 3. faire passer de petites annonces.

advertisement : réclame, publicité, petite annonce.

advertising : publicité.

advice (sg) : conseil(s).

advise : conseiller.

★ **advocate** (v.) : préconiser.

★ **advocate** (n.) : 1. défenseur, champion (fig.) ; 2. avocat.

affair : liaison (amoureuse).

affluence : 1. aisance (financière) ; 2. richesse, prospérité.

★ **affluent** : aisé, riche ; **the ~ society** : la société d'abondance.

★ **age** : 1. époque ; 2. majorité (légale) ; 3. **be of ~** : être majeur.

★ **agenda** : ordre du jour.

ages : siècles (fig.) — **I haven't seen her for ages.**

★ **aggravate** : exaspérer.

★ **agonize** : souffrir, éprouver des angoisses.

★ **agonizing** : 1. atroce ; 2. poignant.

★ **agony** : 1. angoisse, affres ; 2. douleur, souffrance, torture.

agree : être d'accord, accepter.

agreement : 1. accord, convention, traité ; 2. consentement.

★ **aide** 1. (US) : collaborateur direct, conseiller ; assistant ; 2. (GB) : = aide de camp, officier d'ordonnance.

★ **aide-mémoire** : memorandum.

★ **allege** : prétendre, affirmer, supposer.

★ **allegedly** : à ce qu'on prétend.

★ **alley** : ruelle ; **blind ~** : cul de sac, impasse.

alternative (adj.) : 1. autre, parallèle ; 2. de remplacement/de rechange.

★ **amends** : **make ~** : dédommager ; (se) racheter.

★ **ancient** : 1. antique ; 2. très vieux.

annoy : 1. contrarier, irriter ; 2. harceler.

★ **anticipate** : 1. s'attendre à, escompter ; 2. aller au devant de, devancer ; 3. jouer le rôle de précurseur.

★ **anticipation** : 1. espoir, expectative ; 2. pressentiment, prévision.

anxiety : 1. vif désir, impatience (de + inf.) ; 2. angoisse, inquiétude.

anxious : 1. **be ~ to** : désirer vivement + inf. ; 2. angoissant ; 2. inquiet/angoissé.

apartment : 1. (GB) : pièce, chambre ; 2. (US) logement, appartement.

apologise : s'excuser (v. Index).

apology : excuse.

★ **appeal to** : 1. plaire à ; 2. (droit) se pourvoir en appel ; 3. lancer un/faire appel à.

★ **appeal** (n.) : 1. attrait, attraction, séduction ; 2. attirance.

★ **appearance** : 1. aspect physique, air, mine ; 2. **put in an ~** : faire une apparition.

applicant : 1. candidat, postulant ; 2. demandeur.

application : 1. candidature ; 2. demande, requête.

apply : ~ **to** : s'adresser à ; 2. ~ **for** : solliciter, poser sa candidature à.

appoint : 1. nommer ; désigner ; 2. fixer (un jour, etc.).

appointed : 1. fixé, prévu (jour, etc.) ; 2. **well-~** : bien aménagé/installé (maison).

appointment : 1. nomination, poste, désignation ; 2. rendez-vous (médical, etc.).

approach (v.) : 1. ~ **sth.** : aborder, traiter (un sujet) ; 2. ~ **s.o.** : s'adresser à/faire une démarche auprès de qqn.

★ **approach** (n.) : 1. façon d'aborder/de s'y prendre (problème, sujet, etc.) ; 2. approche.

★ **apt** : 1. **be ~ to** : avoir tendance à + inf. ; 2. approprié/pertinent ; 3. doué, intelligent.

★ **aptness** : 1. tendance, penchant ; 2. à propos, justesse ; 3. aptitude, disposition.

argument : 1. discussion ; 2. dispute, 3. argument.

arrest : arrestation.

★ **artful** : rusé/malin.

★ **articulate** : (adj.) : qui s'exprime avec aisance.

★ **artless** : 1. naturel/ingénu ; 2. grossier/lourd.

arts : disciplines littéraires (université).

assist : aider (v. **attend**).

assistant : 1. vendeur ; 2. assistant, adjoint.

(1) Pour une liste complète, illustrée d'exemples traduits, voir : « Les mots anglais qu'on croit connaître (2) », sous-titré : « les mots-sosies » de C. Bouscaren et A. Davoust (Collection : « faire le point », Classique Hachette).

★ **assume** : 1. présumer, supposer ; 2. tenir pour établi.

★ **assumption** : hypothèse, supposition.

attend : 1. être présent à, assister à ; 2. accompagner, comporter (des risques, etc.) ; 3. servir, être au service de ; 4. soigner (un malade).

attend to : 1. s'occuper de ; 2. servir (dans un magasin) ; 3. prêter attention à.

attendance : 1. présence (en un lieu) ; 2. assistance (= gens) ; 3. assiduité, fréquentation.

★ **attendant** (adj.) : qui accompagne, suit ou assiste.

★ **attendant** (n.) : 1. employé, préposé ; 2. membre de la suite de.

attraction : attrait, séduction, attirance.

attractive : 1. séduisant (idée) ; 2. (p.) belle ou beau.

audience : 1. public, spectateurs, auditoire, assistance ; 2. audience.

★ **axe** (US : **ax**) (n.) : 1. hache ; 2. réduction (crédits) ; 3. renvoi (p.).

★ **axe/ax** (v.) : 1. réduire (dépenses) ; 2. mettre à pied, renvoyer.

bachelor (n.) : célibataire (homme) ; 2. **B ~ of Arts** : ≃ licencié-es-lettres.

★ **bail** : 1. caution, cautionnement ; 2. (p.) garant.

★ **balance** (v.) : 1. équilibrer ; 2. comparer, soupeser ; 3. clôturer (compte).

★ **balance** (n.) : 1. équilibre ; 2. solde, reliquat ; 3. **~ -sheet** : bilan.

★ **ballast** : lest.

ballot : 1. bulletin de vote ; 2. (mode de) scrutin ; 3. droit de vote ; 4. vote ; 5. nombre de voix recueillies.

★ **ban** : interdire (officiellement).

band : 1. orchestre (jazz) ; 2. musique, fanfare.

★ **bank** (v.) : **~ on** : compter sur, avoir confiance en.

bank (n.) : 1. rive, talus ; 2. banque.

Bank Holiday : jour férié.

bar : 1. mesure (musique) ; 2. **colour ~** : ségrégation raciale ; 3. barreau ; grille (fenêtre) ; 4. bar.

the Bar : le barreau (avocats).

bark (v.) : aboyer, 2. écorcer.

bark (n.) : 1. aboiement ; 2. écorce.

barracks : caserne.

basin : 1. **= wash ~** : lavabo ; 2. cuvette ; 3. écuelle, bol, jatte.

benefit (adj.) : mutuel, de secours, de bienfaisance.

benefit (n.) : 1. indemnité, allocation ; prestation (sociale) ; 2. profit, avantage.

★ **bias** : 1. parti-pris, préjugé ; 2. tendance.

bless : bénir.

blouse : chemisier.

★ **bond** : 1. lien (amitié, etc.) ; 2. obligation (Bourse).

★ **bonnet** : 1. capot ; 2. bonnet.

★ **boot** : 1. coffre (voiture) ; 2. botte, bottine (f.) ; 3. **to ~** : par dessus le marché.

branch : 1. succursale, filiale ; 2. branche/ramification.

bra(ssière) : soutien-gorge/bustier.

★ **bribe** (v.) : 1. soudoyer, acheter qqn. ; 2. suborner (témoin).

★ **bribe** (n.) : pot de vin.

bride : (jeune ou future) mariée.

★ **brief** : 1. **file à ~** : engager une procédure ; 2. dossier, affaire, cause ; 3. mission, champ d'action, compétence.

★ **briefs** : 1. slip (h.) ; 2. slip ; culotte (f.).

bullet : balle (fusil).

★ **cabin** : 1. cabane ; 2. case, hutte ; 3. bungalow ; 4. cabine.

★ **cabinet** : 1. petite armoire (pharmacie, etc) ; 2. classeur, fichier (**filing ~**) ; 3. **~ maker** : ébéniste ; 4. réunion du « **Cabinet** » (v. ci-dessous).

Cabinet : 1. réunion des ministres les plus importants ; 2. **~ Ministers** : ≃ Ministres d'Etat.

★ **candid** : 1. franc, sincère ; 2. **the C ~ Camera** : la caméra invisible.

★ **candour** : franchise, sincérité.

capacity : 1. contenance, capacité – **play to ~** : jouer à bureaux fermés ; 2. qualité, titre – **in one's ~** : dans ses fonctions officielles ; **in his ~ as** : en sa qualité de ; 3. capacité, aptitude.

★ **capitalize on** : tirer profit/avantage de.

cargo : 1. cargaison ; 2. **~ -boat** : cargo.

carpet : 1. tapis.

cartoon : 1. dessin (humoristique) ; 2. dessin animé.

case : 1. étui (lunettes, etc.) ; 2. écrin – **show/glass ~** : vitrine ; 3. valise, bagage ; 4. caisse ; 5. affaire (judiciaire) ; 6. cas.

case : 1. **have a ~** : avoir de sérieux arguments ; 2. **make a ~** : bien défendre/plaider ; 3. **put the ~ for** : plaider la cause de.

★ **casual** : 1. fortuit, accidentel ; 2. désinvolte, cavalier ; 3. intermittent, temporaire ; 4. (fait ou dit) en passant.

★ **caution** : 1. prudence ; 2. (droit) mise en garde, réprimande ; 3. avis/avertissement.

★ **caution** (v.) : 1. (droit) réprimander ; 2. avertir/prévenir.

★ **cave** : caverne, grotte.

certain : v. Index.

★ **challenge** (v.) : 1. défier ; 2. mettre en question, contester ; 3. (droit) récuser (un juré) ; 4. sommer (militaire).

★ **challenge** (n.) : 1. défi ; 2. récusation (de témoin) ; 3. sommation (militaire).

chance (v.) : **to ~ to meet** : rencontrer par hasard.

chance (n.) : 1. hasard ; 2. risque ; 3. chance, occasion.

chancy : risqué.

★ **chandelier** : lustre, plafonnier.

change : 1. monnaie (d'une somme) ; 2. changement ; 3. change (de vêtements).

the Change : la Bourse.

★ **chapel** : 1. temple (non conformiste) ; 2. chapelle.

★ **Chapel** : les Protestants dissidents.

character : 1. personnage (lit. ou théâtre), rôle (théâtre) ; 2. **~ role** : rôle de composition ; 3. personnalité ; 4. force de caractère, détermination ; 5. réputation, moralité ; 6. références (morales) ; 7. caractère, tempérament.

charge (v.) : 1. faire payer (un prix) ; 2. inculper ; 3. enjoindre/ordonner ; 4. charger (militaire).

charge (n.) : 1. prix, tarif ; 2. inculpation ; 3. p. ou ch. à charge/confié(e) ; ouailles ; 4. recommandation, instruction ; 5. charge.

★ **charity** : 1 : institution charitable ; œuvre de bienfaisance ; 2 : aumône ; 3 : acte de charité ; 4 : charité.

★ **chart** : 1. graphique, diagramme, tableau ; 2. **be in the ~ s** : figurer au hit-parade ; 3. carte (marine).

chat : bavardage, (petite) conversation.

check (v.) : 1. contrôler, vérifier ; 2. arrêter, enrayer, réfréner.

check (n.) : 1. vérification, contrôle ; 2. frein, arrêt, empêchement ; 3. revers (militaire) ; 4. (US) : addition (restaurant) ; 5. bulletin de consigne, contremarque.

chemist : pharmacien.

chief (adj.) : principal.

★ **china** : porcelaine.
★ **chord** : accord (musique).
★ **chute** : 1. toboggan; 2. vide-ordures; 3. parachute.
  circulation : 1. tirage (journal); 2. circulation (sang) (v. traffic).
★ **circumstances** : 1. moyens, situation financière; − **be in easy** ≠ **reduced** ~ : être dans l'aisance ≠ la gêne; 2. circonstances.
  civil : 1. ~ **servant** : fonctionnaire; 2. poli, civil; 3. (US) : **C** ~ **War** : Guerre de Sécession.
★ **claim** (v.) : 1. soutenir, affirmer, prétendre; 2. réclamer, renvendiquer.
  claim (n.) : 1. affirmation; 2. réclamation, revendication; 3. droit, titre (à qqch.); 4. concession (minière).
★ **claret** : bordeaux (vin).
  clear (v.) : 1. franchir, éviter (obstacle); 2. dégager, déblayer (terrain); 3. autoriser (vol aérien); 4. (droit) : reconnaître innocent; 5. faire un bénéfice net; 6. dédouaner; 7. liquider (marchandises).
  clear (adv.) : complètement.
★ **clerical** : 1. ~ **work** : travail de bureau; 2. ~ **error** : erreur d'écriture; faute de copiste.
  clerk : 1. employé de bureau; 2. (US) = 1. et aussi : vendeur (grand magasin).
★ **climax** : comble, apogée, point culminant.
  close (adj.) : 1. proche, intime; 2. serré (résultat).
★ **club** : 1. matraque, massue; 2. club.
★ **clubs** : trèfles (cartes).
  coin : pièce (de monnaie).
  collection : 1. levée (poste); 2. quête; 3. recouvrement, perception; 4. ramassage (scolaire); 5. collection.
  college : 1. établissement d'enseignement supérieur; 2. collège.
★ **collier** : 1. mineur (de charbon); 2. navire charbonnier.
★ **comedian** : 1. comique, chansonnier; 2. acteur comique; 3. pitre.
  comfort (v.) : réconforter, consoler.
  comfort (n.) : 1. réconfort, consolation; 2. soulagement; 3. confort.
  comfortable : 1. **feel** ~ : se sentir à l'aise; 2. (malade) : **be** ~ : ne pas souffrir, être dans un état satisfaisant; 3. rassurant, réconfortant; 4. aisé, large (vie); 5. confortable..
  comic (n.) : 1. comique (genre littéraire); 2. illustré (journal); 3. acteur comique.
★ **commend** : féliciter, louer.
  commercial : annonce publicitaire (télé/radio), spot.
★ **commit** : 1. s'engager (politique, etc.); 2. se compromettre.
★ **committed** (adj.) : 1. engagé; 2. partisan résolu; 3. **be** ~ : être incarcéré ou interné.
★ **commodious** : vaste, spacieux.
★ **commodity** : denrée, marchandise.
  company : 1. société (commerciale); 2. troupe (théâtrale).
  compass : 1. boussole; 2. **(pair of)** ~ **es** : compas.
★ **competence** : 1. aisance (financière); 2. compétence, aptitude.
  competition : concurrence.
  complaint : 1. plainte, réclamation; 2. maladie.
  complete (v.) : 1. achever, terminer; 2. accomplir, s'acquitter (d'une tâche); 3. compléter.
★ **complexion** : teint (visage).
★ **composed** : calme, serein.
★ **compositor** : typographe.
  comprehensive : 1. complet, qui couvre l'ensemble de; 2. polyvalent (lycée).

compromise (v.) : 1. transiger; 2. compromettre.
★ **con** : (= **convict**) : condamné (n.).
★ **con man** : (= **confidence man**) : escroc.
  concern : 1. entreprise (ind./com.); 2. inquiétude, préoccupation.
  concerned : 1. inquiet, préoccupé; 2. concerné, en question.
  concrete : béton.
★ **concurrence** : 1. assentiment, similitude d'opinion; 2. coïncidence.
  conductor : 1. receveur (autobus); 2. (US) contrôleur (train); 3. chef d'orchestre.
★ **confection** : 1. sucrerie, friandise; patisserie; 2. confection.
★ **confectionery** : confiserie, patisserie.
★ **conference** : 1. congrès, assises (parti politique); 2. conférence, assemblée, réunion; 3. consultation.
  confidence : 1. confiance; 2. optimisme; 3. confidence.
  confident (adj.) : 1. sûr de soi; 2. optimiste; 3. **be** ~ **of** : être sûr/assuré de; 4. **be** ~ **that** : avoir la certitude que.
  confidently : avec assurance ou confiance.
★ **congregation** : 1. assemblée des fidèles, ouailles; 2. (université) : assemblée générale (de professeurs); 3. congrégation.
★ **conjure** : 1. évoquer, susciter; 2. faire des tours de passe-passe.
★ **conjurer** : 1. prestidigitateur; 2. sorcier.
  connection/connexion : 1. parent (v. **relative**); 2. clientèle; 3. relation; 4. correspondance (train).
★ **conservation** : sauvegarde de l'environnement.
★ **conservatory** : serre; jardin d'hiver.
  consider : envisager (v. Index).
★ **considerate** : prévenant, attentionné.
★ **consideration** : 1. égards, attentions; 2. **for a** ~ : moyenant finances; 3. **of no** ~ : sans importance.
  consistency : 1. logique, cohérence; 2. régularité, uniformité; 3. consistance.
  consistent : 1. conséquent, logique, cohérent; 2. ~ **with** : compatible avec.
★ **construction** : 1. interprétation (d'un texte/comportement, etc.); 2. construction.
  contemplate : 1. envisager; 2. s'attendre à, craindre; 3. contempler.
★ **contend** 1. ~ **that** : prétendre/affirmer que; 2. ~ **with** : lutter contre/se mesurer à.
★ **content** : (adj.) : 1. content, satisfait; 2. **be** ~ **with sth.** : se contenter de qqch.; 3. **be** ~ **to** : ne pas demander mieux que de.
  content (n.) : contenu, teneur (v. **contents**).
★ **contented** : content, satisfait.
  contents : 1. contenu ou contenance; 2. table des matières.
  control (v.) : 1. avoir la haute main sur; 2. maîtriser, réfréner; 3. enrayer, lutter contre.
  control (n.) : 1. commande (avion); 2. réglage.
  controlled : ~ **economy** : économie dirigée; dirigisme économique.
★ **convene** : convoquer, réunir (une assemblée).
  convenience : 1. commodité, caractère pratique; 2. convenance.
  conveniences : toilettes.
  convenient : pratique, commode.
★ **convention** : 1. congrès politique; 2. convention.
★ **convict** (v.) : condamner, reconnaître coupable.
★ **convict** (n.) : détenu (condamné).
  conviction : 1. condamnation; 2. conviction.
  copy : 1. exemplaire; 2. (sujet d') article; 3. copie, reproduction.

corporation : 1. société commerciale; grosse entre-prise; 2. conseil municipal, municipalité; 3. (sl.): ventre (embonpoint).

corpse : cadavre.

correct : 1. exact; 2. convenable, bienséant; 3. bien élevé; 4. habituel, d'usage; 5. correct.

★ couch : divan.

★ countenance (v.): donner son approbation/aval à.

★ countenance (n.): 1. visage, expression, mine; 2. give ~ to : encourager, favoriser; 3. accréditer (rumeurs).

country : 1. campagne; 2. pays, patrie; 3. ~ house : chateau; 4. go to the ~ : procéder à des élections générales.

course : 1. plat (menu); 2. ligne de conduite; 3. cur-sus, série de cours; 4. traitement; 5. cours (des événements); 6. direction, cap, route.

★ crack : 1. fêlure, fissure; 2. sarcasme, plaisanterie caustique.

★ crane : grue (oiseau et appareil de levage).

★ crass : grossier.

credit : 1. do s.o. ~ faire honneur à qqn.; 2. unité de valeur (université); 3. ~ s : générique (de film).

crime : 1. violation de la loi, infraction grave, crime ; 2. criminalité, délinquance.

cry : 1. pleurer; 2. s'écrier; 3. pousser un/des cri(s).

curate : vicaire.

★ curb (v.): 1. refréner, contenir, maîtriser (sent., etc.); 2. restreindre, réduire (dépenses).

★ curb (n.): 1. (aussi : kerb) : bord du trottoir ; 2. put a ~ on : mettre un frein à (fig.).

cure (v.): 1. guérir; 2. saler, fumer, sécher (nourriture).

cure (n.): 1. remède, cure; 2. guérison.

current : actuel.

curriculum : cursus.

★ curt : sec, cassant (style, ton, etc.).

★ custom : 1. clientèle; 2. coutume.

customs : douane.

★ damn (n.) (sl.): not to give a ~ : s'en foutre éperdument.

★ damn (excl.): Bon Dieu !.

★ damn (adv.): v. Adverbes, Conjonctions, etc. p. 234.

data : données; ~ processing : informatique.

date (v.): 1. sortir avec qqn.; avoir/donner des ren-dez-vous; 2. dater.

date (n.): 1. rendez-vous (amoureux); 2. petit(e) ami(e).

★ debatable : discutable, contestable.

deceive : 1. tromper, être trompeur; 2. tromper, duper.

decent : 1. (p) bon, brave; 2. assez bien/bon, conve-nable; 3. bienséant, décent.

deception : 1. tromperie, duperie; mensonges; 2. su-percherie; 3. illusion, erreur.

deceptive : trompeur, fallacieux.

★ decided : net, marqué (progrès, etc.).

★ decidedly : incontestablement.

★ decline : 1. refuser; 2. baisser, péricliter, décliner.

★ decorate : 1. peindre et/ou tapisser; 2. décorer.

★ decoration : 1. peinture et/ou tapisserie; 2. décora-tion.

★ decorous : 1. bienséant, convenable; 2. courtois, pré-venant.

★ decorum : convenances, bienséances.

★ dedicated : 1. sérieux, dévoué; 2. fervent, enthou-siaste; 3. dédicacé.

★ dedication : 1. dévouement, sérieux; 2. ferveur, en-thousiasme; 3. consécration; 4. dédicace.

defect (v.): 1. faire défection; 2. fuir de son pays; 3. passer à l'ennemi; 4. « passer à l'Ouest ».

★ defend : défendre (= protéger) (v. ban).

★ defendant : inculpé, défendeur.

★ defiance : in ~ of : au mépris de/en dépit de.

★ defiant : 1. provocant; 2. rebelle.

★ defile : souiller, salir, profaner.

degree : 1. grade (universitaire); 2. licence; 3. degré, rang, échelon.

★ dejected : abattu, découragé, déprimé.

delay (v.): 1. retarder, différer; 2. s'attarder .

delay (n.): 1. retard; 2. délai.

★ deliberate (adj.): 1. (cpt.): bien pesé, mûrement réfléchi; 2. circonspect, avisé; 3. délibéré, inten-tionnel.

deliberate (v.): 1. réfléchir longuement; 2. délibérer, tenir conseil.

★ deliberately : 1. avec mesure ou lenteur, posément; 2. à dessein, de propos délibéré.

★ deliberation : 1. réflexion; 2. mesure, lenteur; 3. déli-bération.

deliver : 1. livrer (marchandises); distribuer (courrier); 3. prononcer (discours); 4. livrer (à l'ennemi); 5. (faire) accoucher; 6. délivrer, libérer.

delivered : be ~ of : accoucher de.

delivery : 1. livraison; 2. distribution (courrier); 3. élo-cution, débit; 4. accouchement.

demand (v.): 1. exiger; 2. réclamer; 3. revendiquer.

demand (n.): 1. exigence; 2. réclamation; 3. revendi-cation.

demonstrate : 1. manifester (dans la rue); 2. démon-trer.

demonstration : 1. manifestation; 2. démonstration.

demonstrator : 1. manifestant; 2. chargé de travaux pratiques; 3. démonstrateur.

★ dense : borné, stupide.

★ dent : bosselure, entaille.

★ deny : 1. refuser; 2. ~ oneself : se sacrifier; 3. nier; 4. renier (religion).

depend on/upon : 1. compter sur; 2. dépendre de.

dependant : charge de famille; personne à charge.

★ deport : 1. expulser (ressortissant étranger); 2. dépor-ter.

★ deportation : 1. expulsion; 2. déportation.

deposit : 1. arrhes, acompte; cautionnement, consi-gne; 3. dépôt (chimie/géologie).

deputy- : vice-; adjoint, délégué, suppléant.

★ description : 1. sorte, espèce; 2. description.

★ desert : mérite, ce qu'on mérite.

deserve : mériter.

★ design (v.): 1. concevoir, inventer (plan); 2. ~ for : destiner à.

★ design (n.): 1. dessein, plan, projet; 2. conception, élaboration;3. dessin, motif, modèle.

★ designed : conçu, réalisé, destiné (for : à).

desperate : 1. (p.) prêt à tout; 2. (ch. cpt.) acharné, enragé, forcené.

★ desperately : 1. éperdument, à corps perdu; 2 . avec l'énergie du désespoir.

★ desperation : 1. désespoir; 2. rage du désespoir.

★ destitution : dénuement, indigence, misère.

★ deter : dissuader (par la force).

★ deterrent : 1. élément de dissuasion; 2. ~ force : force de dissuasion.

develop : 1. élaborer, mettre au point; 2. mettre en valeur, aménager, exploiter (région, ville); 3. (v.i.): apparaître, se déclarer (maladie, incident, etc.);

4. (v.t.) contracter (maladie); 5. (se) développer.

developer : **property** ~ : promoteur immobilier; 2. révélateur (photo).

development : 1. mise au point; 2. aménagement, exploitation, mise en valeur (urbanisme); 3. zone urbanisée/construite – ~ **area** : zone à urbaniser en priorité (ZUP); 4. fait nouveau, suite des événements; 5. développement, expansion.

★ **device** : 1. procédé, technique, appareil, dispositif; 2. stratagème, truc, ruse.

★ **devise** : 1. inventer, concevoir, imaginer; 2. machiner, combiner, ourdir.

★ **devote to** : consacrer à, réserver à.

★ **devoted** (adj.) : 1. dévoué, fidèle; 2. fervent .

★ **devotee** (n.) : partisan, adepte, passionné.

★ **devotion** : 1. dévouement; 2. fait de se consacrer à; 3. zèle, ardeur.

diamond : carreau (jeu de cartes); 2. diamant.

diet (v.) : suivre un régime, mettre au regime ou diète.

diet (n.) : régime ou diète.

★ **difference** : 1. différend, désaccord; 2. différence .

★ **dilapidated** : délabré, en ruine, dégradé.

★ **dilapidation** : délabrement, dégradation.

★ **diminutive** : minuscule.

★ **diner** : 1. (US) : wagon restaurant; 2 . (US) petit restaurant au bord de la route;3. dineur/dineuse/ gourmet.

direct (v.) : 1. diriger, gouverner; 2. mettre en scène (théâtre); réaliser (cinéma); 3. enjoindre, ordonner; 3. indiquer le chemin; 4. orienter, adresser (lettre).

direct (adv.) : directement.

direction : 1 (pl.) instructions/mode d'emploi; 2. administration; 2. mise en scène (théâtre); réalisation (cinéma); 4. **stage** ~ **s** : indications scéniques; 5. direction.

directly (adv.) : 1. franchement, sans détours; 2. exactement, diamétralement; 3. immédiatement; 4. directement.

directly (conj.) : (GB) dès que, aussitôt que.

director : 1. metteur en scène, réalisateur;2. administrateur, directeur, gérant; 3. **Board of D** ~ **s** : Conseil d'Administration.

★ **discharge** (v.) : 1. licencier, congédier; 2. relaxer, acquitter; 3. réformer (soldat); 4. s'acquitter de (tâche); 5. s'écouler, suppurer.

★ **discharge** (n.) : 1. libération, mise en liberté; 2. renvoi (de l'hôpital); 3. démobilisation; 4. accomplissement (d'une tâche); 5. suppuration.

★ **discreet** : 1. prudent, sage; 2. discret, sobre.

★ **discretion** : 1. sagesse, prudence; 2. **years of** ~ : l'âge de raison; 3. discrétion, réserve; 4. discrétion, arbitraire.

★ **disgrace** (v.) : faire honte à, couvrir d'opprobre.

★ **disgrace** (n.) : 1. honte, déshonneur; 2. disgrâce, défaveur.

★ **disgraced** : **be** ~ : être disgracié.

disgraceful : déshonorant, scandaleux, honteux.

★ **disposable** : 1. à jeter (après usage), perdu (emballage); 2. non repris/consigné (bouteille); 3. disponible (argent).

disposal : 1. enlèvement (ordures); 2. désamorçage (bombe); 3. **at s.o.'s** ~ : à la disposition de qqn.

dispose of : 1. jeter, se débarrasser de (qqch. devenu inutile); 2. écouler, vendre; 3. disposer de.

★ **disposition** : 1. caractère, naturel; 2. disposition, arrangement (esthétiquement).

dispute (v.) : 1. contester; 2. débattre de.

dispute (n.) : 1. conflit, litige; 2. discussion, contestation (v. **argument**).

★ **distinct** : 1. net, clair (progrès, etc.); 2. distinct.

★ **distracted** (adj.) : 1. fou/folle, éperdu; 2. égaré, affolé; 3. distrait (de son travail)/dérangé (dans ses occupations).

★ **distraction** : 1. confusion, affolement, trouble de l'esprit; **to love to** ~ : aimer à la folie; 2. distraction, amusement; 3. interruption (dans son travail).

division : 1. vote (Chambre des Communes); 2. division, désaccord; 3. division, séparation, partage.

★ **dock** (v.) : 1. réduire (congé), retenir (sur salaire); 2. écourter, couper; 3. mettre à quai (navire).

★ **dock** (n.) : 1. bassin (port); **-dry** ~ : cale sèche; 2. banc des accusés ou box.

★ **domestic** : 1. intérieur (politique, etc.); 2. domestique, familial, de la maison.

★ **domesticated** : ~ **wife** : femme d'intérieur/au foyer.

★ **don** (v.) : mettre, revêtir.

★ **don** (n.) : professeur (d'université).

dot : 1. point (de suspension, etc.); 2. **on the** ~ : à l'heure pile.

dote : 1. radoter, être gâteux; 2. ~ **on** : être fou/ folle de; raffoler de.

doubt : **no** ~ : certes.

doubtless : 1. probablement; 2. sans aucun doute.

★ **drag** (v.) : 1. traîner (à terre); 2. languir (conversation); 3. (p.) rester en arrière.

★ **drag** (n.) : 1. (fig.) frein, boulet, entrave; 2. **be a** ~ : être ennuyeux/une corvée; 3. **in** ~ : en travesti.

dramatically : de façon spectaculaire.

dress (v.) : 1. (s')habiller; 2. apprêter (repas); 3. panser (plaie).

dress (n.) : 1. vêtement, costume; habillement; 2. **a** ~ : une robe.

★ **dungeon** : oubliette.

edit : 1. être rédacteur en chef; 2. préparer (texte pour la publication); 3. couper, censurer (texte) ; 4. monter (cinéma).

editor : 1. rédacteur en chef; 2. responsable (d'une page ou chronique de journal); 3. monteuse (cinéma).

★ **educated** : 1. instruit, cultivé, qui a fait des études; 2. **be** ~ **at** : faire ses études à.

★ **education** : 1. instruction, culture; 2. enseignement; 3. éducation.

★ **effect** : 1. **in** ~ : en fait, en réalité; 2. **to the** ~ **that** : déclarant/indiquant que ; 3. effet, conséquence.

effective : 1. marquant, frappant; 2. efficace, actif (médicament, etc.); 3. **become** ~ : entrer en vigueur.

★ **elaborate** (adj.) : 1. complexe, compliqué; 2. recherché, soigné; 3. soigneux, minutieux.

★ **elaborate** (v.) : 1. ~ **on** : donner des précisions sur; 2. élaborer.

★ **elect** : 1. ~ **to do** : choisir de faire; 2. élire.

eligible : 1. **be** ~ **for** : remplir les conditions requises pour; 2. ~ **person** : bon parti; 3. éligible.

★ **embrace** : 1. (s')étreindre, (s')enlacer; 2. embrasser (fig.), englober.

emphasis : 1. insistance, véhémence; 2. accent (mis sur qqch.).

emphatic : 1. catégorique (ton, etc.); 2. (p.) : énergique, vigoureux.

★ **endure** : 1. durer, demeurer (amitié, souvenir); 2. endurer.

★ **enforce** : (droit) (faire) appliquer (une décision).

engage : 1. retenir, occuper l'attention de qqn.;

2. s'engager à, se lancer dans; 3. engager, embaucher.

engaged : 1. (p.) occupé, pris; 2. (ch.): non libre, retenu, pris; 3. fiancé(e).

engagement : 1. occupation; 2. fiançailles; 3. rendez-vous, engagement.

engine : 1. moteur; 2. machine; 3. locomotive, motrice.

★ **engross** : occuper l'esprit, absorber.

★ **engrossed in/by** : absorbé, plongé dans.

★ **engrossing** : captivant.

enter : 1. noter, inscrire; 2. ~ **for** : présenter/inscrire à; 3. entrer.

entertain : 1. recevoir (des invités); 2. distraire, amuser; 3. considérer, accueillir favorablement.

entertainment : 1. amusement, distraction, divertissement; 2. spectacle.

★ **entrain** : (faire) monter dans un train (surtout militaire).

entrepreneur : 1. homme d'affaires; 2. chef d'entreprise.

★ **equity** : 1. ~ **shares** : actions ordinaires; 2. **E** ~ : syndicat des artistes; 3. équité.

★ **err** : se tromper.

establishment : **the E** ~ : les puissances établies; les milieux dirigeants; 2. établissement.

estate : 1. propriété, domaine, terres; 2. biens, fortune, succession; 3. **Council** ~ : logements municipaux; 4. **real** ~ : biens immobiliers.

eventually : 1. finalement, en fin de compte; 2. au bout d'un certain temps.

evidence (sg.) : preuve(s), témoignage(s), déposition(s).

evidently : de toute évidence, manifestement.

★ **evince** : manifester ou révéler (un goût, un sentiment).

★ **exact** (v.) : extorquer, exiger.

★ **exacting** : 1. exigeant; 2. intransigeant; 3. accaparant, contraignant.

★ **exalt** : 1. élever (rang); 2. porter aux nues.

★ **exalted** : 1. haut placé, de haut rang; 2. surexcité, exalté.

★ **exception** : 1. **to take** ~ **to** : s'offusquer de, être indigné par; 2. exception.

exchange : 1. change; – – **rate** : taux de change; 2. **Stock E** ~ : Bourse; 3. (telephone) ~ : central téléphonique; 4. **labour** ~ : bureau de placement.

★ **exchequer** : **the E** ~ : Ministre des Finances .

excitable : nerveux, impressionnable.

excite : 1. (sentiment) susciter, provoquer; 2. agiter, impressionner (qqn.); 3. exciter, stimuler.

excited : 1. agité, énervé; 2. surexcité; 3. **to get** ~ : s'agiter, s'énerver.

excitement : 1. agitation, énervement; 2. émoi, fièvre; 3. animation; 4. sensations fortes, excitation.

exciting : 1. passionnant, exaltant, palpitant; 2. excitant.

executive (n.) : cadre (entreprise).

★ **exhibit** (v.) : exposer (des objets).

★ **exhibit** (n.) : objet exposé/exposition.

exhibition : 1. exposition; 2. étalage; 3. **make an** ~ **of oneself** : se donner en spectacle.

★ **exhibitioner** : (GB) boursier (université).

★ **exhibitor** : 1. exposant (p.); 2. exploitant (salle de cinéma).

experience : 1. ce qui vous arrive/vous est arrivé, aventure; 2. expérience.

★ **expertise** : compétence, adresse.

★ **expletive** : juron.

★ **explode** : discréditer, montrer la fausseté de.

expose : 1. démasquer, dénoncer; 2. dévoiler; 3. **to** ~ **a child** : laisser mourir de froid et de faim un enfant; 4. exposer (au soleil, etc.).

★ **exposure** : 1. révélation, dénonciation (scandale); 2. **to die of** ~ : mourir de froid et de faim; 3. exposition (maison); 4. pose (photo).

★ **exquisite** : 1. vif, raffiné (tortures); 2. atroce; 3. exquis, délicat (manières).

extension : 1. poste téléphonique (intérieur); 2. rallonge (lampe); 3. ~ **course** : (université) cours pour étudiants salariés ou de formation permanente (GB); 4. extension, prolongement, prolongation.

extensive : 1. important, de grande envergure; 2. vaste, étendu; 3. approfondi; 4. répandu, fréquent (usage).

extra (adj.) : 1. en supplément, de supplément; 2. de trop, en trop, de réserve.

extra (n.) : 1. supplément (à payer); 2. figurant (cinéma, théâtre).

extravagance : 1. prodigalité, gaspillage; 2. dépense excessive, folie; 3. extravagance, fantaisie.

extravagant : 1. dépensier, prodigue; 2. outré, exorbitant; 3. extravagant, excentrique.

fabric : 1. tissu, étoffe; 2. édifice, structure.

★ **fabrication** : 1. faux, fausse déclaration, invention; 2. fabrication.

face (v.) : 1. faire face à, regarder en face; 2. (orientation) donner sur, être en face de.

face (n.) : 1. **to make** ~ **s** : faire des grimaces; 2. **on the** ~ **of it** : à première vue; 3. toupet, culot; 4. maquillage; 5. visage, figure, face .

facilities : 1. équipements, installations, dispositifs; 2. services, moyens, infrastructure; 3. facilités .

faculty : 1. corps enseignant (université); 2. faculté.

★ **faggot** (n.) : homosexuel.

fail : 1. échouer, ne pas réussir; 2. **fail to do** : ne pas faire – **he failed to see why** : il ne voyait pas...; 3. fail to + BV : négliger/omettre de + inf.; 4. coller (examen); 5. faiblir, baisser (facultés, etc.).

failure : 1. échec, revers; 2. (p.) raté; 3. le fait de ne pas... (v. **fail** 2.).

faint (v.) : s'évanouir.

★ **faint** (adj.) : 1. **feel** ~ : se trouver mal; 2. vague, léger, faible.

family : – **does he have any family ?** : a-t-il des enfants/de la famille ?.

fantasy : fantasme.

★ **fastidious** : difficile (à satisfaire), dégoûté.

fat (adj.) : gras.

fat (n.) : graisse.

★ **fatal** : mortel, funeste.

★ **fatalities** : accidents mortels .

★ **fatigue** : 1. corvée (armée); 2. ~ **s** : treillis de combat.

★ **fatuity** : imbécillité, stupidité.

★ **fatuous** : stupide, niais, inept.

★ **faucet** : robinet (v. **tap**).

fault : 1. défaillance, ennui mécanique; 2. faille; 3. défaut; 4. faute.

★ **favour** : 1. (arch.): ressembler; 2. favoriser ; 3. préférer.

★ **feat** : exploit, prouesse.

★ **felicitous** : (style) : heureux, bien tourné.

female (adj.) : 1. du sexe féminin; 2. féminin.

female (n.): 1. femme ou fille, personne du sexe féminin; 2. femelle.

festival : fête.

★ **fierce** : 1. féroce, furieux; 2. farouche, acharné, fébrile; 3. implacable; 4. ardent, intense.

figure (v.): 1. penser, supposer, conclure; 2. s'imaginer; 3. représenter; 4. figurer (= être présent).

figure (n.): 1. chiffre, statistique; 2. silhouette, ligne, corps; 3. personnage, figure; 4. image, figure.

file (v.): 1. classer, ranger; 2. placer dans un dossier; 3. ~ **for divorce** : demander le divorce; 4. limer.

file (n.): 1. dossier, chemise; 2. classeur; 3. lime (à ongles); 4. file.

film : 1. pellicule; 2. mince couche; 3. léger voile; 4. film.

★ **fin** : nageoire.

final : définitif, sans appel; 2. final, dernier.

fine (v.): infliger une amende à.

fine (adj.): 1. beau (temps) (p.); 2. de bonne/belle qualité; 3. raffiné, délicat, fin, pur; 4. **be** ~ être en bonne forme (p.), **be (all very)** ~, **but** : être bien beau, mais, (ch.).

fine (adv.): 1. bien, très bien (qui convient) ; 2. finement, menu, petit.

fine (n.): amende, contravention.

fix (v.): 1. réparer, arranger; 2. préparer (repas); 3. fixer (date); 4. attacher, fixer; 5. fixer (des yeux); 6. (sl.) acheter (qqn), truquer (résultat).

fix (n.): 1. ennui, embêtement, mauvais pas, pétrin; 2. piqûre, dose (drogue).

★ **flicks** : le cinoche.

folly : sottise, stupidité.

fool (v.): 1. faire l'imbécile; 2. plaisanter, ne pas être sérieux; 3. berner, duper.

fool (n.): imbécile.

foolish (adv.): 1. stupide, idiot; 2. imprudent.

★ **forfeit** (v.): 1. perdre (une caution), se voir confisquer ou retirer qqch.; 2. renoncer à (un droit).

★ **forfeit** (n.): 1. gage (jeux de société); 2. dédit/renonciation (à un droit).

★ **forge** (v.): contrefaire, falsifier, faire un faux.

★ **forger** : faussaire, contrefacteur.

★ **forgery** : 1. contrefaçon, falsification; 2. faux et usage de faux; 3. invention.

form : 1. formulaire, imprimé, demande; 2. formule; 3. banc, banquette; 4. classe (école); 5. **it is good/bad** ~ **to...** : ça se fait/ne se fait pas de....

formal : 1. (p.): guindé, compassé, formaliste; 2. (cpt.): cérémonieux, solennel; 3. officiel; 4. ~ **dress** : habit de soirée.

formality : 1. caractère guindé/cérémonieux/officiel; 2. froideur, rigidité; 3. cérémonie (= 1.).

formidable : 1. redoutable, effrayant; 2. imposant, impressionnant; 3. énorme (obstacles, etc.).

fortunate : 1. (p.): heureux, chanceux; 2. favorable, propice.

★ **foul** (adj.): 1. (temps): mauvais, exécrable, infect; 2. très désagréable (cpt.); 3. (air, etc.) nauséabond, pollué, fétide; 4. (cpt): grossier, ordurier, répugnant; 5. déloyal, cruel; 6. ~ **play** : a) acte criminel ou meurtre; b) jeu irrégulier (sport); 7 . **fall** ~ **of** : a) se mettre qqn. à dos; b) (navire) heurter .

★ **foul** (v.): 1. souiller, polluer; 2. encrasser, obstruer; 3. (sport): commettre une faute/irrégularité; 4. (navire): entrer en collision; 5 (corde): s'emmêler.

★ **foul** (n.): (sport): coup interdit ou défendu, faute.

★ **foundation** : 1. fond de teint; 2. fondation.

★ **founder** : 1. sombrer, chavirer; 2. (espoirs, etc.): s'effondrer, s'écrouler.

fox : renard.

★ **foyer** : 1. (US): vestibule, entrée; 2. (GB) (hôtel): hall; 3. (théâtre): foyer.

★ **fracas** : rixe, échauffourée.

franchise : 1. droit de vote; 2. licence (exclusive) de fabrication et de vente; 3. autorisation, permis.

★ **frantic** : 1. (activité): acharné, effréné; 2. (p.): hors de soi, fou (de rage, etc.), exaspéré.

★ **fraud** : 1. fraude; 2. escroquerie, abus de confiance, dol; 3. supercherie, imposture; 4. (p.): imposteur, faiseur.

★ **fray** : rixe, échauffourée.

fresh : 1. nouveau; 2. récent, inexpérimenté; 3. supplémentaire; 4. (eau) douce; 5. plein d'entrain, fougueux; 6. insolent, trop familier; 7. **get** ~ : faire des avances.

fritter : beignet.

frock : 1. robe; 2. ~ **coat** : redingote; 3. froc (moine).

fuel : 1. combustible; 2. carburant; 3. ~ **oil** : mazout, fuel.

★ **fume** (v.): 1. exhaler des vapeurs; 2. rager, être furieux.

★ **fumes** : vapeurs nocives, exhalaisons.

function : 1. réception (officielle); 2. cérémonie (publique); 3. fonction.

★ **fund** (v.): 1. consolider (dette); 2. subventionner, apporter son concours financier.

★ **fund** (n.): 1. caisse, fond (de secours, etc.); 2. **start a** ~ : lancer une souscription; 3. **public** ~ **s** : dette publique; 4. réserves; 5. fond.

furnish : 1. meubler; 2. fournir.

★ **furnishing** : 1. mobilier, ameublement; 2. ~ **fabrics** : tissus d'ameublement.

furniture (sg.): meubles, mobilier; 2. ~ **depot** : garde meubles.

★ **furore** (US) **furor** : 1. protestation violente, scandale; 2. débordement d'enthousiasme.

★ **fuse** (v.): 1. faire sauter (les plombs); 2. amorcer (une bombe); 3. fondre (du métal); 4. (fig.) fusionner, unifier; 5. stimuler.

★ **fuse** (n.): 1. plomb, fusible; 2. amorce, détonateur.

★ **futile** : 1. (effort): vain, inutile; 2. (p.): incapable, bon à rien.

★ **gaff** : 1. **to blow the** : vendre la mèche; 2. foutaises.

★ **gaffer** : 1. vieux (bonhomme); 2. contremaître; 3. patron, chef.

gag (v.): 1. bâillonner, museler; 2. faire/improviser des gags.

gag (n.): 1. bâillon; 2. plaisanterie, farce; 3. gag.

★ **gale** : grand vent, coup de vent.

★ **gallant** : courageux, brave, vaillant.

★ **gallant** : 1. (adj.) empressé; 2. (adj./n.) galant.

★ **gallantry** : 1. bravoure; 2. galanterie.

gang : 1. équipe (de travailleurs); 2. bande, clique; 3. gang.

gas : (US) essence (abrév. de **gasoline**).

gay : 1. (adj./n.) homosexuel; 2. (adj.) joyeux, gai.

★ **genial** : 1. (p./cpt) bienveillant, sympathique, chaleureux, cordial, réconfortant; 2. (climat) doux, clément; 3. génial.

★ **genteel** : 1. distingué, élégant; 2. de bon ton; 3. qui appartient à la haute, huppé.

gentility : 1. **the** ~ : la petite noblesse; 2. bonne famille/naissance; 3. bonnes manières.

gentle : 1. doux, sans violence; 2. modéré, paisible; 3. noble, de bonne famille.

germ : 1. microbe; 2. germe.

★ **germane** : pertinent, approprié.

glass : 1. verre ou verrerie; 2. **a ~ a)** un verre (à boire); **b)** un baromètre; **c)** une longue vue; **d)** une cloche (pour la nourriture); **e)** une vitrine.

glasses : 1. des verres (à boire); 2. verres (de lunettes), lunettes; 3. jumelles.

★ **glorify** : 1. embellir, gonfler (artificiellement); 2. exalter, chanter les louanges de; 3. glorifier, rendre gloire à.

★ **glorious** : 1. merveilleux, sensationnel, magnifique; 2. glorieux, illustre.

★ **glory** : 1. spendeur, magnificence; 2. gloire, titre de gloire.

glue : colle, glue.

★ **gormandize** : s'empiffrer.

★ **governor** : 1. administrateur (école); 2. directeur (prison); 3. gouverneur; 4. (sl.) le patron ou le paternel (v. **guvnor**).

★ **gracious** : 1. bienveillant, courtois; 2. miséricordieux; 3. d'une élégance raffinée.

★ **grade** : 1. (US) classe; 2. (US) note; 3. (US) ~ **school** : école primaire; 4. rampe, pente; 5. **make the ~** : y arriver.

graduate (v.): obtenir son diplôme (de sortie) (bac (US) ou licence (US et GB)).

graduate (n.): diplômé, bachelier (US), licencié (US/GB); 2. (US) ~ **course** : études de 3e cycle (GB : **post- ~**).

grand : grandiose, imposant.

grape : grain de raisin.

grapes : raisin.

grapefruit : pamplemousse.

★ **graphic** (adj.): 1. pittoresque, vivant (description); 2. graphique.

★ **grate** (v.): 1. raper (fromage); 2. (faire) grincer, crisser; 3. ~ **on s.o.'s nerves** : irriter, agacer qqn.

★ **grating** (adj.) : 1. discordant; 2. irritant.

★ **gratification** : 1. satisfaction, contentement; 2. assouvissement.

★ **gratify** : 1. satisfaire; 2. faire plaisir à; 3. assouvir.

gratuity : 1. pourboire; 2. prime (versée lors de la mise à la retraite/de la démobilisation).

★ **grief** : 1. chagrin, douleur (moral); 2. **come to ~** : courir à la catastrophe, s'attirer des ennuis; 3. **good ~** : bon sang ! (exaspération).

★ **grille** : 1. calandre; 2. judas; 3. grille, grillage.

★ **grime** : crasse, saleté.

★ **groin** : 1. aîne; 2. (architecture) arête.

★ **groom** (v.): 1. panser (animal); 2. préparer, former qqn.

groom (n.): valet d'écurie, palefrenier; 2. (jeune) marié; 3. chambellan.

guard : 1. (GB) chef de train; 2. dispositif de sécurité; 3. (US) gardien de prison.

★ **guarded** (adj.): 1. prudent, réservé (réponse, etc.); 2. protégé; 3. surveillé, gardé.

guardian : 1. tuteur; 2. protecteur, gardien.

guerilla : terroriste, rebelle, guerillero.

★ **guillotine** : (GB) limite de temps de parole (Parlement).

gum : gencive.

gutter : 1. caniveau, rigole; 2. gouttière.

★ **guv'nor** : V. **governor** 4.

guy : 1. (US) individu, type; 2. effigie; 3. épouvantail.

habit : 1. habitude; 2. tenue, habit.

★ **haggard** : 1. hâve, émacié, décharné; 2. hagard.

hall : 1. (grande) salle; 2. réfectoire; 3. ~ **of residence** : cité universitaire; 4. château, manoir; 5. couloir; 6. vestibule, entrée, hall.

★ **halt** : 1. boîter; 2. hésiter.

halter : 1. licou, corde; 2. boîteux (n.).

★ **halting** : 1. hésitant, embarrassé (voix, etc.); 2. entrecoupé, haché (discours, etc.).

harass : 1. harceler; 2. tracasser, tourmenter, accabler.

★ **hardy** : 1. résistant, robuste; 2. (plante) vivace; 3. audacieux, hardi.

★ **harp** (v.): ~ **on/upon** : rabâcher, revenir sans cesse sur qqch..

hazard (v.): 1. risquer; 2. hasarder (remarque).

hazard (n.): risque, danger, péril.

★ **hearse** : corbillard, fourgon mortuaire.

★ **heinous** : (cpt.): odieux, haïssable.

★ **herbs** : herbes aromatiques ou médicinales.

★ **hideous** : 1. terrible; 2. atroce, horrible; 3. hideux.

history : 1. antécédents; 2. **make ~** : faire date; 3. histoire.

honest : 1. sincère, franc; 2. ~ **to God !** : parole d'honneur; 3. honnête.

honestly : 1. « franchement », « je vous assure »; 2. honnêtement.

★ **honorary** (adj.): 1. bénévole; 2. honorifique; 3. honoraire.

honour : 1. ~ **bright !** : foi d'honnête homme !; 2. ~ **s** : niveau supérieur (d'études) ou mention obtenue; 3. honneur.

honourable : 1. honnête; 2. honorable.

host : 1. foule; série, grand nombre de; 2. (fig.) armée; 3. hôte, hôtelier; 4. hostie.

hostel : 1. lieu d'hébergement; 2. auberge de jeunesse; 3. foyer universitaire.

★ **humour** (v.): faire plaisir à, se prêter aux caprices de.

★ **hurl** : jeter, projeter, lancer (avec violence).

hurt (v.i.): 1. faire mal; 2. blesser (fig.).

hurt (v.t.): 1. faire (du) mal à, blesser; 2. faire de la peine à; 3. nuire à, faire tort à; 4. endommager, abîmer; 5. **to ~ s.o.'s feelings** : offenser, froisser qqn.

hurt (p.p.): 1. blessé; 2. meurtri, offensé.

★ **hut** : cabane, baraquement, masure; 2. hutte.

★ **hysteria** : 1. crise de nerfs; 2. perte de contrôle (de soi); 3. hystérie.

★ **hysterical** : 1. convulsif; 2. très nerveux, incontrôlé.

★ **hysterics** : 1. crise de nerfs; 2. fou-rire; 3. folie.

★ **identify** : 1. révéler l'identité de; 2. s'identifier (à).

★ **ignoble** : plébéien, roturier, vugaire; 2. affreux, infâme; 3. ignoble.

ignorance : 1. indifférence, mépris; 2. ignorance.

ignore : 1. ne pas tenir compte de; 2. feindre de ne pas voir, entendre, connaître ou savoir; 3. se désintéresser de; passer sous silence.

illiteracy : 1. analphabétisme; 2. manque de culture.

illiterate (adj./n.): 1. analphabète; 2. illettré.

★ **illuminate** : 1. enluminer (manuscript); 2. clarifier, éclairer; 3. illuminer.

★ **illumination** : 1. enluminure; 2. (fig.) lumière, inspiration; 3. illumination.

★ **imbibe** : 1. absorber, assimiler; 2. boire, picoler.

★ **immaterial** : 1. sans importance, négligeable; 2. insignifiant; 3. immatériel (philo).

immediately : 1. (conj.) dès que; 2. (adv.) immédiatement.

★ **immodest** : 1. présompteux, arrogant; 2. indécent, impudique.

impair : 1. affaiblir, diminuer; 2. porter atteinte à; 3. détériorer.

impassioned : exalté, passioné.

★ **impatient** : 1. ~ **of** : intolérant à l'égard de qqn./vis à vis de qqch.; 2. impatient.

★ **impeach** : 1. destituer; 2. mettre en accusation, accuser.

★ **impeachment** : 1. destitution; 2. (mise en) accusation.

★ **imperial** : 1. majestueux, grandiose; 2. impérieux, autoritaire; 3. qui a cours légal (en GB); 4. impérial.

★ **impersonate** : 1. se faire passer pour; usurper l'identité de; 2. imiter; 3. interpréter (un rôle).

★ **impertinent** : 1. non pertinent, hors de propos; 2. impertinent.

★ **implausible** : peu vraisemblable.

★ **implicit** : 1. absolu, sans réserve (confiance); 2. aveugle (obéissance); 3. implicite, tacite.

★ **implication** : 1. insinuation; 2. portée, conséquence; 3. implication (**in** : dans).

★ **import** (v.) : 1. signifier, vouloir dire; 2. importer.

★ **import** (n.) : 1. signification, teneur; 2. importance; 3. importation.

★ **importune** : 1. raccoler (prostitution); 2. importuner, harceler.

★ **impose** : 1. ~ **on/upon** : tromper, duper; abuser de; 2. imposer, infliger.

★ **impotence** : 1. impuissance (fig. ou sexuel); 2. (médical) impotence.

★ **impression** : 1. imitation (comique); 2. impression ; 3. empreinte.

★ **impressment** : 1. enrôlement forcé; 2. réquisition (marchandises ou biens).

improbability : 1. invraisemblance; 2. improbabilité.

improbable : 1. invraisemblable, peu crédible; 2. improbable.

improper : 1. indécent; 2. déplacé, de mauvais goût; 3. incorrect, erroné, inexact; 4. impropre.

impropriety : 1. inconvenance, indécence; 2. impropriété (de langage).

inadequate : 1. insuffisant (quantité/qualité), médiocre; 2. inadéquat.

inarticulate : 1. (p.) qui a du mal à s'exprimer; 2. indistinct (paroles); 3. inarticulé; 4. ~ **with** : bafouillant de/à cause de.

★ **incendiary** (n.) : 1. bombe incendiaire; 2. (fig.) brandon de discorde; 3. (p.) incendiaire.

★ **incense** : mettre en colère, indigner, courroucer.

★ **incidence** : 1. fréquence; 2. portée, étendue, champ ; 3. incidence (optique).

incident to : qui se rapporte à/découle de.

incomplete : 1. inachevé; 2. incomplet.

★ **incongruous** : 1. incompatible, peu approprié; 2. absurde, grotesque; 3. incongru, déplacé.

★ **inconsiderate** : 1. (p.) qui manque d'égards, dépourvu de tact; 2. (cpt.) irréfléchi, inconsidéré.

inconsistency : incohérence, manque d'esprit de suite, caractère illogique.

inconsistent : 1. inconséquent; 2. ~ **with**; incompatible avec.

inconvenience : 1. dérangement, gêne (causée à); 2. désagrément, inconvénient.

inconvenient (adj.) : 1. gênant, importun; 2. inopportun, mal choisi; 3. **be** ~ : déranger, gêner.

incorporated : 1. (G.B.) ~ **company** : société de droit privé ou public; 2. (US) ≃ société anonyme.

incorrect : 1. inexact, érroné; 2. **be** ~ se tromper; 3. incorrect, déplacé; 4. inconvenant, indécent.

★ **indecorous** : peu convenable, inconvenant.

★ **indefatigable** : infatigable.

indefinitely : 1. pour une durée indéterminée; 2. de façon vague ou imprécise.

★ **Indian** : 1. **West** ~ : antillais; 2. ~ **Summer** : été de la Saint Martin; 3. Indien, des Indes.

★ **Indies** : the **West** ~ : les Antilles.

indifferent : 1. médiocre, quelconque; 2. impartial, neutre; 3. indifférent.

indiscreet : 1. imprudent, peu judicieux; 2. indiscret.

indiscretion : 1. imprudence; 2. faux pas, action inconsidérée; 3. indiscrétion.

★ **indisposed** : 1. peu enclin (à); 2. indisposé, souffrant.

★ **induce** : 1. persuader, inciter; 2. produire, provoquer qqch.; 3. induire.

★ **induction** : 1. incorporation (armée); 2. ~ **course** : séance d'accueil, d'information.

indulge (v.t.) : 1. (p.) gâter, être aux petits soins pour; 2. céder à, satisfaire (caprice); 3. se laisser aller à, s'abandonner à (paresse, etc.); 4. ~ **oneself** : se passer toutes ses fantaisies; 5. accorder des délais de paiement à.

indulge (v.i.) : 1. boire, être porté sur la bouteille; 2. s'adonner à un vice; 3. ~ **in**: se permettre, s'adonner à.

indulgence : 1. satisfaction (d'un désir); 2. satisfaction, gâterie; 3. indulgence.

industrial (adj.) : 1. ~ **action** : mouvement revendicatif, grève; 2. ~ **disease** : maladie professionnelle; 3. du travail; 4. ouvrier; 5. ~ **dispute/unrest** : conflits sociaux.

industry : 1. zèle, application; 2. industrie.

★ **ineligible** (adj.) : 1. qui n'a pas droit à; 2. inapte; 3. inéligible.

infancy : (toute) petite enfance, bas âge.

infant : 1. nouveau-né, nourrisson; 2. (GB) enfant de 5 à 7 ans (école); 3. (droit) mineur.

★ **infatuate** : tourner la tête à qqn..

★ **infatuated** : 1. **be** ~ **with s.o.** : avoir le béguin pour qqn.; 2. **be** ~ **with sth.** : s'engouer pour qqch.

★ **infatuation** : 1. coup de foudre; 2. engouement.

★ **infectious** : 1. contagieux; 2. infectieux.

★ **infirmary** : 1. hôpital; 2. infirmerie.

★ **inform** : 1. inspirer; 2. donner sa forme à; 3. ~ **on/against s.o.** : dénoncer qqn. (police); 4. informer.

informal : 1. simple, sans façon; 2. sans cérémonie, non guindé; 3. dénué de formalité; 4. ~ **dress** : tenue de ville; 5. officieux.

information (sg) : 1. renseignement(s); 2. connaissance(s), savoir; 3. dénonciation; 4. (droit) **lay an** ~ déposer une accusation (écrite).

★ **informant** : informateur.

★ **informer** : police ~ indicateur, « mouchard ».

★ **infuse** : 1. insuffler, inspirer; 2. infuser.

★ **ingenuity** : ingéniosité.

★ **ingenuous** (adj.) : sincère, franc, ouvert; 2. ingénu, naïf.

★ **ingenuousness** (n.) : v. **ingenuous**.

inhabited : habité.

★ **initiate** : 1. promouvoir, engager; 2. inaugurer, mettre en action, lancer; 3. (droit) **initiate proceedings** : introduire une procédure; 4. initier.

injure : 1. blesser; 2. offenser, blesser; 3. nuire à; 4. ~ **one's health** : se ruiner la santé.

★ **injurious** : nuisible, préjudiciable.

injury : 1. blessure; 2. tort, préjudice; 3. avarie; 4. ~ **-time** : arrêts de jeu (sport).

★ **innocent** : 1. ~ **of** : dénué, dépourvu de; 2. ~ **of** : ignorant; 3. innocent.

★ **inordinate** : démesuré, excessif, exhorbitant.

inquiry : 1. demande de renseignements, question; 2. enquête.

insist : 1. ~ **that** : affirmer, maintenir que; 2. ~ **on sth.** : exiger qqch.; 3. ~ **on + -ing** : tenir à/ vouloir absolument + inf./(ce) que.

inspect : 1. examiner, contrôler; 2. inspecter.

★ **instalment** : 1. traite, mensualité; 2. épisode (d'un feuilleton); 3. fascicule, livraison (livre).
instance : exemple.
★ **instant** (adj.) : 1. instantané; 2. spontané; 3. urgent, pressant.
instant (n.) : 1. café soluble/instantané; 2. instant, moment.
★ **institute** : 1. association; 2. institut.
★ **institution** : 1. œuvre de bienfaisance; 2. asile, hospice; 3. intitution.
instruct : 1. donner ordre (à qqn.) de; 2. instruire.
★ **instructor** : 1. moniteur (ski, etc.); 2. assistant (université).
intelligence (sg.) : 1. renseignements, informations; 2. espionnage; 3. intelligence.
★ **intensive** : 1. ~ **care unit** : service de réanimation; 2. **labour** ~ : qui exige une forte main d'œuvre; 3. intensif.
★ **interloper** (n.) : 1. intrus; 2. commerçant marron.
★ **intimate** (v.) : 1. annoncer, faire savoir/connaître; 2. suggérer, laisser entendre.
intimate (adj.) : 1. **be** ~ **with** : avoir des relations sexuelles avec; 2. intime; 3. personnel; 4. approfondi (connaissance).
★ **intimation** : 1. annonce, avis, notification; 2. suggestion (à mots couverts), insinuation; 3. indice, indication; 4. presage, avant-goût.
★ **intone** : psalmodier.
intoxicate : enivrer, griser.
intoxicated : 1. ivre, en état d'ivresse; 2. (fig.) grisé.
intoxication : 1. ivresse; 2. griserie; 3. intoxication (par l'alcool).
introduce : 1. ~ **s.o. (to)** : présenter qqn. (à); 2. **be** ~ **ced into** : faire son apparition dans; 3. initier; 4. ~ **a bill** : déposer un projet de loi; 5. introduire, insérer.
introduction : 1. présentation (de qqn.); 2. initiation; 3. introduction.
invalid (adj./n.) : 1. malade (chronique); 2. infirme, invalide, impotent; 3. sans valeur.
invaluable : 1. précieux; 2. inestimable, inappréciable.
★ **invoice** (n./v.) : facture/facturer.
★ **invoke** : 1. évoquer (des esprits); 2. invoquer; 3. susciter (un sentiment).
★ **inveterate** : 1. plein de haine/de préventions; 2. acharné; 3. fieffé (menteur); 4. invétéré.
★ **irregular** : 1. déréglé, dissolu (vie); 2. supplétif (armée); 3. irrégulier.
irresponsible : 1. (cpt.) irréfléchi, déraisonnable; 2. (p.) qui n'a pas le sens des responsabilités, irresponsable.
★ **issue** (v.) : 1. publier, faire paraître; 2. délivrer (document); 3. distribuer/fournir; 4. émettre (actions, etc.).
issue¹ : 1. problème, question (à débattre), sujet; 2. **make an** ~ **of sth.** : faire de qqch. un sujet de controverse; 3. **join/take** ~ **with s.o.** : apporter la contradiction à qqn.; 4. **force an** ~ : imposer une solution; 5. **point at** : question non encore réglée; 6. **be at** ~ **with s.o.** : être en désaccord avec qqn.; 7. **side** ~ question secondaire.
issue² : 1. numéro (d'un journal); 2. publication, parution, sortie; 3. délivrance (passeport); 4. émission (d'avions); 5. distribution (vêtements); 6. (adj.) réglementaire.
★ **issue**³ : (médical) écoulement.
★ **issue**⁴ : descendance, progéniture.
★ **issue**⁵ : 1. résultat, aboutissement; 2. issue.

★ **jack** : 1. cric; 2. valet (cartes); 3. **Union J** ~ drapeau du Royaume Uni; 4. **everyman** ~ **(of them)** : chacun, tous (tant qu'ils sont) .
★ **jacket** : 1. veste; 2. **dinner** ~ smoking; 3. **life** ~ gilet de sauvetage; 4. **straight** ~ : camisole de force.
★ **jade** : 1. haridelle; 2. (arch.) prostituée, traînée; 3. (arch.) coquine; 4. jade.
★ **jaded** : 1. éreinté, .épuisé; 2. blasé (palais).
★ **jar**¹ : 1. pot, bocal; 2. jarre.
★ **jar**² : son discordant; 2. secousse, choc (fig.).
★ **jazzy** : 1. voyant (vêtement); 2. bariolé; 3. tapageur (couleur).
Jean : Jeanne.
★ **jelly** : 1. ~ **fish** : méduse; 2. gelée.
jersey : 1. tricot; 2. jersey (tissu).
jest : plaisanterie; 2. **in** ~ : pour plaisanter.
Jesus ! : Bon Dieu !.
★ **jet** : 1. jais; 2. jet (avion).
jockey (v.) : 1. manœuvrer, intriguer; 2. inciter.
★ **joint** (adj.) : 1. commun; 2. ~ **manager** : co-directeur/gérant; 3. mixte (commission).
joint¹ : rôti (viande).
joint² : 1. boîte (de nuit); 2. bahut (lycée).
joint³ : articulation.
★ **jointure** : douaire.
jolly (adj.) : 1. gai, joyeux, jovial; 2. agréable, amusant.
jolly (adv.) : 1. rudement, vachement.
★ **journal** : 1. revue (savante); 2. livre de bord; 3. livre de compte.
journey : 1. voyage; 2. trajet, parcours.
★ **juice** : 1. suc (gastrique, etc.); 2. jus.
junior : 1. ~ **clerk** : employé subalterne; 2. ~ **executive** : jeune cadre/en début de carrière; 3. ~ **minister** ≃ secrétaire d'état; 4. **Peter Brown, Jr** : Peter Brown fils ou junior; 5. ~ **classes** : les petites classes (8 à 11 ans); 6. ~ **school** : école primaire (GB); 7. ~ **college** : collège universitaire de 1ᵉʳ cycle (US); ~ **high school** ≃ C.E.S.; 8. a) élève de première; b) étudiant de 3ᵉ année .
★ **juror** (n.) : juré (droit).
just (adv.) : v. liste adverbes, conjonctions et prépositions.
★ **justice** : 1. **do** ~ **to** : rendre justice à/avantager/faire honneur à; 2. **J** ~ : ≃ juge de paix (GB), juge, magistrat.
★ **juvenile** (adj.) : puéril; 2. juvénil; 3. pour enfants; ~ **books**; 4. ~ **delinquent** : jeune délinquant/délinquant mineur; **J** ~ **Court** : juridiction pour mineurs.
★ **juvenile** (n.) : jeune, adolescent.

★ **kangaroo** : 1. méthode permettant au Speaker (Chambre des Communes) de faire un choix parmi les amendements à débattre; 2. **K** ~ **Court** : tribunal (irrégulier) aux procédures expéditives.

label : étiquette.
labour (US : **labor**) (v.) : peiner, travailler dur; 2. (machine) fatiguer; 3. ~ **a point** : insister (lourdement) sur un point; 4. ~ **under a delusion** : être victime d'une illusion.
labour (n.) : 1. main d'œuvre, **L** ~ **Exchange** : ANPE; 2. travail, travaux, **L** ~ **Day** (US) : fête du travail; 3. **L** ~ les Travaillistes; 4. **organized** ~ (US) : syndicats; 5. (GB) travail (accouchement) (v. **intensive** 2).
★ **laboured** : 1. lourd, laborieux (style, etc.); 2. difficile (respiration).

★ **labourer** : 1. travailleur; 2. manœuvre; 3. ouvrier non spécialisé; 4. ouvrier agricole.
★ **lace** : 1. dentelle; 2. lacet.
★ **lance** (v.): percer, ouvrir (médical).
★ **lard** : saindoux.
  large : 1. grand, vaste; 2. **at ~** : en liberté; 3. **the country at ~** : le pays dans son ensemble; 4. **by and ~** : en gros, tout bien pesé.
★ **lecher** (v.): débaucher.
★ **lechery** : luxure, lubricité.
  lecture (v.): 1. faire une conférence; 2. sermonner, réprimander.
  lecture (n.): 1. conférence, cours magistral; 2. sermon, réprimande.
  lecturer : 1. conférencier; 2. ≃ maître-assistant (université); 3. **assistant ~** : assistant; 4. **senior ~** : maître de conférences.
★ **legal** : 1. juridique; **~ correspondent** : chroniqueur judiciaire; 3. qui s'occupe du contentieux; 4. légal.
★ **legislature** : 1. (US) l'assemblée; 2. corps législatif.
★ **levy** (v.): 1. prélever (impôt); 2. infliger (amende).
★ **levy** (n.): 1. taxe, impôt, taxation; 2. enrôlement ou troupes enrôlées.
★ **liabilities** : 1. passif (commerce); 2. engagement, obligation (commerce).
★ **liability** : 1. (droit) responsabilité, engagement; 2. assujettissement, obligation; 3. handicap; 4. risque; tendance.
  liable : 1. (droit) responsable; 2. passible de, sujet à; 3. susceptible de; 4. qui a des chances de; 5. v. index : **liable**.
★ **libel** : diffamation (ayant un support de caractère permanent).
★ **liberal arts** : discipline autre que sciences ou maths (université); « lettres et sciences humaines ».
  librarian : bibliothécaire.
  library : bibliothèque.
  licence (n.): 1. autorisation, permis; 2. taxe, redevance (TV, etc.); 3. licence (de fabrication); 4. licence, liberté; 5. **~ number** : numéro minéralogique/de permis de conduire; 5. **~ plate** : plaque minéralogique.
  license (v.): 1. accorder une autorisation d'exercer; 2. permettre, autoriser; 3. délivrer, acheter une vignette (auto).
  licensed : 1. bénéficiant d'une licence d'exploitation; 2. autorisé à servir ou vendre de l'alcool; 3. qui a une licence de débit de boissons.
  licensee : bénéficiaire d'une licence d'exploitation (le plus souvent de débit de boissons).
  licensing : **~ hours** : heures d'ouverture (des pubs).
★ **licorice/liquorice** : réglisse.
★ **lien** : (droit) droit de rétention/de nantissement.
★ **lime** : 1. chaux; 2. tilleul (arbre); 3. citron vert.
  line[1] : 1. vers (poésie); 2. réplique, rôle (théâtre); 3. petit mot (lettre); 4. renseignement, tuyau.
  line[2] : 1. conception, orientation, plan d'action; 2. attitude; 3. série d'articles (commerce), collection; 4. spécialité, métier, « rayon »; 5. ligne, fil; 6. ligne, direction, trait; 7. ride; 8. file d'attente, queue; rangée, lignée; 9. **bring s.o. into ~** mettre qqn. au pas; 10. **come/fall into ~ with** : se conformer à qqch./tomber d'accord avec qqn.; 11. **toe the ~** : a) se ranger sur la ligne de départ; b) obéir, se plier, se soumettre.
  liquor : 1. alcool, spiritueux; 2. liquide.
★ **liquorice** : réglisse.
★ **list**[1] : inclinaison, gîte (navire).

★ **listed** : **~ building** : édifice/monument classé/historique.
★ **lists**[2] : **enter the ~ s** : entrer en lice.
  literacy : niveau d'alphabétisation ou de culture.
  literature : 1. **the ~ on** : la documentation/les ouvrages critiques sur; 2. la littérature.
★ **local** (adj.): 1. du quartier/de la région, régional; 2. urbain (téléphone).
★ **local** (n.): 1. personne du coin/du pays; 2. café du coin; 3. (chemin de fer) omnibus.
★ **locale** : 1. lieu, scène (fig.); 2. théâtre.
★ **locate** : 1. localiser, repérer; 2. situer, implanter (industrie); 3. (v.i.) (US) s'installer, s'établir, se fixer.
  location : 1. situation, emplacement; 2. **on ~** : en extérieur (film).
★ **locket** : médaillon.
★ **lodge** : 1. maison/pavillon de gardien/garde chasse; 2. **shooting ~** : pavillon, rendez-vous de chasse; 3. abri, gîte (castor).
  lodger : 1. locataire; 2. pensionnaire.
  lodging-house (n.): meublé.
★ **loin** : (viande) filet, longe, aloyau.
★ **loins** : reins, croupe.
  long (v.): 1. **~ to do** avoir très envie de faire; 2. **~ for sth.** : désirer (ardemment) qqch.; 3. **~ for s.o.** : se languir de qqn.
★ **loop** : 1. méandre, boucle; 2. circuit fermé (électricité); 3. bretelle (autoroute); 4. stérilet; 5. embrasse (rideaux).
  lot[1] : sort, destinée; 2. tirage au sort; 3. **draw ~ s** : tirer au sort.
  lot[2] : terrain, parcelle, lotissement.
  lot[3] : personne, sujet – **he's not a bad ~** c'est un brave type; **they're a funny ~** : ce sont de drôles de gens.
  lounge (v.): 1. se prélasser, être vautré; 2. flâner, être oisif.
  lounge (n.): 1. salon; 2. **~ -suit** : complet veston/tenue de ville.
★ **loyal** : 1. fidèle; 2. dévoué; 3. loyal.
★ **lozenge** : 1. pastille (médecine); 2. losange (maths).
  lunatic (adj.): 1. fou, dément; 2. absurde, extravagant (idée); 3. stupide, idiot.
  lunatic (n.): fou, aliéné, dément.
  luxurious : luxueux, somptueux.
  luxury : luxe.
★ **lyrics** : paroles (chanson).
★ **lyricist** : 1. parolier; 2. poète lyrique.

  machinery : 1. mécanisme, rouages (fig.); 2. machines.
★ **machining** : 1. usinage; 2. piquage (à la machine).
★ **mackerel** : 1. **~ sky** : ciel pommelé; 2. maquereau (poisson).
★ **madam** : 1. mijorée, pimbêche; 2. tenancière de bordel; 3. madame/mademoiselle.
★ **maggot** : ver, asticot.
  maintain[1] : affirmer, soutenir (que).
  maintain[2] : 1. entretenir (machine); 2. subvenir aux besoins de; 3. financer, subventionner; 4. maintenir, conserver.
  major (v.): **~ in** : se spécialiser en, prendre pour matière principale (université).
★ **majority** : 1. grade de commandant; 2. majorité.
  male (adj.): 1. de sexe masculin; 2. masculin, d'homme; 3. mâle, viril.
★ **malice** (droit): 1. intention de nuire; 2. **with ~ aforethought** : avec préméditation; 3. méchanceté, malveillance.

★ **malicious** (droit) : commis avec intention de nuire, délictueux, criminel.

★ **malign** (v.) : calomnier.

★ **malign** (adj.) : pernicieux, nuisible.

★ **malignant** : malveillant, venimeux.

manage : 1. gérer, administrer ; 2. ~ **to do** : réussir, arriver à faire ; 3. savoir s'y prendre avec ; 4. pouvoir s'occuper de ; 5. se débrouiller.

★ **mandate** : 1. (droit) ordre, injonction ; 2. mandat (droit donné à qqn.).

★ **mandatory** : 1. obligatoire ; 2. impératif.

mane : crinière.

★ **mange** : gale.

★ **mania** : 1. penchant morbide ; 2. folie (dangereuse pour autrui) ; 3. manie.

★ **maniac** : 1. dément, fou ; 2. maniaque (= fou).

★ **mansion** : 1. hôtel particulier ; 2. château, manoir.

manufacture (v.) : 1. fabriquer (industrie) ; 2. inventer (excuse).

manufacture (n.) : 1. fabrication, confection ; 2. ~ **s** : produits manufacturés.

marble : 1. bille ; 2. marbre.

★ **march** : (faire) défiler (des troupes, etc.).

mare : jument.

marine : fusilier-marin, soldat de l'infanterie de marine.

mark (v.) : 1. noter, corriger (des copies) ; 2. marquer, indiquer.

mark (n.) : 1. note, point (scolaire) ; 2. but, cible ; 3. marque signe.

★ **marksman** : tireur d'élite.

marmalade : confiture (surtout d'orange ou citron).

★ **maroon** (v.) : 1. abandonner (sur une île déserte) ; 2. bloquer (fig.).

★ **maroon** : bordeaux (couleur).

★ **marquee** : 1. grande tente ; 2. chapiteau ; 3. auvent, marquise (au-dessus d'une porte).

★ **marsh** : marais, marécage.

★ **martinet** : **be a** ~ : être très sévère/à cheval sur le règlement.

mass : 1. messe (religion) ; 2. masse, grande quantité ; 3. **the** ~ **ses** : les masses, le peuple.

master : **Master of Arts** (MA) : (titulaire d'une) maîtrise de lettres.

★ **mat** (v.) : 1. s'emmêler (cheveux) ; 2. se feutrer (lainage).

★ **mat** (n.) : carpette, natte, paillasson ; 3. **a** ~ **of hair** : des cheveux emmêlés.

match (v.) : 1. rivaliser, égaler ; 2. (s') assortir, appareiller ; 3. être bien assorti(e)s, aller bien ensemble.

match[1] (n.) : 1. égal ; 2. complément naturel ; 3. mariage ; 4. **he's a good** ~ : c'est un bon parti ; 5. **they're a good** ~ : ils sont bien assortis ; 6. ~ **-maker** : entremetteuse/marieuse.

match[2] (n.) : allumette.

★ **mate** (v.) : (s')accoupler.

★ **mate** (n.) : 1. camarade (de travail, etc.) ; copain ; 2. "second" (navire).

★ **material** (adj.) : 1. essentiel, important, pertinent ; 2. matériel.

material (n.) : 1. tissu étoffe ; 2. matière (article) ; 3. ~ **s** fournitures, le nécessaire pour ; 4. matériel, matériaux.

matter (v.) : avoir de l'importance.

matter (n.) : 1. affaire, question ; 2. problème, difficulté ; 3. fond, contenu ; 4. matière, substance ; 5. (médecine) pus ; 6. **no** ~ : v. adverbes, conjonctions, prépositions.

matter of fact (adj.) : 1. prosaïque, terre à terre ; 2. réaliste.

★ **mechanic** : mécanicien.

★ **mechanics** : 1. mécanique (science) ; 2. mécanisme.

medical : ~ **student** : étudiant en médecine.

medecine : 1. médicament, remède ; 2. médecine.

★ **member** : 1. **M** ~ **of Parliament** : député ; 2. adhérent, membre.

★ **memoir** : 1. notice biographique ; 2. étude ; 3. ~ **s** : mémoires.

memory : 1. souvenir ; 2. mémoire.

mental : 1. **go** ~ : devenir fou ; 2. ~ **home** : clinique psychiatrique.

mention : "**don't** ~ **it**" : « je vous prie/il n'y a pas de quoi » (en réponse à "thank you").

★ **mercantile** (adj.) : 1. marchand, commercial ; 2. mercantile.

★ **merchant** : 1. grossiste, négociant en gros ; 2. marchand, détaillant.

★ **merchantman** : navire marchant/de commerce.

mercy : 1. miséricorde, pitié ; 2. ~ **-killing** ; euthanasie ; 3. merci (= pitié) ; 4. chance (dont on remercie le ciel).

★ **merits** : 1. **the** ~ **of a case** : le bien-fondé d'une cause ; 2. **judge a case on its own** ~ : ... en toute objectivité.

★ **mesh** : 1. maille ; 2. tissu à mailles ; 3. engrenage (fig. ou non).

mess : 1. pagaille, fouillis ; 2. saleté ; 3. gâchis, désordre ; 4. **make a** ~ **of sth.** : gâcher, abîmer, saccager, salir qqch. ; 5. **be in a** ~ : être dans de beaux draps (fig.).

meter : 1. compteur (gaz, etc.) ; 2. ~ **reader** : releveur de compteurs ; 3. (US) **meter** = mètre (= GB **metre**).

★ **mien** : 1. contenance, air ; 2. mine.

★ **mignonette** : réséda.

★ **mimic** (adj.) : 1. imitateur ; 2. simulé ; 3. mimétique.

★ **mimic** (v.) : 1. imiter ; 2. signer ; 3. contrefaire.

★ **mimic** (n.) : 1. imitateur ; 2. singe (fig.).

★ **mince** (v.) : 1. hacher ; 2. parler du bout des lèvres ; 3. marcher de façon affectée.

★ **mince** (n.) : 1. viande hachée ; 2. ~ **pie** : tarte aux fruits secs.

★ **minim** : blanche (solfège).

★ **minister** : 1. pasteur ; 2. ministre.

★ **ministry** : 1. **go into the** ~ : devenir/se faire pasteur ; 2. ministère.

minor (v.) : ~ **in sth.** : prendre qqch. en option (université) (v. **major**).

minor (n.) : 1. option, matière secondaire (université) ; 2. mineur (droit).

★ **minus** : moins, sans.

minute [mainju:t] (adj.) : 1. minuscule ; 2. peu important ; 3. méticuleux, minutieux.

★ **mire** : 1. fange ; 2. bourbe, bourbier.

★ **misadventure** : **death by** ~ : mort accidentelle n'entraînant pas la responsabilité pénale.

miser : avare, grippe-sou.

miserable : 1. malheureux ; 2. triste, lamentable, pitoyable ; 3. miteux, minable ; 4. maussade, détestable (temps) ; 5. misérable : – **paid a** ~ **50p per hour**.

miserly (adj.) : avare, radin.

misery (n.) : 1. tristesse, douleur ; 2. souffrances ; 3. misère, détresse, malheur.

★ **mite** : 1. obole ; 2. grain, parcelle, tantinet.

★ **mitigate** : 1. atténuer, réduire ; 2. adoucir, alléger.

★ **mitigating** : (droit) ~ **circumstances** : circonstances atténuantes.

★ **mobile** : 1. **be** ~ : être motorisé, avoir une voiture ; 2. mobile.

★ **mock** (adj.): 1. faux, d'imitation, simili; 2. ~ **trial**: simulacre de procès; 3. ~ **exam**: examen blanc.

model (adj.): miniature, en modèle réduit.

model (v.i.): 1. être mannequin; 2. poser (photographie).

model (v.t.): 1. ~ **sth.**: présenter des modèles de (mode); 2. modeler.

model (n.): 1. maquette, modèle réduit; 2. modèle (photo, etc.); 3. mannequin; 4. exemple, modèle; 5. modèle, type.

★ **modest**: 1. pudique; 2. modeste, effacé; 3. modéré, modique (prix); 4. sans prétentions.

★ **modesty**: 1. pudeur; 2. modestie; 3. modicité.

★ **mole**: 1. taupe; 2. grain de beauté; 3. môle, digue.

moment: 1. **the** ~ **I** ...: dès que je ...; 2. **of** ~: important.

★ **momentous**: très important.

★ **momentum**: 1. élan, vitesse acquise; 2. **gather** ~: gagner du terrain; 3. **lose** ~: être en perte de vitesse.

money: argent (v. **change**).

★ **moneyed**: cossu, riche.

★ **monitor** (v.): 1. contrôler, surveiller; 2. capter, écouter, intercepter (v. **tap**); 3. diriger, animer (groupe).

monitor (n.): 1. chef de classe; 2. écran de contrôle (~ -**screen**); 3. appareil de contrôle (télécommunication); 4. rédacteur d'un service d'écoute; 5. moniteur.

mood: 1. humeur, disposition d'esprit; 2. (gram./musique) mode; 3. atmosphère: ~ **music**: musique d'ambiance.

moral (n.): morale (d'une histoire).

morale (n.): moral (bon ou mauvais).

morals: moralité.

★ **mortgage** (n.v.): hypothèque(r).

★ **motion** (v.): ~ **s.o. to do**: faire signe à qqn. de faire.

★ **motion** (n.): 1. mouvement, marche; 2. mouvement, geste; 3. **go through the** ~ **s of sth.**/-**ing**: faire semblant, mine de qqch./de + inf.; 4. motion, proposition; 5. ~ **s**: selles (médecine).

motionless: 1. (adj.): immobile, 2. (adv.): sans bouger.

★ **motor**: 1. voiture; 2. moteur.

motoring (n.): 1. circulation automobile; 2. tourisme automobile.

motoring (adj.): 1. de/en voiture; 2. ~ **school**: auto-école.

★ **motto**: 1. devise; 2. blague, devinette.

★ **mould**/**mold** (US) (v.): 1. moisir; 2. fondre; 3. mouler; 4. modeler.

★ **mould**/**mold** (US) (n): 1. moisissure; 2. humus, terreau; 3. moule.

move (v.i.): 1. bouger, remuer, se déplacer; 2. circuler; 3. partir; 4. déménager (aussi: ~ **house**); 5. progresser; 6. agir, prendre une initiative; 7. jouer (à son tour).

move (v.t.): 1. bouger, déplacer; 2. agiter, remuer; 3. pousser, inciter, ébranler; 4. émouvoir; 5. proposer; -**I** ~ **that** ...: je propose que....

move (n.): 1. initiative; 2. mouvement; 3. déménagement; 4. coup (jeu); 5. démarche; 6. **false** ~: faux-pas.

★ **mundane**: 1. terrestre; 2. prosaïque, terre à terre; 3. banal.

★ **muse**: 1. méditer, rêver; 2. réfléchir.

music: 1. **face the** ~: prendre ses responsabilités; 2. musique.

musical (adj.): 1. **be** ~: être musicien, avoir de l'oreille; 2. harmonieux; 3. musical.

musical (n.): comédie musicale.

★ **mystification**: 1. perplexité; 2. mystère.

★ **mystify**: déconcerter, dérouter, rendre perplexe.

name: 1. réputation; 2. **a big** ~: qqn. de connu; 3. nom.

names: **call s.o.** ~: injurier qqn..

★ **natural** (n.): 1. idiot, demeuré; 2. génie; 3. (for) qui a le don de, qui se sent à l'aise.

★ **neat** (adj.): 1. propre, soigné; 2. bien rangé, en ordre; 3. soigneux; 4. fin, bien fait (physique); 5. élégant, sobre (style); 6. ingénieux, efficace (plan); 7. pur, sans eau, sec; 8. (US) très bien ou agréable.

★ **negotiate**: 1. franchir (haie), prendre (virage); 2. surmonter; 3. négocier.

★ **nerve** (v.).1. ~ **s.o. to do**: donner à qqn. le courage/l'assurance de faire; 2. ~ **oneself to do**: faire appel à son courage pour faire.

nerve (n.): 1. courage; 2. assurance, confiance en soi; 3. toupet, culot; 4. nerf.

nerves: 1. nervosité; 2. nerfs.

nervous: 1. inquiet, intimidé, qui a le trac; 2. nerveux, tendu; 3. nerveux, excitable.

★ **nervy**: 1. (GB) énervé, irrité; 2. (US) effronté, qui a du culot.

nickel (US): pièce de cinq 'cents'.

★ **nominal**: 1. insignifiant, très petit; 2. symbolique; 3. nominal.

★ **nominate**: 1. proposer, désigner (candidat); 2. désigner, nommer (à un poste).

★ **nominee**: 1. candidat agréé; 2. personne nommée/désignée.

★ **nonchalant**: 1. calme, insouciant, décontracté; 2. nonchalant.

nonsense (sg.): 1. absurdités, inepties, sottises; 2. **no-** ~ **person**: personne réaliste, qui a les pieds sur terre; 3. **no-** ~ **attitude**: attitude réaliste/pragmatique.

★ **notable** (adj.): 1. remarquable, excellent; 2. capable; 3. insigne; 4. notable, éminent; 5. **it is** ~ **that**: il est remarquable que.

note: 1. billet (de banque); 2. courte lettre, petit mot, **sick** ~: mot d'absence (pour maladie); 3. **of** ~ (ch.): éminent, (ch.) important; 4. **take** ~ **of**: remarquer ou prêter attention à; 5. ~ **paper**: papier à lettre; 6. note.

★ **noted**: 1. (p.) éminent, célèbre; 2. (ch.) connu, réputé.

notice (v.): 1. remarquer, s'apercevoir de; 2. faire le compte rendu/la critique de (livre, film, etc.).

notice (n.): avis, notification; 2. délai, préavis, - **a month's** ~ un préavis d'un mois; 3. **to give (s.o.)** ~ **of sth.**: faire savoir (à qqn.) qqch./avertir ou prévenir (qqn.) de qqch.; 4. **until further** ~: jusqu'à nouvel ordre; 5. congé, démission; 6. compte rendu, critique (film, livre, etc.); 7. attention, intérêt (porté à qqch.).

★ **notion**: 1. idée (projet); 2. idée (opinion), conception; 3. intention; 4. notion.

★ **notions**: (US) 1. (articles de) mercerie; 2. **a head full of** ~: pleine de niaiseries.

★ **notorious**: 1. tristement, célèbre/connu pour, ayant mauvaise réputation; 2. notoire.

★ **nous**: bon sens - **he's got a lot of** ~.

novel (n.): 1. roman; 2. (adj.) nouveau, original.

★ **novelette**: 1. nouvelle; 2. roman bon marché/à l'eau de rose.

nouisance: 1. ennui, désagrément; 2. **what a** ~: quelle barbe!; 3. **be a** ~ être embêtant/empoisonnant; 4. peste, fléau; 5. (droit) **private** ~:

trouble de voisinage, **public** ~ : trouble d'ordre public.

number : 1. numéro (tel., etc.); 2. **his** ~ **is up** : il est fichu; 3. numéro (music hall), chanson, danse; 4. modèle (commercial), numéro (journal); 5. (sl.) une nana; 6. un vêtement; 7. ~ **one** : sa petite personne/son propre intérêt; 8. quantité; – **a** ~ **of** : un certain nombre de; – **any** ~ **of** : un tas de/une quantité de, – ~ **s of** : un grand nombre de; 9. nombre, chiffre (v. **figure**).

nurse (v.) : 1. soigner; 2. nourrir, allaiter; 3. bercer; 4. caresser (un projet); 5. cultiver (des relations).

nurse (n.) : 1. infirmière/infirmier; 2. garde-malade; 3. nurse, bonne d'enfants; 4. **wet** ~ : nourrice.

★ **nursery** : 1. pépinière; 2. crèche, garderie; 3. chambre d'enfants.

nursing home : 1. (GB) clinique, maison de repos/convalescence; 2. (US) maison de retraite.

★ **nurture** (v.) : 1. élever, éduquer; 2. développer, former.

★ **nurture** (n.) : 1. éducation, formation; 2. développement.

obedience : obéissance.

object (to) (v.) : s'opposer (à), ne pas admettre/tolérer; 2. trouver à redire (à), protester (contre), désapprouver; 3. **do you** ~ **to...?** : est-ce que ça vous ennuie que...?; 4. **I don't** ~ **to...** : je veux bien que...; 5. objecter, faire une objection.

object (n.) : 1. but, objectif; 2. chose importante, qui compte; 3. **price no** ~ : peu importe le prix; 4. objet.

★ **objectionable** : 1. (p./cpt.) : insupportable; 2. désobligeant, choquant; 3. grossier, choquant (langage); 4. répréhensible, inadmissible.

★ **oblige** : 1. rendre service à; 2. ~ **ed to s.o. for sth** : savoir gré à qqn. de qqch.; 3. obliger, contraindre.

★ **oblique** : 1. indirect (remarque); 2. détourné (itinéraire); 3. oblique.

★ **obliterate** : 1. rayer, raturer; 2. effacer souvenir); 3. supprimer, anéantir; 4. oblitérer (timbre).

★ **obscene** : 1. répugnant, hideux (idée, ouvrage); 2. obscène.

★ **obstinate** : 1. persistant (douleur); 2. acharné (effort); 3. obstiné, têtu (v. index).

★ **obtain** : 1. (v.i.) avoir cours, exister; 2. être en vogue; 3. (v.i.) obtenir.

occasion : 1. circonstance(s); 2. événement; 3. motif, raison, lieu, sujet; 4. occupation(s), affaire(s); 5. occasion; 6. **rise to the** ~ : se montrer à la hauteur (de la situation).

occasional (adj.) : 1. qui a lieu de temps en temps; 2. intermittent, espacé (visites); 3. peu fréquent, rare; 4. ~ **table** : table basse ou roulante; 5. ~ **verse** : vers/poème(s) de circonstance.

occasionally (adv.) : de temps à autre, de temps en temps, parfois.

occupational : 1. ~ **disease** : maladie professionnelle; 2. ~ **therapy** : ergothérapie; 3. ~ **hazard** : risque du métier.

offence (US) **offense** : 1. (droit) infraction; 2. délit ou crime; 3. take ~ **(at)** : se vexer (de); 4. **give** ~ **to s.o.** : blesser, froisser qqn.; 5. **no** ~ **meant** : sans vouloir/je ne voulais pas vous blesser; 6. attaque, offensive; 7. offense, péché.

offend : 1. (v.i.) (droit) commettre une infraction; 2. (v.t.) blesser, froisser; 3. aller à l'encontre de (sentiment).

★ **offender** : 1. (droit) auteur d'une infraction; 2. délinquant; 3. offenseur; 4. agresseur.

★ **offending** : incriminé, fautif.

★ **offensive** (adj.) : 1. choquant; 2. répugnant; 3. grossier, injurieux; 4. blessant (fig.); 5. nauséabond; 6. offensif.

offer : ~ **to do** : 1. proposer (à qqn.) de faire; 2. vouloir, faire mine de, tenter de; 3. ~ **(s.o.) sth** : offrir qqch. (à qqn.).

office : 1. bureau (pièce); 2. charge, fonction; 3. **take** ~ : entrer dans ses fonctions; 4. **be in** ~ : être au pouvoir/au gouvernement ou occuper sa charge; 5. siège (d'une société); 6. office (religieux).

officer : 1. fonctionnaire; 2. délégué (syndical); 3. **welfare** ~ : travailleur social; 4. **police** ~ : agent de police; 5. officier.

official (n.) : 1. fonctionnaire; 2. employé; 3. ~ **of the ministry** : représentant/personnage officiel du ministère; 4. responsable; 5. porte parole.

oil : 1. pétrole; 2. ~ **slick** : nappe de pétrole; 3. huile (cuisine ou peinture); 4. ~ **cloth** : toile cirée; 5. onctuosité (fig.).

★ **oily** : 1. onctueux, mielleux; 2. graisseux (mains); 3. d'huile, huileux; 4. gras (nourriture).

★ **opera** : 1. ~ **hat** : gibus, chapeau claque; 2. **soap-** ~ feuilleton mélo/à l'eau de rose (T.V. ou radio); 3. **light** ~ : opérette; 4. opéra.

operate : 1. exploiter; 2. gérer, diriger; 3. (faire) fonctionner (machine, etc.); 4. contribuer à; 5. opérer, faire son effet; 6. ~ **on s.o.** : opérer qqn.

operating : ~ **costs** : frais d'exploitation.

operating : 1. marche, fontionnement; 2. **come into** ~ : entrer en service/en vigueur; 3. gestion, exploitation, **be in** ~ : être en service/exploitation/vigueur; 4. opération.

★ **operative** (adj.) : 1. en vigueur; 2. ~ **words** : mots clefs; 3. opératoire.

★ **operative** (n.) : 1. ouvrier; 2. détective privé/espion; 3. opérateur.

★ **operator** : 1. dirigeant,directeur; 2. **tour** ~ : organisateur de voyages; 3. **telephone** ~ : standardiste; 4. débrouillard, escroc; 5. boursier, spéculateur; 6. (US) conducteur de machine; 7. opérateur (maths).

opportunity : 1. occasion (favorable); 2. **equality of** ~ : égalité des chances; 3. débouché(s).

oppose : 1. s'opposer à; 2. contrarier, contrecarrer; 3. opposer (qqch. à qqch. d'autre).

order (v.) : 1. commander (commerce); 2. ordonner, donner l'ordre de; 3. organiser, régler, mettre en ordre.

order (n.) : 1. commande (commerce); 2. **money** ~ : mandat; 3. **out of** ~ : en dérangement/détraqué; 4. **be in** ~ : fonctionner, bien marcher/être en règle ou permis/normal; 5. **to** ~ : sur commande; 6. ordre; 7. (droit) décision judiciaire, 'ordonnance' (rendue par un juge).

★ **ordnance** : 1. pièce d'artillerie; 2. **O** ~ **Survey map** : carte d'Etat Major; 3. matériel/dépôt (d'armes, etc.).

★ **ore** : minerai.

★ **organ** : 1. orgue; 2. organe.

★ **original** (adj.) : 1. d'origine, premier, initial; 2. originel; 3. originaire; 4. excentrique; 5. original.

★ **originally** : 1. à l'origine, au début; 2. de façon orignale .

★ **ostensible** : 1. prétendu, apparent; 2. feint.

★ **ostensibly** : 1. en apparence, prétendument; 2. sous prétexte de.

outrage (v.) : 1. **be** ~ **ed** : être indigné, révolté (par.); 2. outrager (la morale).

outrage (n.) : 1. scandale; 2. indignation; 3. acte de violence, attentat (à la bombe); 4. outrage.

outrageous : 1. scandaleux, révoltant, monstrueux; 2. choquant, outré, scabreux; 3. exorbitant (prix); 4. extravagant (vêtement); 5. injurieux, outrageant.

★ **overcharge** : 1. vendre, faire payer trop cher, demander un prix excessif; 2. surcharger (électricité).

★ **pace** (v.i./v.t.) : 1. marcher à pas mesurés, arpenter; 2. régler le rythme/l'allure de.

★ **pace** (n.) : 1. rythme, allure; 2. pas, allure; 3. **set the** ∼ : donner l'allure/le ton (fig.); 4. ∼ **maker** : a) stimulateur cardiaque, b) meneur de train (course).

packet : 1. **make/cost a** ∼ : faire/coûter du fric; 2. ∼ **boat** : malle (paquebot) ; 3. paquet, sachet, etc.

★ **page** : 1. ∼ **boy** : chasseur, groom; 2. page (à la cour); 3. page (livre).

★ **paid** : **put** ∼ **to** : 1. achever, ruiner; 2. mettre le hola/un frein à.

pain : 1. douleur, souffrance (phys. ou morale); 2. ∼ **s** : **be at** ∼/**take** ∼ **to do sth** : faire qqch. avec grand soin.

★ **pale** (n.) : 1. pieu; 2. **beyond the** ∼ : pas acceptable/fréquentable.

★ **pamphlet** : 1. brochure, plaquette, opuscule; 2. tract.

★ **pane** : vitre.

panel : 1. jury (examen); 2. (droit) liste des jurés; 3. registre; 4. (comité d') experts (invités radio/télévision), table ronde, tribune; 5. panneau.

paper : 1. **(news)** ∼ : journal; 2. sujet/copie d'examen; 3. examen; 4. exposé/article (journal) ou communication (colloque); 5. papier(s), document, pièce(s).

★ **par** (n.) : 1. égalité, pair; 2. **be on a** ∼ **with** : aller de pair/être égal à; 3. moyenne.

★ **parade** : 1. revue (militaire); 2. défilé (mannequin); 3. esplanade, promenade publique; 4. **make a** ∼ **of** : faire étalage de; 5. parade (= défilé).

★ **paraffin** : 1. (= ∼ **-oil**) : pétrole, kérosène; 2. ∼ **(wax)** : paraffine.

paragraph : 1. à la ligne (dictée); 2. entrefilet; 3. paragraphe.

★ **parasol** : 1. ombrelle; 2. parasol.

parcel : 1. paquet, colis; **be part and** ∼ **of** : faire partie intégrante de; 2. lot, parcelle (de terre).

★ **pardon** : 1. (droit) grâce, amnistie; 2. pardon.

★ **pare** : 1. peler, éplucher (fruits); 2. rogner, réduire (dépenses); 3. ∼ **one's nails** : se couper les ongles.

parent : 1. père ou mère; 2. ∼ **company** : société mère.

★ **parley** (n.) : conférence, pourparlers.

★ **parley** (v.) : être/entrer en pourparlers avec.

★ **parlour** : 1. (arch.) petit salon; 2. arrière-salle; 3. parloir; 4. ∼ **car** (US) : wagon salon; 5. ∼ **game** : jeu de société ; 6. **beauty-** ∼ : institut de beauté; 7. **funeral** ∼ : chambre funéraire.

parole (n.) : 1. **be released on** ∼ : bénéficier d'une libération conditionnelle; 2. parole d'honneur.

★ **parry** (v.) : 1. éviter, éluder (question); 2. détourner, parer (coup).

★ **parry** (n.)1. parade (sport); 2. moyen de défense, riposte, façon d'éluder.

parson : 1. pasteur; 2. ecclésiastique.

parsonage : presbytère.

part¹ (v.t.) : 1. séparer (des p.); 2. ∼ **one's hair** : se faire une raie sur le côté; 3. ∼ **company with** : a) fausser compagnie à, b) ne plus être d'accord avec.

part² (v.i.) : 1. se séparer, se quitter; 2. ∼ **from s.o.** : se séparer de qqn.; 3. ∼ **with sth.** : se défaire, renoncer à qqch.; 4. ∼ **with money** : débourser de l'argent.

part (n.) : 1. rôle (fig./théâtre); 2. **look the** ∼ : avoir le physique de l'emploi; 3. **have some** ∼ **in** : y être pour qqch. dans; 4. **take part in** : participer à; 5. **take s.o.'s** ∼ : prendre parti pour qqn.; 6. région, partie; 7. livraison, fascicule (publication); épisode (T.V., etc.); 8. (musique) voix; 9. **a** ∼ **kiss** (US) : un baiser d'adieu; 10. (adj.) partiel : ∼ **payment** : arrhes; 11. v. **parcel.**

parts : 1. **in these** ∼ : dans cette région (-ci); 2. **spare** ∼ : pièce de rechange/détachées; 3. **a man of** ∼ : un homme aux talents divers.

partial : 1. **be** ∼ **to sth.** : avoir une prédilection pour qqch.; 2. **be** ∼ **to + ing** : avoir un penchant à + inf.; 3. partial, injuste; 4. partiel.

partiality : 1. faible, prédilection, penchant; 2. favoritisme, partialité.

partially : 1. avec partialité; 2. en partie, partiellement.

★ **particular** (adj.) : 1. minutieux, méticuleux; 2. exigeant, difficile; 3. détaillé, circonstancié; 4. particulier, spécial, personnel.

particular : 1. ∼ **s** : détails, description, renseignement, coordonnées (d'une p.); 2. **in every** ∼ : en tout point.

particularity : 1. minutie; 2. particularité.

particularly : 1. méticuleusement; 2. en particulier.

★ **parting** : 1. séparation; 2. raie (cheveux); 3. d'adieu.

★ **partition** : 1. cloison; 2. partage, morcellement.

party : 1. réception, fête, réunion; 2. (p.) invités, groupe, troupe, **rescue** ∼ : équipe de secours, **working** ∼ : commission de travail; 3. (hum.) individu; 4. parti (politique); 5. (droit) partie, **third** ∼ : tierce personne, **be a** ∼ **to** : être complice de.

pass (v.) : 1. (voiture) dépasser, croiser; 2. passer devant; 3. défiler, passer; 4. (tps) passer, s'écouler; 5. avoir lieu, se passer; 6. recevoir ou être reçu, réussir (examen); 7. (faire) passer, transmettre; 8. autoriser, donner le feu vert; 9. ∼ **water** : uriner.

★ **pass away** : mourir, s'éteindre.

★ **pass out** : s'évanouir.

pass (n.) : 1. col, défilé, passage; 2. mention passable (examen); 3. laissez-passer, coupe-file, sauf-conduit; 4. situation, état; 5. **make a** ∼ : faire du plat/des avances.

★ **passage** : 1. voyage, traversée; 2. couloir, corridor; 3. ruelle; 4. adoption (loi); 5. passage.

passion : 1. colère, emportement; 2. amour, passion; 3. passion, grand intérêt pour.

passionate : 1. emporté, irascible; 2. véhément, fougueux; 3. passionné.

★ **paste** (v.) : 1. rosser (qqn.); 2. coller, enduire de colle .

★ **paste** (n.) : 1. colle; 2. strass, pacotille; 3. (cuisine) pâte, pâté.

★ **pasting** : rossée, raclée.

★ **pasty** : 1. terreux (teint); 2. pâteux.

★ **pate** : tête, sommet de la tête, caboche.

★ **patent** (adj.) : 1. breveté; 2. ∼ **leather** : cuir verni; 3. manifeste, patent.

★ **patent** (n.) : brevet d'invention.

★ **patentee** : détenteur d'un brevet (d'invention).

★ **pathetic** : 1. pitoyable, qui fait peine à voir; 2. lamentable; 3. larmoyant.(litterature).

★ **pathologist** : 1. médecin légiste; 2. pathologiste.

★ **patience** : 1. réussite (jeu aux cartes); 2. **have no** ∼ **with** : être exaspéré par; 3. patience (v. **tax**).

patient (n.) : 1. client, patient; 2. malade.

patron : 1. clientèle, client; 2. habitué; 3. (théâtre) public; 4. protecteur, mécène; 5. ~ **saint** : saint patron.

patronage : 1. clientèle, pratique; 2. mécénat, appui, protection; 3. favoritisme; 4. **under the** ~ **of** : sous les auspices de; 5. droit de dispenser des faveurs (religion ou politique); 6. air/comportement condescendant/protecteur.

patronize : 1. accorder sa clientèle à, se fournir chez; 2. fréquenter (un lieu); 3. encourager, apporter son appui à; 4. traiter avec condescendance.

patronizing : condescendant.

★ **pattern** : 1. dessin, motif (tissu, etc.); 2. modèle, exemple; 3. échantillon (tissu, etc.); 4. patron (couture); 5. schéma, formule, structure.

★ **pause** (v.) : 1. hésiter; 2. faire une pause, s'arrêter momentanément.

★ **pause** : 1. **give** ~ **to s.o.** : faire hésiter qqn.; 2. pause, arrêt.

★ **pave** : ~ **the way (for)** : frayer, ouvrir la voie (à).

pavement : 1. (GB) trottoir; 2. (US) chaussée; 3. pavé/pavage, pavement, dallage.

★ **pavilion** : 1. kiosque (à musique); 2. belvédère, rotonde; 3. abri/vestiaire (sports); 4. tente (pour exposition de fleurs, etc.); 5. construction légère (pour bals, etc.); 6. pavillon (oreille).

pay (v.) : 1. ~ **s.o. a visit** : rendre visite à qqn.; 2. ~ **attention** : faire/prêter attention; 3. ~ **compliments** : adresser des compliments; 4. ~ **homage/tribute** : rendre hommage; 5. ~ **lip-service to...** : approuver, défendre du bout des lèvres; 6. rapporter (de l'argent); 7. payer.

★ **pay** (n.) : 1. **be in the** ~ **of s.o.** : être à la solde de qqn.; 2. **strike-** ~ : indemnités (versées par les syndicats aux grévistes); 3. ~ **-TV** : chaîne de télévision payante.

★ **payee** : destinataire (d'un versement).

★ **paypacket** : paie, salaire.

★ **peach** (v.) : cafarder, moucharder; 2. ~ **on** : dénoncer.

★ **peach** (n.) : 1. sensationnelle (voiture, etc.), jolie (j.f.); 2. pêche (fruit).

★ **pearl** (n./adj.) : 1. perle ou de nacre; 2. **mother of** ~ : nacre.

pelicular : 1. bizarre, étrange, curieux; 2. particulier, spécial .

peculiarity : 1. bizarrerie, singularité; 2. particularité, trait distinctif.

peculiarly : 1. étrangement; 2. particulièrement.

penalty : 1. peine; 2. pénalité; 3. ~ **area** : surface de réparation (sport).

★ **pendant** : 1. lustre, pendeloque; 2. pendatif,pendant (d'oreille).

★ **pending** (adj.) . en suspens/souffrance/instance.

pending (prep.) : 1. en attendant; 2. durant, pendant.

★ **pendulum** : 1. balancier (d'une pendule); 2. (fig.) pendule.

pensioner : 1. **old age** ~ : retraité; 2. pensionné; 3. **war-** ~ : invalide de guerre.

★ **penthouse** : 1. appentis, auvent; 2. appartement en terrasse sur le toit.

★ **penurious** (adj.) : 1. parcimonieux, ladre; 2. indigent, misérable.

★ **perch** : 1. perchoir; 2. perche (mesure).

★ **perchance** (adv.) : par hasard, d'aventure; 2. (lit.) peut-être.

★ **perceive** : 1. remarquer, (s')apercevoir (de); 2. comprendre, saisir; 3. percevoir (bruit).

★ **perception** : 1. sensibilité, intuition; 2. perspicacité, pénétration; 3. perception (psychologie, impôt).

perfect (adj.) : 1. total; 2. véritable; 3. parfait.

perfect (v.) : 1. mettre au point; 2. parachever, parfaire.

performance : 1. représentation ou spectacle (théâtre); 2. interprétation, exécution (musique, etc.); 3. numéro (acrobate); 4. fonctionnement (machine); 5. accomplissement (tâche); 6. affaire, histoire (fig.).

period : 1. (US) point (ponctuation); 2. cours, leçon; 3. d'époque, ancien; 4. ~ **s** : règles (menstruation); 5. période, époque.

★ **peripatetic** : ambulant, itinéraire.

★ **perish** : 1. se détériorer, s'abîmer; 2. **be -ing/-ed** : être mort de froid (fig.); 3. périr, mourir; 4. ~ **the thought** : loin de moi cette pensée.

★ **permanent** : 1. titulaire; 2. définitif; 3. permanent.

★ **permeate** : 1. ~ **ed with** : saturé/imprégné de ; 2. pénétrer, se répandre, filtrer dans.

permissive : 1. tolérant, laxiste; 2. facultatif.

★ **perplex** (v.) : 1. compliquer, embrouiller (une question); 2. rendre perplexe.

★ **perplexity** : 1. complexité; 2. perplexité, embarras.

person : 1. (droit) **natural** ~ : personne physique; 2. **artificial** ~ : personne fictive, dotée de la personalité morale; 3. **juristic** ~ : personne juridique; 4. ~ **to** ~ **call** : v **personal** 3..

★ **personable** (adj.) : bien de sa personne, de belle prestance.

personal : 1. intime; 2. be ~ : être indiscret, faire des allusions personnelles; 3. ~ **call** : (GB) communication avec préavis; 4. privé (vie); 5. individuel/original; 6. personnel.

personalities : 1. remarques désobligeantes/indiscrètes; 2. personnalités.

★ **personalty** : 1. (droit) biens meubles.

perspective : 1. **get/put things into** ~ : garder aux choses leurs justes proportions; 2. perspective.

★ **persuasion** : 1. religion, confession; 2. secte; 3. obédience; 4. persuasion.

★ **perverse** : 1. contrariant; 2. têtu, entêté (dans l'erreur); 3. acariâtre; 4. contraire (événement); 5. pervers.

★ **pest** : 1. animal nuisible; 2. fléau (fig.), casse-pied; 3. **be a** ~ : être barbant/une corvée.

★ **pester** : importuner,harceler.

★ **pestilent** : 1. contrariant; 2. (sl.) foutu, sacré; 3. pestilentiel.

pet (v.) : 1. chouchouter; 2. câliner; 3. (se) peloter.

pet (n.) : 1. animal familier/favori; 2. accès de mauvaise humeur; 3. chouchou (école); 4. ~ **name** : surnom; 5. ~ **aversion** : bête noire (fig.); 6. (adj.) favori; 7. **be a** ~ : sois gentil; 8. **my** ~ : mon petit lapin (fig.).

★ **peter out** : 1. s'épuiser, tarir; 2. tourner court, mal finir, faire long feu.

★ **petite** (adj.) : menue, gracile (f.).

★ **petition** : 1. (droit) ~ **for divorce** : demande en divorce; 2. pétition.

★ **petrified** : 1. paralysé (de peur); 2. pétrifié.

petrol : (GB) essence.

★ **petty** : 1. mesquin, sordide; 2. tatillon, pointilleux, tracassier; 3. (US) radin; 4. malveillant; 5. ~ **crime** : délit mineur; 6. ~ **officer** : sous officer de marine; 7. ~ **cash** : menue monnaie .

★ **petulance** : irritabilité, irascibilité.

★ **petulant** : 1. irritable, boudeur; 2. qui fait des caprices; 3. acariâtre, grincheux; 5. hargneux.

photograph : photographie (prise).

photographer : photographe.

photography : photographie (l'art).

phrase : 1. formule, expression; 2. **as the** ~ **is** : selon l'expression consacrée; 3. **set** ~ : cliché; 4. ~ **maker** : phraseur.

physician : médecin.

★ **physical** (n.): **go for a** ~ : aller passer une visite médicale.

★ **physique** (n.): 1. constitution (p.); 2. physique (de qqn.).

picnic : 1. **it's no** ~ : ce n'est pas rien; 2. pique-nique (sortie ou repas (GB)).

pick (v.): 1. choisir; 2. ~ **and choose** : faire le difficile; 3. ~ **on s.o.** : s'en prendre à qqn.; 4. ~ **one's nose** : se mettre les doigts dans le nez; 5. ~ **at** : grignoter (nourriture); 6. cueillir (fleurs); 7. crocheter (serrure).

★ **pick** (n.): 1. choix; 2. ~ **of the basket** : le dessus du panier/le meilleur/la crème; 3. pioche; 4. pic (outil).

★ **pie** : 1. pâté en croute, tourte; 2. **have a finger in the** ~ : se mêler de/être partie prenante; 3. **apple** ~ : tarte aux pommes; 4. **shepherd's** ~ : (sorte de) hachis parmentier.

piece : 1. article (de journal); 2. morceau, fragment; 3. **a** ~ **of nonsense/news** : une stupidité/nouvelle ('**piece**' sert de dénombreur); 4. **give a** ~ **of one's mind** : dire ce qu'on a sur le cœur; 5. **hair** ~ : postiche.

★ **pier** : 1. jetée, embarcadère; 2. pile (d'un pont); 3. pilier (architecture).

pigeon : **1. that's not my** ~ : ce n'est pas mes oignons; 2. pigeon.

pigeonhole : 1. casier, 2. classeur.

★ **pike** : 1. brochet; 2. pique (arme).

★ **pile** : 1. édifice; 2. **make a** ~ : faire fortune; 3. ~ **s** : hémorroïdes; 4. poil, laine (tapis, etc.); 5. pile, tas.

★ **pile** (v.): 1. ~ **on it** : en remettre, en rajouter; 2. entasser, empiler.

pin : 1. épingle; 2. goupille, goujon; 3. broche; 4. **be on** ~ **s** : être sur des chardons ardents.

pine-apple : ananas.

★ **pipe** (v.): 1. transporter par tuyau, etc.; 2. parler d'une voix flûtée; 3. jouer du pipeau/de la cornemuse; 4. garnir d'un passepoil; 5. donner un coup de sifflet (navire); 6. ~ **d music** : musique de fond (magasin).

pipe (n.): 1. tuyau, conduit, tube; 2. chant (oiseau); 3. pipeau, chalumeau; 4. sifflet (navire); 5. pipe.

★ **pique** : **a fit of** ~ : accès de dépit.

★ **pissed** (sl.): bourré, bituré, ivre.

pity : 1. **what a** ~ : quel dommage; 2. pitié, compassion.

placard : affiche ou pancarte ou écriteau (brandi à la main).

★ **placate** : calmer, apaiser.

place (v.): 1. identifier, situer (qqn.); 2. ~ **an order for** : passer commande de; 3. placer, situer (maison); 4. poser, mettre (objet).

place (n.): 1. lieu, endroit; 2. **all over the** ~ : partout; **go** ~ **s** : voyager; (fig) avoir du succès; 3. région, endroit; 4. maison, résidence; 5. **let's go to your** ~ : ... chez vous; 6. place, siège; 7. rang, place (hiérarchie); 8. place/situation (job); 9. **take** ~ : avoir lieu; 10. **in the first** ~ : d'abord, en premier lieu.

plain (adj.): 1. laid, sans beauté, ingrat; 2. clair, évident; 3. clair, sans détours, franc; 4. simple (cuisine); 5. uni (tissu); 6. honnête; 7. **in** ~ **clothes** : en civil.

★ **plaintiff** : (droit) demandeur.

plan (v.): 1. prévoir; 2. concevoir, organiser, faire des plans; 3. projeter, faire des projets; 4. ~ **to do** : avoir l'intention de faire.

plan (n.): 1. projet; 2. plan.

plane : 1. avion; 2. rabot; 3. platane; 4. plan (maths).

★ **plank** : 1. point d'un programme électoral; 2. planche.

plant (v.): 1. implanter (fig.); 2. établir, installer (colons); 3. cacher (un objet sur qqn. pour le rendre suspect); 4. ~ **a bomb** : déposer une bombe.

plant (n.): 1. usine; 2. **power-** ~ : centrale électrique; 3. équipement, installation, matériel; 4. plante.

★ **plaster** (n.): 1. sparadrap; 2. plâtre.

plate : 1. assiette; 2. vaisselle (d'or ou d'argent); 3. plaque, feuille de métal (industrie); 4. ~ **glass** : verre épais (vitrine); 5. **car** ~ : plaque d'immatriculation (voiture); 6. gravure, planche (livre); 7. **charge** ~ (US) : carte de crédit; 8. **dental** ~ : appareil dentaire.

platform : 1. quai (gare); 2. estrade/tribune; 3. plate-forme électorale/programme politique; 4. plate-forme (autobus); 5. ~ **shoes** : chaussures à semelles compensées.

★ **plausible** : 1. (p.) enjoleur, fourbe; 2. (ch.) spécieux.

★ **pliable** : 1. flexible; 2. docile, maléable.

★ **pliant** = **pliable**.

★ **plinth** : socle, piédestal.

plum (n.): 1. prune; 2. (adj.) en or/chouette (fig.).

★ **plumb** (adj.): vertical, d'aplomb.

★ **plumb** (adv.): en plein, exactement : ~ **in the middle**.

★ **plumb** (v.): 1. sonder; 2. toucher le fond (fig.); 3. plomber (avec un fil à plomb).

★ **plumb** (n.): 1. fil à plomb; 2. **out of** ~ : hors d'aplomb.

★ **plume** (v.): 1. (oiseau) lisser (ses plumes); 2. empanacher; 3. ~ **oneself on** : s'enorgueillir de, se piquer de, faire parade de.

★ **plume** (n.): 1. panache (fig.); 2. grande plume; 3. plumet.

★ **plummet** : 1. descendre brutalement (température), dégringoler (prix); 3. piquer du nez (avion).

★ **ply** (v.): 1. faire la navette (transport); 2. exercer une activité 3. manier (instrument); 4. ~ **with questions** : presser de ...; 5. ~ **with sth.** : fournir en abondance, abreuver de.

★ **ply** (n.): épaisseur.

★ **poach** : 1. braconner; 2. pocher (œufs).

★ **poacher** : 1. braconnier; 2. pocheuse (œufs).

★ **poignant** : 1. vif, intense (douleur); 2. piquant (fig.); 3. poignant.

point (v.): 1. indiquer (direction, etc.); 2. montrer du doigt; 3. tomber en arrêt (chien); 4. signaler, mentionner, attirer l'attention sur; 5. aiguiser, tailler; 6. braquer, viser.

point (n.): 1. point essentiel, ~ **at issue** : sujet du débat; 2. **get the** ~ : piger; 3. **have got a** ~ : a) avoir raison; b) être un argument en faveur de (qqn.); 4. **make a** ~ **of + ing.** : se faire un devoir de + inf.; 5. **make one's** ~ : essayer de se faire comprendre; 6. **make a good** ~ : faire une remarque judicieuse; 7. **come to the** ~ : en venir au fait; 8. **see/take the** ~ : voir où on vent en venir; 9. **stretch a** ~ : faire des concessions; 10. conseil, tuyau; 11. **be more to the** ~ : mieux convenir, être plus approprié; 12. **be much to the** ~ : être pertinent; 13. **be beside/off the** ~ : être hors de propos/à côté de la question; 14. **what's the** ~ : à quoi bon ?; 15. **six point five** : 6,5;

16. moment – **at what** ~ **?** : à quel moment...?.
★ **point-bank** (adj.) : 1. à bout portant; 2. de but en blanc; 3. (refuser) tout net, catégoriquement.
★ **pointed** : 1. lourd de sens, plein de sous-entendus; 2. en pointe, pointu.
★ **pointer** : 1. indice; 2. conseil, indication, tuyau; 3. aiguille (cadran); 4. baguette; 5. chien d'arrêt.
points : aiguillage.
★ **poise** (v.) : 1. être/mettre ou tenir en équilibre; 2. **be** ~ **ed to** : être prêt à.
★ **poise** (n.) : 1. équilibre; 2. assurance, aisance; 3. port, grâce (physique).
poker : 1. tisonnier; 2. ~ **faced** : au visage impassible; pince-sans-rire.
Pole (n.) : Polonais (n.).
★ **pole** : 1. poteau, mât; 2. perche; 3. **be** ~ **s apart** : être aux antipodes l'un de l'autre.
policy : 1. ligne de conduite, principe politique; 2. orientation, programme d'action; 3. police (d'assurance).
★ **polish** (v.) : 1. cirer; 2. faire briller, lustrer.
★ **polish** (n.) : 1. cirage; 2. encaustique; 3. poli, éclat, lustre.
Polish : polonais (adj.).
★ **polished** : 1. bien ciré/encaustiqué; 2. raffiné; 3. policé.
★ **politic** (adj.) : 1. diplomatique, judicieux; 2. **The Body P** ~ : l'Etat.
politician : 1. homme politique; 2. politicien.
politics (sg/pl) : 1. politique, vie politique; 2. idéologie politique.
★ **polytechnic** : ≃ Institut Universitaire de Technologie.
★ **ponce** : maquereau, souteneur.
★ **ponder** : méditer, réfléchir.
★ **pony** : 1. traduction, corrigé (copiage); 2. 25 livres (sterling); 3. de petite taille, miniature; 4. poney.
★ **pope** : pape.
popular : 1. (très) répandu, courant; 2. traditionnel; 3. à la mode; 4. aimé (p.); 5. de vulgarisation; 6. à la portée de tous; 7. populaire.
★ **populace** (sg.) : 1. population/gens; 2. foule; 3. populace.
porch : 1. (US) véranda; 2. marquise (hôtel); 3. porche (église).
pork : porc (viande).
★ **port** : 1. babord; 2. porto; 3. port.
★ **porter** : 1. bière brune; 2. porteur; 3. concierge, gardien.
★ **portfolio** : 1. carton à dessin; 2. portefeuille (de ministre/d'actions).
★ **portmanteau** : grosse valise (de cuir).
★ **poser** : colle, question-piège; casse-tête.
position : 1. emploi, situation, poste; 2. fonction; 3. attitude, réaction; 4. (finances) position, situation.
positive : 1. **be** ~ : être sûr; 2. catégorique, affirmatif, tranchant; 3. formel (preuves); 4. vrai, véritable; 5. positif.
possess : 1. s'emparer de qqn. (fig.); 2. posséder.
possessed : 1. hors de soi; fou de rage; 2. obsédé; 3. possédé.
★ **possession** : 1. (droit) ~ **order** : ordonnance de retour en possession; 2. (droit) ~ **s** : biens; 3. (droit) jouissance; 4. possession.
possibility : 1. éventualité; 2. possibilité.
possible : 1. éventuel; 2. acceptable, envisageable; 3. possible.
possibly : 1. (intensif) vraiment/le moins du monde; 2. matériellement; 3. peut-être.

★ **post** (v.) : 1. informer, tenir au courant; 2. coller (des affiches)/afficher; 3. annoncer; 4. affecter (à un poste); 5. inscrire, noter; 6. poster (lettre); 7. poster (qqn.).
★ **post** (n.) : 1. poteau, montant; 2. emploi, poste; 3. courrier; 4. poste (= ~ -**office**); 5. (**trading**)-~ : comptoir; 6. **last** ~ : sonnerie aux morts.
★ **postal ballot** : vote par correspondance.
★ **pot** (v.n.) : 1. ~ (**at**) : abattre, tirer (sur); 2. mettre sur le pot (bébé); 3. mettre en pot (fleurs, confiture); 4. brioche/ventre; 5. marijuana; 6. **go to** ~ : aller à vau-l'eau; 7. **a big** ~ : une grosse légume; 8. coupe (récompense).
★ **powder room** : toilettes (pour dames).
power : 1. énergie (nucléaire); 2. ~ **station** : centrale électrique; 3. ~ **failure** : panne de courant; 4. **do a** ~ **of good** : faire rudement du bien; 5. pouvoir (politique); 7. vigueur.
practical : 1. réaliste, qui a le sens des réalités; 2. d'ordre pratique; 3. (p.) positif (esprit); 4. pratique.
practically : 1. virtuellement, pour ainsi dire; 2. pratiquement, en pratique; 3. en fait.
practice (n.) : 1. clientèle, cabinet (médecin, avocat); 2. entraînement (sports); 3. coutume, usage, pratique.
★ **prairie** : 1. plaine herbeuse; 2. prairie.
★ **prayer** : **he hasn't got a** ~ : ... pas la moindre chance.
precious (adj.) : 1. joli, fameux, fieffé; 2. précieux.
precious (adv.) (intensif) : ~ **little** : très peu.
★ **precipitate** : irréfléchi, inconsidéré, hâtif.
★ **precipitous** : escarpé, à pic, abrupt.
★ **precis** : 1. résumé, condensé; 2. ~ **writing** : contraction de textes.
★ **preconception** : idée préconçue, préjugé.
prefect : 1. élève responsable, moniteur; 2. préfet.
★ **prefer** : 1. ~ **charges** : procéder à des inculpations; 2. préférer (v. index).
★ **preferment** : avancement, promotion.
prejudice (v.) : 1. prévenir (contre/en faveur de); 2. porter préjudice à.
prejudice (n.) : 1. préjugé, prévention; 2. préjudice.
prejudiced : partial, prévenu, plein de préjugés.
Premier (n.) : Premier Ministre (= **Prime Minister**).
premises (pl.) : local, locaux; lieu.
prep(aratory) school : 1. (GB) école primaire privée; 2. (US) lycée privé préparant à l'entrée à l'université.
prepared : 1. disposé; 2. prêt, préparé.
★ **prepossess** : 1. impressionner favorablement; 2. prévenir, influencer; 3. préoccuper.
★ **prepossessing** : 1. avenant; 2. séduisant.
prescription : 1. ordonnance (médecin); 2. prescription.
present (v.) : 1. ~ **s.o. with sth.** : offrir qqch. (en cadeau) à qqn.; 2. remettre; 3. présenter (plan, etc.); 4. présenter (des difficultés); 5. présenter (qqn.); 6. donner (spectacle).
★ **presentation** : 1. remise d'un cadeau; 2. ~ **copy** : exemplaire envoyé en spécimen; 3. présentation.
presently : 1. (GB) tout à l'heure, bientôt; quelques instants plus tard; 2. (US) à présent, en ce moment.
★ **preservation** : 1. conservation; 2. sauvegarde ou classement (des sites).
preserve (v.) : 1. mettre en conserve; 2. garder, conserver; 3. préserver; 4. entretenir (cuir, etc.).

preserve (n.) : 1. (pl.) confiture ; 2. (pl.) fruits/légumes en conserve ; 3. (sg) chasse gardée ; 4. réserve de gibier.

press (v.) : 1. mouler, fabriquer ; 2. ~ **the point** : insister ; 3. ~ **for** : demander instamment/faire pression pour obtenir ; 4. repasser, donner un coup de fer à ; 5. attaquer, serrer de près (guerre) ; 6. poursuivre, harceler ; 7. appuyer sur (bouton) ; 8. pressurer (fruits) ; 9. se presser (autour de qqn.).

press (n.) : 1. armoire, placard ; 2. pressoir ; 3. presse (machine) ; 4. presse (journaux) ; 5. **have a bad/good** ~ : avoir une mauvaise/bonne critique (dans la presse).

★ **pressed** : **be** ~ **for room** : être à l'étroit, manquer de place.

★ **presume** : 1. - **to** ~ **to do** : se permettre de faire ; 2. ~ **on** : abuser de ; 3. présumer, supposer.

★ **presumption** : 1. hypothèse, postulat ; 2. présomption, audace, impatience.

★ **pretence/pretense** : 1. prétexte, excuse ; 2. simulacre, faux semblant ; 3. **make a** ~ **of + ing.** : faire semblant de + inf..

pretend : 1. faire semblant, feindre ; 2. prétendre, affirmer.

★ **pretension** : 1. titre, droit ; 2. prétention justifiée ; 3. prétention, vanité.

★ **prevarication** : 1. réponse évasive, dérobade ; 2. faux-fuyant.

prevent : 1. empêcher, éviter ; 2. prévenir (accident).

previous : 1. précédent, antérieur ; 2. prématuré.

previous to : antérieurement à ; avant de.

★ **prey** (v.) : 1. ~ **on** : (animal) attaquer ; 2. ~ **on** : préoccuper, obséder.

★ **prey** (n.) : proie.

★ **prim** (adj.) : 1. collet monté, guindé ; 2. très comme il faut, net.

★ **primary** : 1. fondamental, primordial ; 2. original, premier ; 3. primaire.

★ **prime** (adj.) : 1. primordial, principal ; 2. de premier choix, excellent.

★ **prime** (v.) : 1. amorcer (pompe) ; 2. faire répéter à qqn. ce qu'il doit dire ; 3. **well-** ~ **d** : éméché ; 4. enduire d'une couche d'apprêt.

★ **prime** (n.) : 1. **be in one's** ~ : être dans la force/la fleur de l'âge ; 2. nombre premier (maths).

★ **primer** : 1. premier livre de lecture ; 2. manuel pour débutants ; 3. amorce (de bombe) ; 4. couche d'apprêt.

★ **prise/prize** (v.) : 1. ~ **open** : forcer une boîte ; 2. forcer à (comme) à l'aide d'un levier) ; 3. priser.

private (adj.) : 1. ~ **citizen** : simple particulier ; 2. ~ **eye** : détective privé ; 3. personnel ou confidentiel ; 4. (p.) secret, réservé.

private (n.) : 1. simple soldat ; 2. ~ **s** : parties (testicules).

★ **privilege** : 1. immunité (parlement) ; 2. privilège.

★ **privy** : **be** ~ **to** : être au courant de.

★ **prize** : 1. navire ennemi saisi ; 2. prise (de guerre) ; 3. prix, récompense (v. **prise**).

★ **probe** (v.) : 1. sonder ; explorer ; 2. enquêter.

★ **probe** (n.) : 1. sonde ; 2. enquête.

★ **proceed** (v.) : 1. avancer, marcher ; 2. commencer, se mettre en devoir de ; 3. passer à, poursuivre.

★ **proceedings** : 1. (droit) poursuites, procédure ; 2. compte rendu, procès-verbal, rapport ; 3. cérémonie, séance, débat.

★ **proceeds** : 1. recette, produit (vente) ; 2. montant.

process (v.) : 1. transformer, traiter (un produit) ; 2. (informatique) traiter, faire passer en machine ; 3. défiler, avancer en cortège/procession.

process (n.) : 1. processus, opération ; 2. **be in** ~ : être en cours ; 3. procédé, méthode ; 4. excroissance ; 5. procès.

processing : 1. **data** ~ : informatique ; 2. **food** ~ : industrie alimentaire.

★ **procession** : 1. cortège, défilé ; 2. procession.

★ **procurer** : proxénète.

produce (v.) : 1. montrer, sortir, exhiber (doucement) ; 2. produire ; 3. éditer ; 4. réaliser (film) ; monter, mettre en scène.

produce (n.) : produit (agricole).

★ **profane** : 1. grossier ; 2. blasphématoire.

profession : 1. **the** ~ **s** : les professions libérales ; 2. profession.

professor : professeur (d'université).

profitable : 1. rentable ; 2. lucratif ; 3. profitable.

★ **profiteer** (v.) : faire des bénéfices illicites.

program(me) : 1. émission (télé/radio) ; 2. poste, chaîne ; 3. programme.

progress (sg.) : 1. marche ; 2. allure, démarche ; 3. **in** ~ : en cours ; 3. (arch.) voyage ; 4. progrès.

★ **prominence** : 1. importance ; 2. éminence ; 3. proéminence.

★ **promiscuity** : 1. relâchement des mœurs ; 2. manque de discrimination ; 3. mélange (hétéroclite).

★ **promiscuous** : 1. aux mœurs légères, facile ; 2. insensible aux différences ; 3. confus, hétérogène.

★ **prompt** (v.) : 1. souffler (théâtre) ; 2. inciter, pousser.

★ **prompt** (adj.) : 1. ponctuel ; 2. prompt.

★ **prompt** (adv.) : **at 8 o'clock** ~ : à 8 h pile.

★ **prone** : 1. enclin, sujet à ; 2. **accident** ~ : prédisposé à avoir des accidents ; 3. couché sur le ventre.

proper : 1. approprié, adéquat ; 2. convenable, correct, respectable ; 3. vrai, véritable ; bon ; 4. **the book** ~ : le livre lui-même.

properly : 1. bel et bien, vraiment ; 2. de façon appropriée ; 3. convenablement, correctement.

property : 1. propriété, biens ; 2. **the** ~ **market** : marché de l'immobilier ; 3. (pl.) accessoires (théâtre).

propose : 1. ~ **(to s.o.)** : demander (qqn.) en mariage ; 2. **-to** ~ **to do** : (se) proposer de/projeter de faire ; 3. présenter (une motion) ; 4. porter un toast.

★ **proposition** : 1. **make s.o. a** ~ : faire des avances (sexuelles) ; 2. (p./ch.) affaire, cas difficile ; 3. proposition ; 4. axiome.

propriety : 1. bienséance, convenance(s) ; 2. bienfondé, opportunité (action) ; 3. propriété, exactitude.

★ **prorogation** : fin ou report (session parlementaire).

★ **prorogue** : prononcer la fin de ou reporter (session parlementaire).

★ **pros** : ~ **and cons** : avantages & **inconvénients**.

prosecute : poursuivre (en justice).

prosecution : poursuites (judiciaires).

prosecutor : 1. plaignant ; 2. ≃ procureur (droit).

prospect : 1. perspective (d'avenir) ; 2. coup d'œil ; 3. client (éventuel).

prospective : 1. futur ; 2. éventuel, possible.

prove (v.) : 1. s'avérer, se révéler ; 2. mettre à l'épreuve, éprouver ; 3. prouver, démontrer.

★ **providence** : 1. prévoyance ; 2. économie, épargne.

★ **province** : 1. domaine, ressort, compétence ; 2. province.

provision : 1. disposition, mesure ; 2. fourniture, approvisionnement ; 3. clause, stipulation, garantie ; 4. réserve, provision.

★ **proviso** : 1. clause restrictive ; 2. **with the** ~ **that** : sous réserve que.

★ **provoking** : exaspérant, contrariant.

★ **prune** (v.) : 1. tailler, élaguer, émonder (arbres); 2. couper, élaguer (fig.).

★ **prune** (n.) : 1. pruneau; 2. niais.

★ **pry** : 1. fureter, fouiller, fouiner; 2. s'occuper des affaires des autres; 3. (US = **prise**).

★ **prying** : fureteur, indiscret.

★ **psychic** (adj.) : 1. télépathe; 2. métapsychique; 3. **be ~** : avoir des dons de voyance; 4. psychique; 5. (n.) medium.

public : 1. **~ house** : pub, café, débit de boissons; 2. **~ school** : école privée (G.B.), publique (US); 3. **~ spirit** : civisme .

publican : tenancier d'un débit de boissons.

pudding : 1. dessert, entremets; 2. **rice ~** : riz au lait; 3. **black ~** : boudin noir; 4. tourte, tarte; 5. pudding.

★ **pulp** : 1. **~ novel** : roman à quatre sous ; 2. pâte à papier; 3. pulpe.

★ **pump** (v.) : 1. **~ s.o.** : tirer les vers du nez de qqn.; 2. injecter (des capitaux); 3. pomper.

★ **pump** (n.) : 1. **ballet ~s** : chaussons de danse; 2. chaussure sans lacet, mocassin, escarpin; 3. pompe.

★ **punch** : 1. **~ line** : mot-clé/de la fin; la chute; 2. **~ drunk** : sonné (boxe); 3. **~ card** : carte perforée; 4. pointeau, perforateur; 5. dynamisme, punch.

★ **punish** : 1. malmener, maltraiter; 2. battre à plates coutures; 3. faire un sort à, dévorer, engloutir (nourriture); 4. punir.

puppet : 1. marionnette; 2. (fig.) fantoche .

purchase (v.) : acheter.

purchase (n.) : 1. achat; 2. prise, point d'appui.

purchaser : acheteur, acquéreur.

★ **purple** : 1. violet/pourpre/cramoisi; 2. **~ patches** : morceaux de bravoure (en littérature); 3. **~ heart** : a) amphétamines; b) (US) médaille militaire .

★ **pursuit** : 1. activité, occupation; 2. passe-temps; 3. poursuite.

puzzle (v.) : 1. intriguer, laisser perplexe; 2. essayer de comprendre, se demander.

★ **puzzle** (n.) : 1. enigme; mystère; 2. devinete, casse-tête; 3. **crossword ~** : mots croisés; 4. **jig-saw ~** : puzzle.

qualification : 1. restriction, réserve; 2. nuance; 3. titre, diplôme; 4. compétence, capacité; 5. qualification.

qualify (v.t.) : 1. atténuer, nuancer (affirmation); 2. habiliter, donner qualité à/pour, qualifier.

qualify (v.i.) : 1. obtenir un diplôme; 2. se qualifier (sport); 3. **~ for** : donner/ouvrir droit à.

★ **qualm** : 1. doute, scrupule; 2. remords; 3. malaise, nausée; 4. inquiétude(s).

★ **quart** : (quart d'un gallon) : ≃ un litre.

quarter : 1. (US) 25 cents; 2. quart d'heure; 3. trimestre (commerce), terme (loyer); 4. direction; **– at close ~ s** : très près, à faible distance; **from all ~ s** : de toutes parts; 5. quartier (ville) ; 6. **~ s** : résidence, cantonnement, quartiers (armée); 7. quart.

★ **quarter** (v.) : 1. caserner, loger (des troupes); 2. diviser en quatre; 3. écarteler; 4. quadriller (une ville).

quarterly (adj./adv.) : trimestriel/lement.

★ **quartet(t)e** : 1. quatuor; 2. quartette (jazz).

★ **querulous** (adj.) : 1. bougon, plaintif, chagrin; 2. acrimonieux, récriminateur.

question (v.) : 1. mettre en doute, contester; 2. douter; 3. interroger, questionner.

question (n.) : 1. doute **–** **there is no ~ that...** : il est incontestable que; 2. **beyond/without ~** : incontestablement; 3. question **–** **leading ~** : question suggérant la réponse/orientée.

questionable : 1. contestable; 2. problématique.

★ **quill** : 1. tuyau d'une plume d'oie; 2. **~ pen** : plume d'oie.

★ **quit** (adj.) : **quit of** : débarrassé de.

quit (v.) : 1. démissionner; 2. abandonner, renoncer; 3. (US) arrêter, cesser; **~ playing the fool**; 4. cesser (le travail); 5. quitter (lieu).

★ **quotable** : digne d'être cité (littérature)/côté (Bourse).

quotation : 1. citation; 2. **~ marks** : entre guillemets; 3. prix (proposé), cote.

quote (v.) : 1. citer; 2. établir, fixer (prix); 3. fixer/demander un délai de; 4. coter (Bourse) .

race (v.) : 1. faire la course avec; 2. faire courir (un cheval); 3. emballer (un moteur); 4. aller à toute vitesse.

race (n.) : 1. course; 2. race; 3. fort courant (mer); 4. cours (heure/soleil).

racket : 1. bruit, boucan, vacarme, tapage; 2. combine, trafic, racket; 3. raquette.

★ **racy** : 1. savoureux, plein de verve (récit); 2. grivois, osé (expression).

★ **radical** (adj./n.) : 1. aux idées avancées; 2. (US) extrémiste; 3. radical.

★ **radius** : 1. rayon (distance); 2. radius.

★ **raffle** (v.) : mettre en loterie/tombola.

★ **raffle** (n.) : loterie/tombola.

rage (v.) : 1. être furieux; 2. faire fureur, être en vogue; 3. être démonté (mer).

rage (n.) : 1. fureur, rage; 2. fureur, mode; 3. enthousiasme, délire (fig.).

raid (v.) : 1. faire une descente/rafle; 2. faire un hold up; 3. dévaliser (une caisse); 4. faire un raid, une incursion; 5. bombarder (avion).

★ **rail** : 1. **~ at/against s.o.** : investiver, injurier.

rail (n.) : 1. rampe, garde fou; 2. bastingage; 3. tringle; **towel ~** : porte serviette; 4. grille, barrière; 5. **~ s** : corde (champ de courses); 6. rail; 7. **go off the ~** : (p.) mal tourner.

railing : = rail 1,4.

raisin : raisin sec.

★ **rally** (v.) : 1. reprendre (cours en Bourse); 2. (p.) aller mieux, reprendre des forces; 3. rassembler, rallier (troupes); 4. se rallier à.

★ **rally** (n.) : 1. amélioration (santé); 2. reprise (Bourse); 3. rassemblement; 4. échange (tennis); 5. joute (oratoire).

★ **ram** (v.) : 1. enfoncer; 2. tamponner, heurter, éperonner.

★ **ram** (n.) : bélier (animal/machine).

★ **ramp** : 1. pont (garage); 2. (sl.) escroquerie; 3. toboggan (pour voitures); 4. glacis, talus; 5. rampe.

★ **rampant** : 1. (cpt.) **be ~** : sévir, être omniprésent; 2. effréné, déchaîné, débridé.

range (v.t.) : 1. parcourir (lieu); 2. braquer (télescope) ; 3. disposer en rang/ligne; poster; 4. classer, ranger (parmi).

range (v.i.) : 1. s'étendre, varier, aller de... à ...; 2. errer, vagabonder; 3. **~ over** : avoir une portée de (armes).

range (n.) : 1. assortiment, gamme, choix, série (marchandises); 2. éventail (salaire); 3. registre (d'octaves); 4. autonomie de vol; 5. étendue (connaissances); 6. champ (d'action); 7. portée (armes); 8. chaîne de montagnes;9. (US) vaste pâturage; 10. (**kitchen**) **~** : fourneau.

★ **rank** (adj.) : 1. flagrant, criant, absolu; 2. fétide, répugnant; 3. grossier; 4. luxuriant.

★ **rank** (n.) : 1. **taxi** ~ : station de taxis; 2. **(the)** ~ **and file** a) la base; les ouvriers, les militants; b) la masse, le peuple; c) le commun des mortels.

rape (v.) : violer (qqn.).

rape (n.) : 1. viol; 2. colza; 3. marc de raisin; 4. rapé (vin).

rare : 1. saignant (viande); 2. fameux, sensationnel; 3. bizarre, singulier; 4. rare.

★ **rapt** (adj.) : 1. intense (attention); 2. extasié.

★ **rat** (v.) : ~ **on s.o.** : moucharder, donner qqn..

★ **rat** (n.) : 1. salaud, fripouille; 2. **smell a** ~ : flairer qch. (de louche); 3. ~ **-race** : foire d'empoigne; 4. ~ **s** : foutaises; 5. rat.

rate (v.) : 1. jauger, évaluer (qqn.); 2. ~ **highly** : tenir en haute estime/faire grand cas de; 3. estimer, considérer (valeur de qqch./qqn.); 4. taxer; 5. fixer la valeur locative imposable de; 6. classer (film); 7. mériter (note); 8. être classé, se classer.

rate (n.) : 1. taux, pourcentage, coefficient, proportion; 2. rythme, allure, cadence; 3. tarif; 4. impôt local; 5. **at any** ~ : en tout cas.

★ **rationale** : 1. argumentation précise; 2. fondement logique/raison fondamentale.

★ **rave** : 1. s'extasier, être fou de (**about**); 2. s'emporter, tempêter; 3. délirer, divaguer (médecine); 4. faire rage (orage); être déchaîné (vent); être démonté (mer).

★ **ravish** : 1. (lit.) violer (qqn.); 2. (lit.) ravir (ravisseur); 3. enchanter, ravir.

★ **ravishment** : 1. (lit.) viol/rapt; 2. enchantement, ravissement.

rayon : rayonne.

real : 1. ~ **estate/property** : biens immobiliers; 2. ~ **securities** : valeurs foncières.

realization : 1. prise de conscience; 2. réalisation.

realize (GB)/**realise** (US) : 1. se rendre compte, comprendre; 2. atteindre (un prix); 3. rapporter (intérêt); 4. réaliser (un avoir); 5. réaliser (projet).

★ **rebut** : réfuter.

recede : 1. reculer, s'éloigner; 2. baisser (prix); 3. ~ **ding chin** : menton fuyant; 4. **his hair is** ~ **ding** : son front se dégarnit.

★ **receipt** (v.) : acquitter (une facture).

★ **receipt** (n.) : 1. quittance, reçu; 2. **acknowledge** ~ : accuser réception; 3. récépissé.

★ **receive** : 1. (droit) recéler (des biens volés); 2. recevoir.

★ **receiver** : 1. (droit) recéleur; 2. destinataire; 3. combiné ou récepteur (téléphone); 4. administrateur judiciaire ou syndic de faillite.

★ **recess** : 1. renforcement, recoin, alcove; 2. vacances (parlementaires/judiciaires); 3. (US) suspension de séance/d'audience; 4. (US) vacances (scolaires ou universitaires).

★ **recipient** : 1. destinataire; 2. bénéficiaire, allocataire; 3. receveur (d'organes greffés); 4. récipiendaire; 5. donataire.

★ **reclaim** : 1. défricher; assécher, amender/bonifier (terres); 2. ramener qqn. dans le droit chemin; 3. réclamer (un dû); 4. récupérer (métal).

★ **reclamation** : 1. défrichement, assèchement; 2. amendement, redressement (de qqn.); 3. réclamation; 4. récupération.

recognition : 1. reconnaissance, identification; 2. considération (= estime); 3. signe de reconnaissance/d'appréciation.

★ **recognizance** : 1. caution (argent); 2. engagement pris devant le tribunal.

reconcile : 1. concilier; 2. ~ **oneself** : se résigner; 3. réconcilier.

★ **reconstruction** : 1. reconstitution (crime); 2. reconstruction, réfection.

record (v.) : 1. relever, noter; 2. consigner, enregistrer par écrit; 3. faire état de; 4. enregistrer, attester; 5. ~ **a verdict** : prononcer ...; 6. enregistrer, marquer (un progrès); 7. enregistrer (disque/bande).

record (n.) : 1. bilan; 2. passé, carrière; 3. antécédents; 4. **attendance** ~ : assiduité; registre de présence; 5. **clean** ~ : casier (judiciaire) vierge; **court** ~ : feuille d'audience, **criminal/police** ~ : casier judiciaire; **military** ~ : état de services; **personal** ~ : curriculum vitae; **school** ~ : livret scolaire; 5. récit, rapport; 6. procès verbal (discussion); 7. trace, note, mention; 8. relevé, décompte; 9. dossier; 10. archive(s); 11. **set the** ~ **straight** : rétablir les faits/la vérité; 12. **X. is on** ~ **as saying** : on rapporte que X. a déclaré; 13. **it is on** ~ **/a matter of** ~ : c'est un fait établi; 14. **off the** ~ : à titre confidentiel; 15. **on** ~ ...enregistré jusqu'ici; 16. disque; 17. record; 18. (adj.) constituant un record.

★ **recorder** : 1. flute à bec; 2. appareil enregistreur, magnétophone; 3. archiviste; 4. juge professionnel (siégeant à temps partiel).

★ **recoup** : 1. (se) dédommager; 2. récupérer; 3. défalquer, déduire.

recover (v.t.) : 1. récupérer, retrouver; 2. reprendre (des forces); 3. recouvrer (la santé); 4. obtenir; 5. (se faire) rembourser.

recoverable : 1. récupérable; 2. remboursable.

recovery : 1. rétablissement, convalescence, guérison; 2. redressement (Bourse); 3. reprise, relance (économie); 4. recouvrement, récupération.

★ **rector** : 1. pasteur anglican; 2. président (université); 3. (Ecosse) proviseur.

★ **recur** : 1. (événement) se répéter, réapparaître, se reproduire; 2. revenir (à la mémoire); 3. se retrouver, revenir (thème).

★ **recurrence** : 1. réapparition, retour (de qqn.); 2. répétition; 3. récursivité (linguistique); 4. rechute.

redecorate : repeindre/retapisser (v. **decorate**).

★ **redemption** : 1. amortissement; 2. remboursement; 3. rachat (propre/fig.); 4. rédemption (religion).

redevelop : rénover (quartier, ville).

★ **redress** : 1. (droit) **seek** ~ : réclamer réparation; 2. (droit) **have no legal** ~ : ne bénéficier d'aucun recours légal; 3. dédommagement; 4. rectification.

redundancy : 1. licenciement, mise en chômage (pour raison économique); ~ **payment** : prime/indemnité de licenciement; 2. compression de personnel; 3. excès, surabondance; 4. redondance, tautologie.

redundant : 1. licencié, au chômage (v. ci-dessus 1. et 2.); 2. superflu; 3. redondant.

refer (v.t.) : 1. ~ **s.o. to s.o. else** : adresser qqn. à qqn. d'autre/envoyer qqn. consulter qqn. d'autre; 2. ~ **to drawer** : voir le tireur (chèque).

refer to (v.i.) : 1. parler, faire mention de; 2. faire allusion à; 3. s'appliquer à, concerner; 4. ~ **back to** : en référer à (qqn.); 5. se reporter à (qqch.); 6. se rapporter à, avoir trait à; 7. consulter (des notes).

★ **referee** (v.) : 1. arbitrer; 2. servir d'arbitre.

★ **referee** (n.) : 1. arbitre (football, boxe, etc.); 2. répondant, auteur d'une attestation.

reference : allusion, mention; 2. sources; 3. renvoi (devant/chez qqn.)/renvoi (à qqch.); 5. répondant, auteur d'une attestation; 6. co-ordonnées; 7. référence(s), renseignements ; 8. **terms of** ~ : attribution/compétences (d'un organisme).

★ **reflect** (v.t.) : 1. faire rejaillir sur (**upon**) ; 2. marquer, indiquer ; faire apparaître ; 3. refléter ; 4. réfléchir (lumière), être le reflet de ; 5. réfléchir (= penser) ; 6. ~ **that** : ... se dire que ....

★ **reflect** : 1. ~ **on** : nuire à, faire tort à, porter préjudice à ; 2. ~ **on** : réfléchir à/méditer sur.

★ **reflection** : 1. critique, censure, blâme ; 2. discrédit ; 3. reflet, image ; 4. réflexion (lumière) ; 5. réflexions (pensées).

★ **refrain** : ~ **from** sth./ + **ing**. : s'abstenir de qqch./de + inf..

★ **refresh** : 1. délasser, reposer ; 2. revigorer ; 3. ~ **one-self** : se rafraîchir ou se restaurer ; 4. rafraîchir (la mémoire).

refresher : 1. (droit) honoraires supplémentaires ; 2. ~ (**course**) : cours de recyclage .

refreshment : 1. délassement, repos ; 2. rafraîchissement ou de quoi se restaurer.

★ **refund** (v.) : 1. rembourser ; 2. ristourner.

★ **refund** (n.) : remboursement, ristourne.

refuse (n. sg.) : 1. déchets, détritus, résidus ; 2. rebut (poste ou fig.) ; 3. ordures (ménagères).

★ **regal** : royal (= digne d'un roi), majestueux.

regard (v.) : 1. considérer (comme) ; 2. tenir compte de/prêter attention à ; 3. concerner ; **as** ~ **s** : en ce qui concerne... ; 4. regarder, observer.

regard (n.) : 1. considération, attention ; 2. importance, intérêt (apporté à), estime, respect ; 3. **my/ best** ~ **s** : amitiés/sentiments cordiaux ; 4. **with/in** ~ **to** : pour ce qui concerne ; 5. (lit.) regard.

register (v.t.) : 1. recommander (une lettre) ; 2. faire enregistrer (bagages) ; 3. (instrument) indiquer, marquer ; 4. immatriculer (voiture), déclarer (naissance) ; 5. faire connaître, manifester, exprimer (sent.) ; 6. se rendre compte.

register (v.i.) : 1. ~ **for work** : s'inscrire au chômage ; 2. ~ **with** : se faire inscrire chez (médecin)/se déclarer à (police) ; 3. ~ **for a course** : s'inscrire à un cours ; 4. ~ (**with s.o.**) : produire un effet/être compris (de qqn.).

register (n.) : 1. liste électorale ; 2. ordre (médecins ou avocats) ; 3. compteur/enregistreur ; 4. registre ; 5. ~ **office** : v. **registry** 2.

★ **registered** : ~ **nurse** : infirmière diplômée ; ~ **office** : siège social ; ~ **shares** : actions nominatives ; ~ **trademark** : marque déposée ; **by** ~ **post** : en recommandé.

★ **registrar** : 1. greffier ; 2. officier de l'état civil ; 3. ≃ Secrétaire Général (Université) ; 4. interne (médecine).

registration : 1. recommandation (lettre) ; 2. ~ **number** : numéro minéralogique (auto) ou numéro d'immatriculation ; 3. dépôt (d'une marque) ; 4. enregistrement, inscription ; 5. ~ **certificate** : permis de séjour (pour étrangers).

★ **registry** : 1. enregistrement, inscription ; 2. ~ **office** : bureau du greffe de l'état civil ; 3. **port of** ~ : port d'attache.

★ **regular** (adj.) : 1. **a** ~ **idiot** : un véritable... ; 2. normal, habituel, ordinaire ; 3. ~ **army** : armée de métier ; 4. régulier.

★ **regular** (n.) : 1. soldat de métier ; 2. habitué, bon client ; 3. participant, habituel.

rehabilitate : 1. rénover (ville) ; 2. réadapter (à la vie professionnelle) ; 3. réinsérer (dans la société) ; 4. rééduquer ; 5. réhabiliter.

rehabilitation : 1. rénovation ; 2. réadaptation ;

3. réinsertion ; 4. rééducation ; 5. réhabilitation.

★ **rehash** (v.) : remanier (discours, etc.).

★ **rehash** (n.) (sl) : resucée.

★ **rejoin** : 1. répondre, répliquer ; 2. (se) rejoindre.

★ **rejoinder** : réplique, riposte (verbale).

★ **relate** : 1. établir un rapport (entre) ; 2. rattacher, lier ; 3. se rapporter à, avoir un rapport avec ; 3. raconter, relater.

★ **related** : 1. **be** ~ : être parents (cousins, etc.) ; 2. apparenté, connexe ; 3. qui se rapporte/se rattache à.

relation : 1. parenté ; 2. parent (cousin, etc.) ; 3. relation(s) ; 4. rapport.

relative (n.) : 1. parent (v. **relation** 2.) ; 2. relatif (pronom).

★ **relent** (v.) : 1. se laisser fléchir ; 2. revenir sur sa décision ; 3. lâcher du lest (fig.), composer.

★ **relevance** : 1. bien-fondé ; 2. rapport ; 3. pertinence, à propos.

relevant : 1. utile ; 2. approprié, applicable ; 3. pertinent.

reliable : 1. (p.) digne de confiance, sûr ; 2. (p.) sérieux ; 3. solide, fiable (ch.) ; 4. digne de foi (information).

relief : 1. soulagement ; 2. secours, aide, assistance, ~ **train** : train supplémentaire, ~ **work** : travaux publics (pour résorber le chômage), ~ **road** : route de délestage ; 3. délivrance (ville) ; 4. relève (garde) ; 5. exonération, dégrèvement ; 6. (adj.) en relief.

relieve : 1. soulager ; 2. pallier/remedier à ; 3. secourir, aider ; 4. relayer ; 5. délivrer (une ville) ; 6. égayer, adoucir ; 7. ~ **oneself** : faire ses besoins, se soulager.

rely : ~ **on/upon** : 1. compter sur ; 2. dépendre de qqn. ; 3. se reposer sur, s'en remettre à (qqn.).

★ **remark** : 1. faire remarquer, observer ; 2. ~ **on sth.** : faire des observations/remarques sur qqch. ; 3. remarquer.

★ **remission** : 1. (droit) remise (de peine) ; 2. rémission.

★ **remit** : 1. envoyer (de l'argent) ; 2. reporter/remettre à plus tard ; 3. (droit) accorder (une remise de peine) ; 4. (droit) renvoyer (à une instance inférieure).

★ **remittance** : 1. envoi de fonds (argent) ; 2. versement.

★ **remonstrate** : 1. protester ; 2. admonester, faire des remontrances.

remove (v.t.) : 1. enlever, ôter ; 2. supprimer (abus), dissiper (crainte) ; 3. renvoyer, déplacer, destituer.

remove (v.i.) : 1. déménager.

★ **rend** : déchirer (propre et fig.).

rent (v.t.) : 1. louer, prendre en location ; 2. ~ (**out**) donner en location.

rent (v.i.) : se louer, être loué (maison).

rent (n.) : 1. loyer ; 2. **for** ~ : à louer ; 3. location ; 4. déchirure (v. **rend**).

repair (v.) : 1. aller, se rendre ; 2. réparer ; 3. radouber.

repair (n.) : 1. **in good** ~ : en bon état ; 2. réparation.

★ **repeat** : 1. ~ **on s.o.** : donner des renvois/aigreurs à qqn. ; 2. répéter, renouveler ; 3. redoubler (école).

replace : 1. remplacer ; 2. replacer ; 3. ranger.

★ **replacement** : 1. (p.) remplaçant ; 2. produit de remplacement/de rechange ; 3. remplacement/substitution ; 4. remise en place.

reply (v.) : répondre, répliquer.

reply (n.) : réponse, réplique.

report (v.t.) : 1. notifier, signaler, mentionner ; 2. dénoncer ; 3. rendre compte de, rapporter ; 4. faire un reportage/un rapport sur ; 5. annoncer.

report (v.i.) : 1. **(to s.o.) (at a place)** : se présenter (chez qqn./à un endroit).

report (n.) : 1. détonation, coup de fusil; 2. rumeur (publique); 3. reportage; 4. rapport, compte rendu; 5. description; 6. réputation.

★ **representation** : 1. démarche, protestation; 2. représentation; 3. interprétation (rôle).

repress : 1. contenir, réprimer (sentiment); 2. mater; 3. refouler (psychanalyse).

repression : 1. refoulement (psychanalyse); 2. répression.

★ **request** (v.) : 1. ~ **s.o. to do** : demander à/prier qqn. de faire; 2. ~ **sth. from s.o.** : demander (poliment) qqch. à qqn.

★ **request** (n.) : 1. demande, requête; 2. ~ **stop** : arrêt facultatif (autobus).

require : 1. avoir besoin de; 2. nécessiter, prendre (temps); 3. exiger, réclamer (des soins).

★ **requirement** : 1. condition requise; 2. besoin; 3. exigence.

★ **requite** : 1. récompenser; 2. payer de retour : ~ **ted love** : amour partagé; 3. (se) venger (de).

★ **rescind** : 1. annuler (contrat); 2. abroger (loi); 3. casser (arrêt).

resent : 1. s'offusquer/s'indigner de ; 2. être contrarié de; 3. protester (contre).

★ **reservation** : 1. doute, restriction; 2. arrière-pensée; 3. réserve; 4. réservation, location; 5. réserve (population/animaux).

resign : 1. démissionner; 2. céder, remettre à; 3. ~ **oneself to** : se résigner à.

resignation : 1. démission; 2. abandon, renonciation; 3. résignation.

★ **resort** (v.) : 1. ~ **to sth.** : avoir recours/recourir à qqch.; 2. ~ **to** + **ing** : en venir à + inf.

★ **resort** (n.) : 1. recours, expédient; 2. lieu de séjour/vacances, station; 3. (fig.) repaire (p.).

respect : 1. **in** ~ **of/with** ~ **to** : en ce qui concerne; 2. **in many** ~ **s** : à maints égards; 3. respect, estime; 4. **pay one's** ~ **to** : présenter ses respects à.

respectable : 1. convenable; 2. (p.) honorable, brave; 3. considérable (somme); 4. respectable.

respecting (prep.) : concernant, quant à.

★ **respond** : 1. réagir (à); 2. répondre (à).

★ **respondent** : 1. personne interviewée; 2. (droit) défendeur (divorce).

response : 1. réaction; 2. réponse; 3. répons (religion).

responsible (adj.) : 1. (p.) digne de confiance ; 2. qui a le sens des responsabilités; 3. qui comporte des responsabilités; 4. responsable.

★ **responsive** : 1. affectueux; 2. qui réagit (bien).

rest (v.i.) : 1. se reposer; 2. reposer (en paix); 3. rester, demeurer (en l'état); 3. ~ **with s.o. (to do)** : appartenir à/dépendre de qqn. (de faire); 4. ~ **on** (p.) s'appuyer sur (qqch.); 5. reposer sur (argument).

rest (v.t.) : 1. donner/accorder du repos, reposer; 2. poser, appuyer.

rest (n.) : 1. repos; 2. arrêt, **come to a** ~ : s'arrêter; 3. césure/pause (musique) ; 4. support, appui; 5. reste, ce qui reste; 6. (US) : ~ **room** : toilettes.

★ **restive** : 1. agité, nerveux; 2. impatient; 3. rétif (cheval).

★ **restoration** : 1. restitution; 2. rétablissement; 3. restauration (art).

★ **restore** : 1. rendre, restituer; 2. rétablir (l'ordre/la santé/un texte); 3. restaurer (tableau).

★ **restrain** : 1. contenir, maîtriser (sentiment); 2. réfré-

ner; 3. restreindre; 4. ~ **from** + **ing.** : (se) retenir/empêcher de + inf.

★ **restraint** : 1. retenue, mesure; 2. sobriété (style) ; 3. contrainte, entrave.

result : ~ **in sth.** : 1. entraîner qqch/avoir qqch. pour résultat; 2. aboutir à, se terminer par; 3. ~ **from** : provenir/résulter de.

resume : 1. reprendre (activité), recommencer; 2. résumer.

★ **résumé** : 1. (US) : curriculum vitae; 2. résumé.

retail (v.) : 1. colporter (des ragots); 2. (se) vendre au détail.

★ **retain** : 1. se rappeler, retenir; 2. conserver, garder; 3. retenir (à l'avance)/engager (qqn.).

★ **retainer** : provision (versée à un avocat), acompte.

★ **retainers** : serviteurs, suite.

★ **retinue** : suite, cortège.

retire (v.i.) : 1. prendre sa retraite; 2. aller se coucher; 3. se retirer, partir; 4. reculer, se replier (armée).

retire (v.t.) : 1. mettre à la retraite; 2. retirer de la circulation.

retirement : 1. retraite; 2. isolement, solitude; 3. retraite, repli (armée); 3. abandon (sport).

★ **retrace** : 1. reconstituer; 2. ~ **one's steps** : revenir sur ses pas; 3. retracer, raconter.

★ **retrain** : (se) recycler.

★ **retribution** : châtiment.

★ **retributive** (adj.) : vengeur.

return (v.i.) : 1. revenir, retourner; 2. rentrer; 3. réapparaître (symptôme).

return (v.t.) : 1. rendre, restituer; 2. répondre, répliquer; 3. élire (politique); 4. ~ **a verdict** : rendre un verdict; 5. rapporter (finance).

return (n.) : 1. restitution, retour (ch.); 2. riposte (sport), retour (tennis); 3. élection; 4. résultat, statistique; 5. déclaration (impôt); 6. rapport, relevé; 7. rendement, rapport, bénéfices; 8. retour (p.); 9. aller et retour (billet); 10. **many happy** ~ **s** : bon anniversaire.

★ **returnable** : consigné (bouteille), remboursable.

★ **reveille** : réveil (armée), **sound the** ~ : sonner la diane.

★ **revel** (v.) : 1. s'amuser; 2. se délecter de **(in)**, prendre grand plaisir à **(in)**.

★ **revelation** : 1. **(the book of)** R ~ : l'Apocalypse; 2. révélation.

★ **revelry** : réjouissance, festivités.

★ **revels** : les gens de la fête.

revenue : 1. toute source de revenu de l'Etat (taxes, impôts, etc.); 2. **Inland R** ~ : (GB) le Fisc/la Direction des Contributions directes/(US) les impôts et taxes perçus; 3. (US) **Internal R** ~ = **Inland R** ~; 4. ~ **stamp** : timbre fiscal, ~ **man** : douanier.

★ **reverse** (v.t.) : 1. (droit) réformer (en inversant) une décision; 2. annuler (décision); 3. faire rouler en marche arrière (voiture); 4. inverser, retourner, renverser; 5. ~ **the charges** : appeler en P.C.V.

★ **reverse** (v.i.) : rouler en/faire marche arrière.

★ **reverse** (n.) : 1. **in** ~ : en marche arrière; 2. revers, envers, verso; 3. contraire, opposé; 4. échec, défaite.

★ **reversing** : ~ **lights** : phares de recul.

review (v.) : 1. (ré)examiner/reconsidérer; 2. faire la critique ou le compre rendu de (film, livre, etc.), ~ **copy** : exemplaire de service de presse; 3. repasser dans son esprit; 4. passer en revue (fig./armée); 5. (US) = **revise** : réviser (leçon, etc.).

review (n.) : 1. (ré)examen, étude; 2. compte rendu, critique, article; 3. révision; 4. revue (militaire);

5. revue, magazine; 6. **come under** ~faire l'objet d'un examen serré.

★ **rhapsodise** : s'extasier, manifester un enthousiasme excessif.

★ **rhapsody** : 1. dithyrambe; 2. enthousiasme excessif; 3. r(h)apsodie.

★ **rhyme** : 1. vers, poème; 2. **nursery** ~ : comptine; 3. chanson enfantine; 4. rime.

★ **riches** (pl.) : richesse.

★ **ridicule** (n.) : 1. dérision, moquerie; 2. raillerie, ridicule.

★ **ridicule** (v.) : tourner en dérision, ridiculiser.

★ **rime** : 1. givre, gelée blanche; 2. = **rhyme.**

★ **rissole** : croquette (viande).

★ **robe** (v.) : 1. revêtir (d'une robe), parer; 2. revêtir sa robe (juge).

★ **robe** (n.) : 1. peignoir; 2. toge; 3. vêtements de cérémonie.

.rock (v.) : 1. bercer; 2. secouer, balloter; 3. ébranler; 4. (se) balancer; 5. chanceler, être secoué/ébranlé; 6. ~ **the boat** : mettre la pagaille.

★ **rock** (n.) : 1. sucre d'orge; 2. oscillation, balancement; 3. bouchon (carafe), ~ **s** : quincaillerie (bijoux); 5. **be on the** ~ **s** : être fauché/mal en point; 6. rocher, roche.

★ **rocky** : chancelant, branlant.

★ **rogue** : coquin, gredin, scélérat.

roll (v.) : 1. laminer, cylindrer; 2. rouler/faire rouler; 3. onduler (colline); 4. tituber; 5. se tordre de rire.

roll (n.) : 1. **(bread)** ~ : petit pain; 2. roulis, mouvement ondulant; 3. roulement, grondement; 4. liste, tableau, **call the** ~ : faire l'appel; 5. rouleau; 6. liasse.

★ **romance** : 1. idylle; 2. poésie (de la mer, etc.); 3. **first** ~ : premier(e) amour/aventure amoureuse; 4. récit/histoire romanesque; 5. **the** ~ **languages** : les langues romanes.

★ **romanesque** (adj.) : roman (architecture).

romantic : 1. romanesque, sentimental; 2. romantique.

★ **romany** (n/adj.) : (de) bohémien.

★ **romp** : 1. jouer bruyamment, s'ébattre; 2. ~ **home** : arriver dans un fauteuil.

rot (v.) : 1. pourrir; 2. faire pourrir.

rot (n.) : 1. pourriture; 2. carie; 3. **stop the** ~ : redresser la situation; 4. bêtises, foutaises.

★ **rouge** : rouge (à joues).

round (n.) : 1. série (de conversations); 2. tournée (café); 3. salve; 4. **in the** ~ : en détail; 5. ronde/tournée; 6. rond, cercle.

★ **rout** (v.) : mettre en déroute.

★ **rout** (n.) : déroute.

route (v.) : fixer l'itinéraire de, faire passer par.

route (n.) : 1. itinéraire, direction; 2. ordre de marche (armée); 3. livraison de journaux.

★ **royalty** : 1. droit d'auteur; 2. royalties (pétrole); 3. membres de la famille royale; 4. royauté.

rude : 1. impoli, mal élevé; 2. grossier; 3. primitif; 4. inconvenant, indécent; 5. brusque, violent; 6. robuste, vigoureux.

★ **rue** : se repentir de, regretter.

★ **rum** (adj.) : bizarre, biscornu.

★ **rupture** (v.) : 1. ~ **oneself** : se donner une hernie; 2. (se) rompre .

★ **rupture** (n.) : 1. hernie; 2. rupture.

★ **rustic** (n.) : 1. campagnard/paysan; 2. rustre.

★ **rusticate** : 1. habiter la campagne; 2. exclure temporairement (université).

★ **rustication** : 1. vie à la campagne; 2. exclusion (v. ci-dessus).

★ **rut** : 1. ornière; 2. routine; 3. rut.

★ **sable** (adj.) : noir (héraldique), sombre.

★ **sable** (n.) : zibeline, martre.

★ **sables** : vêtements de deuil.

sack (v.) : saccager, piller, mettre à sac; 2. (sl.) renvoyer, foutre à la porte.

sack (n.) : 1. Xérès, sherry; vin blanc sec; 2. (sl.) **give s.o. the** ~ : foutre à la porte; 3. **get the** ~ : être flanqué à la porte.

★ **sage** : sauge.

★ **salad** : 1. ~ **days** : années de jeunesse/d'inexpérience; 2. ~ **dressing** : vinaigrette.

salaried : the ~ : les employés ou cadres.

salary : 1. appointement, traitement; 2. salaire.

★ **sallow** : (teint) bilieux/jaunâtre/cireux.

★ **sally** : 1. excursion; 2. sortie (militaire); 3. boutade, saillie.

saloon : 1. berline, conduite intérieure; 2. (US) bar, débit de boissons; 3. grand salon (hôtel/paquebot); 4. (GB) ~ **bar/lounge** : salle plus luxueuse d'un pub.

★ **salute** (v.) : 1. rendre hommage à; 2. saluer/faire un salut; 3. accueillir.

★ **salute** (n.) : 1. salut (d'honneur); 2. **take the** ~ : passer les troupes en revue; 3. salut/salutation.

★ **salvage** (v.) : 1. récupérer; 2. sauver (v. ci-dessous).

★ **salvage** (n.) : 1. objets/biens récupérés/sauvés; 2. récupération de matériaux (pour la revente); 3. prime de sauvetage.

★ **salve** (v.) : 1. apaiser, calmer (sentiment); 2. sauver.

★ **salve** (n.) : 1. onguent, baume, pommade; 2. remède.

★ **salver** (n.) : plateau (de métal).

★ **sanctimonious** : 1. hypocritement dévot; 2. avec des airs vertueux.

sandal-wood : santal.

sandwhich : ~ **course** : enseignement en alternance.

★ **sanguine** : 1. plein d'espoir, optimiste; 2. rubicond (teint); 3. sanguin.

sanitary : 1. hygiénique; 2. de la Santé Publique/des Services d'Hygiène; 3. salubre; 4. sanitaire.

sanitation : 1. installations sanitaires; 2. Service de Nettoiement/d'Hygiène; 3. tout-à-l'égout.

★ **sap** (n.) : 1. sève; 2. vigueur, force; 3. (sl.) cruche, imbécile.

★ **sass** (US) = (GB) **sauce**, n. 1, 2.

★ **sated** : rassasié, repu.

satisfy : 1. 1. convaincre; 2. satisfaire, contenter; 3. s'acquitter de, remplir; 4. ~ **oneself** : s'assurer que.

★ **saturnine** : 1. sombre, mélancolique; 2. saturnien.

sauce (v.) : (US) répondre impoliment à.

sauce (n.) : 1. impertinence, insolence; 2. toupet; 3. sauce.

saucy : 1. impertinent; 2. effronté, coquin.

★ **saunter** : flâner, se balader.

★ **savage** (v.) : 1. (animal) attaquer férocement; 2. (fig.) éreinter, critiquer.

★ **savage** (adj.) : 1. (p.) brutal; 2. (cpt) furieux; 3. (animal) féroce; 4. (fig.) virulent; 5. barbare, primitif; 6. sauvage (cpt).

save : 1. (prep.) sauf, à l'exception de; 2. ~ **that** : à ceci près que.

save (v.) : 1. mettre de côté, collectionner; 2. garder (pour qqn); 3. économiser, faire des économies, épargner; 4. ~ **s.o.** (sth.)/s.o. (+ ing.) : éviter (qqch.) à qqn. (de + inf.); 5. sauver; 6. préserver de, protéger/garantir contre.

★ **savour** : 1. (fig.) trace, soupçon, pointe; 2. arôme/parfum; 3. saveur/goût.

★ **savouries** (n.) : amuse-gueules, mets non sucrés.

★ **savoury (adj.)** : 1. salé; 2. savoureux, appétissant; 3. aromatiques (herbes); 4. (moralement) sain.

★ **scabrous** : : 1. rugueux (surface); 2. scabreux.

★ **scale** (v.) : 1. écailler; 2. détartrer; 3. escalader; 4. dessiner à l'échelle; 5. peser.

scale (n.) : 1. écaille; 2. tartre, dépôt calcaire; 3. **pair of** ~ **s** : balance; 4. graduation, échelle; 5. barême, tarif; 6. gamme (musique).

★ **scallop** : 1. coquille St-Jacques; 2. dentelure, feston.

★ **scalp** : 1. cuir chevelu; 2. scalp.

scandal : 1. médisance, ragots; 2. scandale .

★ **scarlet** : 1. ~ **woman** : femme de mauvaise vie; 2. écarlate.

scheme (v.) : 1. combiner, machiner; 2. intriguer, comploter.

scheme (n.) : 1. plan, projet; 2. procédé; 3. système, régime (prestations sociales); 4. combine; 5. complot, machination; 6. combinaison (de couleurs), agencement.

★ **scenic** : touristique.

scholar (n.) : 1. érudit, spécialiste; 2. lettré, personne cultivée; 3. savant; 4. boursier.

scholarly (adj.) : 1. érudit, savant.

scholarship : 1. érudition, savoir; 2. bourse (d'études).

★ **scholastic** : 1. scolaire/universitaire; 2. scolastique.

★ **scoop** : 1. petite pelle; 2. cuiller; 3. benne; 4. reportage exclusif.

★ **scooter** : 1. trottinette; 2. scooter.

★ **scorch** : 1. roussir, brûler; 2. brûler, dessécher ; 3. ~ **along** : foncer (vitesse).

★ **score** (v.) : 1. adapter (musique), orchestrer; 2. entailler, inciser, érafler; 3. marquer/obtenir (but/point).

score (n.) : 1. partition (musique); 2. musique de film; 3. entaille, strie, éraflure; 4. **settle** ~ **s** : régler un/des compte(s); 5. **on the** ~ **of** : à propos de/au sujet de; 6. **on that** ~ : à ce titre/à cet égard; 7. résultat, score; 8. **a** ~ **of** : une vingtaine de.

★ **scotch** (v.) : 1. étouffer (rumeur); 2. réprimer (révolte); 3. faire échouer (projet); 4. démentir; 5. mettre hors d'état de nuire; 6. bloquer (avec une cale).

★ **scout** (v.) : aller en reconnaissance (armée).

★ **scout** (n.) : 1. éclaireur (armée); 2. patrouilleur, appareil de reconnaissance; 3. **(talent)** ~ dénicheur (de talents); 4. observateur (d'une équipe adverse); 5. (Oxford) domestique; 6. **good** ~ : personne dévouée/secourable; 7. scout.

script : 1. copie (d'examen); 2. (type/forme d') écriture manuscrite; 3. lettres, caractères (arabe, etc.); 4. manuscrit; 5. scénario.

★ **seal** (n.) : 1. phoque; 2. cachet, sceau.

search (v.) : 1. fouiller; 2. perquisitionner; 3. examiner de près; 4. chercher.

search (n.) : 1. fouille; 2. perquisition; 3. recherche(s).

★ **season** (v.) : 1. faire sécher (bois); 2. assaisonner, relever, épicer.

season (n.) : 1. ~ = **(ticket)** : carte d'abonnement; 2. **the S** ~ **'s greetings** : 'Joueyx Noël et Bonne Année'; 3. époque, temps, période; 4. saison; 5. **in** ~ : en chaleur.

★ **seasonable** : 1. à propos, opportun, bienvenu; 2. de saison.

★ **seasoned** : 1. ~ **pipe** : pipe bien culottée; 2. ~ **traveller** : habitué des voyages; 3. vétéran (d'une cause); 4. chevronné, aguerri.

second (adj.) : 1. ~ **hand** : l'aiguille des secondes; 2. ~ **cousin** : cousin issu de germain; 3. seconde (temps); 4. ~ **house** : deuxième représentation (théâtre); ~ **home** : résidence secondaire; 5. **on**

~ **thoughts** : à la réflexion; 6. **have** ~ **thoughts** : changer d'avis/se raviser ou avoir des doutes; 7. **not give s.o. a** ~ **thought** : a) ne pas apercevoir/remarquer qqn., b) faire comme si qqn. n'existait pas; 8. ~ **to none** : sans pareil/inégalé.

second (v.) : 1. appuyer qqn.; 2. appuyer, se prononcer en faveur de (motion); 3. affecter, détacher; 4. seconder.

★ **second** (n.) : 1. soigneur (boxe); 2. **get a** ~ : obtenir la mention assez bien (examen); 3. témoin (duel); 4. second.

★ **seconds** : 1. article de deuxième choix; 2. seconde part (d'un plat).

secretary : 1. (GB) ministre; 2. (US) ~ **of state** : Ministre des Affaires Etrangères.

★ **secrete** (v.) : 1. soustraire à la vue, cacher; 2. receler; 3. secréter.

★ **secular** (adj.) : 1. profane (≠ sacré); 2. laïque (école); 3. séculier.

secure (adj.) : 1. solide; 2. bien fixé/fermé/attaché; 3. ferme (structure); 4. en sécurité, en lieu sûr; 6. assuré; 7. tranquille, sans inquiétude.

secure (v.) : 1. (se) procurer, obtenir; 2. bien assujettir/attacher; 3. protéger, mettre à l'abri; 4. garantir/assurer (avenir).

★ **securities** : valeurs, titres.

★ **security** : 1. caution/garantie; 2. sécurité.

★ **seizure** : 1. crise, attaque (médical); 2. capture (ville); 3. arrestation (suspect); 4. saisie, confiscation.

select (adj.) : 1. choisi, d'élite; 2. chic, fermé; 3. ~ **committee** : commission parlementaire chargée de l'examen d'un projet de loi ou d'une enquête.

semi = **semi detached house** : maison jumelée/jumelle.

★ **semi colon** : point virgule.

★ **senate** : 1. conseil (d'université); 2. sénat.

senior : 1. ~ **executive/officer** : cadre/officier supérieur; 2. ~ **master** : professeur principal (lycée); 3. ~ **official** : a) haut fonctionnaire; b) haute personnalité; c) chef de service; 4. ~ **year** : a) année du bac; b) année de la licence; 5. **The S** ~ **Service** : la Marine.

★ **sense** (v.) : 1. pressentir; 2. sentir intuitivement.

sense (n.) : 1. bon sens; 2. intelligence; 3. sentiment, conscience (de qqch.); 4. ~ **ses** : équilibre mental/raison; 5. sens (perception); 6. sensation, impression; 7. sens, signification.

sensible : 1. (p.) raisonnable, sensé, doué de bon sens; 2. (ch.) pratique, commode; 3. judicieux; 4. appréciable, sensible.

sentence : 1. phrase; 2. condamnation, sentence.

★ **sentiment** : 1. sentimentalité, sensiblerie; 2. sentiment.

★ **sequence** : 1. série, suite; 2. ordre, succession; 3. ~ **of tenses** : concordance des temps; 4. séquence (cinéma).

★ **sequester** : 1. isoler, séparer; 2. mettre sous séquestre.

★ **sequestered** : isolé, retiré, peu fréquenté.

★ **sergeant** : 1. maréchal des logis; 2. (US) caporal chef (aviation); 3. **police** ~ : brigadier; 4. sergent.

serious : 1. grave (état); 2. important (conséquence); 3. sérieux; 4. appliqué; 5. sincère; 6. grave (ton); 7. sévère (aspect).

servant : 1. civil ~ : fonctionnaire; 2. domestique/serviteur.

serve : 1. desservir (une région); 2. alimenter (en gaz); 3. ~ **on a committee** : être membre d'une commission; 4. ~ **a term** : a) remplir un mandat (électif); b) purger une peine d'emprisonnement; 5. ~ **time** : faire de la prison; 6. ~ **one's time** : faire son service militaire; 7. être au service de; 8. servir (maître/client/repas); 9. servir à; 10. ~**s you right !** : c'est bien fait pour vous !.

service (v.) : réviser/graisser (voiture); 2. servir les intérêts (d'une dette).

service (n.) : 1. révision/graissage; 2. **civil** ~ : la fonction publique; 3. **public** ~ : l'administration; 4. **the S** ~**s** : les différentes armes (armée); 5. service; 6. **be of** ~ : être utile/rendre service.

★ **serviceable** : 1. solide, qui fait de l'usage; 2. commode, pratique; 3. utilisable; 4. en état de fonctionner.

serviceman (n.) : militaire.

★ **session** (n.) : 1. séance; 2. session; 3. année (école/université); 4. (US) trimestre.

★ **sever** : 1. couper, trancher; 2. rompre, cesser (relations); 3. se rompre, céder (corde).

★ **shock** (v.) : 1. surprendre; 2. bouleverser; 3. dégoûter; 3. scandaliser.

★ **shock** (n.) : 1. ~ **of hair** : abondante chevelure, tignasse; 2. ~ **proof** : a) anti-choc (technique); b) difficile à émouvoir/choquer; 3. choc, heurt.

sign (n.) : 1. enseigne (magasin); 2. panneau, pancarte; 3. indice, trace; 4. preuve; 5. geste; 6. signe; 7. direction, indication.

★ **sign** (v.) : 1. engager (sport); 2. signer; 3. ~ **s.o. to do** : faire signe à qqn. de faire.

★ **signal** (adj.) : 1. important; 2. remarquable, insigne.

★ **signal** (v.) : faire des/communiquer par signaux.

★ **signature tune** : indicatif musical (d'une émission).

★ **significance** : 1. importance; 2. signification.

★ **significant** : 1. important; 2. considérable; 3. significatif; 4. révélateur.

★ **silent** (adj.) : 1. silencieux; 2. taciturne; 3. ~ **partner** : (associé) commanditaire.

silent (n.) : film/cinéma muet.

★ **simile** : comparaison (style littéraire).

simply : 1. absolument; 2. simplement, avec simplicité; 3. simplement, seulement.

★ **singe** (v.) : 1. brûler superficiellement; 2. roussir; 3. flamber.

★ **singe** (n.) : 1. légère brûlure; 2. tache de roussi.

★ **sire** (n.) : 1. père (zoologie); 2. étalon.

★ **sire** (v.) : (étalon) engendrer.

site (v.) : 1. placer, construire en un endroit ; 2. situer.

site (n.) : 1. emplacement; 2. chantier (construction); 3. lieu, scène; 4. site.

★ **skeleton** : 1. ~ **key** : a) passe partout; b) crochet/fausse clé; 3. ~ **in the cupboard** : secret honteux; 4. squelette.

★ **sketch** (v.) : 1. faire un/des croquis; 2. esquisser, ébaucher.

★ **sketch** (n.) : 1. croquis, esquisse; 2. ébauche ; 3. aperçu; 4. sketch, saynète.

slave : esclave.

slip : 1. combinaison, fond de robe; 2. taie (d'oreiller); 3. bordereau; 4. feuille, fiche; 5. note (d'information); 6. **a fine** ~ **of a girl** : un beau brin de fille (v. 14); 7. ~ **s** : a) rampe (pour bateau); b) cale d'embarquement/débarquement; 8. **make a** ~ : faire une erreur/gaffe (v. 10); 9. **give s.o. the** ~ : filer entre les doigts de qqn.; 10. dérapage, faux pas; 11. lapsus; 12. laisse (chien); 13. ~ **s** : coulisses (théâtre); 14. bouture.

★ **slipper** : pantoufle, chausson, mule.

★ **sober** (adj.) : 1. à jeune (qui n'a pas bu); 2. réfléchi; 3. grave, sérieux; 4. solennel; 5. discret, peu voyant; 6. calme, posé; 7. sobre.

★ **sober** (v.) : 1. faire réfléchir; 2. calmer.

sociable (n.) (US) : **social** (GB).

social (adj.) : 1. sociable; 2. ~ **evening** : réunion entre amis; 3. ~ **notes** : chronique mondaine; 4. social.

social (n.) : une petite fête/soirée (entre amis) .

★ **socialite** (n.) : 1. personne mondaine; 2. personnalité en vue (dans les salons).

★ **socialize** : 1. fréquenter des gens/se faire des amis; 2. s'entretenir, bavarder; 3. nationaliser; 4. adapter à la (vie en) société.

★ **sock** : 1. chaussette; 2. (sl.) **get a** ~ : prendre un coup de poing.

★ **socket** : 1. prise électrique femelle; 2. orbite (yeux); 3. cavité, alvéole, trou; 4. douille.

★ **soda** : 1. ~ **(water)** : eau de Seltz; 2. (US) ~ **fountain** : bar (boisson non alcoolisée); 3. soude.

★ **solder** (v.) : souder.

★ **solder** (n.) : soudure.

★ **sole** (adj.) : 1. exclusif; 2. seul, unique.

sole (v.) : 1. ressemeler.

sole (n.) : 1. semelle; 2. plante (des pieds); 3. sole (poisson).

★ **solicit** : 1. (prostituée) racoler; 2. solliciter; 3. briguer.

solicitor : 1. ≃avoué; 2. **S** ~ **General** ≃ Adjoint au Procureur Général.

solid : 1. massif (or); 2. plein, compact; 3. continu, ininterrompu; 4. ~ **for** : être unanimement en faveur de; 5. sûr, sérieux ; 6. **written** ~ : écrit en un seul mot; 7. résistant, solide .

★ **solvable** : soluble (problème).

★ **solvent** (adj.) : 1. solvable; 2. dissolvant.

★ **solvent** (n.) : dissolvant, solvant.

★ **sophisticated** : 1. subtil (discussion); 2. raffiné, recherché; 3. blasé; 4. complexe; 5. avancé, moderne; 6. élégant; 7. très élaboré; 8. sophistiqué.

sort (v.) : 1. ~ **(out)** : trier, classer; 2. remettre de l'ordre dans; 3. régler, tirer au clair.

sort (n.) : **of a sort** ou : **of sorts** : v. **sorts.**

sort of (adv.) : comme qui dirait/disons.

★ **sorts** : (adv.) : 1. **of** ~ : si on peut dire/qui vaut ce qu'il vaut; 2. **out of** ~ : – a) de mauvaise humeur/contrarié; – b) pas en forme (physiquement).

★ **sot** : ivrogne invétéré.

sound (adj.) : 1. en bonne santé, robuste; 2. sain, de bon aloi; 3. solide, bien fondé (argument); 4. profond (sommeil); 5. (p.) solide, de bon conseil; 6. compétent; 7. vrai, bon teint.

sound (adv.) = **soundly** : profondément (dormir).

★ **soup up** : ~ **an engine** : gonfler un moteur (voiture).

spectacle : 1. ~ **s** : lunettes; 2. spectacle.

★ **sperm** : 1. ~ **oil** : huile de baleine; ~ **whale** : cachalot; 2. sperme.

★ **spice** : 1. (fig.) piquant, sel; 2. ironie, humour; 3. épices.

spirit (v.) : 1. (faire) disparaître; 2. ~ **oneself away** : s'éclipser, se volatiliser.

spirit (n.) : 1. courage, cran; 2. énergie, vitalité, ressort; 3. (p.) moral; 4. disposition d'esprit, attitude; 5. humeur; 6. revenant, fantôme; 7. âme; 8. alcool (à 90°); 9. esprit.

spirits : 1. spiritueux, alcool; 2. **be in high** ~ : être de bonne humeur/en forme; 3. **be out of** ~ : être abattu/maussade.

spirited : 1. courageux, plein de cran; 2. vif, fougueux; 3. plein de verve; 4. plein d'allant; 5. animé (conversation).

★ **spite** (v.) : vexer, contrarier.

★ **spite** (n.) : 1. rancune, 2. malveillance; 3. dépit.

★ **spleen** : 1. mauvaise humeur; 2. (fig.) fiel, venin; 3. emportement, colère; 4. rate.

★ **sponge** : 1. ~ **on s.o.** : vivre aux crochets de qqn.; 2. ~ **on s.o. for sth.**/~ **sth. from s.o.** : se faire payer qqch. par qqn.

★ **sponger** : 1. (fig.) parasite; 2. pique-assiette.

sport (v.) : 1. folâtrer, batifoler; 2. arborer, exhiber (vêtement).

sport (n.) : 1. **be good/great** ~ : être très divertissant; 2. **make** ~ **of s.o.** : se moquer de qqn.; 3. chic type/fille; 4. **in** ~ : pour rire; 4. **poor** ~ : mauvais coucheur.

★ **sports** : **country** ~ : chasse/pêche/équitation.

★ **sporting** : 1. **a** ~ **chance** : une possibilité/chance; 2. ~ **of s.o.** : chic de la part de qqn.; 3. ~ **club** : maison de jeu/(US) (sl.) maison close; 4. sportif (événement).

★ **sportive** : 1. folâtre, badin; 2. (p.) sportif.

sportsman : 1. **be a real** ~ : être beau joueur; 2. pêcheur/chasseur; 3. amateur de sport/sportif.

★ **spouse** : 1. conjoint(e); 2. (hum.) époux/épouse.

★ **spy** : 1. apercevoir, découvrir; 2. espionner.

square (adj.) : 1. honnête; 2. substantiel (repas); 3. net, catégorique (rfus); 4. vieux jeu, rétro; 5. en ordre; 6. **be all** ~ : être quitte/à égalité; 6. **get** ~ **with s.o.** : régler son compte à qqn.; 7. carré/à angle droit.

square (adv.) : en plein (dans/sur, etc.).

square (v.) : 1. régler, payer; 2. mettre en ordre; 3. (faire) cadrer avec; 4. s'occuper de (qqn.); 5. soudoyer.

square (n.) : 1. place (ville); 2. (US) pâté de maisons; 3. équerre; 4. carré; 5. vieux jeu, rétro.

★ **squire** : 1. propriétaire terrien; 2. chatelain/hobereau; 3. écuyer; 4. (sl.) (fig.) patron, chef.

stable (v.) : mettre à l'écurie.

stable (n.) : 1. écurie; 2. ~ **lad** : lad.

stage (v.) : 1. organiser (manifestation, etc.); 2. monter, mettre en scène; 3. ~ **ed** : monter de toutes pièces (coup).

stage (n.) : 1. scène (théâtre); 2. étape/phase/stade.

★ **stall** (v.) : 1. (voiture) caler; 2. ~ **for time** : essayer de gagner du temps; 3. se dérober (fig.); 4. esquiver (question).

★ **stall** (n.) : 1. fauteuil d'orchestre; 2. éventaire; 3. stand; 4. stalle; 5. **book** ~ : librairie (de gare); 6. **coffee** ~ : buvette.

★ **stamina** : 1. vigueur; 2. résistance/endurance (propre/fig.).

★ **stance** : position (prendre ~).

★ **stand** : 1. **stance**; 2. attitude; 3. **make a** ~ : prendre position (contre); résister (à); 4. résistance; 5. **taxi** ~ : station de taxis; 6. support, pied (lampe); 7. **music** ~ : pupitre; 8. étalage; 9. **band** ~ : kiosque à musique; 10. tribune (sports).

standard (n.) : 1. niveau/qualité; 2. critère, norme, échelle; 3. **gold** ~ : étalon-or; 4. support; 5. pied (de lampe); 6. ~ **lamp** : lampadaire; 7. étendard.

standard (adj.) : 1. ordinaire, normal, type; 2. courant (modèle); 3. de série (voiture); 4. requis; 5. correct (langue).

★ **standing** (adj.) : 1. permanent; 2. constant, de longue date; 3. **of six years'** ~ : qui dure/existe/travaille/exerce depuis six ans; 4. sur pied (récolte); 5. ~ **orders** : réglements organisant les débats

(Parlement); 6. importance/rang/réputation/standing; 7. debout.

★ **star** (v.) : 1. marquer d'un astérisque; 2. étoiler.

state (v.) : 1. déclarer; 2. affirmer; 3. exposer, formuler; 4. mentionner/indiquer; 5. fixer (date); 6. ~ **one's case** : exposer ses arguments/sa défense.

state (n.) : 1. pompe/apparat; 2. **lie in** ~ : être exposé solennellement; 3. officiel (logement/visite); 4. de gala/de cérémonie; 5. **be in a** ~ : être dans tous ses états; 6. privé (cabine); 7. état, condition.

★ **statics** : parasites (radio, etc.).

station (v.) : 1. placer, installer; 2. poster (qqn.).

station (n.) : 1. gare; 2. place/position; 3. rang/ condition (social); 4. **power** ~ : centrale électrique; 5. poste (de police); 6. émetteur; 7. ~ **wagon** : (US) break.

stationery : 1. papier, articles de bureau; 2. papier à lettres; 3. **S** ~ **Office** : Service des Publications Officielles.

★ **statistics** : **vital** ~ : a) mensurations (femme); b) statistiques démographiques.

status : 1. prestige; 2. standing; 3. **financial** ~ : solvabilité.

statute : 1. loi; 2. texte d'origine législative; 3. ~ **book** : code (des lois).

★ **statutory** : ~ **instrument** : instrument législatif.

★ **sterling** : 1. de bon aloi; 2. de qualité; 3. solide (qualité); 3. (p.) de confiance; 4. sterling.

★ **steward** : 1. intendant/régisseur; 2. intendant/économe; 3. membre d'un service d'ordre; 4. **shop** ~ : délégué syndical; 5. steward.

stock (v.) : 1. avoir en magasin/suivre (un article); 2. approvisionner; 3. fournir; 4. emmagasiner.

stock (adj.) : 1. de série (articles); 2. du répertoire (théâtre); 3. classique/banal (plaisanterie); 4. courant/normalisé (dimension); 5. ~ **line** : article suivi.

stock (n.) : 1. souche; 2. tronc (d'arbre); 3. lignée, origine; 4. billot; 5. ~ **s** : pilori; 6. fût; 7. ~ **still** : complètement immobile/figé; 8. cheptel, bétail; 9. matériel (roulant); 10. matière première; 11. talon (jeu de cartes); 12. bouillon ou consommé; 13. **take** ~ **of** : a) faire l'inventaire/le bilan/le point; b) jauger (qqn.); 14. **put** ~ **in** : faire cas de/ajouter foi à; 15. ~ **s** : actions/valeurs/titres; 16. **Government** ~ : rentes sur l'Etat; 17. **S** ~ **Echange** : Bourse (des valeurs); 18. **on the** ~ **s** : a) en chantier/non terminé; b) en cale sèche; 19. **laughing** ~ : objet de risée; 20. cep.; 21. monture; 22. manche (fouet); 23. cravate (large et raide); 24. réserve/provision/stock.

★ **stomach** (v.) : 1. supporter, tolérer; 2. digérer.

stomach (n.) : 1. (euphémisme) ventre; 2. appétit; 3. envie, goût (pour), cœur (à + inf.); 4. estomac.

★ **stop** (v.) : 1. boucher (tuyau); 2. plomber (dents); 3. ~ **one's ears** : se boucher les oreilles ou refuser d'écouter; 4. loger (chez/à); 5. rester/passer quelque temps; 6. arrêter.

★ **stop** (n.) : 1. clé/chef (flute); jeu (orgue); 2. (photo) diaphragme; 3. **full** ~ : (ponctuation) point; 4. arrêt; 5. ~ **news/press** : (nouvelles de) dernière heure; 6. ~ **watch** : chronomètre.

store (v.) : 1. emmagasiner; 2. mettre en réserve/ conserver; 3. approvisionner; pourvoir/fournir; 4. se conserver.

store (n.) : 1. provision/réserve; 2. entrepôt; 3. (grand) magasin; 4. **be in** ~ **for s.o.** : attendre qqn. (= être son avenir); 5. **set great** ~ **by** : faire grand cas de.

strange (adj.) : 1. inconnu; 2. dépaysé; 3. bizarre, étrange.

stranger (n.) : 1. inconnu; 2. qui ne connaît pas (un lieu); 3. novice; 4. **S ~ s Gallery** : tribune réservée au public (Parlement); 5. étranger.

★ **stress** (v.) : 1. insister sur; 2. souligner, attirer l'attention sur; 3. accentuer (mot/syllabe).

★ **stress** (n.) : 1. **lay ~ on** : insister sur; 2. accent (mot/etc.); 3. (technique) charge, travail, tension; 4. "stress".

student : 1. (US) élève; 2. **be a ~ of** : étudier/faire des recherches sur/en; 3. étudiant.

studio : 1. atelier (peinture); 2. studio.

★ **studious** : 1. délibéré/voulu; 2. assidu (effort); 3. sérieux (travail); 4. appliqué, studieux.

study : 1. bureau ou cabinet de travail; 2. **be in a brown ~** : être perdu dans ses réflexions; 3. étude.

stuff (v.) : 1. empailler; 2. farcir (plat); 3. rembourrer; 4. remplir; 5. boucher; 6. **~ it !** : ferme-la !; 7. **go (and) get ~ ed** : va te faire voir !.

stuff (n.) : 1. (sens vague) truc, machin, rose; 2. matière, substance; 3. bêtises; 4. **and ~** : et caetera; 5. attirail, fourbi; 6. **that's the ~** : bravo; 7. **do one's ~** : montrer ce qu'on sait faire; 8. (sl.) **a nice bit of ~** : une jolie nana; 9. (sl.) **be hot ~** : être sensass; 10. étoffe (de laine).

★ **stuffy** : 1. étouffant; irrespirable; 2. collet monté.

★ **stun** : 1. étourdir, assommer; 2. stupéfier.

★ **stupefy** : 1. = **stun 1.**; 2. abrutir (alcool); 3. stupéfier.

★ **style** (v.) : 1. **~ oneself "Lord"** : se faire appeler/donner le titre de "Lord"; 2. créer/donner une certaine forme ou style/concevoir.

★ **style** (n.) : 1. (p.) allure; 2. chic; 3. cachet; 4. genre/modèle; 5. genre, manière, ton; 6. titre, nom; 7. raison sociale.

★ **suave** : 1. doucereux, onctueux; 2. affable; 3. suave.

★ **subaltern** : (sous)-lieutenant.

★ **submission** : 1. thèse/hypothèse; 2. résignation/déférence; 3. proposition; 4. docilité/soumission.

★ **submit** : 1. **~ that** : a) proposer/suggérer que ; b) émettre l'hypothèse; c) avancer comme argument que; 2. soumettre (à); 3. se soumettre (à).

subscribe : 1. (v.t.) verser de l'argent; 2. signer (document); 3. (v.i.) cotiser; 4. s'abonner/être abonné; 5. souscrire/donner son adhésion.

subscriber : 1. abonné; 2. adepte/partisan; 3. souscripteur.

subscription : 1. cotisation; 2. abonnement; 3. souscription.

★ **subside** : 1. diminuer/décroître; 2. s'affaisser; 3. se calmer/s'apaiser.

★ **subsidiary** (adj.) : 1. **~ (company)** : filiale; 2. accessoire; 3. subsidiaire.

★ **substantial** : 1. solide; 2. copieux (repas); 3. riche/cossu; 4. grand (maison); 5. **be in ~ agreement** : être d'accord sur l'essentiel.

★ **substantially** : 1. solidement (construit); 2. beaucoup/très/considérablement; 3. en grande partie.

substitute (adj.) : (à titre de) remplaçant.

substitute (v.) : 1. remplacer/suppléer (qqn.); 2. substituer.

substitute (n.) : 1. remplaçant/suppléant; 2. produit de remplacement/succédané; 3. imitation/contrefaçon.

suburban : 1. (pej.) provincial; 2. de banlieue/banlieusard.

succeed : 1. réussir/avoir du succès; 2. succéder (à qqn.); 3. (event) suivre, passer, se succéder.

succeeding (adj.) : 1. suivant/qui suit; 2. à venir/futur.

★ **sucker** : 1. (p.) poire/gogo; 2. surgeon; 3. ventouse; 4. piston; 5. suçon; 6. suçoir.

★ **sue** : poursuivre en justice/intenter un procès à.

★ **suede** : 1. daim (vêtement en ~); 2. **imitation ~** : suédine.

★ **suffer** : 1. **~ a loss** : subir une perte; 2. tolérer/permettre; 3. souffrir.

★ **sufferance** : 1. tolérance; 2. patience.

suffiency : quantité suffisante.

suggest : 1. proposer; 2. insinuer; 3. laisser supposer (que)/indiquer (que); 4. évoquer/faire penser à ; 5. suggérer.

suggestion : 1. soupçon, pointe (d'accent; etc.); 2. suggestion.

suicide (n.) : 1. suicidé(e); 2. suicide.

suit (v.) : 1. convenir, aller à (qqn.); 2. adapter; 3. plaire à; 4. convenir, faire l'affaire.

suit (n.) : 1. costume/complet; 2. couleur (aux cartes); 3. procès; 4. requête/pétition; 5. **strong ~** : point fort (de qqn.).

★ **suite** : 1. mobilier; 2. appartement/suite (hôtel); 3. escorte/suite; 4. suite (musique).

★ **sultana** : 1. raisin sec (de Smyrne); 2. sultane.

★ **sum** : 1. problème (d'arithmétique)/calcul; 2. addition; 3. **the ~ total of ...** : le résultat de ....

sum up : 1. récapituler; 2. résumer; 3. jauger/se faire une idée de.

★ **superintendent** : 1. commissaire de police; 2. chef (de service); 3. gardien (d'immeuble); 4. directeur (orphelinat, etc.).

★ **superlative** (adj.) : 1. sans pareil; 2. suprême; 3. (n.) superlatif.

★ **superlatively** : au plus haut point/extrêmement.

supplementary : 1. **~ benefits** : allocations complémentaires; 2. supplémentaire/additionnel.

supplier : fournisseur.

supply (v.) : 1. fournir/approvisionner; 2. procurer/donner; 3. alimenter (en gaz, etc.); 4. ravitailler.

supply (n.) : 1. provision/réserve; 2. fourniture, livraison; 3. alimentation (en gaz, etc.); 4. remplaçant/suppléant; 5. **~ and demand** : l'offre et la demande.

support (v.) : 1. faire vivre/subsister; subvenir aux besoins de (qqn.); 2. appuyer/soutenir (idée); 3. encourager; 4. subventionner; 5. soutenir (architecture) .

support (n.) : 1. entretien (de qqn.); 2. appui/soutien (à une idée); 3. **in ~** : par solidarité; 4. soutien (financier); 5. moyen de subsistance; 6. (US) subvention; 7. appui/support.

suppress : 1. retenir/réprimer (un sent.); 2. étouffer/dissimuler (scandale); 3. interdire/supprimer (journal, etc.); 4. refouler (psycho-); 5. réprimer/étouffer (révolte); 6. faire taire (qqn.); 7. éliminer (radio).

suppression : 1. réflexion/retenue (de sent.); 2. répression (révolte); 3. refoulement (psycho.); 4. élimination (radio).

★ **surcharge** : 1. surtaxe/supplément; 2. surcharge.

sure (adj.) : 1. **she is ~ to win** : elle va certainement gagner/il est certain que...; 2. **make ~ of sth.** : s'assurer qqch. ; 3. **make ~ (that)** : vérifier/s'assurer que.

sure (adv.) : 1. pour sûr; 2. **~ enough** : effectivement/en fait, assurément; 3. **to be ~** : à coup sûr.

★ **surfeit** : 1. excès; 2. satiété; 3. indigestion.

★ **surge** (v.) : 1. déferler (foule/vague); 2. monter (colère).

★ **surge** (n.) : 1. mouvement puissant; 2. vague, montée (sent.).

surgery : 1. cabinet de consultation (médecin); 2. ~ **(hours)** : heures de réception (médecin); 3. chirurgie.

surname : nom de famille.

★ **surplus** : 1. excédent; 2. surplus.

survey (v.) : 1. inspecter/examiner/passer en revue (problème); 2. étudier dans les grandes lignes; 3. embrasser/balayer du regard; 4. faire une enquête/sondage sur; 5. lever le plan de.

survey (n.) : 1. enquête/sondage; 2. tour d'horizon; 3. examen, étude; 4. exposé; 5. expertise/évaluation; 6. **Official S** ~ : cadastre.

★ **surveyor** : 1. inspecteur/contrôleur; 2. expert; 3. géomètre, arpenteur; 4. métreur.

★ **susceptibility** : 1. sensibilité (à qqch.); 2. prédisposition (à une maladie); 3. état de sensibilisation/réceptivité; 4. vulnérabilité.

★ **susceptible** : 1. sensible (à qqch.); 2. prédisposé à; 3. impressionnable/émotif; 4. susceptible .

★ **suspend** : ~ **ed sentence** : condamnation avec sursis.

★ **suspenders** : 1. (GB) jarretelles; 2. (US) bretelles .

★ **sustain** : 1. subir (dégâts, etc.); 2. accorder, faire droit à (droit); 3. soutenir.

★ **sustenance** : 1. alimentation, nourriture; 2. moyen de subsistance; 3. valeur nutritive.

★ **swede** : rutabaga.

★ **sycophant** (n.) : flagorneur.

syllabus : 1. programme des études; 2. brochure (écoles/universités).

sympathetic : 1. compréhensif; 2. compatissant; 3. réceptif; 4. bienveillant/bien disposé (à l'égard de); favorable (à); 5. ~ **strike** : grève de solidarité; 6. sympathique (nerf).

sympathies : 1. condoléances; 2. sympathies/préférences.

sympathize (with) : 1. plaindre qqn.; 2. comprendre (le point de vue de) qqn./compatir/s'associer à (la douleur de qqn.); 3. témoigner sa sympathie à.

sympathy : 1. compréhension; accord; 2. compassion/pitié; 3. **come out in** ~ : déclencher une grève de solidarité.

★ **synchronize** : 1. se produire en même temps; 2. synchroniser.

★ **syndicate** (v.) : 1. commercialiser (un film); 2. vendre des articles/film, etc., par l'intermédiaire d'une agence (**syndicate**); 3. se constituer en organisation commerciale.

★ **syndicate** (n.) : 1. coopérative ou organisation commerciale; 2. agence (v. verbe 2); 3. (US) organisation criminelle/gang.

★ **syndication** : vente ou parution simultanée (d'un article) dans divers journaux.

★ **system** : 1. ordre/méthode; 2. (p.) organisme; 3. système.

table (v.) : 1. présenter (une motion); 2. (US) ajourner; 3. classifier; 4. dresser une liste/un tableau.

table (n.) : 1. classement; 2. liste; tableau; 3. **be on the** ~ : a) (GB) être à l'ordre du jour; b) (US) être ajourné/remis à plus tard (pour examen); 4. **turn the** ~ **s on s.o.** : reprendre l'avantage sur qqn./retourner la situation.

★ **table d'hôte** : à prix fixe (repas).

★ **tableau** : 1. (théâtre) tableau vivant; 2. (fig.) tableau/spectacle.

★ **tablet** : 1. plaque (commémorative); 2. comprimé/cachet/pastille;3. tablette.

★ **tabloid** : 1. journal populaire/à sensation; 2. (US) cachet/comprimé.

★ **tailor** : 1. adapter; 2. façonner (vêtement).

taint (v.) : 1. vicier/polluer; 2. (fig.) souiller.

★ **taint** (n.) : 1. décomposition; 2. infection; 3. tare; 4. souillure.

★ **talon** : 1. serre ou griffe (p./animal); 2. (architecture) talon.

★ **tamper** : ~ **with** : 1. toucher à (sans permission officielle); 2. dénaturer/altérer; 3. falsifier/truquer; 4. (droit) ~ **with a witness** : (tenter de) suborner un témoin.

★ **tan** (adj.) : havane/brun roux/ocre.

★ **tan** (v.) : 1. bronzer/brunir; 2. hâler/basaner; 3. tanner.

★ **tan** : bronzage/hâle/teint bronzé.

tank : 1. réservoir; 2. cuve, citerne; 3. aquarium; 4. char/tank; 5. **Think-T** ~ : Comité des Sages/de réflexion.

★ **tanner** : pièce de six pence (autrefois).

tap (v.) : 1. mettre en perce/percer; 2. capter (électricité); 3. tirer (liquide); 4. mettre (qqn.) sur table d'écoute; 5. exploiter (des ressources); 6. taper légèrement ou amicalement; 7. taper (pour de l'argent).

tap (n.) : 1. robinet; 2. bonde; 3. ~ **(-room)** salle de café; 4. **on** ~ : a) en fût; b) prêt (disponible); 5. ~ **dancing** : claquettes; 6. léger coup/tape amicale.

tape (v.) : 1. enregistrer (sur bande); 2. fixer/attacher avec du ruban (adhésif); 3. (sl.) **have s.o.** ~ **ed** : savoir à quoi s'en tenir sur qqn.

tape (n.) : 1. bande/ruban; 2. ruban adhésif; 3. sparadrap; 4. bande magnétique; 5. fil/bande d'arrivée (sport); 6. **red** ~ : bureaucratie/paperasserie; 7. ~ **measure** : mètre (à ruban).

★ **taper** (v.) : 1. aller en diminuant; être dégressif; 2. (s')effiler/tailler en pointe; 3. fuseler.

★ **taper** (n.) : 1. bougie fine; 2. cierge.

tar (v.) : 1. goudronner; 2. enduire/badigeonner de goudron.

tar (n.) : 1. goudron; 2. vieux loup de mer.

★ **tare** (lit.) : 1. ivraie; 2. tare (poids).

★ **target** : 1. cible; 2. but/objectif.

tariff : 1. tarif douanier; 2. tableau des prix; 3. tarif.

★ **tarry** (adj.) : goudronné/goudronneux.

★ **tarry** (v.) (lit.) : 1. rester/demeurer; 2. s'attarder; 3. tarder.

★ **tart** (adj.) : 1. acide/aigrelet; 2. (fig.) acerbe, caustique.

★ **tart** (n.) : 1. prostituée/pute; 2. tarte/tartelette.

★ **tattoo** : 1. batterie de tambour/retraite du soir; 2. tambourinage/battement rapide de doigts; 3. parade militaire; 4. tatouage.

tax (v.) : 1. (sou)mettre à rude épreuve; 2. ~ **s.o. with** : accuser qqn. de; 3. imposer/taxer.

tax (n.) : 1. (fig.) charge, mise à l'épreuve, fardeau; 2. impôt; 3. **income** ~ : impôt sur le revenu; 4. taxe/droit.

taxation : 1. charges fiscales/impôts; 2. fiscalité; 3. imposition, taxation.

★ **taxi** (v.) : (avion) rouler au sol.

★ **temper** (v.) : 1. tremper (métal); 2. tempérer (sent.).

temper (n.) : 1. (mouvement de) colère; 2. humeur; 3. **keep one's** ~ : garder son sang froid; 4. température, disposition; 5. trempe (métal).

temperamental : 1. lunatique/sujet à des sautes d'humeur; 2. capricieux/fantasque.

★ **temperate** : 1. (p.) maître de soi ou réservé; 2. tempéré.

★ **temple** : 1. tempe; 2. temple.

★ **temps** (= **temporary workers**) : personnel intérimaire.

★ **tenant** (v.) : habiter/occuper en tant que locataire.
tenant (n.) : 1. locataire ; 2. ~ **farmer** : métayer.

★ **tend** (v.) : 1. garder (animaux) ; 2. soigner/prendre soin de (qqn.) ; 3. surveiller (machine).

★ **tender** (adj.) : 1. délicat (sujet) ; 2. doux, affectueux ; 3. tendre.

★ **tender** (v.) : 1. offrir (excuses/argent) : 2. remettre (démission/somme) ; 3. ~ **for** : soumissionner/faire une soumission pour.

★ **tender** (n.) : 1. ~ **s invited** : appel d'offres/mise en adjudication ; 2. **be legal** ~ : avoir cours légal ; 3. personne qui s'occupe de/réparer etc. (v. **tend**, v. 3.) ; 4. **bar-** ~ : barman ; 5. tender.

★ **tentative** (adj.) : 1. provisoire/sujet à révision ; 2. à titre d'essai/exploratoire ; 3. timide/hésitant/peu confiant en soi ; 4. ~ **offer** : offre préliminaire/ouverture.

★ **tentatively** : 1. provisoirement ; 2. à titre expérimental ; 3. timidement.

★ **tenure** : 1. (US) titularisation ; 2. bail ; 3. possession, jouissance (d'un bien) ; 4. **life** ~ **s** : charges à vie.

term : 1. trimestre (scolaire) ; 2. session ; 3. durée ; **life** ~ : peine de réclusion criminelle à perpétuité ; 4. ~ **of office** : (durée d'un) mandat/d'une fonction) ; 5. ~ **of notice** : délai de préavis.

terms : 1. conditions (commerce) ; 2. prix ; 3. **easy** ~ : facilités de paiement ; 4. **come to** ~ : trouver un compromis/transiger ou faire face à ; 5. ~ **of reference** : attributions ou compétence (d'un organisme).

★ **terminal** (adj.) : 1. trimestriel ; 2. terminal.

★ **terminal** (n.) : 1. terminus ; 2. examen de fin de trimestre ; 3. aérogare ; 4. terminal (d'ordinateur).

★ **termination** : 1. résiliation (contrat) ; 2. ~ **of pregnancy** : interruption de grossesse ; 3. fin/conclusion ; 4. terminaison (grammaire).

terrace : 1. rangée de maisons (semblables et contiguës) ; 2. l'une de ces maisons ; 3. terre-plein ; 4. terrasse.

terraces : gradins (sport).

terrible : 1. très mauvais (accent, etc.) ; 2. effroyable/affreux/épouvantable.

terrific : 1. formidable/sensationnel ; 2. énorme/considérable ; 3. terrible/épouvantable ; 4. terrifiant.

test (v.) : 1. essayer/expérimenter ; 2. mettre à l'épreuve/éprouver ; 3. soumettre à des essais/analyser ; 4. faire subir des examens (médicaux) ou des tests/interrogations ; 5. tester.

test (n.) : 1. essai ; 2. examen/analyse (médicale) ; 3. = **driving-** ~ : (examen du) permis de conduire ; 4. ~ **tube** : éprouvette ; 5. interrogation (scolaire) ; 6. test.

★ **testimonial** : 1. témoignage d'estime ; 2. certificat/recommandation.

★ **testy** : 1. (p.) irritable/irascible ; 2. irrité/vif (ton, voix, etc.).

★ **text book** : manuel.

★ **theatre** : 1. salle d'opération/bloc opératoire ; 2. amphithéâtre/salle de conférences.

theme : 1. (US) rédaction/courte dissertation ; 2. thème/sujet.

★ **tick** (v.) : 1. cocher ; 2. faire tic-tac ; 3. **make s.o.** ~ : motiver/accrocher qqn.

★ **tick** (n.) : 1. signe pour cocher ; 2. tic-tac ; 3. **in a** ~ : en un rien de temps ; 4. **on** ~ : à crédit ; 5. toile (à matelas) ; 6. housse ; 7. chat (jouer à ~) ; 8. tique (insecte).

★ **ticket** (v.) : 1. (US) mettre une contravention (à qqn.) ; 2. étiqueter.

ticket (n.) : 1. contravention/P.V. ; 2. liste de candidats (élections) ; 3. billet ; 4. reçu ; 5. **be just the** ~ : être exactement ce qu'il faut ; 6. étiquette ; 7. ticket.

★ **tier** : 1. rangée/rang ; 2. gradin.

★ **timid** : 1. craintif/timoré ; 2. peureux/couard.

★ **timpani** : timbale (orchestre).

★ **tinder** : 1. amadou ; 2. ~ **box** : poudrière (fig.).

tissue : 1. mouchoir en papier ; 2. ~ **paper** : papier de soie/hygiénique ; 3. tissu (cellules).

toast (v.) : 1. boire à la santé de qqn. ; 2. arroser (événement) ; 3. griller (pain) ; 4. se (ré)chauffer (les pieds).

toast (n.) : 1. **drink a** ~ **to s.o.** : boire à la santé de qqn. ; 2. pain grillé/toast ; 3. **on** ~ : sur canapé (culinaire).

★ **toboggan** : luge.

toilet paper : papier hygiénique.

★ **tolerable** : 1. passable/assez bon ; 2. supportable/tolérable.

★ **tome** : 1. gros volume/livre ; 2. tome.

★ **ton** : 1. **do a** ~ : faire du 160 à l'heure ; 2. tonne.

topic (n.) : sujet (de discussion)/thème.

topical (adj.) : d'actualité.

★ **torch** : 1. lampe de poche ; 2. flambeau/torche.

★ **tormentor** : persécuteur/bourreau (fig.).

★ **torment** (v.) : 1. torturer ; 2. tourmenter.

★ **torso** : 1. œuvre inachevée ; 2. buste ; 3. torse.

touch (v.) : 1. égaler ; 2. taper (pour de l'argent) ; 3. concerner (qqn.) ; 4. émouvoir ; 5. effleurer ; 6. toucher ; 7. toucher à ; 8. se toucher.

touch (n.) : 1. soupçon (= quantité) ; 2. ~ **of fever** : léger accès de fièvre ; 3. coup de main (= savoir faire) ; 4. contact/toucher ; 5. contact/rapport ; **keep in** ~ : rester en rapports ; **be in** ~ : faire signe (par téléphone/lettre) ; 6. **be out of** ~ : ne plus être dans le coup ; 7. **make a** ~ : taper qqn. (argent) ; 8. touche (sport).

★ **touched** : 1. cinglé/toqué ; 2. touché/ému.

touchy : 1. (p.) susceptible/ombrageux ; 2. délicat (situation).

★ **toupee** : postiche (= perruque).

tour (v.) : 1. visiter (un endroit) ; 2. faire du tourisme ; 3. faire une/être en tournée.

tour (n.) : 1. voyage ; 2. voyage/circuit organisé ; 3. **make a** ~ **of** : visiter (un endroit) ; 4. **be on** ~ : être en tournée ; 5. ~ **of duty** : ronde.

★ **tourer** : voiture de tourisme.

★ **tourniquet** : garrot/tourniquet.

★ **tout** (v.) : 1. ~ **for custom** : courir après la clientèle ; 2. vendre/revendre ; 3. refiler des tuyaux (courses).

★ **tout** (n.) : 1. démarcheur ; 2. vendeur ambulant ; 3. rabatteur (hôtel ; 4. fournisseur de tuyaux (courses).

★ **trace** (v.) : 1. ~ **sth. (back) to...** : faire remonter/attribuer qqch. à (une cause) ; 2. décalquer ; 3. esquisser/dessiner ; 4. retrouver (la trace).

★ ~ : 1. soupçon/légère indication ; 2. trait (harnais) ; 3. tracé ; 4. trace/vestige.

★ **tracing** : ~ **paper** : papier calque.

★ **track** (v.) : 1. faire un travelling (cinéma) ; 2. suivre la trajectoire de ; 3. suivre à la trace.

★ **track** (n.) : 1. chemin/sentier ; 2. voie ferrée ; 3. piste (sport) ; 4. **keep** ~ **of** : rester en contact avec ; 5. **lose** ~ : ne plus être dans le coup/perdre de vue/ne pas retrouver ; 6. trace/piste (police).

tract : 1. étendue/région/espace ; 2. gisement ; 3. (US) résidence/domaine ; 4. tract/brochure.

★ **tractable** : 1. (ch.) malléable/maniable; 2. (p.)accommodant/souple; 3. docile (animal).

★ **traduce** : calomnier/diffamer.

★ **traducer** : calomniateur.

traffic : 1. circulation (voitures); 2. ~ **lights** : feux de signalisation; 3. mouvement; 4. commerce/négoce; 5. trafic.

tragedian : 1. dramaturge; 2. poète tragique; 3. tragédien.

train (v.) : 1. former; 2. dresser (animal); 3. (s')entraîner, se préparer; 4. ~ **a child** : apprendre à un enfant à être propre; 5. braquer (une arme); 6. faire grimper (une plante sur...); 7. aller par le train.

train (n.) : 1. suite/équipage; 2. file, cortège; 3. sillage/suite; 4. traîne; 5. train.

trained : 1. compétent/qualifié; 2. habilité; 3. exercé; 3. **well** ~ : bien formé/dressé.

trainee : stagiaire/apprenti.

training : 1. formation; 2. dressage; 3. entraînement/préparation; 4. **be in** ~ : a) être en cours d'entraînement; b) être en forme; 5. **be out of** ~ : ne pas être en forme; 6. ~ **college** : école professionnelle ou spécialisée ou de formation des enseignants.

trance : 1. extase/ravissement; 2. catalepsie; 3. transe(s).

★ **transfer** (v.) : 1. décalquer, reporter (un dessin) sur; 2. ~ **charges** : téléphoner en P.C.V.; 3. transmettre; 4. déplacer/muter; 5. changer (de train, etc.); 6. transférer.

★ **transfer** (n.) : 1. décalcomanie/auto-collant; 2. transmission; 3. mutation; 4. (billet de) changement/correspondance; 5. virement bancaire.

★ **transfix** : 1. clouer sur place/figer (d'horreur); 2. transpercer.

★ **transmit** : 1. émettre (radio); 2. transparence.

★ **transparency** : 1. (US) diapositive; 2. transparence.

★ **transport** (n.) : 1. moyen de transport; 2. transport.

★ **transportation** : 1. déportation; 2. transport.

★ **trap** (v.) : 1. prendre au piège; 2. bloquer/immobiliser; 3. bloquer (une balle).

★ **trap** (n.) : 1. piège; 2. traquenard; 3. siphon (tuyau); 4. charrette anglaise/cabriolet; 5. box (courses de lévriers); 6. (sl.) **keep one's** ~ **shut** : fermer sa gueule.

treat (v.) : 1. ~**s.o. to sth.** : offrir/payer qqch. à qqn.; 2. soigner (qqn.); 4. traiter.

treat (n.) : 1. cadeau; 2. plaisir/gâterie (inattendue); 3. fête; 4. **be a** ~ **to do** : faire plaisir (à qqn.) de faire; 5. **what a** ~ ! : chouette alors !; 6. **it's my** ~ : c'est moi qui paye; 7. **a** ~ (adv.) : à merveille.

★ **trepidation** : 1. agitation; 2. vive inquiétude.

trespass (v.) : 1. porter atteinte (à la personne ou aux biens); 2. s'introduire illégalement; 3. empiéter, s'ingérer dans; 4. enfreindre (la loi); 5. (Bible) offenser; 5. ~**on/upon** : abuser de.

trespass (n.) : 1. (droit) atteinte (à la personne ou aux biens); 2. violation de domicile; 3. empiétement (sur la propriété d'autrui); 4. offense/péché.

trespasser : 1. intrus; 2. auteur d'un empiétement ou d'une atteinte à la propriété privée; 3. (Bible) pécheur.

★ **tresses** (lit.) : (longs) cheveux (de f.).

★ **triangle** : 1. équerre; 2. triangle.

★ **tribune** : 1. tribun, orateur; 2. défenseur éloquent (des droits des humbles); 3. tribune.

★ **tributary** (adj./n.) : 1. tributaire; 2. affluent.

★ **tribute** : 1. **be a** ~ **to** : témoigner de; 2. **pay** ~ **to** : rendre hommage à; 3. tribut.

★ **trim** (v.) : 1. tailler/couper/émonder; 2. rafraîchir (coupe de cheveux); 3. rogner sur/réduire (dépenses); 4. orner/parer/décorer; 5. équilibrer/gréer; 6. (sl.) battre à plates coutures (sport).

tripe : 1. (sl.) bêtises/conneries; 2. saloperie; 3. tripes (culinaire).

★ **triplet** : 1. tercet; 2. triolet; 3. triplé (bébé).

trivial : 1. de peu d'importance; 2. insignifiant/dérisoire; 3. banal/courant/commun; 4. sans valeur/intérêt/originalité; 5. peu grave ou bénin.

triviality : 1. manque d'importance; 2. caractère dérisoire; 3. banalité; 4. absence de valeur/d'intérêt; 5. caractère bénin.

trolley : 1. chariot/diable; 2. table roulante; 3. benne roulante; 4. wagonnet; 5. (US) tramway; 6. trolley.

troop (n.) : 1. ≃ escadron (cavalerie/blindés); 2. bande/groupe/troupe; 3. ~**s** : troupes.

★ **trooper** : 1. (GB) (simple) soldat (de cavalerie/blindés); 2. (US) **(state)**- ~ : ≃ C.R.S..

★ **trooping** : ~ **the colour** : le salut au drapeau .

★ **trotters** : **pig's/sheep's** ~ : pieds de porc/mouton (culinaire).

trouble (v.) : 1. déranger; 2. (fml.) demander qqch. à qqn./à qqn. de; 3. se déranger/se donner la peine de; 4. gêner/indisposer; 5. inquiéter/préoccuper; 6. souffrir de (physiquement); 7. affliger/peiner; 8. troubler.

trouble (n.) : 1. ennui/difficulté; 2. peine/mal/dérangement; 3. souci/inquiétude/préoccupation; 4. affection (= maladie); 5. conflits/trouble (socio-pol.); 6. ~ **spot** : point chaud.

trouble shooter : 1. dépanneur; 2. conciliateur/médiateur; 3. expert.

★ **trouper** : acteur/artiste.

truant (n.) : 1. **play** ~ **from...** : s'absenter/sécher/faire l'école buissonnière; 2. élève absentéiste; 3. sauteur.

★ **truck** (v.)transporter.

★ **truck** (n.) : 1. wagon (à plate forme); 2. (US) camion; 3. chariot à bagages/diable; 4. **have no** ~ **with** : refuser d'avoir affaire avec; 5. paiement en nature/troc; 6. produits maraîchers.

★ **truculent** : 1. agressif; 2. brutal; 3. cruel/sans pitié.

trump (v.)couper avec l'atout (jeu de cartes).

trump (n.) : 1. atout (jeu de cartes); 2. (sl.) type/fille formidable; 3. trompette.

★ **trumpery** (n.) : 1. camelote; 2. bétises; 3. (adj.) criard; 4. sans valeur.

★ **trumpet** (v.) : 1. barrir; 2. proclamer bruyamment; 3. jouer de la trompette.

★ **trumpet** (n.) : 1. cornet (de l'oreille); 2. **blow one's own** ~ : chanter ses propres louanges; 3. trompette.

trunk : 1. trompe (d'éléphant); 2. malle; 3. **swimming** ~**s** : slip de bain; 4. ~**s** : slip (h.); 5. ~ **call** : communication par l'inter-urbain; 6. tronc (arbre/p.).

★ **truss** (v.) : 1. botteler (foin)/lier/ligoter; 2. armer/renforcer (architecture); 3. trousser (poulet).

★ **truss** (n.) : 1. botte (foin); 2. grappe; 3. armature; 4. bandage herniaire.

trust (v.) : 1. avoir confiance en; 2. compter sur qqn. (pour); 3. confier (qqch. à qqn.); 4. ~ **that** : avoir bon espoir que.

trust (n.) : 1. confiance (en qqn.); 2. charge/devoir/obligation; 3. propriété fiduciaire; 4. fidéicommis; 5. cartel/trust.

★ **tub** : 1. cuve; 2. baquet; 3. baignoir (-sabot); 4. po (crème); 5. rafiot.

tube : 1. chambre à air; 2. (GB) métro; 3. (US) télé; 4. tube.

★ **tunnel** : 1. galerie (de mines); 2. tunnel.

★ **turf** : 1. gazon; 2. tourbe; 3. turf.

turkey : 1. four (= échec); 2. (US) talk ∼ : parler franc; 3. **go on cold** ∼ : faire une cure de désintoxication (drogue).

turn (v.): 1. changer/(se) transformer (en); 2. devenir; 3. (p.) se retourner; 4. (p.) se détourner; 5. (faire) tourner.

turn (n.): 1. numéro (spectacle); 2. **do s.o. a good** ∼ : rendre service à qqn.; 3. tournure (événements); 4. tournant/virage; 5. crise/attaque (médecine); 6. choc/surprise; 7. tournure d'esprit/disposition; 8. tour.

★ **turntable** : 1. platine (chaîne stéréo); 2. plaque tournante (trains, etc.).

tutor (v.): 1. précepteur; 2. (GB) directeur d'études (université); 3. (US) assistant (université).

★ **type** (v.): 1. = **typewrite** : taper (à la machine); 2. classifier/déterminer (diagnostic)/étiqueter (qqn.); 3. cantonner dans un rôle (théâtre).

★ **type** (n.): 1. caractère(s) (imprimerie); 2. genre/espèce/modèle; 3. exemple/type (= genre).

★ **typeface** : œil de caractère (imprimerie).

★ **ulterior** : 1. ∼ **motive** : arrière pensée; 2. ultérieur.

★ **ultimate** : 1. le plus éloigné (temps/espace); 2. suprême (autorité); 3. final/définitif; 4. absolu; 5. ultime.

umbrella : 1. protection; 2. parapluie.

★ **umpire** : arbitre (sport) (v. **referee**).

★ **uncle** : 1. **say** ∼ : (US) s'avouer vaincu/renoncer; 2. oncle.

uncomfortable : 1. gêné/mal à l'aise; 2. inconfortable.

★ **underdog** (n.): 1. perdant; 2. opprimé.

★ **underhand** (adj.): 1. (p.) sournois; 2. clandestin/secret.

underrate : sous-estimer/méconnaître.

★ **underscore** : souligner (d'un trait).

★ **understudy** (v./n.): doubler/doublure (théâtre).

undertake : 1. entreprendre; 2. se charger de/assumer; 3. s'engager à/promettre de.

★ **underwrite** : 1. garantir/assurer; 2. souscrire (une assurance).

★ **undeterred** : 1. (adj.) non découragé; 2. (adv.) sans se laisser décourager.

uneasy : 1. (p./cpt.) mal à l'aise/gêné; 2. inquiet/anxieux; 3. non tranquille (conscience); 4. agité (nuit); 5. troublé/difficile.

★ **undue** : 1. excessif; 2. indu.

★ **unduly** : 1. trop/excessivement; 2. **not** ∼ : pas outre mesure.

★ **unequal** : 1. **be** ∼ **to** : ne pas être à la hauteur de (une tâche); 2. inégal.

unfortunate : 1. facheux/malencontreux; 2. malheureux/regrettable; 3. malchanceux.

★ **unguarded** : 1. imprudent; 2. inconsidéré/irréfléchi; 3. sans surveillance/non gardé.

★ **unicorn** : licorne.

uninhabited : inhabité.

union : 1. syndicat; 2. mariage; 3. **the U** ∼ : les Etats-Unis; 4. raccord (tuyauterie).

unit : 1. élément(s) (de cuisine); 2. groupe; 3. service; 4. ∼ **trust** : société d'investissement.

★ **unnerve** : 1. faire perdre son courage à; 2. déconcerter.

unqualified : 1. sans réserve(s) (accord); 2. catégorique (réponse/refus); 3. sans mélange (amour);

4. non qualifié/n'ayant pas les diplômes/titres requis; 5. parfait (imbécile).

★ **unsavoury** : 1. équivoque/louche; 2. déplaisant/répugnant/nauséabond; 3. (p./quartier) peu recommandable; 4. désagréable ou/sans gêne .

★ **unseasonable** : hors de saison.

★ **unsubstantial** : 1. peu nourrissant; 2. peu solide; 3. insuffisant.

★ **untouchable** (n.): paria (propre/fig.).

urge (v.): 1. exhorter à/pousser à/presser vivement (qqn.); 2. conseiller/recommander avec insistance.

urge (n.): 1. forte envie/grand désir; 2. impulsion; 3. pulsion (psycho).

★ **urgency** : 1. insistance; 2. urgence.

★ **urgent** : 1. insistant; 2. urgent.

★ **urgently** : 1. instamment; 2. d'urgence/sans plus attendre.

★ **urn** : 1. **tea-** ∼ : théière (de grande dimension); 2. samovar; 3. urne.

usage : 1. traitement à l'égard de/façon de traiter (qqn.); 2. coutume/usage.

use : 1. traiter/agir envers qqn; 2. consommer; 3. utiliser/se servir de.

used : 1. ∼ **car** : voiture d'occasion; 2. oblitéré; 3. d'usage courant; 4. utilisé.

★ **utilities** : 1. services publics (eau/gaz, etc.); 2. valeurs (en bourse) de ces services publics.

vacancy : 1. chambre à louer; 2. poste vacant; 3. stupidité/manque d'intérêt/de réflexion; 4. vide.

vacant : 1. vide/creux (heures); 2. inoccupé (chambre/siège); 3. libre (poste); 4. sans expression/vide (regard); 5. stupide/inintelligent.

★ **vacate** : 1. déménager/quitter (un lieu); 2. démissionner; 3. libérer (siège).

vacate (v.i.): (US) passer des/ses vacances.

vacation (n.): 1. (GB) vacances (universitaires/judiciaires); 2. (US) vacances; 3. **long** ∼ (GB): les grandes vacances.

★ **valet** (v.): 1. entretenir/nettoyer des vêtements (hôtel); 2. servir comme valet de chambre.

valid : 1. valable (excuse); 2. solide/bien fondé (argument; contrat); 3. valide/en règle (document officiel).

★ **valise** (arch.): sac de voyage ou sac de soldat.

valuable (adj.) : 1. précieux/inestimable (fig.); 2. de grande valeur/prix.

valuables (n.): objets de valeur.

value (v.): 1. apprécier/tenir à; 2. expertiser/évaluer.

value (n.): 1. **be good** ∼ : avantageux (prix); 2. **get good** ∼ **for money** : en avoir pour son argent; 3. **be of** ∼ **to s.o.** : servir/être utile à qqn.; 4. prix/valeur; 5. valeur/mérite.

★ **valued** (p.): 1. précieux/estimé.

★ **valve** : 1. lampe (radio); 2. piston (trompette); 3. clapet/soupape; 4. valvule (cœur); 5. valve.

★ **vamp** (v.): 1. réparer (au moyen d'une empeigne); 2. rafistoler; 3. improviser (v. **vamp**, n. 3. et 4.); 4. vamper/vampiriser.

★ **vamp** (n.): 1. empeigne; 2. article/objet rafistolé; 3. improvisation musicale maladroite; 4. mesures de musique (en introduction à une chanson); 5. vamp.

van : 1. fourgon/wagon; 2. camionnette/fourgonnette; 3. = **caravan** : roulotte.

★ **vane** : 1. **(weather)-** ∼ : girouette; 2. aube/pale.

★ **vanity** : ∼ **bag/case** : petit sac de dame (pour soirées).

★ **variance** : 1. **be at** ∼ **with** : être en désaccord/contradictoire avec; 2. divergence.

★ **vault** (v.) : 1. sauter ; 2. ~**ing horse** : cheval d'arçon.
★ **vault** (n.) : 1. cave/cellier ; 2. caveau/crypte ; 3. chambre forte/coffre fort ; 4. voûte ; 5. **pole** ~ : saut à la perche.
  vegetable : 1. légume ; 2. végétal/plante ; 3. (p.) loque.
★ **vein** : 1. nervure ; 2. filon ; 3. esprit/disposition/humeur ; 4. veine (anatomie).
★ **veneer** : 1. revêtement de bois mince/placage ; 2. vernis (fig.).
  vengeance : 1. **with a** ~ : pas qu'un peu/pour de bon/d'arrache-pied ; 2. vengeance.
★ **vent** (v.) : 1. donner libre court à (sent.) ; 2. se soulager (d'une tension) (sur qqn.) ; 3. pratiquer un trou dans (barique).
★ **vent** (n.) : 1. orifice/conduit/bouche d'aération ; 2. tuyau (cheminée) ; 3. fente (vêtement).
★ **ventilate** : 1. étaler (au grand jour) ; 2. (faire) débattre au grand jour/en public ; 3. ventiler/aérer ; 4. oxygéner (le sang).
  venture (v.) : 1. risquer/hasarder ; 2. avancer (explication) ; 3. prendre le risque/se permettre de/oser ; 4. s'aventurer ; 5. ~ **on** : se lancer dans une entreprise hasardeuse.
  venture (n.) : 1. coup d'essai ; 2. entreprise risquée ; 3. **at a** ~ : au hasard/à l'aventure.
★ **venue** : 1. lieu de rendez-vous ; 2. (droit) lieu du jugement ; 3. juridiction/compétence (territoriale).
★ **verbal** : 1. mot à mot/littéral (traduction) ; 2. oral/auditif ; 3. verbal.
★ **verbalize** : exprimer/traduire en paroles.
  verge : 1. bord/accotement ; 2. **soft** ~ : accotement non stabilisé ; 3. orée ; 4. bordure en gazon ; 5. **on the** ~ **of** : au bord de/sur le point de.
★ **verger** : 1. bedeau ; 2. huissier à verge.
★ **vermin** : 1. animaux nuisibles ; 2. parasites ; 3. vermine.
  versatile : 1. aux talents/connaissances multiples ; 2. souple/adaptable ; 3. à usages multiples.
  versatility : 1. multiplicité des talents/connaissances ; 2. multiplicité des usages ; 3. souplesse/adaptabilité.
  verse : 1. poésie/vers (pl.) ; 2. strophe/couplet ; 3. verset (Bible) ; 4. vers.
★ **vessel** : 1. récipient/réceptacle ; 2. vase ; 3. (lit.) vaisseau/navire ; 4. vaisseau (sanguin).
★ **vest** (v.) : investir qqn. de (autorité).
  vest (n.) : 1. maillot de corps ; 2. chemise (sous vêtement féminin) ; 3. (US) : gilet.
★ **vested** : 1. ~ **in** : investi de (autorité)/appartenir à ; 2. ~ **interest** : a) droits/privilèges acquis ; b) groupes d'intérêts (de pression).
★ **vestments** : vêtements sacerdotaux.
★ **vestibule** : 1. hall d'entrée ; 2. (US) couloir (de train) ; 3. vestibule.
★ **vestige** : 1. trace ; 2. reste/restes (d'un repas) ; 3. **not a** ~ **of** : pas le/la moindre ; 4. organe atrophié ou rudimentaire.
  veteran : 1. ancien combattant ; 2. qui a de l'expérience/expérimenté ; 3. d'époque (voiture).
  vex : 1. harceler ; 2. irriter/agacer/contrarier ; 3. déconcerter/rendre perplexe.
  vexation : 1. ennui/tracas ; 2. irritation/agacement/contrariété.
  vexed : ~ **question** : question controversée.
  vexing : contrariant/agaçant.
★ **viands** (lit.) : aliments (raffinés).
  vicar : 1. pasteur (anglican)/curé ; 2. vicaire (du Christ).
★ **vicarious** : 1. par personne/chose interposée ; 2. fait/subi à la place d'un autre ; 3. indirect.

  vice : 1. étau ; 2. vice.
★ **Vice Chancellor** : Recteur/Président (université).
  vicious : 1. cruel ; 2. méchant/haineux/malveillant ; 3. virulent/violent ; 4. rageur (cpt.) ; 5. rétif ; 6. pervers/vicieux.
★ **victimization** : représailles.
★ **victimize** : 1. exercer des représailles à l'encontre de ; 2. prendre pour victime/cible.
★ **victor** (lit.) : vainqueur.
★ **vie** : ~ **with** : lutter (contre)/rivaliser (avec).
  view (v.) : 1. regarder la télévision ; 2. envisager/considérer (un problème) ; 3. visiter/inspecter (maison) .
  view (n.) : 1. avis/opinion, **in my** ~ : à mon avis ; 2. **in** ~ **of** : en raison de/par suite de ; 3. **with a** ~ **to** : dans l'intention de/en vue de ; 4. **on** ~ : visible/ouvert au public/exposé (musée) ; 5. aperçu ; 6. vue d'ensemble ; 7. perspective ; 8. panorama/vue.
  viewer : téléspectateur.
★ **vigil** : 1. veille ; 2. veillée ; 3. vigile (religion).
★ **vigilante** : membre d'un groupe d'auto-défense.
★ **vignette** : 1. description (écrite) concise et vivante ; 2. esquisse de caractère ; 3. scène ou portrait ou photographie en buste (avec fond dégradé) ; 4. vignette (ornement).
★ **vile** : 1. exécrable/très mauvais ; 2. infect (odeur) ; 3. infâme/abject/vil.
  villain (n.) : 1. traître (pièce de théâtre) ; 2. canaille/scélérat ; 3. coquin/gredin.
★ **vindicate** : 1. justifier/défendre (avec succès) ; 2. établir (la bonne foi de...).
★ **vindication** : justification/défense.
  vine : 1. plante grimpante ; 2. vigne ; 3. ~ **stock** : cep de vigne.
  viola : alto (instrument de musique).
  virtual : 1. de fait/en fait ; 2. qui équivaut à/véritable.
  virtually : en pratique/pratiquement/en fait.
★ **virtue** : 1. mérite/avantage (de qqch.) ; 2. pouvoir/efficacité ; 3. chasteté ; 4. vertu.
  visit (v.) : 1. aller à (cinéma, etc.) ; 2. aller faire un séjour chez/à (courte période) ; 3. (US) ~ **in** : être de passage à/dans ; 4. descendre (à l'hôtel) ; 5. inspecter/passer en revue ; 6. (US) ~ **with** : bavarder avec/passer voir (qqn.) ; 7. **be** ~**ed with**/**by** : être victime de (maladie) ; 8. ~ **sth. on s.o.** : punir qqn. de qqch. (Bible) ; 9. rendre visite à.
  visit (n.) : 1. séjour ; 2. visite ; 3. **go on a** ~ **to** : visiter (qqch.)/séjourner longuement (chez qqn.) ; 4. **pay a** ~ : aller visiter/voir (tourisme).
★ **visitation** : 1. visite pastorale ; 2. visite d'inspection ; 3. visite trop prolongée ; 4. punition/châtiment de Dieu) (v. **visit**, 8.).
  visitor : 1. (hôtel) voyageur/client ; 2. hôte/convive ; 3. **have a** ~ : avoir une visite ; 4. visiteur.
★ **visor** : 1. pare-soleil (voiture) ; 2. visière.
★ **visualise** : 1. envisager/prévoir ; 2. se représenter ; 3. s'imaginer/voir.
★ **vital** : v. **statistics, a.**
★ **vivacious** : 1. enjoué/plein d'entrain ; 2. vivace (plante).
  vocal : 1. (p.) qui se fait entendre ; 2. oral/verbal ; 3. vocal.
★ **vocalize** : 1. exprimer (une opinion) ; 2. se vocaliser (lettre) ; 3. faire des vocalises.
  vocational : 1. professionnel/ayant trait à une/la profession ; 2. manuel (≠ intellectuel).
★ **voice** (v.) : 1. exprimer/formuler (opinion) ; 2. accorder (musique) ; 3. voiser/sonoriser (phonétique).

★ **volatile** : 1. volage/inconstant; 2. (p.) changeant/versatile; 3. dangereux/explosif (fig.); 4. (p.) plein de vie; 5. volatil.

★ **vole** : 1. campagnol; 2. vole (jeu de cartes).

★ **volley** : 1. salve (armes à feu/applaudissements); 3. volée (sport).

voluntary : 1. bénévole; 2. libre/privé (école); 3. intentionnel; 4. spontané; 5. volontaire.

vote (v.) : 1. élire; 2. voter; 3. suggérer/proposer.

vote (n.) : 1. voix/suffrages (élections); 2. bulletin de vote; 3. droit de vote; 4. **floating** ∼ : électorat flottant; 5. crédits votés; 6. vote.

voyage : 1. (long) voyage par mer/traversée; 2. voyage.

wag(g)on : 1. chariot; 2. charrette; 3. (lit.) char; 4. (US) wagon de marchandises; 4. **be on the** ∼ : ne plus boire (d'alcool); 5. **jump on the band-** ∼ : prendre le train en marche.

wardrobe : 1. penderie/armoire; 2. garde robe; 3. costumes (théâtre).

★ **warrant** (v.) : 1. justifier; 2. garantir/assurer (que).

★ **warrant** (n.) : 1. justification; 2. mandat (d'arrêt, etc.); 3. garantie; 4. brevet.

west : 1. **go** ∼ : a) casser sa pipe (= mourir); b) être endommagé/fichu; 2. ouest.

West Indies : Antilles.

X-film : film interdit aux mineurs.

zebra : 1. ∼ **crossing** : passage pour piétons; 2. zèbre.

★ **zest** : 1. entrain/enthousiasme; 2. saveur/piquant; 3. zeste.

★ **zone** (v.) : 1. diviser en secteurs (ville; 2. réserver (aménagement urbain).

★ **zoom** (v.) : 1. monter en chandelle/flèche (avion/prix); 2. vrombir (moteur); 3. rouler/passer très vite (voiture); 4. faire un zoom sur... (photo).

LISTE COMPLÉMENTAIRE

abandoned : 1. dissolu/débauché; 2. abandonné.

* **abate** : 1. (v.i.) : faiblir/diminuer/décroître; 2. (v.t.) : réduir/affaiblir.

* **abatement** : 1. diminution/suppression (bruit, etc.); 2. réduction.

abstracted : 1. distrait; 2. préoccupé.

abstraction : 1. appropriation/détournement; 2. absence/distraction; 3. abstraction.

acceptation : acception (d'un mot).

* **accessary/accessory** (n.) : (droit) complice.

act (v.) : 1. faire semblant; 2. jouer la comédie (propre et fig.); 3. agir.

* **adjudicate** : 1. (droit) statuer; 2. juger; 3. déclarer qqn. en faillite; 4. attribuer (un prix).

* **adjudication** : 1. jugement/arrêt; 2. déclaration (de faillite).

* **adjudicator** : (droit) juge.

* **affiliation** : 1. (droit) reconnaissance/établissement de paternité (à fin de subsides); 2. ∼ **order** : ordonnance entraînant l'obligation d'entretien; 3. ∼ **case** : affaire de recherche en paternité.

* **agreeable** : 1. (arch.) consentant/disposé à; 2. agréable/aimable.

air (n.) : 1. **be/go on the** ∼ : passer à la télévision ou à la radio; 2. **walk/tread on** ∼ : être aux anges; 3. aspect/mine; 4. brise légère; 5. air.

air (v.) : 1. faire connaître qqch.; exhaler (des griefs); 3. aérer ou sécher.

alarm : 1. ∼ **clock** : réveil/réveille-matin; 2. inquiétude; 3. alerte/alarme.

alert (adj.) : 1. vigilant; 2. vif; – **be** ∼ **to sth** : s'apercevoir/se rendre compte de qqch.

alien (n.) : étranger.

alien (adj.) : 1. de nationalité étrangère; 2. étranger (à qqn.); 3. contraire (à la nature de qqn.).

allure (n.) : attirance, séduction, charme.

amenities : 1. ressources/équipements; 2. civilités/politesses.

amenity : agrément/charme (d'un endroit).

* **amiable** : gentil/aimable.

* **amplify** (v.i./v.t.) 1. ∼ **(on sth.)** : expliquer qqch. en détail; 2 . (v.t.) : amplifier.

announcer : (radio/télévision) présentateur/trice; speaker/ine.

* **antics** : 1. gambade/cabriole; 2. pitrerie; 3. « cinéma » (fig.).

* **antipathetic** : antipathique.

apart : 1. **be** ∼ : être éloigné/séparé; 2. **take sth.** ∼ : démonter (moteur, etc.).

apparently : 1. manifestement; 2. selon toute apparence/apparemment.

appreciate (v.t.) : 1. se rendre compte de/être sensible à; 2. évaluer/estimer; 3. rehausser la valeur de/réévaluer (monnaie); 4. apprécier, goûter.

appreciate (v.i.) : prendre de la valeur, monter (en Bourse).

appreciation : 1. reconnaissance, remerciement(s); 2. évaluation/estimation; 3. hausse, augmentation (en Bourse); 4. appréciation; 5. critique (art.).

* **apprehend** : 1. comprendre; 2. arrêter/appréhender; 3. craindre/appréhender.

* **apprehension** : 1. compréhension; 2. arrestation; 3. crainte/appréhension.

appropriate : 1. affecter (des sommes d'argent à qqch.); 2. s'approprier.

appropriation : 1. affectation (voir ci-dessus, 1); 2. dotation; 3. ∼ **bill** (US) : loi des finances; 4. appropriation.

arm : 1. bras; 2. arme.

art. : 1. ∼ **scholl** : école des beaux-arts; 2. art. (v. **arts**).

arts : 1. **fine** ∼ : les beaux-arts; 2. voir liste, **arts**.

* **aspersion** : calomnie(s), médisance.

* **attach.** : 1. procéder à une saisie-arrêt sur les salaires ou saisie sur les biens/mobilière; 2. arrêter (une personne); 3. attacher/fixer; 4. s'attacher à (fig.).

* **attachment** : 1. saisie-arrêt sur les salaires ou sur les biens-mobilière; 2. arrestation (p.); 3 (mode de) fixation (ch.); 4. attachement (à qqn.).

* **attire** (v.) (lit) : vêtir/parer.

* **attire** (n.) tenue, atours.
auditor : expert-comptable; 2. commissaire aux comptes; 3. auditeur; 4. auditeur libre (à un cours à l'Université).
* **avarice** : 1. cupidité; 2. avarice.
avert : 1. éviter, prévenir; 2. détourner (un coup/les yeux, etc.).

ball : 1. **be on the** ~ : être au courant/dans le coup; 2. **play** ~ **with s.o.** : jouer le jeu/ coopérer avec qqn.; 3. **have a** ~ : se payer du bon temps/ bien s'amuser.
balloon : 1. bulle (bande dessinée); ballon/balle (sport).
* **balls** (sl.) : 1. couilles; 2. conneries !
basin : 1. bol.; 2. cuvette; 3. (**wash-**) ~ : lavabo; 4. **sugar** ~ : sucrier.
* **bassinet** : 1. berceau d'osier, moïse; 2. voiture d'enfant en forme de berceau.
* **bay** : 1. laurier (plante ou fig.); 2. golfe ou baie; 3. **be at** ~ : être aux abois; 4. aboiement (prolongé; 5. **keep/hold at** ~ : tenir à distance ou en échec.
billion : (US) milliard; (GB) mille milliards.
block : 1. billot/échafaud; 2. cube (jeu d'enfant); 3. paté de maisons; 4. ~ **of flats** : immeuble; 5. embouteillage/encombrement; 6. tête/caboche; 7. **be a chip off the old** ~ : être bien le fils de son père.
blue : 1. triste; 2. porno; 3. bleu.
blues : 1. cafard/tristesse; 2. blues.
* **bluff** (adj.) 1. (p.) brusque; 2. escarpé/à pic.
* **bluff** (n.) : 1. à pic/escarpement; 2. **to call s.o.'s** ~ : mettre qqn. au pied du mur/prendre qqn. au mot; 3. bluff.
* **bounty** : 1. subvention, prime; 2. don; 3. générosité.
bout : crise/accès (fièvre, etc.); 2. combat, assaut.
brick : 1. **box of** ~ s : jeu de construction (cubes); 2. type/fille sympa; 3. brique.

camera : 1. **in** ~ : à huis clos; 2. appareil photographique ou caméra (cinéma).
cap : 1. casquette/bonnet/coiffe; 2. capsule/capuchon; 3. **night** ~ : a) boisson (prise le soir avant de se coucher); b) bonnet de nuit.
card : 1. individu/type/numro; 2. **it's on the** ~ **s (that)** ... : il y a de fortes chances que ...; 3. fiche (en carton); 4. carte (de visite/à jouer/postale, etc.).
* **catholic** (adj.) : 1. éclectique; 2. libéral.
* **certify** : 1. faire interner (démence); 2. déclarer/attester; 3. certifier.
clause : 1. proposition (grammaire); 2. disposition/clause.
* **cock** : 1. robinet; 2. chien (de fusil); 3. meulon; 4. (infml) insolence/assurance; 5. **a load of old** ~ : conneries que tout ça ! 6. (sl.) bitte; 7. mâle (oiseau); 8. coq.
colour : 1. **be off** ~ : ne pas être dans son assiette; 2. **a water-** ~ : un aquarelle; 3. couleur.
colours : 1. **come through with flying** ~ : réussir/ s'en tirer brillamment; 2. **in its true** ~ : sous son vrai jour; 3. **stick to one's** ~ : a) garder ses positions (fig.); b) s'en tenir aux décisions prises; 4. **troop the** ~ : passer les troupes en revue/faire le salut au drapeau; 5. **get/win one's** ~ : gagner ses galons (fig.)/être sélectionné (sport); 6. couleurs.
commencement : 1. (US) cérémonie de remise des diplômes (université); 2. commencement/début.

* **commode** (n.) 1. table de nuit (avec vase de nuit); 2. chaise percée; 3. (US) (euphémisme) cabinet/toilettes.
* **communicate** : 1.... (religion) communier; 2. communiquer.
compact : 1. (powder) ~ : poudrier; 2. ~ **car** : voiture de petites dimensions; 3. accord/contrat/ convention.
* **concourse** : 1. carrefour (dans un parc); 2. (large) boulvard; 3. hall (de gare); 4. foule, rassemblement, affluence; 5. concours (de circonstances). (1, 2 et 3, surtout US).
concur : 1. ~ **in** : être d'accord sur; 2. coincider, se produire en même temps; 3. ~ **to** : concourir/ contribuer à.
concurrence : 1. accord/communauté de vues; 2. coincidence, simultanéité.
concurrent : 1. concordant (points de vue) (avec : **with**); 2. simultané/concomltant; 3. confondues (peines, en droit).
congested : 1. encombré/embouteillé; 2. surpeuplé; 3. congestionné (medical).
congestion : 1. encombrement/embouteillage; 2. surpeuplement; 3. congestion (médical).
congress : 1. rapports sexuels; 2. rencontre/réunion; 3. foule/rassemblement/presse; 4. **trades Union C** ~ : Confédération Générale des Syndicats britanniques; 5. Congrès ou session du Congrès (US).
constituency : 1. circonscription électorale; 2. électeurs (d'une circonscription).
constituent : 1. électeur (d'une circonscription donnée); 2. élément constitutif/composant.
continuity girl : (cinéma) scripte.
contractor : entrepreneur/entreprise (surtout du bâtiment).
contribute (v.t.) : 1. donner/offrir (de l'argent); 2. fournir/envoyer (article à un journal).
contribute to : 1. cotiser à, donner de l'argent à (bonne œuvre) financer; 2. collaborer à (un journal); 3. contribuer à.
contribution : 1. cotisation, soutien financier; 2. versement; 3. article (journal); 4. collaboration; 5. contribution.
contributor : 1. donateur, cotisant; appui financier (personne); 2. collaborateur (à un journal).
cord : 1. côte (de velours); 2. velours côtelé; 3. cordon/fil électrique; **4. communication** ~ : signal d'alarme (train); 5. corde.
cottage : 1. maison de campagne; 2. chaumière; 3. ~ **cheese** : fromage blanc maigre; 4. ~ **industry** : industrie/travail à domicile.
counsel (inv.) : 1. avocat(s); 2. conseil (donné).
courier : 1. accompagnateur/guide (tourisme); 2. passeur de drogues; 4. espion (porteur d'informations); 5. envoyé spécial (diplomatie); 6. messager.
crab (n.) : 1. ~ (**apple**) (**tree**) : pomme/pommier sauvage; 2. râleur/aigri.
crayon (n.) (batonnet de) pastel ou fusain.
crayon (v.) dessiner/colorier au pastel ou fusain.

dame : 1. (US, sl.) bonne femme/nana; 2. **D** ~ titre nobiliaire (conférée surtout à des actrices).
decree : 1. **grant** ~ **nisi/absolute** : délivrer un jugement de divorce conditionnel ou provisoire/définitif; 2. arrêté/décret.
depart (v.) : 1. ~ **from** : s'écarter/dévier de; 2. partir.
departed (p.p.) : défunt/disparu.

deride (v.t.) : 1. railler/rire de ; 2. tourner en ridicule.

derogatory : péjoratif/de dénigrement ; 2. désobligeant..

detention : 1. colle/retenue (école) ; détention ; − ~ **centre** : centre de détention fermé.

double (adj.) : 1. ~ **bed** : grand lit de deux personnes ; 2. double.

double (n.) 1. sosie ; 2. doublure (cinéma) ; 3. contre (cartes) ; 4. **at the** ~ : au pas de gymnastique ; 5. **on the** ~ : rapidement/sans que ça traîne !

dramatise : A. adapter pour la scène ou l'écran ; 2. rendre émouvant ; 3. exagérer/dramatiser.

drape (v.) : 1. faire prendre à (une partie de) son corps une pose dégagée/désinvolte ou artistiquement négligée ; 2. draper ou tendre (de tissu).

drape (n.) : 1. pli (d'un tissu ; 2. coupe (d'un costume) ; 3. drapé.

drapes : 1. tentures ; 2. (US) rideaux.

dress (v.t.) : 1. habiller/vêtir ; 2. costumer (théâtre) ; 3. coiffer/arranger (des cheveux) ; 4. parer/pérarer décorer (vitrine, etc.) ; 5. apprêter/assaisonner (nourriture) ; 6. préparer (des sols) ; 7. parer (des pierres) ; 8. panser (une blessure) ; 9. aligner (des troupes).

dress (v.i.) : 1. s'habiller ; 2. se mettre en tenue de soirée ; 3. s'aligner (soldats).

dressed : 1. **be** ~ **in black** : être habillé de noir ; 2. **be** ~ **to kill** : être sur son trente et un.

emergency : 1. (cas d') urgence ; 2. coup dur ; 3. situation critique.

estrange : brouiller/séparer (des personnes).

estranged : **become** ~ : se brouiller/se séparer ; 2. désuni.

estrangement : brouille/séparation/désunion.

eve : 1. veille (= jour d'avant) ; 2. **Christmas E** − : veille de Noël/soir du réveillon.

evoke : 1. susciter/faire naître (un sentiment) ; 2. faire surfir (des souvenirs/un sourire) ; 3. évoquer (un esprit).

exposé : déclaration ou article révélant des faits ou un scandale.

felon (n) (arch.) : criminel (p. coupable de meurtre ou vol à main armée).

felony (n) (arch.) : **crime** (v. ci-dessus).

final (adj.) : 1. définitif ; 2. sans appel ; 3. catégorique ; 4. dernier ; 5. final.

finality : 1. définitivement/pour de bon ; 2. en dernier lieu/pour terminer ; 3. finalement/enfin.

finals (n.) : examens de dernière année (université).

finesse : impasse (au jeu de bridge) ; 2. finesse.

force : 1. **the F** ~ : la police ; 2. **labour** ~ : main-d'œuvre/personnel ; 3. **be in/come into** ~ : être/entrer en vigueur (loi, etc) ; 4. **in** ~ : en grand nombre/en force ; 5. force ou violence.

forces : 1. **the** ~ : l'armée/les forces armées ; 2. forces/influence.

grave (n.) : tombe ou tombeau.

herring : 1. **red** ~ : diversion ; 2. **draw a red** ~ : essayer de noyer le poisson ; 3. hareng.

ADVERBES, CONJONCTIONS, PRÉPOSITIONS, LOCUTIONS ADVERBIALES

AVANT-PROPOS

Cette liste comporte six sections :

1. <u>BUT</u> – INTENTION – CAUSE – ORIGINE – CONSÉQUENCE – EFFET
2. <u>CONDITION</u> – CONCESSION – OPPOSITION – RESTRICTION
3. <u>DEGRÉ</u> – MODALITÉ – QUANTITÉ – INTENSIFICATION
4. <u>LIEU</u> – MOUVEMENT – POSITION
5. <u>MANIÈRE</u> – MOYEN – COMPARAISON – ARGUMENTATION
6. <u>TEMPS</u> – DURÉE – FRÉQUENCE – SÉQUENCE

Cette liste devrait permettre d'éviter le recours aux dictionnaires où les traductions sont noyées dans le flot des expressions dont le mot recherché (**TIME**, par exemple) est une des composantes.

Elle devrait, d'autre part, permettre à l'élève ou à l'étudiant d'employer de façon correcte et nuancée ces mots et expressions grâce aux exemples et aux indications précisant leur emploi (temps ou forme), ainsi qu'aux renvois ou mises en garde (n.p.c. = ne pas confondre avec) qui figurent en de nombreux endroits; les renvois à d'autres mots ou expressions de la même section sont en caractères ordinaires; les renvois à d'autres sections sont imprimés en lettres majuscules.

LISTE DES ABRÉVIATIONS

à dr. : à droite.
à g. : à gauche.
adj. : adjectif.
adv. : adverbe.
aff. : affirmatif ou forme affirmative.
angl. : anglais.
arch. : archaïque.
arg. : argumentation.
Br. E. : **British English** : anglais britannique.
B.V. : base verbale, c'est-à-dire l'infinitif du verbe sans **to**.
c. : **century** = siècle.
c. à d. : c'est-à-dire.
circ. : circonstance ou circonstanciel.
c.o.d. : complément d'objet direct.
comp. : composé(s).
conj. : conjonction.
cpt. : comportement ou : complément.
cptf. : comparatif.
det. : déterminant (article, démonstratif, possessif, etc.).
ds. : dans.
eloignt. : éloignement.
exp. : expression.
fig. : sens figuré.
fml. : style guindé (**formal**).
fut. : futur (temps grammatical).
GB. : = Br.E.
ger. : gerund.

G.N. : groupe nominal.
inden. : indénombrable.
indic. : indicatif, indication ou indique.
infml. : familier (**informal**).
int. : interrogation ou forme interrogative.
int. ind. : interrogative indirecte.
intens. : intensif ou intensification.
lit. : forme littéraire.
mod. : modal (auxiliaire) ou modalité.
mouvt. : mouvement.
n. : nom.
neg. : négation ou forme négative.
n.p.c. : ne pas confondre avec.
p. : participe.
p.p. : participe passé.
p.pas. : participe passé.
p.pr. : participe présent.
p.pres. : participe présent.
par opp. : par opposition.
part. : participe.
part. pas. : participe passé.
part. pr./pres. : participe présent.
pas. : passé (temps chronologique ou grammatical).
past. : passé (grammatical).
past perf. : past perfect = plus-que-parfait.
pej. : valeur péjorative.
perf. : **perfect** = parfait.
pfs. : parfois.
pl. : pluriel.

post. : postposition.
pr. : présent.
prep. : préposition.
pres. : présent.
pres. perf. : **present perfect**.
pret. : **preterite**.
princ. : proposition principale.
progr. : forme progressive (**be + -ing**).
pron. : pronom.
prop. : proposition.
qqch. : quelque chose.
qqfs. : quelquefois.
qqn. : quelqu'un.
q.v. : quid videre = se reporter au mot indiqué.
Rem. : remarque.
s. : sujet (grammatical).

sg. : singulier.
s.o. : someone ou somebody.
spltf. : superlatif.
sth. : something.
sub. : proposition subordonnée.
subj. : subjonctif.
svt. : souvent.
tel. : téléphone.
US. : usage américain.
v. : verbe ou voir.
val. : valeur.
*forme incorrecte.
= : synonyme de.
≠ : contraire de.

N.B. : Les mots ou expressions imprimés en petits caractères sont ceux dont l'acquisition est moins urgente et correspondent aux mots signalés par le signe ★ (niveau plus avancé) dans les autres chapitres du livre; d'autre part, l'ordre alphabétique adopté est le suivant : **at one time** se trouvera à : **at** et **in a way** à : **in**, et non pas à **time** ou à **way**.

1. BUT - INTENTION — CAUSE - ORIGINE CONSÉQUENCE - EFFET

against : 1. contre; 2. en prévision de — **he is saving up against his old age.**

as : 1. étant donné que; 2. **adj. + as** : adjectif + comme — **tired as he was, he couldn't walk any further** : fatigué comme il l'était,...; 3. comme, par exemple (v. CONDITION, DEGRÉ, MANIÈRE).

as if to : comme pour — **he got up as if to leave the room** (v. **as if**, CONDITION).

as it happens + prop. : il se trouve que — **as it happens, I know him well.**

at random : au hasard.

because : parce que.

because of : à cause de.

by (prep.): d'après, à — **I can see by your smile that you like the idea** (v. MANIÈRE).

by chance : par hasard.

by any chance (int.): par hasard — **do you by any chance know him ?.**

by means of : au moyen de; à force de.

for : 1. (conj., après une virgule): car — **it is important, for it concerns us all**; 2. (prep.) à cause de, en raison de — **we couldn't see for the fog**; 3. (prep.) (origine, cause) : de — **we wept for joy** (v. **with**), (v. MANIÈRE)..

for fear of : de peur de.

for fear (that) : de crainte que — **he kept silent for fear (that) she should wake up.**

for lack of : par manque de.

for the purpose of : dans le but de.

for the sake of : v. MANIÈRE.

for want of : faute de — **I'll take this one for want of a better** (aussi : **from want of**).

from : 1. de, provenant de — **a noise from the next room; a letter from his mother**; 2. par, de (cause) — **to die from exhaustion** : mourir d'épuisement; 3. (origine) d'après — **from the noise they made, they must have been fighting** (v. **by**).

hence (lit): d'où (cause) — **you lack method, hence your poor results.**

how come (that) ? : comment se fait-il que ?

how's that ? : comment cela se fait-il ?

in order to : afin de (v. **so as to**).

in order that : afin que (v. **so that**, moins fml).

in view of : en raison de, étant donné — **in view of his youth, the police released him** .

inasmuch as (lit): 1. attendu que, vu que; 2. (rare) dans la mesure où (v. **in so far as** DEGRE).

lest (lit): de crainte que — **lest she should forget.**

now : or (v. **now** TEMPS et MANIÈRE).

of course : bien sûr, naturellement.

on account of : en raison de/du fait que.

on purpose : exprès.

on the ground(s) of : à cause de, pour raison de — **he was laid off on the ground of bad behaviour.**

on the grounds that : en arguant que.

on the strength of : sur la foi de, en se fiant à — **I bought the book on the strength of his advice.**

(be) out for sth. : chercher — **he's out for serious trouble** : ...de graves ennuis.

out of : 1. par (cause d'un cpt) — **he came to see me out of curiosity**; 2. dans (origine). — **to drink out of a cup** : 3. grâce à — **he makes quite a lot of money out of his lectures at the university.**

(be) out to + B.V. : vouloir à tout prix + inf. — **he was out to get her money.**

owing to : en raison de/du fait que.

seeing (that) : vu que.

seeing as how (infml) : **seeing that.**

since : puisque (v. **since** TEMPS).

so (conj.): 1. donc, par conséquent, aussi — **he was late, so he missed the train**; 2. (excl.) ainsi donc ! — **so you've changed your mind again !** ; 3. (= **so that**) si bien que — **it rained all day, we stayed at home**; 4. (= **so that** + mod.) pour que — **I'll speak French, so you can all understand me** (v. DEGRE et MANIÈRE) (v. **then**).

so (adv.): 1. **so** + adj/adv + prop. : tant + prop. — **they put up at the inn, so tired they were**; 2. **so** + adj/adv. (+ **that**): si ou tellement que — **he was so tired (that) he fell asleep in less than no time**; 3. **so** + v. + **that** : de telle manière que — **he's so arranged things that everybody is pleased** (v. **so** COMPARAISON); 4. **so** + adj/adv. + **as to** : assez + adj/adv + pour — **would you be so kind as to help me ?** (v. DEGRE et MANIÈRE).

so as to : pour, afin que — **I gave the baby a sweet, so as to keep it quiet.**

so to say/so to speak : pour ainsi dire.

so that : 1. tellement que — **he loved her so that it kept him awake at night**; 2. (précédé d'une virgule): si bien que — **it snowed heavily in the night, so that they had to stay in**; 3. (+ mod.): pour, afin que — **he spoke in a low voice so that the neighbours should not be disturbed** (v. DEGRE et MANIÈRE).

so what ? : et alors ?.

somehow : 1. d'une façon ou d'une autre — **we've got to find money to pay the rent somehow** (or **other**); 2. pour une raison ou une autre, je ne sais pourquoi — **somehow I can't trust you.**

such : 1. **such as to** : de nature à — **the weather wasn't such as to encourage going out**; 2. **such** + n. + **as to** : assez ... pour — **was he such a fool as to risk his life ?** 3. **such** + n. + **that** : tel + n. + que — **there was a storm of such violence that some trees were torn off**; 4. **such that** : tel que — **his love for her was such that it kept him awake** (v. DEGREE et MANIÈRE).

that is why : c'est pourquoi.

that (lit) : so that 3.

then : 1. alors, dans ce cas donc, par conséquent — "He isn't home" "He must be away on holiday, **then**"... en vacances, alors. — "I've lost my ticket" "Then you'll have to get another one" ... dans ce cas ... (v. TEMPS, MANIÈRE) (v. **so,** conj.).

thence (lit) : par conséquent, pour cette raison, d'où.

therefore (fml) : donc, par conséquent.

through : 1. par, à la suite de, par suite de, sous le coup de — **he became ill through overwork** — **he failed through sheer laziness,** — **he acted through fear;** 2. par, grâce à, par l'intermédiaire de — **I got your address through him;** — 3. **(all) through** : à cause de — **it was all through him that I was late;** 4. **through** + ger. : à force de + inf — **he passed his exam through working hard;** 5. **through** + ger. : parce que — **he lost his job through being absent every other day.**

through lack of : par manque de.

thus (lit) : ainsi, donc, par conséquent — **there's been a lot of rain, thus** (= so) **the crops are likely to be poor** (v. **thus,** MANIÈRE).

to no purpose : en vain, inutilement.

towards (+ n.'ger.) : en vue de, pour, en prévision de — **we're saving up towards (paying for) the education of the children.**

what ... for ? : pourquoi ? pour quoi faire ? — **What did you go to England for ? To learn the language** (v. **why**) (Rem. réponse, en général, à l'inf.).

what with ... and ... : entre ... et ...; en partie à cause de ... et en partie à cause de... — **what with lack of money and poor health, he gave up fighting.**

why ? pourquoi ? (réponse : **because**) (v. **what for ?**).

why + ever ou **on earth** ou **the hell ?** : pourquoi donc ou diable ou foutre ?.

with : par, de, à cause de — **singing with joy; eyes bright with excitement** (v. **for** 3).

with a view to + ger.; en vue de — **with a view to improving his English, he spent six months in Great Britain.**

2. CONDITION – CONCESSION – OPPOSITION RESTRICTION

according as ... or ... : selon que, suivant que – **you'll be congratulated or criticised according as your results are good or bad.**

according to : selon – **according to him/what he says/the schedule**.

according to whether ... or ... = **according as ... or ...**.

all the same : malgré tout, quand même, tout de même.

alternatively : sinon, comme alternative.

although = **though** (Rem. : **although** est + fml. que **though** et ne peut être placé en fin de phrase).

any way + prop. : quelle que soit la façon dont – **any way you answer the question, they'll fail you**.

anyhow : quoiqu'il en soit, de toute façon (v. MANIÈRE).

anyway = **anyhow**.

apart from : 1. à part, hormis – **a good piece of work, apart from a few lexical errors**; 2. outre, en plus de : – **apart from the price, the colour is too gaudy**.

as : 1. adj/adv + **as** + prop. : si ... que – **tired as he was**; malgré sa fatigue (v. **little as** et **much as** ; v. aussi : **though**); 2. v. exprimant l'effort + **as** + mod. : avoir beau – **twist and turn as I would** ; j'avais beau me contorsionner.

as far as : dans la mesure où – **as far as I know** : autant que je sache (v. LIEU).

as far as + n./pron. + **is/are concerned** : en ce qui concerne ... – **as far as food is concerned** (aussi : **so far as**).

as if : 1. comme si – **he stared at me as if he knew me**; 2. (après **feel, look, sound, seem** = **that**) – **he felt as if he was going to faint** : il avait l'impression qu'il allait...; **he sounded as if he had a cold** – on aurait dit qu'il avait le rhume.

as if ever : (**ever** : intensif) – **as if ever I would say such a thing** ! : comme s'il me viendrait à l'esprit de....

as it is/as it was : les choses étant ce qu'elles sont, en l'occurrence.

as long as : 1. (GB) pourvu que, à condition que, tant que – **you can stay on, as long as you don't make any noise**; 2. (US) : puisque, étant donné que – **as long as you are here, go get me some cigarettes**.

as the case may be : selon le cas.

as though = **as if** (Rem. : 1. le s. et le v. sont parfois sous-entendus) – **he played the piano, as though by habit**.

as to whether : quant à la question de savoir si – **I'm not certain as to whether he was there (or not)**.

assuming (that) : en supposant/admettant que – **assuming that this is true/assuming this to be true**.

at a pinch : à la rigueur.

at all events : en tout cas.

at any rate : de toute façon.

bar/barring (lit.) : sauf, excepté; **bar none** : sans exception.

before (+ **will**) (= **rather than**) : plutôt que de – **he'll die before he will consent to this**.

be that as it may (lit.) : quoi qu'il en soit.

be they ever/never so rich (lit.) : si riches qu'ils soient (= **rich as/though they may be**).

but : 1. mais – **he's old, but rich**; 2. (lit.) (= **only**) : seulement, ne... que – **she is but twelve**; 3. (avec **who ? what ? every, no** et comp., **any** et comp., **all, none**) : sauf, excepté, si ce n'est – **they all turned up but him/he**; **he did nothing but laugh**; **she ate nothing but biscuits for days and days**; 4. (lit., avec **never**) : sans que – **we can never plan an outing but is starts raining**; 5. (lit., avec prop. int./neg. = rel. neg) : qui ne ... – **there is no man but wants to be happy** (v. last but one et **next but one**).

but at the same time : mais pourtant/malgré tout – **but at the same time it must be admitted....**

but for : 1. sans, sans l'aide – **but for him I'd have been drowned**; 2. sans, s'il n'y avait/avait eu – **but for the rain it would have been a wonderful outing**.

but otherwise : v. otherwise, 3.

but that : 1. (lit) : si ... ne ... pas – **he could have accepted but that he was afraid**; 2. (après cert. neg.) : que ... **there was no doubt but that he was the culprit**.

(cannot/couldn't) but : ne pouvoir/n'avoir pu que ... **he couldn't but laugh** (= **he couldn't help laughing**).

despite (fml.) : malgré (v. **in spite of**).

even : v. DEGRE.

even if : même si.

even now : malgré tout, maintenant encore (v. TEMPS).

even so/even then : quand même, cependant, malgré tout – **he has many faults but even so I like him**.

even though : 1. (= **though**) : bien que – **even though he said it was true, I didn't believe him**; 2. (= **even if**) : même si, quand bien même – **even though he said it was true, I wouldn't believe him**.

except (conj) : 1. (avec pron.) : sauf, à part – **everybody agreed except he/him** (v. but 3); 2. (avec B.V.) sauf, si ce n'est de – **he did nothing except talk all the time**.

except (prep.) : sauf – **I can drink anything except coffee**.

except for : 1. hormis, à part – **the box was empty except for a few biscuits**; 2. (= but for 2) : s'il n'y avait pas – **she'd leave her husband, except for the children**.

except that : si ce n'est que – **I know nothing about him, except that he lives in Leeds**.

excepting (not/without ~) : y compris, sans oublier.

for all (+ art. déf./adj. poss. + n.) : malgré, en dépit de – **for all his wealth, he was known to be unhappy**.

for all I care : pour ce que cela me fait.

for all I know : (autant) que je sache.

for all you may think : quoi que vous en pensiez.

for all that : malgré tout – **for all that, you should have telephoned me**.

for that matter : d'ailleurs, pour ce qui est de cela – **poetry, or prose for that matter, requires inspiration**.

given (prep.) : 1. en supposant que, si on suppose/admet que – **given good health, I may write another novel this year** ; 2. si l'on tient compte de, étant donné – **given his age, he managed rather well.**

given (that) : étant donné que.

granted/granting that : (même) en admettant que (v. **I grant you**).

had it not been for : = but for 2 – **had it not been for this concert, we might never have met** : n'eût été (ou sans) ....

had + s. + p.p. (lit.) : **if + s + had + p.p.** – **had I known = if I had known** : eussé-je su....

how... ever : v. DEGRE.

however : 1. (conj.) (suivi d'une virgule ou entre deux virgules) : quoiqu'il en soit, cependant, pourtant ; 2. (avec v. précédé ou non de **may/might**) : de quelque manière ou façon que – **however you (may) answer the question, it will not be thought satisfactory** ; 3. (avec adj./adv. ; sujet et **may be** parfois sous-entendus) si ... que – **an unhappy man, however courageous (he may be), will remain unhappy** ; – **however badly/well sung** : si mal/bien chanté que ce soit.

however few : même si peu de + n. pl. ou : si rares que soient ceux qui... – **however few animals may fly....**

however little : si peu que ce soit – **it did make a difference** , **however little** : ... si minime fût-elle.

however little + n. : si peu de ... que – **however little progress he has made.**

however much : même si ... beaucoup – **however much he loved her,** ... : malgré tout son amour pour elle.

however much + n. : quelle que soit la quantité de ... que ... ou : bien que ... beaucoup – **however much money he may have earned.**

however often : si souvent que ... ou : bien que ... très souvent – **however often he saw him, he just couldn't get used to his ways.**

however that may be (lit.) : quoi qu'il en soit.

I grant you that : je vous accorde que.

if : 1. s'il est vrai que – **if you were there, why didn't you say so ?** ; 2. si, lorsque, à chaque fois que – **if you pour oil on water, it floats** ; 3. si, à supposer que – a) **if + pres.**, **shall/will/'ll/**aux. mod. ds princ. – **if she accepts, he'll/may/might**, etc. **accept too** ; – b) **if + pret.**, **should/would/'d/** aux. mod. pas. ds princ. – **if she accepted, he would/might/could**, etc. **accept too** ; – c) **if + past perf.**, **should/would/'d/**aux. mod. pas. + **have** + p.p. ds princip. – **if he'd accepted, she could/might have accepted too** ; 4. **if + should** : si, par hasard ou : au cas improbable où – **if the earth should stop going round,**.... 5. **if + were to** : si d'aventure – **if war were to break out,** ... ; 5. **if + will/would** : si + bien vouloir – **if you will wait a minute,**....; – **pass me the salt, if you would** ; 6. **(if + 'will)** (will : accentué) s'il faut absolument que, s'il est inévitable que – **if you 'will contradict everybody, what can I do ?** ; 7. **if + (adv.) + adj.)** (fml.) : même si, bien que, encore que – **the result, if somewhat disappointing, did not surprise me !** (= **although**, mais opposition moins nettement marquée).

if any (at all) : et encore, si tant est que ce soit le cas – **you see few cars on the streets on a Sunday, if any (at all).**

if anybody : s'il y a quelqu'un qui – **he can speak English,**

if anybody does : s'il y a qqn. qui sait parler anglais, c'est bien lui.

if anything : 1. (lié à un cptf) : plutôt – **if anything, he is cleverer than his father** – il serait plutôt plus intelligent que son père ; 2. si tant est que, si c'est le cas, en l'occurence – **in this family the women bear only daughters, if anything at all** : si tant est qu'elles mettent au monde des enfants ; – **he wanted to find out what, if anything, had changed** : ...ce qui, si c'était le cas, ...

if at all : si tant est que ce soit le cas – **he is known, if at all, as a gambler.**

if by any chance : si par hasard.

if ever : si jamais, si un jour.

if + happen : s'il se trouve que – **if you happen to meet him.**...

if it were not for/if it had not been for : s'il n'y avait pas/s'il n'y avait pas eu ; sans – **if it were not for his wife's money, nobody would speak to him** ; **if it had not been for your help** : ... sans votre aide ... (v. **but for**).

if need be : si besoin est.

if only : si seulement.

if so : s'il en est ainsi/si c'est le cas.

if that is the case : dans ce cas.

if + will/would : 1. si + vouloir bien – **if you will come this way,**...; **I'd be grateful if you would give me a little help** ; 2. (**will** accentué) s'il faut absolument, si + ne pouvoir s'empêcher de – **if you will get drunk every night...** 3. si + pouvoir/être de nature à – **if this will help you,** ....

in case (+ ind./**should**) : au cas où – **in case you (should) need help.**

in case of : en cas de.

in so far as : dans la mesure où.

in spite of : malgré.

in the event : en fait, en réalité ; finalement – **I thought he'd be nervous, but in the event he played the part to perfection.**

in the event of + ger. : au cas où – **in the event of his being taken ill** : au cas où il tomberait malade.

just so (infml) : tant que, du moment que, si – **just so he gets paid, he doesn't mind how hard the work is.**

last (+ n.) + **but one** : avant dernier – **last week but one** ; **the last (winner) but one.**

little as : si peu que – **little as I like the idea** : si peu que me plaise cette idée.

little wonder : guère étonnant que – **little wonder he failed his exam.**

much as : bien que... beaucoup – **much as I admire him,** ....

nevertheless : néanmoins, malgré tout (**all the same** et **however** sont plus courants).

next (+ n.) **but one** : le/la second(e) – **the next (shop) but one** ; – **next page but one** : deux pages plus loin.

no matter how + adj. : si + adj. + que – **no matter how short (it is), a letter from you would be welcome** (v. **however**).

no matter how long : peu importe combien de temps.

no matter how many + n. pl./**how much** + n.sg. : peu importe combien de + n. pl./ + n.sg..

no matter what + prop. : peu importe ce qui/ce que – **no matter what he says, he will be proved wrong** (v. **whatever**).

no matter when/where : peu importe le moment/le lieu où.

no matter which/which + n. : peu importe lequel/quel + n. – **no matter which book you decide to buy,** ... : quel que soit le livre que... (= **whichever**).

no matter who : peu importe qui – **no matter who said that,** ... (v. **whoever**).

no way (US, sl.) : pas question – "will you give me a hand ?" "No way, mate !".

no wonder : pas étonnant que.

nobody but : personne d'autre que (v. **but** 3).

nonetheless (lit.) : néanmoins, malgré tout.

not excepting : v. **excepting**.

not that : non pas que.

not that I care : non pas que ça m'intéresse.

nothing but : rien d'autre que (v. **but** 3).

nothing to do but + BV : on ne peut rien faire d'autre que de + inf. – **there's nothing to do but wait**.

notwithstanding (arch.) : 1 (prep.) : en dépit de, malgré ; 2. (conj./adv.) : néanmoins, malgré tout.

of one's own accord/of one's own free will : de son plein gré, de son propre chef.

on condition that : à condition que.

on the off chance (infml) : au/pour le cas où ; à tout hasard.

on the one hand/on the other (hand) : d'une part, d'autre part.

on the other hand : en revanche ; d'un autre côté (raisonnement).

only : 1. mais, seulement – **you may go, only be back by ten** ; 2. mais malheureusement, seulement voilà – **he'd like to visit Londy, only his parents won't let him** (aussi : **only that**) (v. DEGRÉ).

or : 1. mais peut-être – **he should be home by now, or is it too early ?** ; 2. (= **or else/otherwise**) sinon.

or alternatively : ou encore, ou bien.

or else : 1. sinon – **hurry up or else you'll be late** ; 2. (menace) sinon, ça ira mal – **pay up at once, or else !**.

or otherwise : 1. ou d'une autre façon – **he'll get here by train or otherwise** ; 2. ou non – **married or otherwise** ; – 3. sinon.

or rather : ou mieux, ou plus exactement – **he is a psychiatrist** – **or rather a psychoanalyst**.

other than : v. DEGRÉ.

otherwise : 1. autrement, différemment – **I couldn't do otherwise than refuse** ; 2. = **or else** ; 3. (but) **otherwise** : (mais) à part cela, par ailleurs – **it's a bit expensive, (but) otherwise it's a good book**.

provided (that) : à condition que, pourvu que – **we'll go for a walk, provided it doesn't rain**.

providing (that) = **provided (that)** (plus rare).

rather than + BV : plutôt que de + inf. – **rather than walk home, he decided to take a taxi**.

save (lit.) : sauf, à l'exception de.

save that (lit.) : à ceci près que – **I agree with you, save that you got two or three facts wrong**.

saving = **save**.

short of : v. DEGRÉ.

should + s. + v. : au cas (improbable) où – **should you wish to see me, let me know** (v. **if** + **should**).

so far as : dans la mesure où, autant que.

so long as = **as long as**.

still : 1. (en général, en tête de phrase et suivi d'une virgule) : (et) pourtant – **he's very happy in England. Still, he does feel homesick at times** ; 2. malgré tout – **it was a minor matter, but still it raised quite a controversy**.

such + n. + **as** : ce que … en matière que ; le peu de … – **we had to be content with such food as there was**.

suppose : 1. je propose que ; et si ? – **suppose you wait outside ?** ; 2. (= **if**) si, supposons que – **suppose it rains, where shall we go ?**.

supposing = **suppose** 2.

the last (+ n.) **but one** : v. **last** (+ n.) **but one**.

the next (+ n.) **but one** : v. **next** (+ n.) **but one**.

there is nothing for it but + BV : il n'y a rien d'autre à faire que de + inf. – **there is nothing for it but walk back**.

though : 1. bien que, quoi que (**to be** svt sous entendu) – **though pretty, she lacks self confidence** (= **although**) ; 2. adj./adv. + **though** + prop. : si/quelque … que – **tired though he was, he walked all the way back home** (**although** non possible ici) (v. **as** 1) ; 3. (généralement en fin de phrase) : pourtant, et pourtant, quand même – **it was a quiet evening. I did have a good time, though** ; 4. (= **even though**) : quand bien même – **though everybody disagreed, I would still do it**.

unless : à moins que, si … ne pas – **you'll be late, unless you hurry up**.

were + s. + **to** + BV : si + devoir – **were she to object to my plan** : si elle devait/en venait à s'opposer à mon projet.

were it not for : if it were not for.

what : v. DEGRÉ.

what if : et si ? que se passera-t-il si ? – **what if I move the piano to where you are now sitting ?**.

what though (lit.) : même si – **what though there may be great risks involved**.

whatever : 1. (pron. = **all that**) : tout ce qui/que (quelle qu'en soit la nature) – **they ate whatever they could find to eat** ; 2. (= **no matter what**) : peu importe ce qui/que ; quoi que ce soit qui/que – **whatever happens, keep smiling** ; 3. (= **no matter what** + n.) quelque + n. qui/que … ou n'importe quel + n. + qui/que – **whatever opinion you hold about this book, keep it to yourself** ; **this word appears in whatever dictionary you may buy** ; 4. (intensifie une neg. ou **any** int.) – **is there any chance whatever that he may survive ?** : … la moindre chance que … ? – **nothing whatever happens in such a small place** : … absolument rien … ; 5. (marquant la surprise) : – **look at this. Whatever is it ?** : … qu'est-ce que ça peut bien être ?.

whatsoever (lit.) : **whatever** 4.

when : alors que – **how can she still live in this flat, when she has the money to buy a bigger one ?**.

whereas : alors que (contraste, opposition) – **he likes tea whereas I prefer coffee**.

whether : 1. (int. indirecte ;) : si (ou non) – **tell me whether he's back (or not)** (Rem. **tell me if he's back** : préviens-moi si (= quand) il est de retour) ; 2. (oblig. après **discuss**, prep., et devant inf.) : **we discussed whether** (la question de savoir si) **we should invite them again** ; – **the question of whether he was there or not has been raised again** ; – **I don't know whether to ask them to tea or dinner** : … s'il faut … ou … ; 3. (en position sujet) : quant à savoir si – **whether he'll come or not is another matter**.

whether + prop. + **or not** : que … ou non, … – **whether he likes whisky or not, he'll have to drink some tonight** (v. MANIÈRE).

whichever : quel(le) que soit le/la … qui/que – **whichever book he chooses, it'll be a good buy** ; n'importe lequel/laquelle qui/que – **you can choose whichever book you like best**.

while : 1. tandis que, alors que − **she was dressed in white, while her sister was in blue**; 2. quoi que, bien que − (= although) : − **while I agree on this point, I'm afraid I have to disagree on all the others.**

whilst (lit.) : while.

whoever : quiconque, qui que ce soit qui/que, quelle que soit la personne qui/que − **whoever disobeys shall be punished.**

whosoever (rare) = **whoever.**

with the exception of : à l'exception de.

without : sans − **he went out without a hat on.**

without excepting : v. **excepting.**

without + ger : 1. sans + inf. − **he walked out without saying "good-bye"**; 2. sans que − **he did it without anybody/them knowing about it.**

yet : 1. (unit deux adj.) : mais cependant − **strange yet true**; 2. (svt : and yet) : (et) pourtant − **I gave him all he asked for, yet he grumbled** (v. **however** 1, **still**).

a (sens distributif) : le/la ; à le/la ; par – **50p a pound ; – 5 miles an hour ; – 3 times a week ; £5 a head** (= par personne).

a damn sight : (+ cptf.) (infml) – drôlement – **you'll have to pay a dam sight more than that for it.**

a few : quelques, un petit nombre de + n. pl. – **I saw a few good films last month** (n.p.c. **few**) (v. **a good few ; quite a few**).

a good few of : bon nombre de – **a good few of those T.V. films are repeats.**

a good many/a great many : un grand nombre de – **a good many people turned up at the meeting.**

a little (avec adj./adv./p.p./v.) : un peu – **a little weak/ better ; – he reads a little in the mornings** (n.p.c. : **little**).

a lot (avec cptf/v.) (infml) : énormément, beaucoup – **he's a lot better today ; – he talks a lot** (v. **lots ; quite a lot**).

a number of : un certain nombre de (v. **any number of**).

a power of (valeur adverbiale) : énormément – **your visit did me a power of good ; he's made a power of money.**

a shade (avec cptf./**too**) : un rien un tantinet ; **his music is a shade too loud.**

a (far/long) sight (adv.) : (avec cptf./**too**) (infml) : infiniment – **you're a far sight too clever ... bien trop malin.**

a sight (+ cptf) (infml) : beaucoup – **the house cost me a sight more than I expected.**

a trifle : très légèrement, un peu – **he's a trifle angry/over 60.**

about : 1. (intensif) – **it's about time you told her** : ... il est grand temps ... – **I've had about enough** : j'en ai plus qu'assez ; 2. environ, à peu près ; – **about 600 people came along – about as tall as you.**

above all : surtout, avant toute chose.

account : v. **from all accounts ; on every account ; on many accounts ; on no account ; not on any account.**

– adj. : **+ as ever** : plus + adj. + que jamais – **he felt young as ever.**

after : v. MANIÈRE.

all (intensif) : complètement – **she was all alone.**

all but : presque ; **some words have become all but meaningless** (n.p.c. : **anything but**).

all in all : tout bien considéré – **all in all it was a pleasant evening.**

all in one : à la fois, en même temps – **he's President and Prime Minister all in one.**

all the better for : mieux/meilleur, grâce à/parce que ; **he felt all the better for the long walk/for going swimming.**

all the less/all the more + adj./p.p. + as/since : d'autant moins/d'autant plus ... que – **he felt all the less depressed/all the happier as she had agreed to come along.**

all the less so/all the more so + as/since : d'autant moins/ d'autant plus que – **he felt happy ; all the more so as she had agreed to come along** (v. ci-dessus).

(be) all one (to s.o.) : revenir au même (pour qqn.) – **I don't mind if we stop now ; it's all one (to me).**

all over (intensif) ; exactement – **That's him all over !** : ça, c'est bien lui !

all right (intensif) : 1. – **He is a cheeky one all right** : a) qu'est-ce qu'il peut être culotté ! (= **how cheeky he is !** ou : **isn't he cheeky !**) ; b) ça, pour être culotté, il l'est (= **it is true that he is cheeky**) ; 2. – **he knows her allright, but he never speaks to her** : pour la connaître, il la connait, mais....

all that + adj./adv./p.p. (int.) : tellement... que cela – **were they all that pleased ?** (v. **not all that**).

all that much more : tellement plus – **I gave her all that much more money than her husband ever did.**

all through : v. TEMPS.

all too (avec adj./adv.) : ne ... que trop, absolument – **They will be all too pleased to help you.**

almost : 1. (avec adj./adv./p.p. non susceptible de degré) : presque – **almost perfect/completed** ; 2. (avec n.) : presque – **he is almost a man now** ; 3. (avec v. activité) : presque, faillir – **he almost fell off the ladder** ; 4. (avec v. état) : s'en falloir de peu que – **I almost like/hate him** ; 5. (avec **every/no/any** et leurs composés ; **all** ; **always** ; **never**) : presque – **almost everybody agreed** ; – **he almost always comes on Sundays** (Rem. **almost never** : dire : **hardly ever** ; **almost nobody** : dire : **hardly anybody**) ; 6. (avec v. nég.) : faillir ne pas – **she almost didn't notice he was there** (Rem. 1. **almost** indique une plus grande proximité que **nearly** ; 2. s'emploie avec éléments non mesurables ou non comparables ou non susceptibles de progression – **he's almost human** (*nearly) – **she almost sounds foreign** (*nearly) ; **3.** almost n'est pas précédé de **not/ pretty/very** à la différence de **nearly**) (v. **barely, hardly, nearly**).

alone (adv.) : seulement, rien que, seul – **you can't live on bread alone** ; – **time alone can heal the wound.**

also (angl. écrit surtout) : 1. aussi, également – **John also plays the guitar** 2. (adv. de phrase) de plus, en outre – **also, there is a greater risk of accidents** (v. **as well, too**).

altogether : 1. (avec terme à valeur nég.) : entièrement, complètement, totalement – **that is not altogether wrong** ; – **that is altogether out of the question** ; 2. (avec adj. non susceptible de degré) : absolument – **this is altogether perfect** ; 3. (tête de phrase) : finalement, en fin de compte, somme toute – **altogether it was a pleasant outing** ; 4. en tout, au total – **She's had three husbands altogether** (Rem. n.p.c. : **all together** : tous ensemble).

and what not ? : et autres choses du même genre.

and whatever (fin d'énumération) : et que sais-je encore.

any (avec adj./cptf) : si peu que ce soit, tant soit peu – **do you feel any better today ?** ; – **he never was any good** ; – **this doesn't look any different.**

any (int.) (US) : tant soit peu – **did that help you any ?** (v. **not any**).

any + n + at all : tant soit peu/si tant est que... – **those who have any money /any books on the subject at all can help him.**

any number of (avec n.pl.) : un grand nombre de (v. **a number of**).

any amount of (avec n. sg.) : quantité de, énormément — **he has any amount of money** (v. **no amount of**).

any such + n. : ... de ce genre — « **It's no good** » **or any such phrase was what he said to her.**

any the better/any the worse for : mieux/plus mal ou pire à cause de — **was the football pitch any the worse for the rain ?.**

anything but ! : pas le moins du monde ! bien au contraire !.

anything but (avec adj.) : absolument pas, en rien — **he was anything but shy** (n.p.c. : **all but**).

anything like : tant soit peu comme — **was the book anything like what you expected ?.**

anything short of : tout sauf — **he'll do anything short of murder to achieve his ends.**

anywhere : 1. quelque chose comme — **there must have been anywhere from/between 500 to/and 700 people.**

apart from (prép.) : à part.

around : environ, vers (= **about** 2).

as ... as all that : aussi... que cela — **is it as difficult as all that ?.**

as + adj. + as ever : plus que jamais — **he was as drunk as ever.**

as a rule : en règle générale.

as anything : adj. + **as anything** : on ne peut plus + adj. — **it's easy as anything.**

as best as one can/could : de son mieux.

as far as : autant que — **I'll help you as far as I can.**

as far as s.o./sth. is concerned : en ce qui concerne qqn./qqch.

as good as (avec adj./v.) : pratiquement — **they're as good as engaged ; — he as good as said....**

as if : v. **ever** 7.

as many/much as : jusqu'à (quantité) — **he could eat as many as six apples in a row/as much as 1lb of ....**

as much : — **I said/thought as much** : c'est ce que j'ai dit/je pensais ; — **twice as much** : deux fois plus ou autant.

as well (après v./cpt.) : aussi, également — **I like coffee as well ; — her sister is coming as well** (v. **also** et **too**).

as well as + adj./adv./n. : ainsi que, aussi — **she came as well as her sister ; — he's kind as well as sensible.**

at all : 1. (aff./int.) tant soit .peu, si peu que ce soit, vraiment — **do you speak English at all ? — to enjoy the taste of tea at all, you must drink it without milk ; — do you think she'll come at all ? ;** 2. (avec **any** et composés : intensif) — **anything at all could happen** : absolument n'importe quoi... ; — **has he had any tea at all ?** : a-t-il seulement pris du thé ? (v. **if ... at all** (CONDITION) et **not at all**).

at best/at the best : au mieux.

at least : au moins, du moins.

at (great) length : dans le détail, à fond, de long en large (v. TEMPS).

at the (very) least (en tête de phrase) (conj.) : au bas mot, au minimum.

at (the) most : au maximum, tout au plus.

at one (with) : d'accord avec.

at one's best : sous son meilleur jour/dans sa meilleure forme.

at one's worst : sous son jour/aspect le pire.

at that (en fin de phrase) : qui plus est — **he is only a fiddler and a poor one at that.**

at (the) worst : au pire.

away (après v. ; intensif) : d'arrache pied, sans désemparer — **he is working away at his thesis.**

barely : à peine, tout juste — **he can barely read yet** (Rem. : **barely** n'est pas suivi de **any, at all, ever, no**) (v. **almost, hardly, nearly** et TEMPS).

better and better : de mieux en mieux.

beyond (prép.) : au dessus de/au delà de — **maths is beyond me** : ...ça me dépasse.

but : v. CONDITION.

by (prép.) : 1. (notion de mesure) — **prices have gone up by 6 %** : ... ont augmenté de... ; — **three inches by two** : ... sur ... ; 2. d'après, selon, si on se réfère à — **by what he says ; — by my watch** : à ma montre.

by all accounts : from all accounts.

by ones and twos : in ones and twos.

by the + n. : (mesure) à — **sell cloth by the yard** : ... au mètre ; — **by the dozen** : à la douzaine — **paid by the hour** : ... à l'heure (v. **a**).

by and large : en gros, à peu de choses près.

by far (avec cptf/spltf.) : de loin, de beaucoup.

clean (adv.) : complètement, entièrement — **he clean forgot to phone her ; — the car went clean through the hedge.**

close on/close to (avec nombre) : près de, pas loin de ; — **there were close to 20 people ; — he is close on 55.**

damn/damned (adv.) (infml.) : foutument, sacrément, vachement, extrêmement — **he is damn silly ; — he drives damn fast.**

damn all (adv.) (infml.) : fichtre rien/mais alors, rien du tout — **you'll get damn all out of him.**

damn near (adv.) (infml.) : il s'en est fallu de peu — **it damn near killed me..**

dead (adv.) : complètement, absolument — **to be dead drunk/tired/right/against sth./on time** (= pile à l'heure).

down (adv. intens.) : idée de diminution ; — **prices are down** : ... en baisse ; — **turn down the gas/television** ; — **the fire is burning down** (attention : **the house was burnt down** : ... complètement (= jusqu'au ras du sol) ; — **boil it down** : réduisez-le par ébullition ; — **to water down wine** : couper, 'baptiser' du vin (sens fig. : édulcorer).

downright (adv.) : carrément, franchement ; purement et simplement.

enough : assez, suffisamment.

even : 1. (devant n./pr.) même — **even John/he gave up ;** 2. (devant adj.) je dirais même — **he looked tired, even exhausted ;** 3. (devant cptf.) encore — **he's even older than I am** (v. **still**).

ever : 1. (avec cptf./spltf.) (intensif) — **I ran as fast as ever I could** : ... de toutes mes forces ; — **the best ever book** : le meilleur livre qui ait jamais existé ; 2. (avec **what, how, when, where, who, why**) diable, donc — **what ever is he doing ? ; — who ever asked that question ? ;** 3. (avec **never**) (infml) — **he never ever mentions my name** : ... jamais, au grand jamais ; 4. (US) — **It's ever big** (= **isn't it big !**) : ce qu'il est gros ! ; 5. (devant **so, so much, such**) (intensif) — **he is ever so tired** : ... épuisé ; -**ever such a nice man** : un type formidable ; 6. (exp. figée) — **... did you ever ?** : sans blague ? Pas vrai ? ; 7. (avec **as if**) — **as if I ever would ask her such a question !** : comme si j'allais lui poser une question pareille !.

everything short of : tout sauf (v. **anything short of**).

extent : v. **to a great/to some extent**.

fairly : 1. (devant adj./adv./p.p. de valeur positive) : assez (sans plus), relativement − **we're fairly good friends** ; (Rem. **fairly easy** : pas trop difficile ; **rather easy** : peut être trop facile ; **fairly** ne s'emploie pas devant cptf. : v. **rather**) ; 2. (infml.) complètement, absolument − **the news fairly upset him** : rudement secoué ; − **he was fairly mad with rage** : absolument fou de rage (v. **pretty, rather, quite**).

far : 1. (avec cptf.) de loin, de beaucoup − **far more difficult** ; **far fewer people than expected** : beaucoup moins de gens que ... 2. (avec **too/too many/too much**) bien trop − **he's far too old for this** ; − **there were far too many books to choose from.**

far and away (avec cptf./spltf.) : de très loin − **he is far and away the better player.**

far be it from me to + B.V. : loin de moi la pensée de + inf..

far from (avec adj./ger.) : loin de + adj./v. − **he's far from (being) stupid.**

first : 1. d'abord (raisonnement) − **first, I don't like coffee, then** ... ; 2. tout d'abord − **he first asked my name** ; 3. au début (v. TEMPS) ; 4. plutôt − **I won't let you do that** ; **I'll die first** ; − **I'd give up my job first, rather than accept such conditions** (v. TEMPS).

first and last : avant tout, avant toute chose.

first and foremost : surtout, en tout premier lieu.

first of all : tout d'abord (raisonnement).

firstly (peu employé) : **first** 1..

flat (adv.) : 1. complètement − **flat broke** : complètement fauché ; 2. exactement − **he did it in three minutes flat.**

for the most part : pour la plupart, en général ; dans l'ensemble.

from ... to : de/depuis ... à/jusqu'à, ├ **he's risen from office boy to director** : il est passé de ... à ... (v. TEMPS).

from all accounts : aux dires de tout le monde.

from scratch : à partir de zéro/de rien.

good and + adj./adv./p.p. (infml) : complètement − **he was good and angry** : dans une colère noire.

half : à demi − **I half guessed what he meant** (v. **not half**).

hard (adv.) : avec effort, avec acharnement, dur (n.p.c. : **hardly**).

hardly : 1. (avec **can/could**) à peine − **he can hardly speak English** ; 2. très peu, guère − **I hardly know him** ; − **this is hardly the time to ask for a rise** (n.p.c. : **hard**).

hardly any : presque pas − **I have hardly any money left.**

hardly anybody/anything : presque personne/rien.

hardly ... at all : c'est à peine si − **I hardly know him at all.**

... hardly ... when : ... à peine ... que − **I had hardly finished speaking when the telephone rang** ou : **hardly had I ... when ...** (v. ... **scarcely ... when**).

hardly ever ... (+ any et composés) : presque jamais ... − **he hardly ever eats anything** ; − **he hardly ever has any (money).**

how much (int.) : jusqu'à quel point ? dans quelle mesure ? − **how much does she really want to marry him ?** (v. **to what extent**).

in a small way : sur une petite échelle, petitement.

in a way : en un sens, d'une certaine façon.

in a way or another : d'une façon ou d'une autre.

in any way (int.) : en quoi que ce soit − **Can I help you in any way ?** (v. **any way**, MANIÈRE).

in addition (to) : en plus (de).

in all respects : à tous égards.

in as far as : dans la mesure où − **in as far as I can believe her.**

in many respects : à maints égards.

in many ways : sous bien des aspects, à bien des égards.

in no way : en aucune façon.

in one = all in one.

in ones : à la pièce − **sold in ones.**

in ones and twos : par petits groupes.

in part : en partie, partiellement.

in so far as/insofaras = as far as.

in some ways : à certains égards.

in the order of : de l'ordre de − **his earnings are in the order of £40,000 a year.**

in the first instance : en premier lieu, tout d'abord.

in the first place : premièrement, en premier lieu.

in twos/in threes : par deux par trois ; deux à la fois trois à la fois.

indeed : 1. (intensif) (après **very** + adj./adv./p.p. ou **very much** et **very well**) − **he was very tired indeed** : ... épuisé ; − **he speaks English very well indeed** : ... remarquablement ... ; 2. (confirme assertion) certes, assurément, − « **he runs very fast** » « **(he does) indeed** » ; 4. (surprise, ironie) (int.) : vraiment ?, − « **he paid for the meal** » « **(did he) indeed ?** » ; 5. Il faut reconnaître que − **indeed he sounds much younger on the telephone** ; 6. je dirais même/plus − **I'm not certain, indeed I do not believe that** ... ; 7. en effet, effectivement − **I may indeed manage to persuade him** ; − **he said he'd come round and indeed he did.**

into the bargain : en plus, par dessus le marché − **I was given the piano stool into the bargain.**

jolly (Br. E. infml.) : très, rudement − **it's jolly nice of you.**

just : 1. exactement − **it's just nine o'clock** ; − **just how did you do it ?** 2. tout simplement − **he just gave it up** ; − **just tell me** : vous n'avez qu'à me le dire ; 3. − **just you wait !** : attends un peu ! ; 4. (avec adj. positif) absolument − **that's just marvellous** ; 5. ne ... que ; juste − **he's just a kid** ; 6. (avec **over/under**) un peu (plus de/moins de) − **he's just over seventy** ; − **it cost me just under £5** ; 7. de justesse − **he (only) just caught the train** ; − **we (only) just missed it** : ... d'un rien ; 8. (infml) − **I should just say/think** : ça, je vous crois/je suis bien d'accord ; 9. (inter-nég.) ça, c'est vrai ! − « **we worked hard** » « **didn't we just ! »**.

just about : 1. presque − **they'd just about won the game when the rain started** ; 2. de justesse, de peu − **they just about won the game with a lead of one point** ; 3. (intensif) − **he just about lost his temper** : il s'en est fallu de peu ... ; − **I've had just about enough** : j'en ai plus qu'assez.

just as ... as ... : tout aussi ... que − **he sings just as well as she does.**

just on (infml) : presque − **he's just on eighty** (v. **just not on**, MANIÈRE).

just the thing : 1. exactement ce qu'il faut − "**here is some money**" "**Just the thing ! I was broke**" ; 2. exactement ce que je voulais dire.

just so ! : justement !.

just so much : rien d'autre que... ! − **all these hand-outs are just so much propaganda !**.

kind of : 1. (avec adj.) (infml) comment dire; plutôt – **he's kind of nice**; 2. (avec v.) (infml) comme qui dirait, plus ou moins – **I kind of like him**; – **I kind of expected this** (Rem. : parfois écrit : **kinda**).

(and) last but not least : (et) dernier point mais non le moins important.

last but one : avant dernier.

least (adv.): le moins – **it all happened when I least expected it.**

least of all : surtout pas – **none of them can complain, Jack least of all.**

less ... (than) : moins ... (que).

less and less : de moins en moins.

let alone : encore moins, à plus forte raison, et je ne parle pas de – **I don't trust women, let alone men;** – **he can't even walk, let alone run.**

like : v. MANIÈRE.

like anything (intensif) : au maximum – **they laughed like anything :** ... comme des fous; – **I've worked like anything :** ... comme un dingue.

like hell ! (infml) 1. tu parles ! pas si con ! – ''he paid for it, didn't he'' ''like hell (he did)''; 2. = like anything – **he shouts like hell when he loses at cards.**

little : 1. (avec v.) (lit.) peu, guère – **he little realizes how hard I've worked**; 2. (avec p.p.) peu (= rarement) – **this play is little performed nowadays**; 3. (avec cptf) guère – **he was little worse after the accident** (n.p.c. : **a little**)..

little by little : peu à peu.

little short of : 1. (avec adj.) presque, pas loin (d'être) – **his attitude is little short of foolish**; 2. (avec n.) pas moins de, il faudrait au moins – **little short of a revolution could put things right** (v. **nothing short of, short of**).

lots = a lot.

many a + n. sg. (lit.) : maint – **many a man has hoped in vain.**

mighty (adv.) (intensif) (infml) : rudement, bougrement – **we had a mighty good meal.**

more : plus, davantage – **he ought to practise more.**

more than : plus ... que – **he earns more than I do.**

more and less : plus ou moins; environ, pas exactement – **this will cost £50, more or less.**

more and more : de plus en plus.

most : 1. le plus – **what worries me most is his laziness**; 2. (devant adj.) (valeur subjective) : très, des plus – **this is most unpleasant**; 4. US (infml) = almost – **most everybody = almost everybody.**

most of all : le plus, par dessus tout ou avant tout.

much : 1. (v. nég.) pas beaucoup, peu – **I don't care for that kind of music much** ou **I don't much care for ...**; 2. (v. aff.) (rare et lit.) beaucoup – **I much appreciated your help** (= **a lot, very much**); 3. (avec p.p.) très – **much surprised,** etc (v. gramm.); 4. (avec cptf.) bien plus – **he's much lazier than I am**; 5. (avec sptlf.) de loin – **this is much the most interesting book I've read yet** (v. **far, by far**)..

much as + prop. : (v. CONDITION).

much less : et encore moins, ni à plus forte raison – **he didn't even speak to her, much less smile at her..**

much of + n. (int.) : vraiment ? – **is he much of an actor ?** (v. **not much of**).

much the same + n. : presque le même + n. – **much the same sort of problem.**

much to one's + G.N. : – **much to my regret :** à mon grand regret..

much too + adj./adv. : beaucoup trop..

nearly : 1. presque – **it's nearly perfect/finished/over/6 o'clock** (**nearly** est moins proche que **almost**); 2. (avec v.) faillir – **he nearly fell off the chair** (Rem. : **nearly** peut précéder **all, every, always, v. nég.** ; s'emploie après **very, v. very nearly, pretty nearly, not nearly**; ne s'emploie pas devant **any/no/none/never** (v. **almost, barely, hardly**)..

never (neg. d'insistance) : pas (du tout), absolument pas – **I never slept a wink all night** = je n'ai pas fermé l'œil de la nuit.

never even : même pas – **he never even apologized.**

never so much as = never even – **he never so much as apologized.**

next to : tout de suite après – **next to swimming, I like playing tennis best.**

next to no + n. : presque pas de + n. – **he drank next to no wine.**

next to nothing : presque rien – **I paid next to nothing for it.**

nice and (avec adj./adv.) (renforce l'opinion favorable exprimée par le 2e adj.) – **nice and hot soup** : de la soupe bien chaude.

nil : zéro, à rien – **the game ended in 4-0** (lire : **four-nil** ou **four nothing**).

no : 1. (avec adj.) en rien – **this book is no different from other ones**; 2. (avec cptf.) pas du tout, absolument pas – **he's no better today**; 3. (avec n.) en aucune façon, loin s'en faut – **he's no fool/no friend of mine**; – **this is no unimportant question.**

no amount of (avec n. sg.) : aucune quantité de ... ne ... – **no amount of money will make him change his mind.**

no end : énormément – **she liked riding a motor bike no end** (n.p.c. **on end** v. TEMPS).

no end of (avec n.sg./pl.) : énormément de – **he had no end of money and therefore of friends.**

no number of (avec n.pl.) : un très grand nombre de – **no number of well-known film stars were there.**

no + n. + to speak of : pratiquement pas de – **he had no money to speak of.**

no sooner ... than : v. TEMPS.

no way : 1. en aucune façon, nullement; 2. rien à faire ! pas question !.

none but : uniquement.

none of : arrêtez ! – **none of that;** – **none of your insolence, please.**

none the + cptf. (for) : pas plus/pas moins (pour/à cause de/malgré) – **he was none the wiser (for it) :** ...pas plus avancé (pour cela); – **the outing was none the less pleasant for the rain.**

none too + adj./adv. : pas, pas tellement – **he was none too pleased;** – **I played it none too well** (n.p.c. : **all too**).

not (après le v.) : que non – **I hope not;** – **I'm afraid not.**

not a bit (infml) : pas le moins du monde, pas du tout.

not a few (avec n. pl.) : un grand nombre de – **not a few people agreed.**

not a little (avec n. sg.) (fml) : pas qu'un peu, beaucoup – **he earned not a little money.**

not all + n. pl. : (en tête de prop.) tous/toutes les ... ne pas ... – **not all the people present applauded** (v. **not every**).

not all that (avec adj./adv./p.p.) : pas tellement/ si... que ça – **the book wasn't all that difficult.**

not any : US = GB : not at all − that didn't help me any.

not any + n. (+ can/will) : ce n'est pas n'importe quel + n. qui ... − not any painter can paint a portrait.

not any the + cptf. (for) = none the + cptf. (for).

not any too = none too.

not anybody (en tête de prop.) (+ can/will) : ce n'est pas n'importe qui... − not anybody can speak English like him.

not anywhere as ... as ... : pas aussi ... que, loin s'en faut − this book isn't anywhere as good as the preceding one.

not anywhere enough : pas assez, loin de là − £5 is not anywhere enough.

not anywhere near : pas ..., loin s'en faut − he isn't anywhere near the same man; − she wasn't anywhere near being the best looking woman in the room (v. nowhere near).

not at all : pas du tout.

not even : même pas.

not every + n. : tous/toutes les ... ne ... pas ... − not every woman likes to knit.

not everybody : tout le monde ... ne ... pas ... − not everybody likes tea.

not for a moment : surtout pas − I do not for a moment want you to distrust me.

not for anything/not for the world : pour rien au monde − she wouldn't go up in an airplane for the world (v. not on any account).

not half (infml) : tu parles ! pas qu'un peu ! − "did you like it ?" "not half !"; − he didn't half drink !.

not half (avec adj./adv./p.p.) (infml) : rudement − the film wasn't half good !.

not half as ... : nettement ... + cptf. de l'antonyme de l'adj. angl. − he didn't feel half as bad after the doctor left : il se sentit nettement mieux ....

not in the least : pas le moins du monde.

not in the slightest : not in the least.

not least because : surtout parce que.

not much of a : pas grand chose à voir avec (qualité) − he isn't much of a photographer : ... un piètre photographe (v. much of).

not much of a one for : ne pas être grand amateur de.

not nearly enough : pas assez, loin s'en faut − £5 is not nearly enough.

not nearly + adj. + enough : v. ci-dessus − this isn't nearly good enough : loin d'être satisfaisant.

not nearly as/so ... as ... : pas aussi ... que ..., loin s'en faut − this story isn't nearly as funny as the one you told us last night (v. nothing like as ...).

not on any account : en aucun cas, sous aucun prétexte (= on no account).

not so much as ... (avec v.) = not even − he didn't so much as apologize.

not that + adj. : v. that + adj.

not that much : pas tellement que ça − I didn't like the film that much.

not (be) up to much : ne pas valoir grand chose.

nothing but : ne ... que − he's nothing but a fool (v. CONDITION) (n.p.c. : anything but).

nothing doing (réponse) : pas question − "Come along to dinner with us" "Nothing doing" (v. no way).

nothing if not : tout sauf pas − he was nothing if not clever.

nothing like/nothing clear : en aucune façon ! − "Will £2 be enough ?" "nothing like !".

nothing like as ... (as)/nothing near as ... (as ...) : pas aussi/autant que ..., loin s'en faut − he worked nothing near as hard (as I did).

nothing of the kind : 1. pas du tout ; 2. il n'en est pas question.

nothing short of : rien de moins que − nothing short of a palace would please him (v. little short of et short of).

nothing to + gér. : rien de plus facile que de + inf. − there's nothing to playing the piano.

nothing to it : rien de plus facile.

nothing to speak of : pour ainsi dire rien/sans intérêt − his speech was nothing to speak of.

nowhere near + adj. : pas ..., loin s'en faut − the bus was nowhere near full.

nowhere near as ... as : pas aussi ... que ..., loin s'en faut − she's nowhere near as clever as she is.

nowhere near + gér. : loin de + v. − he's nowhere near being clever.

of : (dans le schéma : det. + n. + of a + n.) − don't talk to that idiot of a landlord : ... cet idiot de propriétaire.

of a sort : qui vaut ce qu'il vaut.

of all days (surprise) : entre tous les jours possibles.

of all people (surprise) : entre tous (les gens imaginables) − fancy meeting you, of all people, in the Savoy Hotel.

of sorts = of a sort.

off : v. TEMPS et LIEU.

on : v. TEMPS et LIEU.

on every account : de tout point de vue.

on no account : v. not on any account.

on the side : 1. en plus, par ailleurs − he makes a bit of money on the side ; 2. en secret, en douce − he is having an affair on the side.

on the verge of : sur le point de, au bord de, à deux doigts de − she was on the verge of tears.

on the whole : dans l'ensemble.

on top (of) : en plus (de).

on top of the world : très heureux, en pleine forme.

once too often/too many : v. TEMPS.

one and all : tous sans exception.

one and only : seul et unique − the one and only Frank Sinatra.

one in + chiffre : (proportion) 1. a slope of one in five : ... une côte à 20 % ; 2. one in a thousand : un/une sur mille (v. out of).

(be) one to + BV : (être) personne à + inf. − I'm not usually one to complain.

(be) one up (on s.o.) : avoir l'avantage (sur qqn.).

one who/one that = one to.

one too few : un(e) de moins (que prévu).

one too many : un de trop − he's had one drink too many.

only : 1. (porte sur mot qui suit) ne ... que ... ; seulement ; seul − only John/a man/he can do it ; − I only wanted to help you : je voulais seulement ... (Rem. : en pratique only est souvent placé devant le verbe : I only saw John yesterday, selon intonation et/ou accentuation, peut signifier : a) je n'ai vu que John hier (et pas Jane) ; b) je n'ai vu John qu'hier (et pas avant) ; c) je n'ai fait que voir John (je ne lui ai pas parlé) ; d) il n'y a que moi qui ai vu John ; 2. (avec date, heure, jour, etc) − only yesterday I received ... : pas plus tard qu'hier ... ; 3. (avec date, heure, jour, etc) − only yesterday did I receive... : ce n'est qu'hier que ... (Rem. : comparez 2 et 3 ; remarquer la forme du v.).

only just : 1. presque pas − I have only just enough money ; 2. de justesse − I caught the train, but only just (v. just about 2).

or : (v. MANIÈRE).

or anything : ou je ne sais quoi, ou autre chose.

or otherwise : v. CONDITION.

or so : (indication numérique) à peu près, environ − **in a week or so**; − **he's twenty five or so**; (v. about).

or so + prop. : du moins c'est ce que ... − **or so I heard/read/thought/said.**

other than : autre chose que − **she can hardly be other than pleased about this.**

other than : autrement que − **you can't get there other than by train.**

out (intensif) : à fond, complètement − **I'm tired out**; − **let's clean out the cupboards**; 2. (intensif) − **speak out** : parlez franchement (v. **up**) (v. TEMPS et LIEU); 3. jusqu'au bout − **hear me out.**

out and away (avec sptlf) : de loin − **he's out and away the best actor I know.**

out and out : 1. (adj.) parfait, complet, véritable − **he's an out and out scoundrel**; 2. (adv.) même sens que 1. − **he's a scoundrel out and out.**

out of : sur (proportion) − **three out of four.**

(be) out of : ne plus avoir − **we're out of money.**

out of tune : faux − **he sings out of tune.**

out of the way (adj.) : 1. insolite, anormal, inhabituel; 2. impropre, incorrect (v. LIEU).

outright : 1. ouvertement, sans détours − **tell him outright how you feel about this**; 2. sur le coup − **he was killed outright**; 3. au comptant − **he bought the house outright**; 4. de façon incontestable − **she won outright.**

outside : au delà de, dépassant (quantité) − **anything outside £50 is out of the question** (v. LIEU).

over : 1. (avec adj./adv.) plus que (de raison) ou très − **she was over anxious**; 2. en plus, qui reste − **there were £10 over**; 3. (avec indication chiffrée) plus (de) − **he spoke for over two hours**; − **children of 12 and over**; 4. au dessus de (hiérarchie) − **he was over her in the office for years.**

over and above : en plus de; en sus de − **he gets tips over and above his wages.**

overall : 1. en général; globalement − **overall the cost of living is still going up**; 2. de bout en bout, en tout − **the room measured 10ft. 6 ins. overall..**

overmuch (adv.) de façon excessive; beaucoup − **he doesn't like work overmuch.**

past (prép.) : au delà de − **he is ill and past hope.**

(be) past it : ne plus être dans la course − **he's a bit past it nowadays.**

per : par (répartition) − **£20 per week/per head** (v. a et **by the** + n.).

plenty (adv.) (infml.) : 1. (GB) largement − **the house is plenty big enough to sleep twelve people**; 2. (US) très, extrêmement − **the meal was plenty good.**

plenty (of) : (bien) assez/suffisamment (de) − **he's got plenty of money** (v. **enough**).

precious little/few : (adv.) (infml.) très peu de + n. sg./n. pl..

pretty (adv.) (infml.) : 1. (avec adj./adv. de valeur positive) assez, plutôt − **this was a pretty good film** : il n'était pas mal du tout, ce film; − **pretty certain** : à peu près/pratiquement certain; − **I'm feeling pretty well today** : ... plutôt bien; 2. (avec adj./adv. de valeur négative) très; bien − **this is a pretty poor achievement** : voilà un résultat bien médiocre; − **this was a pretty bad picture** : très mauvais, ce film; (Rem. : **pretty** est plus affirmatif que **fairly** ou **rather**).

pretty much : à peu près, à très peu de chose près, pratiquement − **this is pretty much what we expected/as difficult as the other exercise.**

pretty nearly : à peu près − **pretty nearly all the people present agreed** (v. **nearly**).

pretty well : pratiquement − **we've pretty well finished, haven't we ?**; − **pretty well everybody agreed with me.**

quite : 1. (réponse) : parfaitement, c'est exact − "it's a difficult problem" "quite"; 2. (avec adj. ou v. à valeur absolue) : tout à fait, complètement, très − **quite different/new/right/rich/old**; − **I quite agree/forgot/understand**; 3. (avec adj. ou v. susceptible de degré) : assez, plutôt, relativement − **quite nice**; **quite a good film** : un film pas mal du tout; − **it's quite a large room, but...**; **I quite enjoyed the film, but...**; 4. **quite a/some + n.** (valeur excl.) − **that was quite a party** : ça, c'était une réception !; − **she's quite some girl !** : une sacrée fille !; 5. (+ cptf./sptf.) : nettement, de loin − **I feel quite better today**; − **this is quite the dullest play I've seen yet..**

quite a bit : énormément, vraiment beaucoup − **I enjoyed the play quite a bit.**

quite a few : bon nombre de, pas mal de − **quite a few people have stopped smoking.**

quite a lot : vraiment beaucoup de − **quite a lot of people are trying to stop smoking.**

quite so : quite 1.

(be) quite something (infml) : ne pas être rien − **it's quite something to be awarded the Nobel Prize.**

quite the thing : exactement ce qui convient; à la mode − **mini-skirts were quite the thing in the late sixties.**

rather : 1. (excl.) : tu parles ! plutôt ! et comment ! − "do you like wine ?" "**rather**"; 2. (avec adj./adv./p.p. de valeur neg.) : assez, plutôt, un peu trop − **rather disappointed/hot/stupid/odd/expensive**; − **he's rather a touchy/silly boy**; 3. (avec adj./adv./p.p. de valeur positive) : très, nettement − **rather pleased/good at maths/good-looking**; − **a rather nice film**; 4. (avec n. ou v.) : tout à fait, vraiment − **that's rather a pity**; − **I rather think you're mistaken**; − **I rather like that film**; − **the rain rather spoilt our holiday**; 5. (+ cptf) : un peu, plutôt − **I feel rather better/worse** (Rem. : **rather** implique l'idée que qqch./qqn. est plus que ce qu'il est d'habitude ou qu'on ne s'y attendait ou qu'on ne le souhaiterait) (v. **fairly, pretty, quite**).

rather a lot (of) : vraiment beaucoup (de) − **he likes detective films rather a lot**; − **that's rather a lot of money.**

rather than + B.V. : plutôt que de + inf. − **he walked home rather than pay the bus.**

rather too (avec adj./adv.) : nettement trop − **this book is rather too easy;.**

right (adv.) : tout, complètement, tout à fait − **stand up right against the wall**; − **let's go back right to the beginning.**

round/round about : aux environs de, vers − **he came along round (about) six o'clock.**

scarcely : 1. (avec adj./v.t/v.i) à peine − **I scarcely know him**; **she speaks scarcely a word of English**; − **I scarcely slept a wink all night** = c'est à peine si j'ai fermé l'œil de la nuit; **he's scarcely fifteen**; 2. difficilement, tout de même pas − **you can scarcely expect me to believe that**; 3. (pompeux) certainement pas −

you could scarcely have found a better dictionary (v. TEMPS, **barely, hardly**) (Rem. : à la différence de **barely, scarcely** peut être suivi de **any, ever, at all**).

scarcely any : v. **hardly any**.

scarcely anybody/anything : v. **hardly anybody/anything**.

scarcely ... at all : v. **hardly ... at all**.

scarcely ever : v. **hardly ever**.

scarcely ... when : v. **hardly ... when**.

second to none : sans pareil, inégalable.

short of : 1. (avec ger.) à moins de/si ce n'est de + inf. − **what can you do short of asking him to help you ?** (voir **anything/everything/nothing short of**).

so (à dr. du v.) : à ce point − **you mustn't worry so.**

so (devant v. ou à dr. cpt.) : (lit.) : tellement − **he so loved her/he loved her so..**

so + adj./adv./p.p. : 1. (infml) : très − **I'm so glad you came**; 2. tellement, à ce point − **don't get so excited**; 3. (v. + **so** + adj./adv./p.p.) : tant + prop. − **I could not make out a word he said; he spoke so fast** : ... tant il parlait vite.

so + adj. : adj. + comme ça − **the fish I caught was so long.**

so + adj./adv./p.p. + (that) ... : si/tellement ... que ... − **he was so pleased that he smiled at me..**

so + adj./p.p. + a + n. : (fml) − **he was so nice a man** (= such a nice man) : c'était un homme si sympathique.

so + adj. + as to + BV : assez ... pour, ... au point de + inf. − **be so kind as to close the door; the door was so narrow as to allow only one person in at a time.**

so far : jusqu'à ce point − **I can only trust him so far** (v. TEMPS).

so little : si peu.

so little ... (that) : si peu que − **she eats so little that it's a wonder she is still alive.**

so much = **just so much**.

so much : tellement − **I like tea so much.**

so much (that) : − **she loved him so much that she couldn't go away.**

so much for : c'en est fini de − **it's started raining, so much for my idea of taking a walk**; − **so much for your promises !** les voilà bien vos promesses !.

so much for that : 1. tant pis; 2. passons à autre chose.

so much the better : tant mieux.

so much the worse : tant pis.

so so : 1. (adj.) (infml) très moyen, pas fameux; 2. (adv.) (infml) comme-ci, comme-ça.

so very + adj./adv./p.p. : (intensif) on ne peut plus... − **It was so very kind of you.**

some : 1. (avec dénombrable : valeur excl.) [s ∧ m] − **this is some car !** : ça, c'est de la voiture !; − **he's some driver !** : ça, il sait conduire !; 2. (avec indication numérique) environ − **he waited some few minutes** : ... deux ou trois minutes; − **some forty to fifty people** : quelque ...; 3. (US) quelque peu, un peu − **I feel some better**; − **I managed to eat some last night**; 4. (US) (infml) : beaucoup, pas qu'un peu − **you'll have to run some to catch him up.**

somehow : v. MANIÈRE.

(see) something of s.o. : voir un peu − **I hope I'll see something of you before long.**

something of a + n. : 1. quelque peu − **he's something of a crook**; 2. assez bon − **he's something of a pianist.**

something like : environ − **it cost him something like £50.**

something over : un peu plus de − **it cost something over £5.**

sort of = **kind of.**

still (avec cptf.) : encore − **he's feeling still worse** (v. **even** 3. et **yet**) (v. CONDITION et TEMPS).

straight (adv.) : 1. (tout) droit − **he can't walk straight**; 2. directement; sans retard/détour − **he went straight from college to business**; − **come straight to the point**; 3. sec, sans eau − **he drinks his whisky straight.**

straight away : v. TEMPS.

straight out : v. MANIÈRE.

such : 1. tel − **such is my intention**; 2. (excl.) − **he is such a liar !** : quel menteur; − **he gave her such a fright !** ... une de ces peurs !; − **we had such fun !** : ce qu'on s'est amusés !.

such + adj. et n. (+ as) : aussi + adj. et n. (+ que) − **we haven't had such nice weather (as this) for a long time**; (v. MANIÈRE).

such as (énumération) : comme par exemple − **they only ate greens such as peas and beans** (v. **like**, MANIÈRE).

such + n. + as to : ... au point de ... − **is he such a fool as to lend you money ?** (v. **so** + adj. + **as to** + BV).

that + adj. : tellement − **was he that tired ?**; − **we didn't go that far** (v. **all that**).

that much : 1. cette quantité-là − **I only want that much (tea)** (v. **this much**); 2. ceci ou cela (au moins) − **I understood that much** (v. **this much**).

that much more : tellement plus − **he earns that much more money in his new job, you know.**

that's all there is to it : c'est pas plus difficile que ça (v. **nothing to**).

the + cptf ..., **the** + cptf ... : plus.../moins...; plus.../moins... − **the faster you run, the less easy it is to catch you up.**

the better for : mieux grâce à − **the room looked the better for the red roses** : ... avait meilleur aspect... (v. **all the better for**).

the less/more ..., the less/more ... : v. ci-dessus : **the** + cptf.

the first : v. **the slightest**.

the less so as/since/because : d'autant moins que − **he didn't feel depressed, the less so as she'd agreed to come along.**

the more so as/since/because : d'autant plus que − **he felt depressed, the more so as bad news kept coming in.**

the one + n. : le/la seul(e) + n. − **the one friend I had is now dead.**

the second/next best : ce qu'il y a de mieux tout de suite après − **for him, table tennis is the next best to tennis.**

the slightest : le/la moindre − **he has not the slightest (ou : the first) idea about what he should say.**

the very best : le meilleur possible.

the very first : le tout premier.

the very last : le tout dernier.

the very same : exactement le même.

the worse for : pire ou plus mal à cause de − **they were the worse for drink/for having drunk too much** (v. **the better for**).

this + adj./adv. : aussi ... que cela − **she's never been out this late before.**

this much : 1. Cette quantité-ci (et pas plus) − **give me this much bread**; 2. ceci (au moins) − **having said this much**; − **this much is certain** (v. **that much**).

through (adv.) : jusqu'au bout − **read it through.**

(be) through to sb. : (téléphone) avoir qqn. en ligne.

(be) through : 1. (téléphone) avoir la communication ; 2. avoir fini, − **are you through yet ?** ; 3. être brouillés, − **I think they're through, the engagement has been cancelled.**

(be) through with : en avoir fini avec qqch./qqn. ; être brouillé avec qqn., − **are you through with that book ?** ; − **he's through with her.**

through and through : complètement − **I am wet'through and through.**

throughout (adv.) : complètement, à tous égards (v. **throughout** LIEU ET TEMPS).

to : 1. (numérique) jusqu'à − **count to ten, again ;** − **it's twelve miles to Leeds ;** 2. à − **the score was five to three ;** 3. (proportion) à/au. − **this car does eight miles to a gallon ;** − **one person to a room :**... par chambre ; 4. − **she must be forty to forty-five :** ... entre 40 et 45 ans.

to a great extent : dans une large mesure.

to a man : tous sans exception, tous tant qu'ils sont/étaient. − **they were killed to a man.**

to some extent : dans une certaine mesure (v. **in a way**).

to spare (à droite d'un n.) : de trop ; en plus ; disponible − **if you have money to spare,** ... ; − **we got to the station, with an hour to spare :** ... d'avance.

to the day : jour pour jour − **they got married 3 weeks ago to the day.**

to the last man : jusqu'au dernier (v. **to a man**).

together with : avec, en même temps que − **these figures together with the previous ones show....**

too : 1. (avec adj./adv.) trop − **too old ;** − **too quickly ;** 2. (**too** + adj. + **a** + n.) : un/une + n. + trop + adj. − **he is too nice a man to say a thing like that ;** 3. (en fin de prop.) également, aussi, d'ailleurs, − **she can sing and dance too** (= **as well**) ; 4. (en fin de prop.) qui plus est − **she is a woman and an old woman too ;** (US) oh, mais si, − **"I won't go" "you will too !"** (Rem. : **he, too, drives fast :** lui aussi... ; **he drives too fast** : trop vite ; **and he drives fast too** : et de plus,...).

too few/too little : trop peu de (pl./sg.).

too many/too much : trop de (pl./sg).

towards : vers, − **towards the end of the play.**

twice as many/as much : deux fois plus, − **I've got twice as much (money) as you have.**

twice over : deux fois plus que de raison, − **we paid twice over for a poor meal.**

under : 1. (de) moins (de) − **we paid under £5 for it ;** − **boys of 14 and under ;** 2. sous les ordres de − **she worked under him for 5 years** (v. **over**).

up : (adv. intens.) : 1. complètement, jusqu'au bout − **drink it up ; tear it up** : en petits morceaux ; 2. accroissement − **speak up** : parlez plus fort ; **turn up the gas/television** : mettez plus fort... ; **prices are up** : en hausse ; 3. solidement − **tie/fasten up the parcel** (v. **down** et TIME).

up to : jusqu'à atteindre − **the temperature went up to 26° centigrades.**

up to a point : jusqu'à un certain point (v. **to a certain extent**).

(be) up to sth. : préparer, mijoter qqch. − **what is he up to ?.**

upwards of (nombre ou prix) : plus de − **upwards of twelve people.**

very : très, − **very nice/fast** (v. **most, much, very much**).

very few/very little : très peu de (pl./sg.) − **very few people agreed ;** − **she speaks very little English.**

very little (adv.) : très peu − **she eats very little.**

very many/very much : énormément de (pl./sg.).

very much : 1. (avec certains p.p. ; v. gramm. ; surtout avec **by**) : très − **she was very much rewarded by the success of her book ;** 2. (devant v. appréciatif) beaucoup, énormément − **I very much liked/appreciated the play.**

very well ; − (après c.o.d. ou v.i.) : très bien − **she sang that song very well ;** − **shell sings very well.**

way (adv.) (US) : très, de loin − **she's way ahead of her class/above the others ;** − **way back in the sixties :** il y a très longtemps dans les années 60.

well ; bien (v. **very well** et MANIÈRE).

what (avec den. pl. ou inden. sg.) : ce que ... comme − **I gave her what books/what money I could spare** (*what book).

what few/what little : le peu de ... que ... (pl./sg.) − **I spent what little money I had left ;** − **what few friends I have... :** les rares amis....

(and) what have you : (fin de prop.) ; et autres choses du même genre.

what of it/what of that ? : quelle importance cela a-t-il ? ou : et alors ?.

what's more : qui plus est.

what the devil/the dickens = **what ever** (v. **ever 2.**).

what's what (à droite du v.) : ce qui est important ; comment s'y prendre − **he knows what's what.**

what with ... and ... : entre ... et ... ; avec ... et, en plus, ..., − **what with his wife being ill and money running out, it was just too much for him.**

whatever : 1. (pron.) : tout ce qui/ce que − **he eats whatever he can get hold of ;** 2. (adj.) n'importe quel/quelle, tout /toute + n. − **he will answer whatever question you'd like to ask him** (v. CONDITION).

with a vengeance : pour de bon ; pas qu'un peu.

without so much as + ger. : sans même + inf. − **he left without so much as saying 'good bye'** (v. **not even, not so much**).

yet (avec cptf) : encore − **she sang yet better** (v. **even 3., still**) (v. CONDITION et TEMPS).

yet again : encore une fois.

yet another : encore un autre.

yet once more : encore une fois (3ᵉ fois au moins).

a good/long way away/off : (v. aff.) à une bonne distance d'ici ou de là – **he's come a long way away** : il vient de loin.

a long way : loin – **we walked a long way** (v. **far**).

aboard : 1. (adv.) à bord – **all aboard !** : (ch. de fer) en voiture ! (naut.) tout le monde à bord ; 2. (prep.) à bord de – **they went aboard the ship/ the train/the plane.**

about : 1. (adv.) a) en tous sens, çà et là – **they were running about** ; b) à proximité – **there was nobody about** ; 2. (prep.) autour de – **he looked about him** ; – **his travels about the world** ; 3. près de – **I dropped my glove about here** ; 4. sur – **I have no money about me** (= **on**) (v. **around** et **round**).

above : 1. au-dessus – **the flat above** ; – **the tenants above** : les locataires du dessus ; – **the powers above** : les autorités supérieures ou les puissances célestes ; 2. (prep.) au dessus de (≠**below** ; v. **over** et **DEGRÉ**) – **their flat is just above ours** – marks **above the average.**

abroad : à l'étranger – **to live/go abroad ; news from abroad** : nouvelles de l'étranger.

across : 1. (adv./prep.) en travers de, d'un côté ou bord à l'autre, sur toute la largeur de (plan horizontal) – **a headline across the front page** (v. **over** et **through**) – **he ran across (the street)** ; 2. (prep.) de l'autre côté de ; en face – **the shop across the street.**

after : après, plus loin que – **after the traffic lights** (v. **beyond**).

against (prep.) : 1. (choc, collision) : contre, sur – **he bumped his head against the mantelpiece** ; 5. (contraste) : – **against the light** : à contre-jour ; – **the trees were black against the rising sun** : ... se détachaient ... sur ...

ahead (of) : en avant, devant – **she ran on ahead (of the others).**

all around ; tout autour, de tous côtés.

all over : (adv./prep.) partout (sur) – **bottles lying all over (the floor)** ; – **it was white with black spots all over.**

all over the place : partout.

all over the world/all the world over : à travers le monde/ dans le monde entier.

along : 1. (adv.) idée d'accompagnement ou de continuation – **your sister can come along too** ; – **they walked along** (ou : **on**) **in silence** ; 2. (prep.) **le long de** – **trees grew along the road.**

alongside (prep.) : le long de, au bord de, tout à côté de – **he stopped alongside the kerb.**

amid(st) (lit.) : parmi, au milieu de.

among : parmi, entre (lit. : **amongst**).

anywhere : n'importe où.

anywhere else : en n'importe quel autre endroit.

apart : à distance, séparé (par) – **the two houses were three miles apart** ; – **with his legs apart** : ... écartées.

around (US = GB : **round**) : 1. (adv.) autour – **for miles around** : sur un rayon de plusieurs kilomètres ; 2. (adv./prep.) sans but précis – **he walked around (the town) for hours** ; 3. (adv./prep.) à proximité, dans les parages – **he is somewhere around** ; – **is Jane around ?** ; – **his house is around here** ; 4. (prep.) autour de – **they danced around the tree (round** est plus fréquent dans cet emploi) ; – 5. (adv./prep.) changement de direction, détour – **they had to go (a long way) around the mountain** : ... contourner ... (v. **round**) ; – 6. dans (la plupart ou toutes les parties d'un lieu) – **would you like to walk around the school this afternoon ?** ; – **they had the police around the house** : la police est venue chez eux ; 7. (court déplacement) – **come around this afternoon** ; **ask him around** : invitez le (à venir) (v. **over** 3) (v. **round**).

as far as : jusqu'à – **we went as far as the river** (n.p.c. **until**, TEMPS).

ashore : à terre – **go ashore** : débarquer d'un navire ; – **run ashore** : s'échouer.

aside : 1. de côté, à l'écart – **stand aside** ; 2. à part – **take sb aside.**

aside from (US) = (GB) : apart from (v. DEGRÉ).

at (prep.) : 1. à (bien précis) – **at home/school/the seaside/the door** ; – **you'll have to change at Bath** ; (v. **in** 1) 2. chez – **she works at Marks & Spencers** ; – **he lives at his aunt's** ; 3. (adresse) – **at n° 33** : au n° 33 (rue) ; 4. (idée d'effort) – **he grabbed at the knife** : il tenta de saisir ... ; 5. (idée d'hostilité) sur, contre – **they threw stones at his car** (v. **to** 1).

at home : (US : **home**) chez soi – **I'll be at home tonight** (v. **home**).

at sb.'s house/place : chez qqn. – **I'll meet you at her house/place.**

at sea : en mer.

at the back (of) : derrière, à l'arrière (de) ; à la fin (de) – **he always sits at the back** ; – **the index at the back of the book.**

at the bottom (of) : au fond (de).

at the front (of) : en tête de – **at the front of the queue** (v. **before, in the front**).

at/by the seaside : au bord de la mer – **a holiday place at** (ou : **by**) **the seaside** (v. **by the sea**).

at the top (of) : au sommet (de); en haut de – **at the top of page 15.**

away (adv.) : éloignement – **he lives 3 miles away** : ... à 3 miles d'ici ; 2. disparition complète – **the snow has melted away** ; 3. (intensif) sans relâche – **he's working away at his book.**

away (from) : parti (de) – **he is away (from home).**

back : 1. idée de retour – **he came back late** ; – **I'll be back at six** : je reviens... ; 2. (idée de confort) – **he sat back in his chair** : ... se cala, s'enfonça.

back of (US) = GB : **at the back of.**

backwards : vers l'arrière, à reculons – **he walked backwards.**

before : avant (d'arriver à) – **before the traffic lights** (v. **in front of**).

behind (adv./prep.) : derrière (≠**in front of**).

below (adv./prep.) : au ou en dessous (de) – **the flat below** – **the tenants belows** : les locataires du dessous ; – **skirts reach below the knees** ; – **below freezing point** ; **below average** (≠**above** ; v. **under**).

beneath (lit.) (adv./prep.) = **below.**

beside : (tout) à côté de (v. **next to**).

between : entre.

between ourselves : soit dit entre nous.

between us : à nous deux ; en joignant nos efforts.

betwixt (lit.) = between..

beyond (adv./prep.) : au delà (de) ; **look at that church beyond** ; — **you can't go beyond the barrier** (v. **after** et **past** 2).

by : 1. (sans mouvt.) (prep./adv.) : près de, tout à côté de, à proximité — **she sat by the window/ by the fireside/by us** ; — **she lives by the sea** (v. **at the seaside**) ; 2. (avec mouvt) (prep./adv.) : devant, à la hauteur de, à proximité — **he ran by (us) but didn't stop ; they stood by, watching the scene** (v. **beside**).

by the seaside = **at the seaside**.

by the side of s.o./by s.o.'s side : à côté, tout près de — **he stood by her side** (ou : **at her side**).

by way of : par, via, en passant par — **they went to England by way of Calais-Dover** (n.p.c. : **by way of**, MANIÈRE).

close (adv.) : près — **come close, I'll tell you sth.**.

close by/close to (prep.) : près de — **he lives close to the church** (= near).

close by (adv.) : à proximité — **his parents live close by**.

down (adv.) (avec mouvement) : vers le bas — **he climbed down from the tree** : descendit de... ; — **he bent down to kiss her** ; — **put the book down** : posez... ; 2. (du vertical à l'horizontal) : — **go and lie down** :... t'allonger... ; — **she sat down**, 3. (localisation : le sud ou lieu considéré moins important : **he took the train from London down to Brighton** ; — **he's coming down from Oxford shortly** : quitte l'université ou : finit ses études... ; 4. (éloignement par rapport au locuteur) : **I'll meet you down at the station in an hour** :... à la gare... ; 5. par écrit/sur papier — **write this down** : notez... ; 6. (diminution) — **sales are down** :...en baisse ; — **turn the radio down** : baissez... ; 7. (sans mouvement) : — **is he down yet ?** :... descendu ? ; **he was down with flu** :... couché avec la grippe ; — **he is down for the race** :... inscrit... (v. **up**).

down (prep.) 1. (mouvt. vers le bas) : — **he ran down the stairs** : il descendit l'escalier quatre à quatre (Rem. : **he fell down the stairs** :... tomba dans...) ; — **tears rolled down his face** :... sur... (Rem. : **he looked down the stairs** : il parcourut l'escalier des yeux de haut en bas et non pas : il regarda le bas de l'escalier ; cependant : **our cat was down the well** :... tout au fond du puits) ; 2. (direction non spécifiée ou éloignement par rapport au locuteur) : — **he said 'good bye' and walked down the street** :... s'éloigna ; — **she lives down the street** :... un peu plus loin... ; 3. (infml.) : — **to go down the shops** : aller faire les courses ; — **go down the town** : aller en ville (v. **up**).

down with : à bas ! — **down with dictators !** (v. **up with**).

downstage : sur/vers le devant de la scène (théâtre).

downstairs (adv.) (avec/sans mouvt.) : en bas, au rez-de-chaussée — **he ran/lived downstairs** ; — **the people downstairs** : les voisins d'en-dessous.

downstream (adv.) : en aval, dans le sens du courant.

downwards : vers le bas.

east : en direction de l'est — **they sailed east for a week**.

east of : à l'est de — **East of Eden** (v. **to the east of**).

eastward(s) : vers l'est.

elsewhere : ailleurs.

end on : de front, de face — **the ships collided end on** (n.p.c. : **on end**) (v. **head on**).

everywhere : partout (v. **all over the place**).

facing (prep.) : en face de, donnant sur, orienté vers — **a house facing the sea** ; — (rail) **ride facing the engine** : dans le sens de la marche (v. **opposite**).

far (v. neg./int.) : loin — **did you get very far ? — he didn't go far** (v. **far away** et **how far**).

far away ou **far off** (v. aff.) : loin — **he lives far away** (v. **a long way away**).

far from (prep.) : loin de (≠ near).

farther : plus loin.

for : 1. sur — **bends for 3 miles** ; 2. pendant — **we walked (for) 5 miles**.

further : GB = farther.

forth (lit.) : en avant.

forwards : en avant, vers l'avant.

from : 1. (provenance, origine) de, venant de — **a letter from Jane ; the train from London ; he comes from Scotland** : il est originaire de ; **from what he told me** : d'après... ; 2. (point de départ) : de... à... — **from London to Paris**.

from afar (lit.) : de loin — **I saw him from afar**.

from home : de chez soi — **have you heard from home ?**.

half-way down/up ou **downhill/uphill** : à mi-côte/à mi-pente.

halfway through : à mi-chemin.

hard by (adv./prep) : tout près (de), tout contre — **he lives hard by (the church)**.

head on : de plein fouet — **the cars collided head on** (v. **end on**).

hence (lit.) : d'ici (= from here) — **get thee hence**.

here : ici — **here he is** : le voici ; — **here you are** : tenez ; voilà ; — **here's to the bride !** : à la santé de la mariée ! (v. **there**).

hereabouts : dans les environs, près d'ici.

hither (lit.) : ici (≠ hence) — **come hither** (= come here).

home : 1. US = GB : **at home** (q.v.) ; 2. chez soi (avec mouvt.) — **I'm going home** : je rentre ; — **come home** : rentrez à la maison (v. **to s.o.'s. house/place**) ; 3. de retour — **he's been home for weeks**.

homeward(s) : vers chez soi/vers son pays.

how far ? : jusqu'où ? — **how far did you walk ?** (v. **far** et **far away**).

how far away ? : à quelle distance ? — **how far away do you live ?**.

in : (sans mouvt) 1. à, en — **he's in London** ; — **he lives in England** (Rem. : avec **be** ou **live** : **in** ; avec **stop** ou **meet** : **at**) ; 2. (adresse) (GB) **he lives in Park Avenue** (v. **on** (prep.) 3.) ; 3. **be in** : être rentré ou chez soi — **sorry, Mr Smith is not in yet** (v. **at**, **into**, **out**).

in front (adv.) : devant, en avant — **he was running in front** (v. **ahead**).

in front of : devant, à l'avant de (v. **before**).

in the back (of) : à l'arrière (de) — **he likes to sit in the back (of the car)** (v. **at the back**).

in the front (of) : à l'avant (de) — **he always sits in the front (of the car)** (v. **at the front**).

in the middle (of) : au milieu (de).

in the north : dans le nord (v. **north** et **north of**).

in the way : **be in the way** : gêner — **I hope I'm not in the way.**

indoors : à l'intérieur, à la maison — **they stayed indoors all afternoon.**

inland : à l'intérieur des terres.

inside (adv./prep.) à l'intérieur — **come inside (the house).**

inside of (US : **inside**) : à l'intérieur de — **he waited inside (of) the house.**

into (avec mouvt) : dans — **he walked into the room; he threw the book into the basket** (v. **in, out of**).

inwards : vers l'intérieur (v. **outwards**).

left : (avec mouvt) à gauche — **turn left** (v. **on the left, to the left, right**).

near (adv./prep.) : près (de) — **he lives quite near (the hospital)** (v. **close to**).

near at hand : tout près, dans le voisinage ; à portée de la main.

nearby = **near at hand** (v. **close by** et **hard by**).

nearer to : plus près de (Rem. : attention à la prep. : **to**).

next door : 1. (adj.) de la maison d'à côté — **the people next door are very nice** ; 2. (adv.) dans la maison d'à côté — **they live next door.**

next door to (prep.) : dans la maison d'à côté de — **they live next door to us.**

next to (prep.) : tout à côté de, juste après — **his room was next to hers** ; — **next to the skin** : à même la peau (v. **beside**).

nigh (lit.) : (adv./prep.) près (de).

north (adv.) : en direction du nord — **we drove north for three miles.**

north of : au nord de — **they live north of London** (v. **to the north of**).

northward(s) : vers le nord.

not... anywhere : pas... où que se soit — **he couldn't find her anywhere** : il ne la trouva nulle part.

not... anywhere else : nulle part ailleurs.

nowhere : nulle part — **they were nowhere to be found** : ils étaient introuvables.

nowhere else : nulle part ailleurs.

off : (adv.) 1. (distance, éloignement) — **their house is 5 miles off** :... à 8 km d'ici ; 2. (départ) — **we're off** : **on part** — **I must be off** ; — **off with you !** : filez ! ; 3. (prep.) **be off to** : partir pour — **we're off to Italy tomorrow** ; 4. (absence ou non activité) — **he's off on Thursday** : il n'est pas là/pas de service ; — **she's off at 5** : elle finit... ; — **he was off sick** :... en congé de maladie ; — **she had the afternoon off** : ...libre ; 5. (séparation) — **he had his coat off** : il avait enlevé... ; **hands off !** : bas les pattes ! ; — **there are two buttons off** : il manque deux boutons ; — **he gave me 50 p. off** : ... une réduction de... ; 6. (non fonctionnement) éteint, fermé ; — **the light/gas is off** ; 7. annulé — **the concert is off** ; 8. ne plus y avoir — **"the chicken is off, Sir"**, **said the waiter** ; 9. mauvais, tourné — **the milk's off** ; 10. remis à plus tard — **the space flight is off** (v. **on**).

off (prep.) : 1. (mouvement) de, de sur — **he fell off the chair** ; 2. (séparation) enlevé de — **the lid was off the pan** ; 3. à partir de, dans, de — **he ate off a chipped plate** ; — **they dined off a tin** ; — **he eats off the floor** : à même le... ; 4. (éloignement) au large de, qui part de/donne dans — **an island**

off the Irish coast ; — **a street off Trafalgar Square.**

on (adv.) : 1. (couverture) porter — **he had his hat on** ; — **the lid is on** : ...mis ; 2. (contact) allumé, ouvert — **the light/the telly/the gas is on** ; 3. en cours, commencé — **the shows has been on for ten minutes** ; 4. (idée d'avoir lieu) : **the play is still on** : ... à l'affiche ; (ciné, télév.) — **what's on ?** : quel est le programme ? ; (radio ou télévision) — **the President is on tonight** : ... passe ... ; — **you're on now** ; c'est à votre tour... ; 5. (continuation) : — **he drove/rode on for a mile or two** : continua d'avancer (en voiture/à cheval)... (v. (adv.), TEMPS et **off**).

on (prep.) : 1. sur, dans — **on the table** ; — **on the train/bus/plane** ; 2. (radio ou télévision) à — **he heard this on the radio/on television** ; 3. faire partie de — **be on the team/the staff/the Daily Mail** ; 4. (activité) — **be on a tour/holiday** ; — **I've come on business** :... pour affaires ; 5. être aux frais de — **all drinks on the house** : c'est la maison qui paye ; — **it's on me** ; 6. par rapport à — **prices are up by 15% on last year** ; 7. — **on page 17** : page 17 ; 8. (adresse US = GB : **in**) — **he lives on Park Avenue** (v. **on**, TEMPS).

on board (adv./prep.) : à bord (de) — **time to go on board** ; — **they all went on board the liner.**

on end : verticalement, debout — **his hair stood on end** : ... se dressèrent (n.p.c. : **end on**).

on one's/the way down ou **over** ou **up** — en descendant ou en y allant ou en montant — **I'll pick up the kids from school on my way down to the station.**

on one's/the way home : en rentrant chez soi — **he bought some cigarettes on his/the way home.**

on the left : (sans mouvt) à gauche — **the house is on the left** (v. **left**).

on the other side (of) : de l'autre côté (de).

on the right (sans mouvt) : à droite (v. **right**).

on the way : en cours de route — **they stopped twice on the way.**

on to/onto (prep.) (avec mouvement) : sur — **he threw the book on to the table** (v. **(be) on to s.o.**, TEMPS).

onward (adv.) (fml) : en avant, plus loin — **they walked onward.**

opposite (adv.) : d'en face — **the house opposite** (v. **across**).

opposite/opposite to : (prep.) : en face de — **they sat opposite the chairman.**

out (adv.) : 1. dehors — **he's out in the garden** ; 2. sorti, pas chez soi (v. **in** 3.) — **Mr Smith is out at the moment** ; 3. en grève — **the car workers have been out for weeks** ; 4. évanoui ; 5. démodé ; 6. (ne) plus (être) au pouvoir — **when the Labour are in, the Conservatives are out** (v. **in**, DEGRE, TEMPS).

out here : 1. ici (dehors) — **"come back in" "no, I'm quite happy out here"** ; 2. ici (pays lointain) — **out here (in Australia), Kangaroos lay down the law !.**

out Oxford way : à côté d'Oxford.

(be) out and about : (être) debout et sur pied (v. **up and about**).

out of (prep.) : 1. (avec ou sans mouvt.) hors de, en dehors de — **70 miles out of London** ; — **he walked out of the room** ; 2. dans — **they drink tea out of glasses** (v. BUT, DEGRE) ; 3. sorti de, provenant de — **he looks like a character out of David Copperfield.**

(be) out of : ne plus avoir, manquer de — **they were out of bread.**

(be) out of the way : ne pas gêner (v. **in the way**).

out there : là-bas (v. **out here** 1. et 2.).

outdoors/out of doors (adv.): dehors, au grand air (v. **indoors**).

outside : 1.(adv.) à l'extérieur; 2. (prep.) à l'extérieur de.

outside of (prep.) : US = GB : **outside** 2..

outward(s) (adv.): vers l'extérieur − **(ship) outward bound for/from**... : en partance pour/de....

over (adv.): 1. au-dessus − **they often saw jetplanes fly over** : ...passer au-dessus d'eux/dans le ciel; 2. par dessus − **the ball went over into the garden** : ... est passé par dessus (le mur) et est tombé dans...; 3. (court déplacement) − **come over to the blackboard; − shall we ask them over ?** :... les inviter ?; − **we often rode over to the farm; − hand the book over, please;** (v. **around** 7); 4. (déplacement d'un pays à l'autre) − **he went over to England** : il est parti en Angleterre; − **over in France, they believe...** :là-bas en France, on croit que...; 5. partout − **they searched the house over** (v. **all over**); 6. (idée de (se) retourner, faire basculer) − **he turned over in bed;** − **he knocked the glass over** : ... renversa ....

over (prep.): 1. sur, par dessus (surface couverte (en partie ou entièrement)) − **he spread the blanket over the bed;** − **put a cardigan over your blouse;** (emploi différent de : **above**); 2. au dessus (avec idée de supériorité, menace ou protection) − **he reigns over a great empire;** − **he has no command over his passions;** − **a cloud of dust hangs over the city** (v. **above**); − **the doctor leaned over the patient;** 3. de l'autre côté de : − **he escaped over the frontier;** − **he looked over the wall;** − **that house over the way** (v. **across**); − **a noise from over the wall;** 4. dans toutes les parties de − **snow is falling over the North of England** (v. **all over**).

over against : en face de − **he lives over against the church** (v. **across, facing** et **opposite**).

over here : 1. ici (près du locuteur). − **come over here and talk to me;** 2. ici (le pays où on est) − **(Englishman speaking while in England) over here, we believe in Parliamentary democracy; − is this your first visit over here ?**.

over Oxford way : v. **out Oxford way**.

over there : 1. là-bas (éloigné par rapport au locuteur) − **go over there and ask John;** 2. là-bas (le pays dont on parle); − **(Frenchman speaking while in France) over there (in England), they believe in democracy; − have you ever been over there ?**.

over to (prep.) : − **over to you** : à vous (le studio de radio ou télé).

overboad : par dessus bord; − **man overboad** : un homme à la mer.

overhead : au dessus de (nous); dans le ciel; à l'étage d'au dessus − **the trees overhead**....

overland : par voie de terre (v. **by land, by air, by sea**).

overleaf : au verso − **see overleaf** : la suite au verso.

past : 1. (adv.) devant, à la hauteur de (sans s'arrêter) − **he just walked past;** 2. (prep.) au delà de, plus loin que, après − **the second street past the traffic-lights;** 3. (prep.) : v. 1. − **he goes past the house every day** : ... passe devant ....

right (adv.): 1. (avec mouvt) à droite − **turn right** (v. **on the right** et **to the right**); 2. tout droit, directement − **right in front of you;** − **he went right home** (v. DEGRÉ).

right ahead (of you) : tout droit devant vous.

right here : ici même.

right on : (continuez) tout droit.

right round : − **he turned right round** : il fit un demi-tour complet.

right through : de part en part, complètement − **the pear was rotten right through.**

(right) through to : directement, jusqu'à (sans s'arrêter) − **does this train go right through to London ?.**

round : v. **around** (Rem. : **around** est surtout US et **round** surtout GB).

round about : aux environs de − **he paid round about £50 for it** (v. DEGRÉ).

sharp : 1. brusquement, net − **he stopped sharp;** 2. à fond, complètement − **turn sharp left** : faites un demi-tour complet à gauche.

side by side : côte à côte.

sideways : de biais, de côté.

some place (else) (US) = (GB) **somewhere (else).**

someone's way : dans la (même) direction de (que) qqn. − **are you going my way ?.**

somewhere : quelque part.

somewhere else : ailleurs, autre part.

south : en direction du sud (v. **north**).

south of : au sud de (v. **north of**).

southward(s) : vers le sud (v. **northward(s)**.

straight : 1. en ligne droite, droit − **he can't walk straight;** − **the smoke rose straight up;** 2. droit − **he could neither sit nor stand straight;** 3. juste − **straight above/across from us;** 4. directement − **he went straight home/to bed** (v. **right** 2); 5. bien en face, tout droit − **straight along;** − **he looked him straight in the face/in the eye** (v. DEGRÉ).

straight along : (continuer) tout droit − **go straight along to the traffic-lights.**

straight away/off : v. TEMPS.

straight on : v. **straight along** (v. **right on**).

straight out : v. MANIÈRE.

that way : par là, dans cette direction-là.

the other way about/round : dans l'autre sens/direction.

the world over : dans le monde entier (v. **all over**).

the wrong way about/round : à l'envers, dans le mauvais sens.

thence (arch.): de là, de ce lieu − **he came thence a happier man.**

there : 1. là, y − **why don't you go there** (= là où se trouve qqn. d'autre; n.p.c. **here** : ici, c.à;d. : là où se trouve le locuteur); 2. **there he is** : le voilà (v. **here**); 3. **there and back** : − **he went there and back in half an hour** : il a fait l'aller et retour....

thereabouts : dans les environs/les parages, près de là.

this side of (infml.): avant, sans aller jusqu'à − **the best British food this side of London.**

this way : par ici, dans cette direction-ci − **come this way, please.**

this way and that : par-ci, par-là, partout, en tous sens.

thither (arch.): là, y − **he went thither and was disappointed.**

through (adv.): (idée de traverser de part en part ou d'obstacle franchi) − **the nail went right through** : ... est passé à travers; − **he was wet/ soaked through** : ... complètement trempé.

through (prep.): à travers, dans − (espace à trois dimensions) **he hammered the nail through the**

plank ; – I can hear them through the wall ; – he looked through the window : ... par ...; – he was half-way through the book : ... à la moitié de ...; – he walked through the forest (Rem. : n.p.c. : **across** ; – he walked across the square).

through to : v. **right through to**.

throughout (adv.) : (fin de prop.) partout, entièrement – **the house is painted throughout** (v. DEGRÉ et TEMPS).

throughout (prep.) : partout dans – **throughout the world** : dans le monde entier – **the disease spread throughout the country**.

to (avec mouvt) : 1. à, vers, en – **he walked to the door** ; – **he went to town** ; – **he threw a bone to the dog** (v. **at** 5.); 2. (avec n's.) chez – **he went to John's/to the doctor's** (v. **at home, home, to s.o.'s house/place**) (n.p.c. : **at** et **in**) (v. **into**).

to and fro : de long en large.

to s.o.'s house/place (avec mouvt.) : chez qqn. – **can you come to my house for a drink ?** – **why don't we all go to her place ?** (v. **at home/home**).

to the east/north/south/west (of) : à ou vers l'est/le nord/ le sud/l'ouest (de).

to the left/right (of) : (avec mouvt) à gauche/à droite (de); vers la gauche/la droite (de) – **turn to the left** (v. **left, on the left**).

towards (US **toward**) : vers, en direction de – **he walked towards the door** (v. BUT et DEGRÉ).

under (prep.) : sous, en dessous de, dessous – **he sat under the tree** ; – **he came out from under the table** (v. DEGRÉ) (v. **below, beneath**).

underfoot : sous les pieds – **the ground was stony underfoot**.

underneath (fml) = **under**.

underground : 1. (adv.) sous (la) terre – **the money was buried underground** ; 2. secrètement – **the news was circulated underground**.

up (adv.) : 1. (mouvt. vers le haut) – **he threw the ball up** : ... en l'air ...; – **pull your socks up** : ... remonte ...; – **come up, young man** ; 2. (sans mouvt.) (parfois non traduit) – **he lives up in the mountains** ; – **up at the top of the tree** ; – **he lives three floors up** : ... trois étages au dessus (de moi) ; – **the blinds were up** : les stores étaient levés ; 3. (pers.) levé, debout – **she's up at 7 every morning** ; 4. (localisation : le nord) : – **he's up from Leeds** : il arrive de...; – **when I was up in Scotland** ; 5. (localisation : Londres ou lieu considéré important) : – **here, up in London** : ici, à Londres ; – **he is going up to Oxford shortly** : il entre à l'université d'Oxford...; 6. (vers le locuteur) – **he came right up and asked my name** ; 7. – **"Road up"** : travaux (= route en réparation); 8. (direction non spécifique) – **he walked up to the bus with me** : ... m'a accompagné ... (v. **along, down**) (v. DEGRÉ).

up (prep.) : 1. (mouvt. vers le haut) – **he ran up the hill** : remonta en courant – **he climbed up the tree** : il monta à l'arbre ; (Rem. : **the goats trotted up the slope** : ... grimpaient ... au trot et non pas : trottaient en haut de ; v. Rem. **down**); 2. (direction non spécifiée ou rapprochement par rapport au locuteur) : – **you go up the street and turn right** : ... continuez/suivez ; – **he came up the road** : il s'avança (vers nous) le long de la route;

3. (sans mouvt.) – **he lives up the street** : ... ι peu plus haut/loin ...; 4. tout en haut de, au son met de – **he lives up three flights of stai (from me)** ; – **up the ladder/up the tree** : ... sur l'échelle/dans l'arbre (pas nécessairement tout en haut) (cf. : **up at the top of the tree**); 5. (infml.) – **I'm going up the West End** : ... dans le quartier du West End (Londres).

(be) up and about : être sur pied ou en pleine activité ou ne plus être alité.

up and down (adv./prep.) : (combine le sens de **up** et de **down**) – **he ran up and down the stairs all day** : ... grimpait et descendait ...; 2. **to walk up and down** : faire les cent pas.

up to : jusqu'à – **can you run up to the garage over there** (v. **as far as**).

up with + pron. pers. : debout ! – **up with you, lazy bones**.

up (with) + n. : bravo, hourra, vive – **"up with the Queen !"**, **some shouted** (v. **down with**).

uphill (adv.) : **they walked slowly uphill** : ils montaient lentement (la pente/la côte).

upright (adv.) : 1. droit – **stand upright** ; 2. verticalement – **put the book upright**.

upstage (adv.) : au fond, vers le fond de la scène.

upstairs (adv.) (avec ou sans mouvt.) : en haut, à l'étage (supérieur) – **he lives upstairs** ; – **the people upstairs** : les voisins du dessus (v. **downstairs**).

upstream (adv.) : en amont/vers l'amont ; à contre courant.

upwards : vers le haut.

via : (en passant) par, via (v. **by way of**).

way (adv.) (US) : très loin – **way behind/out** ; – **way up in the sky** : très haut...; – **way over there** : très loin là-bas (v. DEGRÉ).

west of : à l'ouest de.

westwards : vers l'ouest.

whence (arch.) : d'où (= **from where** ou : **where ... from ?**) – **whence cometh he ?**.

where (adv.) : 1. (int.) où ? – **where can he be ?** ; 2. (int. ind.) où – **I don't know where he can be** (*where can he be); 3. (avec ou sans mouvt.) où, dans lequel/laquelle, etc. – **the house where I live/I am going now** ; 4. là où – **where there are trees, there is water** ; 5. là que – **this is where I live**.

where ever (int.) : où donc/diable (v. **wherever**).

where else : en quel autre endroit.

whereabout(s) (aff./int.) : où exactement – **I wonder whereabout he is** ; – **whereabouts do you live ?**.

whereat (arch.) : 1. = **where** 3. – **the place whereat he usually sits** ; 2. = **whereupon** (v. TEMPS).

wherein (arch.) = **in which** – **the dwelling wherein he lives** .

wherever : 1. = **where ever** ; 2. (conj.) (avec ou sans mouvt.) partout où, où que – **wherever she goes, he goes too** ; 3. = **where** 4. – **I'll go wherever you wish** ; 4. peu importe (d') où – **wherever the news came from, it must be checked** (v. **or wherever**).

which way (int.) : dans quelle direction – **which way did he go ?**.

whither (arch.) (= **to where/where ... to**) : où – **whither may he have gone ?**.

within (fml.) : 1. (adv.) dedans, à l'intérieur – **inquire within** ; 2. (prep.) à l'intérieur de, (v. TEMPS)..

about : 1. au sujet de, sur − **a book about butterflies**; (v. **on** 1); 2. en, dans qqch.; chez qqn. (caractéristique) − **there's something odd about him.**

according as : selon que, suivant que, dans la mesure où.

according to (prép.) : selon, suivant − **according to him/the time-table.**

according to whether ... or : selon que ... ou que.

after : 1. d'après, comme − **they named him after his father**; 2. à la manière de, − **a portrait after Rembrandt.**

after all : 1. finalement; contrairement à ce qui était prévu, − **sorry, I can't come after all**; 2. après tout; n'oublions pas que, − **I make mistakes but I'm not Engliqh after all !.**

(and) again : et d'ailleurs; de plus, en outre.

against : v. **as against** et BUT.

alike : 1. de la même manière − **they dress alike**; 2. − **winter and summer alike** : été comme hiver.

all the + cptf : v. DEGRÉ.

alone : 1. seul, non accompagné − **he's worked alone**; 2. uniquement, − **you can't live on bread and water alone** (= only) (v. **by oneself**; **on one's own**).

along with : 1. tout comme, de même que − **the Liberals, along with the Conservatives, voted against the bill**; 2. avec, accompagnant − **there was a bill along with the parcel.**

also : v. DEGRÉ.

and so on/and so forth : etc..

and whatever : v. DEGRÉ.

anyhow : n'importe comment − **he threw his clothes about anyhow** (v. CONDITION).

any way (+ prop.) : 1. quelle que soit la façon dont ... − **any way you answer the question, they'll fail you**; 2. = **in any way.**

(be) apt to : avoir tendance, v. chap. XL, paragraphe 3.

as (conj.) : 1. (cause) comme, étant donné que, vu que − **as he was late, he missed the train**; − **as they were on the same bus, they couldn't help seeing each other**; 2. comme; ainsi que; conformément à − **as you know**; − **do as you are told**; − **as I was saying just now**; 3. (comparaison) comme, de la même manière que − **speak loud as I do** (Rem. : si le sujet n'est pas un pron. pers., on peut écrire (fml) : **he is fond of cricket, as was his father**); − **he was dressed as a woman** : habillé en femme; 4. ("to be" sous entendu) : lorsque − **as a child, he lived in Australia**; 5. adj./adv. + **as** + prop. : bien que ou si ... que − **young as he was, he knew all the family secrets** (v. CONDITION).

as (adv.) : **as** + adj./adv. (+ **as** (conj.)) : aussi ... que − **he runs fast, but I can run as fast**; − **I can run as fast as he (does).**

as (prep.) : 1. en tant que, en qualité de − **he is respected as a judge**; − **I'm speaking to you**

as a/your teacher (v. **like** 1.); 2. comme, par exemple (fml), − **English speaking countries, as Australia and New Zealand** (= **such as**) (v. **like**).

as ..., so ... : de même que..., de même....

as a matter of course : tout naturellement, automatiquement.

as a matter of fact : en réalité, en fait; à vrai dire.

as a rule : en règle générale.

as against ou **against** : contre, en comparaison de, comparé à.

as best : du mieux que − **he answered as best he could.**

as far as I know : autant que je sache.

as for (nuance parfois de mépris ou d'ironie) : quant à − **as for you, you'd better stop all this nonsense.**

as if/as if ... ever : v. CONDITION.

as it happens : il se trouve que/justement − **as it happens, I'm seeing him to-morrow.**

as it were : pour ainsi dire.

as many as : autant de + n. pl. que − **he's got as many books as I have** (v. DEGRÉ).

as much : − **I thought/said as much** : c'est bien ce que je pensais/ai dit (n.p.c. : **as much as**) (v. DEGRÉ).

as much as : 1. autant de + inden. que − **I've got as much money as you**; 2. autant que − **I didn't learn as much as I thought I would.**

as regards : en ce qui concerne.

as such : en soi, en tant que tel − **the book, as such, is rather uninteresting.**

as though : (v. **as if** et CONDITION).

as to : 1. (avec ger.) pour ce qui est de + inf. − **as to going there, he hasn't decided yet**; 2. (avec n.) quant à, pour ce qui est de − **wallpaper carefully chosen as to colour.**

as to whether (infml) (= **about whether**) : quant à (la question de) savoir si.

as well : 1. (en fin de prop) aussi, également − **she speaks German and Italian as well** (v. **too**); 2. **as well she knows** : comme elle le sait fort bien; 3. (avec may/might) tout autant, tout aussi bien − **you might (just) as well talk to a brick wall.**

as well as : 1. de même que − **John as well as Tom agreed to the proposal**; 2. et aussi − **she's got a bike as well as a car**; 3. **as well as** + ger : outre que − **as well as teaching English, he taught German** (Rem. : **she sings as well as playing the piano** : ... et elle joue aussi du piano; **she sings as well as she plays the piano** : ... aussi bien qu'elle joue...).

as well as : aussi bien que, du mieux que − **I repaired it as well as I could** (v. **as best**).

at (marquant l'hostilité) : contre − **she threw a stone at the dog** (cf. : **she threw a bone to the dog** : ... en direction de) (v. LIEU : **at** et **to**).

at last : v. DEGRÉ.

at least : v. TEMPS.

at the same time : 1. pourtant, cependant, malgré cela; 2. en même temps.

badly : 1. mal − **he played the piece badly**; 2. très, gravement, sérieusement, − **badly wounded/hurt/disappointed**; 3. (avec **to want** et **to need**) beaucoup, très, − **I badly wanted to see her/I wanted badly to see her**; − **I need it badly** : j'en ai grand besoin.

besides : 1. en outre, d'autre part − **I can't go, besides I don't like American films**; 2. (fin de prop.) en plus, en outre − **he's got a sports car and two saloon cars besides**; 3. (prep.) en plus de, outre − **besides Peter and me, there's John to think of**; 4. (prep.) **besides + ger** : outre que − **besides being able to speak German, he speaks Spanish** (v. **moreover**) (n.p.c. **beside**, LIEU).

best (adv.) : le mieux − **she is the one who did best** : ... qui a le mieux réussi; − **the best known singer** (v. **as best**).

better (après le c.o.d.) : mieux, davantage − **I like tea but I like coffee better.**

better still : mieux encore.

better than : mieux que.

between ourselves : (soit dit) entre nous (n.p.c. : **between us**).

between the three of us : à nous trois (v. ci-dessus).

between us : à nous deux, en nous y mettant tous les deux − **between us, we can fix the T.V..**

beyond : v. DEGRE et LIEU.

beyond that : en dehors de celà.

both ... and ... : 1. à la fois − **she spoke with both kindness and understanding**; 2. et ... et ...; tant ... que ..., − **both London and Paris are big towns**; 3. tous les deux − **they both came to see us**; 4. les deux − **both men smiled**; − **on both sides of the road.**

(be) bound : être inévitable; v. chap XL, 8.

(be) but : mais (v. CONDITION).

but otherwise : v. **otherwise 2.**

but then : mais d'un autre côté, il faut bien reconnaître que.

by : 1. (introduit l'agent à la voix passive) par − **he was killed by a hooligan**; 2. (moyen) par − **he came by car/plane/boat, by sea/land/air** (v. **by means of**); 3. (itinéraire) : par − **he came back by Dover − Calais**; 4. (**by + ger**) en + p.prest − **he earns a living by writing poetry**; 5. en se conformant à − **he never plays by the rules**; 6. d'après, à − **I can see by your smile that you like the idea** (v. DEGRE, LIEU, TEMPS).

by all means : 1. je vous en prie "**come in by all means**"; 2. certainement !, − "**can I see you now ?**" "**by all means !**".

by dint of : (avec n. ou ger.) à force de.

by hand : à la main − **made by hand.**

by means of : au moyen de, à force de.

by no means : loin s'en faut, pas du tout − **I'm by no means pleased about this.**

by oneself : 1. seul (non accompagné), − **she came by herself**; 2. tout seul (sans aide) − **he did it all by himself** (v. **alone, on one's own**).

by the way : 1. à propos, soit dit en passant; 2. en cours de route.

by way of : 1. (itinéraire) en passant par − **he came over by way of Dover**; 2. en guise de, en matière de − **by way of food, we only had a few tins.**

doubtless (adv.) : 1. sans aucun doute; 2. (infml) très probablement.

e.g. [i :dʒi :] : for example.

either (avec n.) : 1. l'un ou l'autre − **either dictionary will do**; 2. l'un et l'autre, les deux − **on either side of the road** (v. **both 4.**); 3. (prop. neg. + **either**) : pas ... non plus ou : pas d'ailleurs, − **he never agrees to anything; I don't think he will this time either.**

either ... or ... : soit ..., soit ...; (ou) ... ou ....

else : 1. (après **all, any, every, some, no** et leurs composés) (d')autre − **anything else ?**; − **nobody else**; 2. (après **what, who, how, where**) d'autre − **who else objected ?.**

fair enough : très bien; c'est bien normal.

far from + ger. : bien loin de + inf..

far from it : loin de là.

first (arg.) : premièrement, en premier lieu, d'abord.

first and foremost : en tout premier lieu.

first of all : tout d'abord.

firstly : (énumération) premièrement (v. **first**).

for : 1. en qualité de − **they chose him for President**; 2. en tant que, en guise de − **he has a computer for a brain**; 3. (US) d'après, en l'honneur de − **this rose was named for a former Prime Minister** (GB : **after**) (v. **that's + n. + for** et **there's + n. + for**) (v. BUT et **for all,** CONDITION).

for a start (arg.) : dès le départ, pour commencer − **money ? that's ruled out for a start.**

for example/for instance : par exemple.

for free : gratuitement, − **you can have it for free.**

for one thing : d'abord; une raison c'est que − **for one thing, I can't stand his voice.**

for short : en abrégé, − **Robert, Bob for short.**

(and that's) for sure : c'est une chose certaine.

for that matter : v. CONDITION.

for s.o.'s sake : pour qqn., pour l'amour de qqn. − **forgive him for my sake.**

for one's own sake : dans son propre intérêt.

for the sake of : au nom de, en souvenir de.

free : gratuitement (v. **for free**).

from : v. BUT.

further : en outre, de plus.

furthermore : en outre, qui plus est, par ailleurs.

hard : avec acharnement, fort, dur − **think hard ! work hard !.**

how : comment − "**how did you find the book ?**" "**by looking everywhere**" (n.p.c. : **how did you like the book ?** : le livre vous a plus ?).

how about : 1. et (= que fait-on de ?) − **how about Tom ? He can't stay on his own**; 2. (avec n./ger.) (suggestion) et si (= que diriez-vous de ?) − **how about a drink ?/going for a walk ?** (v. **what about**).

how ever : comment diable ? Comment ... donc ? (parfois écrit : **however**).

how far : dans quelle mesure ? − **how far can she be sure of that ?** (v. **how far**, LIEU).

I dare say : sans doute, probablement.

I for one : en ce qui me concerne − **I for one think the whole idea ridiculous.**

ill (adv.) : 1. mal, difficilement − **I can ill afford a new coat**; 2. mal, insuffisamment − **ill-informed; ill fed; ill-bred.**

in a + adj. + fashion/manner (assez lit.) : d'une façon/manière + adj., − **he answered in an unequivocal manner.**

in a + adj. + way : d'une manière + adj..

in a + adj. voice : d'une voix + adj. – **in a low voice**.

in a way : d'une certaine façon, en un certain sens (v. DEGRE).

in a word : en un mot, en bref.

in accordance with : conformément à.

in addition (to + n.) : en plus (de + n.).

in addition to + ger. : outre que – **in addition to being a pianist, he also sings quite well.**

in all likelihood/probability : selon toute vraisemblance.

(in) any way : en qqch. – **can I help you (in) any way ?** (v. **any way**).

in brief : pour être bref.

in cold blood : de sang froid.

in conclusion : en conclusion.

in effect : en fait, en réalité.

in exchange for : en échange de.

in general : en général.

in my opinion : à mon avis.

in no way : en aucune façon.

in other words : en d'autres termes.

in point of fact : en réalité, en fait.

in regard to = with regard to.

in respect of/to : en ce qui concerne, pour ce qui est de.

in return for : en échange/récompense de.

in short : pour être bref, en un mot.

in s.o.'s view : du point de vue de qqn. – **in the Government's view** (n.p.c. : **in view of**, BUT).

in such a way that : de telle manière que – **we printed the book in such a way that it is easy to read.**

in the first place : v. DEGRE.

in the matter of : pour ce qui concerne, en matière de.

in the same way as : de la même manière que.

in the way of : comme, pour ce qui est de – **anything left in the way of food ?**

in the words of ... : pour reprendre les propre paroles de ....

in this/that way : de cette façon (v. **this/that way**).

in twos/in threes : par deux/par trois.

indeed : v. DEGRE.

instead : 1. à la place – **we can't go out, let's play cards instead** ; 2. au lieu de cela – **she never cries ; instead, she eats sweets.**

instead of + pron./n. : à la place de – **why don't you go instead of him/John ?**

instead of + ger. : au lieu de + inf. – **come on, get down to work, instead of loafing about.**

irrespective of : sans tenir compte de.

just : v. DEGRE.

just like : v. **like 2**.

just not on : – **it's just not on** : ça ne se fait absolument pas.

just so = quite so.

just so ..., as ... : tout comme ..., de même ....

kind of : v. DEGRÉ.

lastly (énumération) : enfin, en dernier lieu (v. **at last**, TEMPS ; n.p.c. : **lately**, TEMPS).

least of all : v. DEGRÉ.

less : v. DEGRE.

(be) liable : être susceptible de (v. chap. XL, 3).

like : 1. (prep.) comme, à la façon de, comme si on était – **I'm speaking to you like a teacher** (v. **as**, prep. 1.) ; 2. (énumération) comme – **some animals like lions and tigers** ; (v. **as 2.** et **such as**) ; 3. typique de – **it's just like him to speak like that.**

(be) likely : être probable ; v. chap. XL, 3.

maybe (surtout US) : peut-être (v. **perhaps**).

money-wise : v. **-wise**.

more : v. DEGRE.

more and more/more or less : v. DEGRE.

moreover : 1. en plus, en outre ; 2. d'ailleurs, du reste (v. **besides**).

most likely (adv.) (infml) : très probablement.

neither (adj./pron.) : ni l'un ni l'autre – **he bought neither (book).**

neither (en tête de prop.) : et ... non plus (d'ailleurs) – **he can't sing ; neither/nor can he dance** (v. **either 3** ; **nor 1**.).

neither ... nor ... : ni ..., ni ....

never : (neg. d'insistance) absolument pas ; ne ... point – **he never said a word.**

never mind : 1. peu importe ; 2. (avec **what, who, which, how, how long, etc.**) : peu importe ce qui/que, qui, lequel, comment, combien de temps, etc.) (v. **no matter, whatever 3.**, CONDITION).

no doubt : 1. (infml) sans doute, très probablement ; 2. certainement.

nor : 1. v. **neither ... nor ...** ; 2. = **neither 2.**, – **he is no gentleman. Nor are you** : ... vous non plus, d'ailleurs.

not as + adj./adv. + as : pas aussi ... que ....

not at all : v. DEGRE.

not on any account : v. DEGRE.

not so ... as ... = not as ... as.

not unlike : ça (lui, etc.) ressemble assez – **it's not unlike him to say a thing like that.**

nothing for it : pas d'autre solution.

nothing of the kind : 1. pas le moins du monde ; 2. pas question !.

no way : v. DEGRE.

now : 1. (récit) or (il se trouve que) – **now, Barabbas was a robber** ; 2. allons – **now, John, stop acting silly** ; 3. (fin de prop.) encore (irritation) – **what have you done now ?**.

now for : passons à (la suite).

now ..., now ... : tantôt ..., tantôt ....

now, now : allons, allons.

now then : 1. (nuance d'injonction) bon, – **now then, let's start** ; 2. (accommodement) alors ou allons ou dites-moi, – **now then, what happened exactly ?**.

of : v. DEGRE.

of course : naturellement, bien sûr.

off : 1. au moyen de, de, sur – **they dined off a tin of beans** ; – **he eats off the carpet** : ... à même le tapis, 2. aux crochets de – **he lived off his mother for years.**

off the record : 1. à titre officieux ou confidentiel ; 2. entre nous (soit dit).

on : 1. sur – **a book on butterflies** (v. ABOUT ; **a book on butterflies** est plus sérieux et érudit que **a book about butterflies**) ; 2. grâce à, de – **he lives on bread alone.**

on account of : v. BUT.

on balance : tout bien pesé, tous comptes faits.

on s.o.'s behalf/on the behalf of + n. : 1. de la part de qqn. ; 2. au nom de qqn., pour qqn. – **I'm speaking on his behalf** ; 3. en faveur de – **to plead on s.o.'s behalf.**

on every account : v. DEGRE.

on no account : v. DEGRE.

on one's own : 1. seul (non accompagné) – **he came**

on his own; 2. tout seul (sans aide) – **he did it all on his own** (v. **by oneself**).

(be) on s.o. : être à la charge de/aux frais de, – **this (drink) is on me.**

(be) on the house : – **all drinks on the house** : c'est la maison qui paye la tournée.

on the contrary : au contraire.

on the face of it : à première vue.

on the one hand : d'une part ou d'un côté (v. **on the other hand**).

on the opposite = **on the contrary.**

on the other = **on the other hand.**

on the other hand : d'autre part, d'un autre côté.

on the quiet : en cachette, en douce ; en confidence.

on the sly : 1. en secret, en cachette ; 2. (pej.) sournoisement.

on the whole : dans l'ensemble.

on top of : v. DEGRÉ.

on top of all that/on top of it all : pour tout arranger, par dessus le marché.

one way or another : d'une façon ou d'une autre.

or : ou – **have a beer or a whisky** (v. **either... or...**).

other than : v. DEGRÉ.

other than that : à part cela.

otherwise : 1. autrement, différemment – **he managed to do it otherwise** ; 2. **(but) otherwise** : (mais) par ailleurs, à part cela – **he's a bit touchy, but otherwise he's a nice chap** (v. CONDITION : **or otherwise**).

(be) out by : se tromper de (proportion) – **he was out by 50 p.** : il s'était trompé de 50 pence..

out of : v. BUT.

over : 1. (réaction) à propos de – **his behaviour over the incident was disappointing** ; 2. autour de, en prenant – **we had a chat over a cup of tea.**

over the telephone : au téléphone – **I explained everything to him over the telephone.**

over against : comparé à, par rapport à.

perhaps (GB) : peut-être (v. **maybe**).

quite (réponse) : exactement, en effet – **"He's mad"** – **"Quite"** (v. DEGRÉ).

quite so : tout à fait (d'accord) ; c'est exactement cela.

rather + B.V. : plutôt que de + inf. – **he resigned rather than accept a dull job.**

regarding : concernant.

regardless of (valeur adverbiale) : sans tenir compte de.

say : disons, mettons – **I wish I had, say, £50 000 more.**

short for : (l') abbréviation de – **pub is short for public house.**

so (adv.) (fml) : 1. ainsi, de cette manière – **you can only answer so** ; – **by so doing/by doing so, she exposed herself to risks** ; 2. c'est bien ce que + s + v. – **"he's got no money" "so I guessed"** (v. DEGRÉ).

so (conj.) : 1. (excl.) ainsi donc ! (alors, c'est çà !), – **so you've failed again !** ; 2. bon, très bien (et alors ?), – **so I've made a mistake. There's no need to worry** (v. BUT, DEGRÉ).

so + aux. + sujet : s. + aussi, – **He likes tea. So do I.**

so + sujet + aux. : c'est exact – **"you've lost your glove" "so I have".**

so and so : qqn., Machin-Truc.

so much for : c'en est bien fini de – **now, she's gone home ; so much for my wonderful plan !.**

so much the better/so much the worse (for) : tant mieux/tant pis (pour).

so so (infml) : comme ci, comme ça – **"how are you ?"** – **"so so".**

so ... that ... (fml) : de telle façon que – **we so printed the book that it is easy to read** (= in such a way that) (v. BUT).

so to say : pour ainsi dire.

so to speak = **so to say.**

so what ? (infml) : et alors ? qu'est-ce que ça peut bien faire ?.

somehow (or other) : 1. (fin de prop.) d'une façon ou d'une autre. – **we've got to find money somehow (or other)** ; 2. (devant v.) je ne sais trop comment – **all my money has somehow gone.**

somehow (en tête de prop.) : je ne sais trop pourquoi – **somehow I can't help feeling you must be wrong** (v. BUT).

something like : 1. environ – **it cost him something like £5** ; 2. (**like** accentué) voilà qui est vraiment – **this is something 'like a dinner.**

sort of : v. DEGRÉ.

straight out : sans hésiter – **I told him straight out how I felt about it.**

sujet + aux. : s. + si – **he doesn't drink a lot ; I do** : ... moi, si.

sujet + aux. + neg. : s. + non ou pas + s. – **I drink a lot ; he doesn't** : ... pas lui ou lui non.

such : v. BUT, DEGRÉ.

such + n. + as (fml) : 1. des + n. + comme – **there were such animals as lions and tigers** (= there were animals such as lions and tigers) 2. (fml) (= prop. rel.) – **you ought to read such books as your teachers advise you to read** : ... les livres que ... ; – **such money as he had he'd give to the poor.**

such as (énumération) : comme (par exemple) (v. **as**, prep. 2. et **like** 2.).

such + inden. : pareil, de cette nature – **I have never heard of such cowardice** (v. **such** 3., DEGRÉ).

such + den. sg./pl. : pareil, de cette nature – **I have never read such a book/such books** (v. **such** 3., DEGRÉ).

sure (adv.) : 1. (US) pour sûr, c'est certain – **he sure was drunk** ; 2. assurément, sans aucun doute, – **"Will he pay me ?"** – **"sure".**

sure enough (US) : 1. effectivement, en effet ; 2. assurément.

that is : 1. = **that is to say** ; 2. je veux dire ou : enfin ....

that's + n. + for you : le/la voilà bien le/la ... !, – **that's gratitude for you !.**

that is to say : c'est à dire.

that is how ... : voilà comment ....

that is the worst of + n. : voilà l'inconvénient de – **that is the worst of cheap food.**

that is why : c'est pourquoi, voilà la raison pour laquelle.

the better for : v. DEGRÉ.

the less/the more + prop. ... the less/the more + prop. : moins/plus + prop. ... moins/plus + prop., – **the more I eat, the less I want to eat** ; – **the less I eat, the better I feel.**

the less/the more + adj. ... the less/the more + adj. : moins/plus + adj. ... moins/plus + adj. ..., – **the more tired I get, the less keen I am on that project** (Rem. : 1. on peut avoir des combinaisons des trois schémas précédents : – **the more tired I am, the less I can work** ; 2. la deuxième prop. peut être effacée, − **the sooner you finish, the better (it is).**

the less/the more + n. ; ... **the less/the more** + n. : moins/plus ... de + n. ... moins/plus de ... − **the less wine I drink, the more water I ingurgitate.**

the worse for : v. DEGRÉ.

the way (in which ou **that)** : 1. la façon dont ... − **the way he sings gets on my nerves** ; 2. d'après la façon dont ... − **he'll soon be drunk, the way he drinks.**

the worst : v. worst.

then : v. BUT et TEMPS.

there's + n. + **for** = that's + n. + for − **there's gratitude for you.**

there is no + ger. : il n'y a pas moyen de + inf. − **there's no stopping him, once he gets going.**

there is nothing for it but + B.V. : il n'y a pas autre chose à faire que de + inf. − **there is nothing for it but go on walking.**

thereby (arch.) : par ce moyen, ainsi.

therefore : v. BUT.

this/that way : v. **in this/that way.**

thus (lit.) : ainsi, de cette façon − **only thus will he achieve his ends** (= in this way).

to be sure : c'est certain ; à coup sûr.

to begin with (arg.) : d'abord − **he is too young to begin with.**

together : 1. ensemble ; 2. en même temps − **don't all speak together.**

together with : s'ajoutant à, ainsi que − **the poor weather together with the bad news from home had him depressed** ; − **he sent her some flowers together with a cheque** (v. **along with** 2.).

too : v. DEGRE.

through : v. BUT.

unawares : 1. à l'improviste ; 2. par mégarde, inconsciemment.

unlike : contrairement, à la différence de − **unlike most people, he likes work.**

(be) up against + n. : se heurter à/se trouver aux prises avec.

(be) up to s.o. to + B.V. : être à qqn de + inf. − **it's up to her to tell you.**

(be) up to sth. : 1. préparer, mijoter qqch. − **he's up to some dirty trick** ; 2. être à la hauteur de − **is he up to the task ?**

very likely (adv.) : très probablement.

very well : 1. (appréciatif) : très bien − **she sang very well** (v. **well**) ; 2. (arg.) parfait, d'accord.

very well, then : parfait, d'accord alors.

way : v. DEGREE.

well (adv.) : 1. (appréciatif) bien − **he sang the song well** ; 2. (degree) (lit.) fort bien − **well do I remember** ... (noter permutation aux. et v.).

well (interj.) : 1. eh bien ! − **well, what's all this about ?** ; 2. de toutes façons − **well, it can't be helped, can it ?** ;3. ouf ! bon ! − **well, I've finished at last !** ;4. (hésitation) disons/mettons − **he must be, well, about 45** ; 5. et alors ?, − ''I meant to see him'' ''well, have you'' ; 6. le problème, c'est que − ''is he coming ?'' − ''well he's rather busy''.

well, I never ! (exp. figée) : ça alors ! sans blague ! tu veux rire ! − ''I swam across the Channel last winter'' ''Well, I never !''.

well now ! (nuance de reproche ou lassitude) : eh bien !

well, well ! : (surprise) tiens, tiens ! − **well, well ! if that is not John !**

what + **to be** + **like** (int.) : **what is he like ?** : comment est-il ? (physiquement ou comportement).

what about + n./ger. : que diriez-vous de ? ... Et si ... ? − **what about (going for) a nice long walk ?** (v. **how about** 2.).

what of + n. : Et... (y avez-vous pensé ?) − **what of the risks involved ?**

what of that/it ? : et alors ? quelle importance ?

what ... ever ... ? : v. **ever** 2., DEGREE.

what's up ? : qu'est-ce qui se passe ?

what with ... and ... : v. DEGRÉ.

when it comes to + n./ger. : quand il s'agit/il est question de + n./inf. − **difficulties arise when it comes to choosing a film.**

where ... is/are concerned : en ce qui concerne, en matière de.

whereat (arch.) = **whereupon.**

whereupon (lit.) = sur quoi, après quoi, et sur ce.

whether : v. CONDITION.

who ... ever ... ? : v. **ever** 2., DEGRE.

why : (suivi d'une virgule) 1. (surprise) mais ; tiens − ''I did it all on my own.'' ''why, that's clever'' ; 2. (int.) eh bien ! − **why, what's the matter ?**

wise : en matière de − **fashion-wise, money-wise, weather-wise.**

with : 1. (accompagnement) avec − **I'll go some of the way with you** ;2. (caractéristique) chez, avec − **it way a habit with him** ; 3. (instrument) avec, d'un coup de − **he was killed with a knife** (v. **by** 1) ; 4. (manière) de − **covered with leaves** ; **struck with horror** (v. **by** 1. et **with** 3.) ; 5. (cause) (v. **with**, BUT) ; 6. (opposition) contre, avec − **to be at war with a country.**

with regard to : pour ce qui concerne, quant à.

with respect to = **with regard to.**

without fail (promesse) : sans faute − **I'll be there at 6 o'clock without fail.**

word for word : mot pour mot, littéralement.

worse : v. DEGRE.

(the) worst (adv.) : le plus mal − **he played (the) worst of the whole team.**

6. TEMPS – DURÉE – FRÉQUENCE SÉQUENCE

a little while ago : il y a peu de temps (v. ago).

a little while back (US) = a little while ago (v. back).

a long time (v. int.) : (pendant/depuis) longtemps ? – has he known her a long time ? (v. for a long time et long).

a short time : peu de temps – he only stayed a short time.

a long while : = a long time.

a short while : = a short time.

a matter of : l'affaire de, une question, – it'll be a matter of days before he makes up his mind.

a moment : un instant.

a moment ago : il y a un instant.

a moment later : un instant plus tard (*a moment after).

a month/week etc. from today : dans un mois, une semaine d'ici.

a week last Sunday : il y a eu huit jours dimanche dernier.

a week on/next Sunday : il y aura huit jours dimanche prochain.

a weed to-day ou a week this day : aujourd'hui en huit.

about : 1. vers, environ, v. DEGRE; 2. be about to : être sur le point de.

afoot (svt. pej.) : qui se prépare – there's a plan afoot to...

after : 1. (prep.) après – after lunch/the war; 2. (prep. + ger.) après avoir + part. pas. – after living in England for three years, he came back to France;3. (conj.) (fut. ou mod. ds princ. et pres. / perf. dans sub.) : après que – I'll/may talk to him after I have seen you; 4. (conj.) (pret. ou past. perf.) après que – I saw him after his mother died/after he had finished; 5. (adv.) (employer de préférence : afterwards, ou : and then, ou : after that) après – I'll catch the bus and then I'll walk; – he died a week later (mieux que : a week after) (Rem : It is 10 after 6 : il est 5 h 10; usage US).

after a little/long/short time/while ; après un moment/ longtemps après/peu de temps après.

after a time/while : après/au bout d'un certain temps.

after some time : après qu'un certain temps se soit/fût écoulé.

after which : après quoi.

afternoons (US) : l'après-midi, toutes les après-midi.

again : encore, de nouveau, une nouvelle fois.

again and again : à plusieurs reprises.

against : en prévision de – he is saving up against his old age.

ages ago : il y a des siècles (sens fig.).

ago (pret./aux. mod. perf.) : il y a – he lived/must have lived there ages ago.

ahead (adv.) : 1. à l'avance – I can't plan ahead ; 2. en tête, devant les autres – he was 10 yds ahead (v. LIEU).

ahead of : 1. en avance sur – he was ahead of schedule/ the others ;2. be ahead of time : être en avance (v. early et in advance).

all afternoon : tout l'après-midi (v. n.p.c. : every afternoon).

all along (pret./pres. perf.) : depuis le début/toujours, – he knew about it all along (v. all through).

all at once : tout d'un coup, brusquement (v. at once).

all day (long) : (pendant) toute la journée (n.p.c. : every day).

all in good time ! : chaque chose en son temps !.

all my life (pres. perf.) : toute ma vie, toujours – I've been a coward all my life (v. as long as I live).

all night : toute la nuit ou toute la nuit dernière (n.p.c. : every night).

all night last night : toute la nuit dernière (v. ci-dessus).

all over : terminé, fini (v. over).

all over again : de nouveau, à partir du début – now, count the pennies all over again.

all over with s.o. : terminé, fini, fichu pour qqn. – It's all over with us now.

all the time : 1. pendant tout ce temps-là – I was looking for my specs and they were right on my nose all the time ; 2. pendant (tout le temps) que – and all the time I was working, he ...;3. dès le début – all the time, he knew I was the culprit; 4. tout le temps – I can't keep an eye on you all the time; 5. avant tout – he's a businessman all the time !

all his life through (pret./pres. perf.) : (pendant) toute sa vie.

all (the) year : toute l'année (n.p.c. : every year).

all the year round : d'un bout de l'année à l'autre (v. the whole year round).

all the/this while : pendant tout ce temps..

all through : 1. (prép.) pendant, d'un bout à l'autre de – he cried all through the night (v. through et throughout);2. (adv.) = all along.

all too often : que trop souvent – I have this feeling all too often.

all up with s.o. = all over with s.o.

all week : toute la semaine (n.p.c. : every week).

all year : v. all the year.

almost always : presque toujours (*nearly always).

along with : en même temps que (v. DEGRE).

already : 1. (≠ not yet) déjà – he's already asleep ≠ he is not yet asleep ;2. déjà (plus tôt que prévu) – have you finished already ? (≠ haven't you finished yet ?);3. déjà (= déjà une ou plusieurs fois) – I've been to England already and I'd like to go there again (Rem. : is my shirt dry yet ? ... = déjà (ignorance) ou = enfin (impatience);cf. : is my shirt dry already ? quoi ? elle est déjà ... (surprise) (v. ever, not yet, still, yet)..

always : toujours – I shall always remember that day (v. ever).

and about time too ! : et ce n'est pas trop tôt !.

anew (lit.) : 1. de nouveau, à nouveau ;2. sous une forme nouvelle.

another two, etc. hours : encore deux, etc. heures – can you wait another three hours ?

any day : n'importe quel jour – you can come any day (you like).

any day (now) : d'un jour à l'autre.

any longer (int./neg.) : plus longtemps, encore un certain temps – can you wait any longer ? (v. not any longer).

any minute (now) : d'une minute à l'autre.

any moment (now) : d'un instant à l'autre.

any time : 1. (adv.) n'importe quand − **I can go there any time** ; 2. d'un moment à l'autre − **he might get back any time** ; 3. (conj.) n'importe quand − **I'll go there any time you want me to**.

around = **about** (v. **round about**).

as : 1. comme, au moment où − **as I walked in, I saw his dog...** ; 2. à mesure que : (pfs avec cptf) à mesure que − **as you grow older, you'll realise that ...** ; − **as science progresses, ...** ;3. (s + v. effacé) quand, alors que − **as a child** (= **as he was a child**), **he already showed an ear for music** ; − **she went to the States as a kid** : ... alors qu'elle n'était qu'une gosse ; 4. alors que, pendant que − **he was murdered as he sat asleep on his chair** ; 5. tout en + p. pres. − **he talked on and on as he smoked his pipe** (v. les autres sections).

as a rule : en règle générale.

as early as (+ n.) : dès − **as early as 7 o'clock/Monday/ next week/ the XIXth c.** (v. **from, as from, as soon as**).

as far back as : 1. (prep.) dès (= déjà en) − **as far back as 1969/the XVIth c.** ;2. (conj.) aussi loin que − **as far back as I can remember**.

as from/as of : à compter/à partir de − **as of today/the 19th of next month, you'll be paid a monthly salary**.

as late as (notion de durée) : jusqu'à − **last night I worked as late as 11.30 p.m.** (v. UNTIL) ; − **this trend persisted as late as the XIXth c.**

as lately as : (fml) pas plus tard que − **I saw her as lately as last Sunday** (v. **no later than**).

as of = **as from**.

as often as : aussi souvent que.

as often as not : la plupart du temps, le plus souvent ; une fois sur deux.

as long as : 1. aussi longtemps que − **you can keep it as long as you like** ; 2. à condition que (v. **as long as 1**, CONDITION).

as long as I live : toute ma vie (à venir) (n.p.c. : **all my life**).

as of = **as from**.

as soon as : (conj.) dès que − **I'll ring you as soon as I get back** (n.p.c. : **as early as, as from, from**).

as usual : comme d'habitude (n.p.c. : **usually**).

as yet (int. neg., semi neg.) : jusqu'à maintenant, jusqu'ici − **we've had only two replies as yet** (v.**so far, until now**).

at (pret) : 1. (heure ou point dans le temps) à − **at 6.15; at Easter; at Christmas** ;pendant les fêtes (de Noël) ; 2. (âge) à (l'âge de) − **he left school at fifteen/at the age of 15**.

at a time : 1. à la fois, en même temps − **he's reading two books at a time !** ; 2. de suite, à l'affilée ; à la suite, sans interruption, − **he can read for hours at a time** : ... pendant des heures entières ; 3. séparément − **they came in two at a time** : ... deux par deux (v. **on end, running, toge- ther**).

at a time when : à une époque/à un moment où ....

at all hours : à toutes heures, sans interruption − **open at all hours** (v. **round the clock**).

at all times : toujours, dans toutes les occasions/circonstan- ces − **he was ever so kind to me at all times**.

at any moment : d'un instant à l'autre (v. **any mo- ment**).

at dawn : à l'aube.

at dusk : au crépuscule.

at first : au début, tout d'abord (v. **first**) (Rem. : svt suivi de : **then**, ou : **but afterwards**).

at first hand : de première main, directement.

at great length = **at length 2.** (plus insistant).

at hand : 1. proche − **the great day is at hand** (n.p.c. : **in hand** et : **on hand**) ; 2. à portée de main − **keep sth. at hand**.

at long last : à la fin des fins.

at last : (soulagement) enfin (n.p.c. : **in the end, last** et **lastly**).

at length : 1. enfin, finalement ; 2. en grand détail ; 3. fort longuement.

at long length = **at length 2.** (plus insistant).

at midday/at noon : à midi (on dit = svt : **at twelve (noon)**).

at midnight : à minuit (on dit aussi : **at twelve (midnight)**).

at night : 1. le soir ; 2. la nuit (v. **in the evening, in the night, overnight**) (n.p.c. : **by night** et **to- night**).

at nightfall : à la tombée de la nuit.

at no time : à aucun moment (n.p.c. : **in no time**).

at noon : v. **at midday**.

at odd times : de façon irrégulière ; à ses moments perdus.

at once : 1. immédiatement, tout de suite ; 2. en même temps, à la fois − **don't do things at once** ; − **he was at once good-looking and kind-hearted** (v. **both**) (n.p.c. : **all at once**).

at one time : 1. (svt avec **used to**) autrefois ; 2. à une certaine époque, à un moment donné, il fut un temps où − **at one time I saw him every day** ; 3. (rare) en même temps, simultanément (= **at a time 1.**).

at other times : d'autres fois, en d'autres occasions.

at present : 1. en ce moment, actuellement − **I'm afraid she can't see you, she's busy at present** ; 2. à présent, maintenant (par oppos. : à avant la période indiquée ou implicite) − **at present, he teaches Latin in Germany**.

at some length : 1. assez longtemps ; 2. assez en détail.

at that time : 1. à cette heure-là ; 2. à cette époque-là, à ce moment-là.

at the (very) earliest : au plus tôt (v. ≠ **at the latest**).

at the beginning (of) : au début, au commencement (de) (n.p.c. : **in the beginning**).

at the best of times : dans le meilleur des cas, (déjà) quand tout va bien − **he isn't very articulate at the best of times**.

at the moment : pour l'instant.

at the outset (of) : au début (de).

at the present moment : 1. actuellement, à présent ; 2. en ce moment-même.

at the present time : à l'heure actuelle, en ce moment.

at the same time : 1. à la même heure ; 2. à la fois, en même temps (v. CONDITION).

at the same time as : en même temps − **they left at the same time as I did** (n.p.c. : **in the same time**).

at the start : au commencement, au début (n.p.c. : **for a start**).

at the time : 1. à l'époque, alors − **I was only a kid at the time** ; 2. sur le coup − **at the time, I didn't realize what he meant**.

at the very end (of) : tout à la fin (de).

at the very moment when : au moment même où ....

at the week-end : à la fin de la semaine (v. **over the week- end**).

at this time : 1. en ce moment, à l'heure qu'il est ; 2. à ce moment-là, alors.

at this time of (the) year : à cette époque-ci de l'année.

at this time to-morrow : demain à la même heure.

at times : par moments – **I could slap his face at times.**

away : 1. (à droite du v.) sans discontinuer, d'arrache pied, sans relâche – **he's working away at a new novel**; 2. (avec indication de durée) (dans combien de temps par rapport à un moment donné) – **how many months away is your next trip to London ?**, – **with his concert only weeks away** : ... dans quelques semaines seulement.

away back in : il y a longtemps déjà en/dans – **away back in 1902/in the 30s.**

back : (US) = (GB) = ago : il y a – **a few weeks back** (v. **as far back as** et **far back in**).

barely ... when : à peine ... que – **he had barely walked in when I ...** ou : **barely had he walked in when I ...** (v. **hardly ever**).

barely ever (lit.) : presque jamais (v. **hardly ever**).

before : 1. (prep.) avant – **before Christmas/lunch**; 2. (+ ger) avant de + inf. – **look well before jumping**; 3 (conj.) avant que – **I'll be back before the party is over**; 4. (adv. en fin de prop.) auparavant, déjà, – **he had been to England before.**

beforehand : à l'avance, d'avance – **you'd better book a seat beforehand** (v. **in advance**).

before the week is out : avant la fin de la semaine (v. **out** 4.).

behind : 1. (adv.) en arrière, à la traîne; 2. (prep.) en retard sur – **he's always behind his schoolmates**; 3. **leave sth. behind** : oublier qqch. (un objet qqpart).

(be) behind the times : être vieux-jeu, ne pas être dans la course.

(be) behind time : (être) en retard (sur l'horaire).

both : à la fois – **he was both clever and considerate**; – **he showed both great skill and kindness** (v. **at once** 2).

by : 1. avant, pas plus tard que – **this must be finished by the end of the week/by tomorrow/by 6 o'clock**; 2. d'ici – **by the year 2025, things will have changed**; 3. dès – **he was up by 6 every morning.**

by and by : bientôt.

by day : de jour (v. **in the day-time**; ≠ **by night**).

by night : de nuit – **I don't like driving by night** (v. **at night**; n.p.c. **tonight**).

by now : à l'heure qu'il est – **he ought to be back by now.**

by the minute : de minute en minute – **traffic was getting heavier by the minute.**

by the hour : à l'heure, – **he was paid by the hour** (v. **per**).

by the time (that) (loc. conj.) : 1. d'ici à ce que – **he'll be back by the time you get home**; 2. avant même que/le temps que – **by the time I realised what had happened, ...**;3. lorsqu'enfin – **by the time he got home, everything was over.**

by then : à ce moment-là ... déjà – **by then I knew he wouldn't be coming.**

by this time : 1. déjà à ce moment là – **by this time, they had drunk all the whisky.**

by this time to-morrow : demain à cette heure-ci.

close on ('heure/âge) : près de – **he is close on 50; it was close on midnight.**

close to (avec indic. numérique) près de – **close to 500 people turned up.**

day by day : jour après jour.

day in, day out :tous les jours sans exception.

dead on time : (infml) pile/juste à l'heure.

during : (prep.) (répond à la question : when ?; v. **for**) 1. au cours de, pendant, à un moment donné de ... – **he came back home during the night**; – **during my visit to the U.S.A.**; – **during those five weeks**; – **I met her twice during** (ou : **in**) **the past three/few weeks**; – **he was taken ill during lunch/during the concert** (Rem. : **during** est suivi d'une période déterminée, connue, marquée par article zéro, **the, this/that** ou **these/those, my, your**, etc.); 2. pendant (toute une période spécifiée) – **the shop will be closed during the holidays**; – **food was scarce during the war**; – **sentries guarded the camp during the night/the riots** (n.p.c. **while**, conj.) (Rem. : comparer les exemples avec **for** et **in**, comme : **for the first few days** et **in the next fex days**).

during this/that time : pendant ce temps(-là).

during which time : période durant laquelle ou : et, pendant ce temps-là.

each day : chaque jour.

earlier : 1. (adv.) plus tôt – **couldn't you come a little bit earlier than that ?**; 2. (adj.) premier, plus ancien, précédent – **in his earlier books.**

earliest : (adj.) tout premier, le plus ancien – **in his earliest books..**

early : 1. tôt, de bonne heure – **he gets up early in the morning**;2. en avance – **the train arrived early/was 10 minutes early**; – **we're early**; 3. (adj.) au début de – **in early June; in the early morning; in the early fifties**; 4. tôt, trop tôt – **it's a bit early to tell..**

early on in : au début de – **early on in the afternoon.**

ere long (arch.) : v. **before long.**

even : v. **degre.**

even as : juste au moment où – **he ran off even as I came home.**

even now : 1. encore actuellement, encore maintenant (v. CONDITION); 2. en ce moment même.

even yet (idée de futur) : encore (finir par) – **the plan may even yet succeed** : ... finira peut-être par réussir.

evenings (US) : l'après-midi, toutes les après-midi.

ever : 1. en quelque point du temps que se soit (passé, présent, futur), – **I'm sorry I ever said that** : ... d'avoir un jour dit cela; – **the best play I've ever seen** : ... jamais/jusqu'ici... 2. (avec neg./semi neg.) jamais – **nothing ever makes him angry** (v. **hardly ever**);3. parfois/déjà – **do you ever go to the pictures ?** : ... parfois ...?; – **have you ever been to England ?** : ... déjà ...? (v. **already, before, yet**); 4. (avec **if**) si jamais/si un jour – **if ever you need help, ...**; – **he seldom if ever eats anythings** : il ne mange pratiquement rien; 5. (après **as**) (val. intens.) – **I ran as fast as ever I could** : ... le plus vite que j'ai pu; 6. (fml) toujours – **he was ever courteous.**

ever after : à partir de ce jour – **they lived happily ever after** (v. **for ever**).

ever since (conj. prep.) (val. intens.) = **since** – **ever since I was a kid/ever since the war** (v. **since**)

ever since (adv.) = **since** (adv.) : depuis (fin' de prop.),
– **he's been sick ever since.**

ever since then : depuis lors.

every day : tous les jours (v. **all day** et **each day**).

every few hours : toutes les deux ou trois heures.

every now and again/every now and then : de temps en temps.

every once in a while/way : une fois en passant.

every other/second day : tous les deux jours.

every other Sunday : un dimanche sur deux.

every so often : de temps en temps, de temps à autre.

every third day/every three days : tous les trois jours.

every time : 1. (adv.) à chaque fois, à tous les coups – **you'll win at this game every time**; 2. (conj.) toutes les fois que – **he wins every time he plays** (v. **whenever**); 3. (adv.) de préférence (à toute autre chose) – **give me tea every time.**

far back in : en remontant jusqu'à – **far back in the XVIIth century** : dans les temps lointains du XVIIe siècle.

fast (adv.) : vite, rapidement – **doesn't he run fast !**

few and far between (adj.) : rare – **big town were few and far between in those days.**

first : 1. d'abord – **before we go, I must first lock up**; 2. d'abord, en premier lieu (... et ensuite) – **first, I looked at her, then I spoke a few words**; 3. pour la première fois – **when I first met him**; – **when he was first married**; 4. au début – **when I first lived in England**; – **when you're first married** : au début de votre mariage; 5. le premier, en premier – **he hopes he'll get there first**; 6. plutôt/je, etc. préférerais – **I won't accept that; I'll die first** (v. DEGRE).

first thing : en priorité, avant toute autre chose, – **I'll have to ring him up first thing (in the morning)** : ... dès les premières heures demain matin.

following (prep.) : à la suite de, – **the street was cordoned off following the morning's bomb explosions.**

for (prep.) (répond à la question : **how long ?**; v. **during**); 1. (v. pret.) pendant, – **he stayed in England (for) three weeks** (simple fait révolu); 2. (v. pres. perf. s.) pendant, – **he's lived in Japan for three years** (= il sait ce que c'est); 3. (v. pres. perf.) depuis, – **he's known her for many years**; – **he's been working for two hours**; 4. (v. **have** au pres. perf.) depuis, – **he has had my car for two days** : il a ma voiture depuis deux jours; 5. (v. **have got** à valeur de présent) pour, – **he has got my car for two days** : il a ma voiture pour deux jours; 6. (v. pres. progr.) pour, pendant, – **he is staying with us for as least one week**; 7. (v. fut. ou mod.) pendant, – **he'll stay/he may stay there for three months/for a long time** (Rem. : **for** marque que la totalité de la durée indiquée est couverte, à la différence de **during** 1.; **for** est suivi de **a**, une indication chiffrée précise ou subjective : – **for a week; for one and a half hours; for some/a few/several/many**, etc. **weeks**) (Rem. : comparer : **for the first few days** et **in the first few days**) (v. **during** at in).

for a long time : 1. (pres. perf. aff.) depuis longtemps, – **he's been back for a long time**; 2. (autre temps aff.) pendant longtemps, – **he'll be/he was away for a long time**; 2. (v. neg. pret.) comparer : – **he didn't work for a long time** : pendant longtemps il n'a pas travaillé (= chômage) et –

– **he didn't work for long** : il n'a pas travaillé longtemps (il s'est arrêté très vite de travailler).

for a long time now/past : depuis longtemps déjà.

for a short time/while : pendant/depuis peu de temps.

for a spell : pendant un certain temps.

for a start : d'abord, pour commencer.

for a time : pendant un certain temps.

for a while : v. ci-dessus.

for afternoons on end : pendant /durant des après-midi entiers (v. **on end**).

for ages : depuis/pendant des siècles (sens fig.).

for another two etc. **weeks/months**, etc. : pendant deux, etc. semaines/mois encore/de plus.

for days at a time : pendant/durant plusieurs jours de suite/d'affilée (v. **at a time, on end**).

for ever/forever : 1. pour toujours,à tout jamais – **he won't stay here for ever**; 2. sans cesse – **they are for ever quarelling** (= always).

forever after : à partir de ce jour.

forever and forever : à tout jamais (= **forever** 1.).

forever more (lit.) = forever and forever.

for good : pour de bon, définitivement.

for good and all : à tout jamais, une fois pour toutes.

for keeps (sl.) : à jamais, pour toujours.

for long (v. neg. pret.) : 1. **v. for a long time** 2.;2. (v. neg. autres tps) pas (depuis/pendant/pour) longtemps – **he won't stay here for long.**

(for) most of the ... : pendant la plus grande partie de ...

for once : pour une fois – **for once he was telling the truth.**

for (quite) some time : pendant/depuis/pour pas mal de temps.

for some time past : depuis un certain temps déjà.

for some time yet (surtout avec mod. ou fut.) : pendant/pour un certain temps encore – **he may stay on for some time yet.**

for the first few days : pendant les deux ou trois premiers jours (qui suivent un point de repère donné) (n.p.c. : **in the first few days**).

for the first time : pour la première fois.

for the holidays : pendant les vacances, – **we went/we're going to Spain for the holidays.**

for the last few weeks : 1. (pres. perf.) depuis deux ou trois semaines; 2. (autres tps.) pendant les deux ou trois dernières semaines (v. **in the last few weeks**).

for the last week (v. pres. perf.) : ces huit derniers jours/toute la semaine – **I've had flu for the last week** (n.p.c. : **last week**).

for the last time (v. fut.) : pour la dernière fois – **for the last time, will you get out or shall I have to throw you out ?**

for the last year : ces 12 derniers mois – **the town has undergone great changes for the last year** (n.p.c. : **last year**) (v. **over the last year**).

for the moment : pour l'instant – **that's all for the moment.**

for the most part : la plupart du temps – **he is for the most part a well-behaved child** (= most of the time) (v. DEGRE).

for the next few months : pendant les trois ou quatre mois prochains.

for the next three weeks : 1. (v. pret.) pendant les trois semaines suivantes – **for the next three weeks he steered the ship straight for Palestine**; 2. (v. pres. progr./fut.) pendant les trois semaines qui viennent – **for the next three weeks, I'm running the show.**

for the past few weeks (pres. perf.) : depuis deux ou trois semaines déjà − he's done nothing but cry for the past few weeks.

for the present = for the moment.

for the rest of my life : toute ma vie (à venir) (n.p.c. all my life) − I don't want to stay there for the rest of my life.

for the summer : pendant (tout) l'été − he went/he's going to Germany for the summer.

for the time being : pour le moment.

for this once : pour cette fois-ci.

former (adj.) : 1. ancien − my former wife (v. late 4, 5); 2. le premier (de deux) − your former idea was better (v. latter 1).

formerly (adv.) : autrefois.

from : 1. à partir − the shop will be open from 9 o'clock/tomorrow morning; 2. (avec ger.) alors qu'auparavant/au début − from being an office-boy, he became a general manager; 3. dès − from his earliest childhood : dès sa plus tendre enfance (v. by 3.).

from ... to/from ... till/until : de ... à/jusqu'à − from three till six; − from June to December.

from ... onwards : à compter de − I'll be away from six o'clock/Tuesday onwards.

from ... up/upwards (âge) : de ... et plus − boys from 12 up (v. over et under).

from now : à compter d'aujourd'hui − a week from now : dans une semaine d'ici.

from now on/onwards : 1. (v. pres.) à partir de maintenant; 2. (v. fut.) dorénavant, désormais; 3. (v. pret.) dès lors, dès ce moment là.

from the age of three, etc. : dès l'âge de trois ans, etc..

from the (very) moment : dès l'instant (même) où − from the moment I saw her, I knew she'd become my wife.

from the start : dès le début.

from the (very) first : dès le (tout) premier instant.

from that/this time on : à partir de ce moment-là.

from time to time : de temps en temps.

(be) going to + B.V. : aller + inf. − I'm going to tell you the truth; it's going to rain (n.p.c. : be about to : v. about 2.) (Rem. : certitude du locuteur, d'où souvent intention).

hardly ever ... + any : presque jamais − he hardly ever eats anything (v. hardly ever, DEGRE).

hardly ... when/before ... : à peine ... que − he had hardly said a word/hardly had he said a word before I interrupted him (v. DEGRE).

henceforward/henceforth (lit.) : à l'avenir, dorénavant (v. from now on).

hereafter (lit.) : 1. après, plus tard; 2. (livre) ci-après; 3. dans l'autre vie/monde.

hereupon (lit.) : sur ce, là-dessus.

hitherto (lit.) : jusqu'ici (v. so far et up to now).

how often ... ? : combien de fois ? tous les combiens ? à quel rythme ? (Rem. : la réponse sera : every week, once a week etc.) (v. how many times).

how long ... ? : 1. (pret.) pendant combien de temps ?; 2. (pres. perf.) depuis combien de temps ?; 3. (fut.) combien de temps .

how long ... for ? (pres. s./progr. ou fut. s./progr.) : pour/pendant combien de temps − how long are you staying with them for ?.

how long ago ... ? (v. pret.) : combien y a-t-il de temps que − how long ago did you (last) see her ?.

how long is it since (v. pret.) = how long ago − how long is it since you (last) saw her ?.

how long is it since (v. pres. perf.) = how long 2. − how long is it since you've had this car ? : depuis combien de temps avez-vous... ?

how many times ? : combien de fois (la réponse sera : once, three times, etc.) (v. how often).

how much longer ? : combien de temps encore ? − how much longer can you stay here ?.

if ever : v. ever 4.

in (prep.) : 1. en, pendant − in 1975/Spring/June/the war/the XIXth century (v. during, Rem.); 2. en (durée nécessaire) − in two hours, in a week (v. in a week's time, within); 3. US = for (v. neg.) pendant/depuis − I haven't seen him in years (v. in a long time).

in (adv.) : 1. chez soi, rentré − he isn't in yet; 2. arrivé, − is the train in yet ?; 3. au pouvoir − The Labour Party are in; 4. à la mode − mini-skirts are not in at the moment.

in a day or two : dans un ou deux jours.

in a jiffy (infml) : en un clin d'œil.

in a row [rou] : d'affilé de suite (v. at a time 2., on end, together).

in a short time : dans quelques instants − he'll be back in a short time.

in a split second : en l'espace d'une seconde.

in a week or so : dans environ une semaine.

in a week's time : dans une semaine (d'ici) − it will be ready in a week's time (v. in (prep.) 2.).

in advance : d'avance, à l'avance (v. beforehand).

in ancient times : dans l'antiquité.

in all my life (pret./pres. perf.) : (de) toute ma vie.

(in) between times : entre temps.

in due course/time : à la longue, finalement.

(be) in for : 1. risquer (d'avoir) − we're in for a spell of bad weather; 2. être inscrit/candidat à, − are you in for the next trip/the job ?.

(be) in for it : (risquer de) s'attirer des ennuis.

in former/olden times : dans le temps, jadis, autrefois.

in good time : 1. à l'heure (prévue); 2. en avance; 3. à temps − let me know in good time.

in hand : 1. en cours − the job in hand; 2. disponible, − I have £200 in hand (n.p.c. : at hand, on hand).

in January last = last January.

in January next = next January.

in less than no time/in next to no time : en un rien de temps.

in my time : de mon temps.

in no time (at all) = in less than no time.

in nothing flat (sl.) : = ci-dessus.

(be) in on sth. : être au courant de qqch..

in one's fifties : d'une cinquantaine d'années, − a man in his fifties (n.p.c. : in the fifties).

in peace/war time : en temps de paix/de guerre.

in plenty of time : largement à temps, en avance.

in s.o.'s time : à l'époque, du temps de − in Queen Victoria's time.

in the afternoon : l'après-midi (v. ci-dessous).

in the afternoons : toutes les après-midis (v. ci-dessus) (v. afternoons et on 1.).

in the early thirties : au début des années 30. (v. early 3. et in the fifties).

in the beginning : au début, d'abord; dans les premiers temps (v. **at the beginning**) − in the beginning they weren't all that much in love with each other.

in the day time : de jour, lorsqu'il fait jour (v. **by day**).

in the days of : du temps de.

in the early morning : v. **early 3**.

in the Easter term : au 2ᵉ trimestre (scolaire).

in the end : en fin de compte, finalement − **well, they got married in the end** (v. **at the end**).

in the fifties : dans les années 50 (n.p.c. : **in one's fifties**).

in the first few days : (passé) : les 2 ou 3 premiers jours.

in the last few days/weeks (passé) : les 2 ou 3 derniers jours, les 2 ou 3 dernières semaines.

in the last week : au cours de la dernière semaine (v. **last week**).

in the late morning : à la fin de la matinée (v. **late 3**)..

in the long run : à la longue; finalement.

in the meantime : entre-temps, pendant ce temps, en attendant.

in the morning : 1. le matin; 2. demain matin − **I'll see you in the morning, then.**

in the next few days (passé) : au cours des/les 2 ou 3 jours qui suivirent (v. **for the next few days**).

in the nick of time (infml) : juste à temps.

in the night : au cours de la nuit ou la nuit dernière − **I had a horrible nightmare in the night** (v. **during, at night, last night, to night**).

in the old days : autrefois (v. **formerly**).

in the same time : dans le même temps, en mettant le même temps − **both arrived in London in the same time** (n.p.c. : **at the same time**).

in the time of s.o. : à l'époque/du temps de qqn..

in the twinkling of an eye : en un clin d'œil.

in their thousands : par milliers − **women in their thousands replaced the men in the factories.**

in this day and age : par les temps qui courent.

in those days (prét.) : en ce temps-là (v. **these days**).

in time (for) : 1. à temps (pour) − **he arrived in time (for the match)**; 2. avec le temps, le temps aidant − **in time, you'll forget her** (v. **with time**); 3. (musique) en mesure .

in times gone by/past (lit.) : autrefois ....

in two weeks'time : dans deux semaines (d'ici) (v. **within**).

-ish : vers, environ (heure ou âge), **come for dinner 7 ish,** − **he is 70 ish.**

(be) (well) in with s.o. : être en bons termes avec qqn..

it has been (US)/**it is** (GB) **a long time since** : 1. (v. prét.) il y a longtemps que ne ... pas − **it's been a long time since I (last) saw you**; 2. (v. pres. perfect) cela fait longtemps que + pres. − **it's a long time since I have known her.**

it is about/high time (+ prét. mod./for ... to ...) : il est grand temps que + subj..

it is ages since : cela fait des siècles que (sens figuré) (v. ci-dessus).

it is time + prét. mod./for ... to ... : il est temps que + subj. − **it's time you made up your mind/for you to make up your mind.**

it is time for sth./to + BV : c'est l'heure de qqch./de + inf. **it's time for tea/to leave.**

just : 1. exactement − **it's just 10 o'clock**; 2. (avec pres. perf./past perfect) venir de − **he's/he'd just gone out** : il vient de/venait de sortir (Rem. : US : prét. à la place de pres. perf.); 3. (prét. progr.) imparfait, à l'instant même − **I was just talking about you**; 4. (avec **to be gog to**) dans un instant, − **the train is just going to leave** (= be about to); 5. (avec forme progr.) tout de suite − **I'm just coming.**

just as : au moment même où.

just for this once : pour cette fois − **I'll forgive you just for this once.**

just now : 1. (prét.) il y a un instant − **I spoke to him just now**; 2. (pres.) pour l'instant, en ce moment − **I can't phone him just now.**

just (only) this moment (pres. perf.) : à l'instant même − **I've just (only) this moment met him.**

just this once = just for this once.

just yet (int.) : tout de suite − **do you want me to do it just yet ?** (v. **not just yet**).

last (adv.) : 1. le dernier, en dernier − **he arrived last ;** − **he told me last** (n.p.c. : **at least, least**); 2. (v. prét.) : (pour) la dernière fois − **when I last saw him** ou **when I saw him last** (v. **first**).

last time : 1. (adv.) (v. prét.) la dernière fois − **what happened last time was unexpected**; 2. (conj.) (v. prét.) la dernière fois que − **last time I saw him, I told him all about it.**

last week (v. prét.) : la semaine dernière (v. **the last week, for the last week**).

last year : 1. (adv.) (prét.) l'année dernière − **I went to Italy last year**; 2. (n.) (prét.) l'année dernière (jusqu'à décembre dernier) − **last year was difficult** (v. **the last year**).

lastly (énumération) : en dernier lieu, enfin (n.p.c. : **at last** et **lately**).

late : 1. en retard (de) − **he was (10 minutes) late;** 2. tard − **they got home rather late in the evening**; 3. (adj.) vers la fin de − **in late spring/June** (v. **early 3**.); 4. (adj.) ancien ou défunt (feu) − **the late Government** (= former); **the late King of England (now dead)**; 5. récent − **some late news of the riots has just come through.**

lately (v. pres. perf.) : dernièrement, récemment, ces derniers temps − **I haven't been well lately.**

later : 1. (adv.) plus tard − **later in the day** (v. **later on**); 2. plus récent, dernier (chronologiquement) − **in the later books** (v. **last**).

later on : plus tard − **I'll see you later on.**

latter : 1. (adj.) deuxième, second − **the latter suggestion was better** (v. **former**); 2. (adj.) dernier, vers la fin de − **in the latter years of his life** (v. **later** et **earliest**).

latterly (fml.) : 1. dernièrement, récemment (v. **formerly**); 2. vers la fin, sur le tard.

long : 1. (int.) (v. prét.) pendant longtemps − **did he stay in England long ?**; 2. (int.) (v. pres. pref.) depuis longtemps − **has he been here long ?** (v. **for long, for a long time**).

long ago (prét.) : il y a longtemps (v. **how long ago**).

long enough : 1. (prét.) pendant assez longtemps − **I was with him in England long enough...** 2. (pres. perf.)· depuis assez longtemps − **I've known him long enough** : je le connais....

long since (fml.) : 1. (v. pres. perf.) il y a longtemps − **such customs have long since disappeared** (= disappeared long ago); 2. (avec adj.) depuis longtemps − **he remembered his friend, long since dead.**

many a time (fml.) : maintes fois.

many times : de nombreuses fois, à de nombreuses reprises.

meanwhile : 1. en attendant, dans l'intervalle (= **in the meantime**); 2. pendant ce temps − **I was**

washing up and meanwhile she was watching TV.

mondays (US) = (GB) on Mondays : tous les lundis.

more often than not : le plus souvent.

mornings (US) = (GB) in the mornings : tous les matins.

most days : la plupart du temps.

most often : le plus souvent.

most times : la plupart des fois (n.p.c. : most of the time).

most of the time : la plupart du temps (n.p.c. : most times).

never : 1. jamais ; 2. (neg. d'insistance) ne ... pas — **he never said a word**; 3. pas vrai ! pas possible — **"I left my bag at home" "Never !"**.

never again : jamais plus, plus jamais.

never ... but (fml) : jamais ... sans que/sans + inf. — **he never speaks to her but he shouts**.

never even : même pas — **he never even thanked me** (v. **never so much as, not so much as**).

never ever (infml.) : jamais, au grand jamais — **I never ever tell a lie**.

never more (lit.) : jamais plus.

never so much as : pas même — **he never so much as thanked me** (v. **never even**).

next : 1. ensuite, après cela — **first I'll go home, next I'll have a bath**; — what did he do next (v. **after**); 2. la prochaine fois, la fois suivante, de nouveau — **when shall we meet next ?** — **when they met next/when they next met**; 3. **next !** : au suivant !

next day : le jour suivant (v. **the next day**).

next Sunday : dimanche prochain.

next time : 1. (adv.) la prochaine fois — **I'll tell you next time**; 2. (conj.) la prochaine fois que — **I'll tell you next time I see you** (v. **the next time**).

next month/week/year : le mois prochain/la semaine/l'année prochaine (v. **the next year**).

no longer : ne ... plus — **he's no longer a young man** (≠ **still**) (v. **not any longer**).

no more (adv.) (quantitatif) : ne ... plus — **I can eat no more** (Rem. : souvent employé à la place de **no longer**).

no sooner ... than (fml.) : pas plus tôt ... que — **he had no sooner said this/no sooner had he said this than someone disagreed** (v. **hardly ... when**).

not ... any longer = no longer — **he isn't young any longer** (≠ **he is still young**).

not any more = no more.

not ... ever (infml.) : plus jamais — **he will not see her ever**.

not for a few days yet : pas avant quelques jours — **he won't be back for a few days yet**.

not for another week : pas avant une semaine.

not for another two weeks : pas avant deux semaines.

not for long : v. **for long 2**.

not for some time yet : pas avant un certain temps — **he won't be back for some time yet**.

not ... for a long time : 1. (v. prét.) pendant longtemps ... ne ... pas — **he didn't work for a long time** (v. **for long**); 2. (v. autres temps) v. **for a long time**.

not just yet : pas tout de suite — **I can't phone him just yet** (v. **just yet**).

not ... long : pas longtemps — **he won't stay here long**.

not ... till/not ... until (+ n. ou v.) : pas avant (que) — **he cannot come until next week/until his parents let him** ...

not ... till/until after (+ n. ou v.) : ce n'est qu'après (que) ... que ... — **he didn't hear from his wife until after his return home/until after he returned home**.

not yet (infml.)/not ... yet (fml.) : pas encore — **he hasn't yet heard from her/he has not heard from her yet** (v. **still 2**).

now : 1. (v. prés.) maintenant — **now I live in Bath**; 2. (récit) (v. prét.) à ce moment là, alors — **he left home at the age of 16; now he was able to cope for himself**; 3. **now (that)** maintenant que — **now (that) you've spoken to her**; 4. (raisonnement) : or (v. **MANIERE**).

now ..., now ... : tantôt ..., tantôt ... — **now walking, now running**.

now and again : de temps en temps ; de temps à autre.

now and then : now and again.

nowadays : de nos jours (≠ **formerly**).

now that : v. **now 3**.

occasionally : de temps à autre, à l'occasion.

of : (US) (heure) : **5 (minutes) of 10** = (GB) : **5 to 10** : dix heures moins cinq.

of age : be/become of age : être majeur/atteindre l'âge de la majorité (v. **under age/over age**).

of an evening (lit.) : (parfois) le soir — **he used to watch the stars of an evening**.

of late (fml) : depuis quelque temps, récemment (= **lately**).

of late years : (lit.) ces dernières années ; récemment.

off (adv.) : 1. remis à plus tard — **the space flight is off for a week**; 2. libre, de congé — **on his days off he likes to do a bit of gardening**; 3. départ — **we're off** : on part; 4. (idée d'interruption, séparation) — **he's shaved his beard off**; — **switch off the light**; — **he has his shoes off**; 5. (idée d'achèvement) — **he paid off his debts**; **he finished off the book in one night**.

off (prep.) : 1. ne plus aimer — **I'm right off detective stories at the moment**; 2. cesser de — **he's off cigarettes/off smoking**.

off and on : v. **on and off**.

often : souvent (v. **every so often**).

on (adv.) : 1. (à droite du v.) continuer de — **he worked on (and on) all night**; 2. (idée de mise en contact) mettre en route, allumer — **turn on the gas**; — **is the telly on ?**; 3. passer (à la radio ou télé) — **the President is on tonight**; 4. passer (d'un film) — **there's a good film on at the Odeon**; 5. porter (vêtement) — **he had a hat on**; 6. avoir qqch. à faire, de prévu — **I've got nothing on to-night**; — **you're on in two minutes** : tu entres en scène ...; 7. **it just isn't on** : ça ne se fait vraiment pas.

on (prep.) : 1. (avec jour/date) **on Sunday, on Wednesday afternoon, on March 2nd, on the morning of June 7th** (v. **in the morning**); **on Sundays** : tous les dimanches; 2. (avec indic. de circ. spéciales) par : **on cold nights**; — **on a winter day**; — **on week days** : les jours de semaine; — **on that night** : ce soir-là ou cette nuit-là; 3. indic. d'activité — **on business/be on duty/fire/holiday/leave/sale/strike**; 4. faire partie de : **be on the staff/on a committee**; 5. (+ ger.) en + p. pres. — **on arriving home, he ...** (v. **as 1**.); 6. (+ n.) (fml) lors de — **on his return home, he** ....

on and off : de façon intermittente, par intervalle.

on and on : ne pas cesser de (v. **on (adv.) 1**.).

on end : d'affilée, de suite − **he could work for hours on end** (v. **together**).

on hand : disponible, prêt à être utilisé − **we have some new shirts on hand** (v. **at hand, in hand**).

on occasion : de temps à autre (v. **occasionally**).

on the hour : 1. toutes les heures, à l'heure juste − **this bus runs on the hour** : ... passe ....

on the nights when ... : les soirs où ....

on the spot : sur le champ.

on the week-end (US) = (GB) **at the week end**.

on time : à l'heure (n.p.c. : **in time**).

(be) on to s.o. : 1. (telephone) être en communication avec − **I was on to him just now**; 2. voir clair dans (les manigances de) − **I'm on to you alright !**.

once : 1. (adv.) (pres. perf.) une fois − **I've seen that film once and I don't want to see it again**; 2. (conj.) une fois que − **you'll get used to it once you've tried it**; 3. (pret.) autrefois, un jour − **I knew him once**; − **I once met him in a restaurant** (n.p.c. : **at once**).

once a day/a week, etc. : une fois par jour/semaine, etc..

once again : une fois encore.

once and again = **once in a while**.

once and for all : 1. une fois pour toutes; 2. définitivement.

once every three months : une fois tous les trois mois (v. **every other day, every third day**).

once for all = **once and for all**.

once in a way/while : à l'occasion, une fois en passant.

once more : une fois de plus.

once or twice : une ou deux fois.

once too many : une fois de trop.

once too often : once too many.

once upon a time there was : il était une fois ....

one day : 1. (v. pret.) un (beau) jour − **one day he asked me my name**; 2. (fut.) un de ces jours − **let's have lunch together one day, shall we ?**.

one moment ..., the next ... : une minute ..., la minute d'après ... − **one moment she is laughing, the next she is in tears** .

one of these (fine) days : (idée de menace) un beau jour, un de ces jours − **you'll get in trouble one of these days** (v. **one day 2.**).

only just (pres. perf./pret.) − **they've only just finished** : ils ont fini il y a un instant.

only just now = **only just**.

only (just) this moment (pres. perf.) : venir seulement de − **I've only just this moment remembered that I have to pay the rent** : ... je viens seulement de me rappeler....

out (adv.) : 1. sorti − **Mr Smith is out** − **the book is out** − **the results are out**; (v. **in** 1.); 2. découvert − **the secret is out**; 3. plus à la mode − **mini-skirts are out this year** (v. **in** 4.); 4. éteint − **the fire/the light is out**; 5. fini (v. **before the week is out**); 6. (idée d'éloignement) tout là-bas − **they live out in Australia**; 7. complètement, à fond − **he cleaned out the cupboard**; − **he was tired out**; 8. (idée d'accroissement) : fort − **she sang out**; 9. **be out** : être en grève; 10. ne plus être au pouvoir − **the Conservatives are out** (v. **in** 3.); 11. **be out** : être évanoui (v. **out**, DEGRE); 12. être éliminé; 13. se tromper − **you're out by £20** : ... de 20 livres; 14. qu'on ait vu jusqu'ici − **the best car out**.

(be) out for sth. : chercher − **he is out for trouble !** : ... des ennuis.

(be) out to + B.V. : vouloir à tout prix + inf. − **he was out to get her money**.

out of : (v. BUT, DEGRE, LIEU) (proportion) : sur − **one evening out of four** : un soir sur quatre.

out of date : démodé.

out of hours : en dehors des heures d'ouverture ou de travail.

out of the blue (infml) : à l'improviste.

over : 1. terminé − **the storm is over** (v. **all over, out** 5., **up**); 2. au cours de − **over the years** : au fil des années; 3. (répartition) pendant, sur − **over Christmas** : pendant les fêtes de Noël; − **their visits were spread over several months** : ... se sont étalées sur ...; 4. jusqu'au lendemain de − **may I stay over Friday ?** : ... jusqu'à samedi matin ?; 5. de nouveau − **count the banknotes over, will you please ?**; 6. qui reste − **is there any meat over ?**.

(be) over age : avoir dépassé l'âge (v. **of age, under age**).

over again = **over 5.**

over and over (again) : sans arrêt, de façon répétée − **he said he was innocent over and over again**.

over the week-end : pendant tout le week end (v. **at/on the week end**).

over the last few years (pres. perf.) : au cours des deux ou trois dernières années.

over the last year = **for the last year**.

over the years : au fil des années.

overnight : 1. du jour au lendemain − **she became famous overnight**; 2. toute la nuit − **he stayed overnight with some friends of his**; 3. jusqu'au lendemain − **will the milk keep overnight**; 4. (au cours de) la nuit dernière − **two men were shot overnight in Brighton**.

past (adj.) : v. **for the past few weeks** et **for some time past**.

past (prep.) : 1. (heure) après − **twelve minutes past six** (6 h 12 minutes); − (v. **after 5**, Rem.); 2. (âge) de plus de − **a man past eighty** (v. **over**, DEGRE); 3. au-delà de (toute possibilité) − **he is past caring** : plus rien ne l'affecte; − **he was past hope** : tout espoir était perdu; − **he's past dancing** : il n'a plus l'âge de danser (v. LIEU).

past (adv.) : 1. (heure) − **at ten past** (à 10 h 10); 2. (temps qui passe) − **days went past without any news from her** (v. LIEU).

(be) past it : ne plus être dans la course.

pending (prep.) : en attendant; jusqu'à − **pending negotiations**.

per : 1. à − **3 miles per hour**; 2. par − **£15 per day** (v. **by the hour**).

right (adv. intensif) : immédiatement, juste − **right after lunch** (v. DEGRE).

right away : 1. sur le champ, immédiatement; 2. du premier coup.

right now : 1. = **just now 2.**; 2. tout de suite, dans un instant − **I'll be there right now**.

right through : 1. (adv.) de bout en bout − **I read your letter right through**; 2. (prep.) d'un bout à l'autre de − **he slept right through the performance**.

round/round about : vers, aux environs de (v. DEGRE).

round the clock : 24 heures sur 24 ou d'affilée.

running (adv.) : de suite − **he won the prize four times running** (v. **on end, together**).

scarcely ... when ... : à peine ... que — **he had scarcely spoken a word/scarcely had he spoken a word when I slammed the door shut** (v. **barely ... when ...; hardly ... when**).

scarcely ever = hardly ever.

seldom (semi-neg.) : rarement — **he seldom says anything, does he ?**.

several times : plusieurs fois.

sharp (adv.) : **at ten o'clock sharp** : à 10 heures précises.

since (prep.) : depuis — **since 6 o'clock/May 1st/ 1968/last week/my visit/Christmas**.

since (conj.) : 1. (+ pret.) : depuis que + passé composé ou présent — **he has lived on his own since his wife left him/since he was 18**; 2. (+ pres. perf.) depuis que + présent — **he's lost weight since he's been in prison** (n.p.c. = **since**, puisque : v. BUT) (v. aussi : **it is ... since ...**).

so far (pres./pres. perf.) : jusqu'ici, jusqu'à présent — **well, that's all the news so far; — everything has gone well so far**.

so far, so good : jusqu'ici tout va bien.

some day : (fut.) un de ces jours, un jour ou l'autre (v. **one day**).

some day during the week : dans le courant de la semaine.

some day next week : dans le courant de la semaine prochaine.

some of the time : 1. pendant une partie du temps ; 2. par moments.

some other time (fut.) : une autre fois, pas maintenant !.

some time : 1. quelque temps — **some time before the war**; 2. (fut.) un de ces jours (v. **one day**).

some time last week : un jour de la semaine dernière.

some time or other : un jour ou l'autre.

sometimes : quelquefois.

soon : bientôt.

sooner : **I had/I'd sooner die** : je préférerais mourir (= **I'd rather die**).

sooner or later : tôt ou tard.

still : 1. (≠ **no longer**) encore, encore maintenant, toujours — **he's still young; — she still goes out to dances** (n.p.c. = **always**); 2. (v. neg.) toujours pas — **she still doesn't know the truth** (Rem. : plus insistant que : **she doesn't know the truth yet**); 3. (avec cptf.) encore — **this is still better** (v. CONDITION, DEGRE).

straight away : immédiatement (v. **at once, right away**).

straight off (infml.) = **straight away**.

the day after : le lendemain (v. **tomorrow**).

the day after tomorrow : après demain.

the day before yesterday : avant-hier.

the day before : la veille (v. **yesterday**).

the instant (conj.) = **the moment**.

the last year : (pres. perf.) ces douze derniers mois — **the last year has been difficult** (v. **last year** 2.).

the minute (conj.) = **the moment**.

the moment (that) (conj.) : dès que, aussitôt que — **give me a ring the moment you hear from her**.

the next day : le lendemain, le jour suivant — **the next day he was dead** (v. **tomorrow**).

the next month : le prochain mois (= les 30 prochains jours) — **the next month will be difficult** (v. **next month**).

the next time = next time 2.

the other day (pret.) : l'autre jour, il y a quelques jours.

the time before : la fois d'avant, la dernière fois (v. **last time**).

the whole year : (pendant) toute l'année — **he stayed there the whole year**.

the whole year round/through : d'un bout de l'année à l'autre (v. **all the year round**).

then : 1. (pret.) alors, à cette époque-là — **I was in England then**; 2. (fut.) alors, à ce moment-là — **I'm going to London and I'll see him then**; 3. ensuite, puis, alors (idée de succession) — **he got up, and then sat down again** (v. **after** 5., **first** 2., **next** 1.); 4. (adj.) d'alors, de l'époque — **the then Prime Minister**.

then and there = there and then.

there and then : *sur le champ, séance tenante*.

thereon (fml.) : là-dessus.

thereupon (fml.) : sur ce, là dessus (= **after that**).

these days (pres.) : à l'heure actuelle, de nos jours — **he doesn't go out very much these days** (v. **lately**).

this day (fml.) = **to-day**.

this day week (fml.) = **to-day week**.

this last week (pres. perf.) : ces derniers huit jours — **I haven't done much work this last week**.

this moment (fml.) = **at once**.

this month : ce mois-ci.

this morning : ce matin.

this week : cette semaine.

this time : cette fois(-ci).

this time to-morrow : demain à la même heure.

this time last year : l'année dernière à pareille époque.

this time last week : il y a exactement une semaine.

this very day (fml.) : aujourd'hui même ou ce jour-là même.

this year : cette année.

thrice (fml.) : trois fois (**three times** est plus habituel) (v. **once** 1., **twice**) (Rem. : on dit : **two or three times**).

through : (US **thru**) 1. (prep.) (US) de ... jusqu'à (y compris) — **he worked Wednesday thru Saturday**; 2. (prep.) pendant, d'un bout à l'autre — **he had to work through the week-end**; 3. v. **the whole year round/through**; 4. **be through** : en avoir fini avec qqch.; avoir rompu avec qqn. — **is she through with him ?**; 5. (tel.) (GB) — **you're through** : vous avez la communication; 6. (tel.) (US) — **are you through ?** : avez-vous terminée ?.

throughout : 1. (prep.) pendant toute la durée de — **throughout the war**; 2. (adv.) v. DEGRE et LIEU.

thus far (fml.) : **so far**.

till : 1. (prep.) jusqu'à — **till 6 o'clock/July 1st/last week/ his death**; (n.p.c. = **as far as**, LIEU); 2. (conj.) jusqu'à ce que — **wait till I get back**; — **I'll keep your book till I've finished reading it** (v. **not till, to, until**).

time after time : maintes et maintes fois, à plusieurs reprises.

time and (time) again = time after time.

time off : temps libre — **I'm hoping to have time off tomorrow**.

to : 1. jusqu'à — **count to ten**; (v. **from**); 2. (heure) — **it's 5 to ten** : dix heures moins 5 (v. **of**); 3. avant — **it's an hour to dinner**.

to a/the day : jour pour jour, à un jour près, au jour près — **almost a month to the day, the letter arrived**.

to a man : 1. jusqu'au dernier; 2. à l'unanimité.

to the last man : = **to a man** 1.

to begin with : v. MANIERE.

to date : jusqu'ici/à ce jour − **his best film to date.**

today : aujourd'hui.

today week : aujourd'hui en huit.

to the day = **to a day.**

to the end : jusqu'à la fin.

to the last = **to the end.**

to the minute : à une minute près − **she rings me up every evening at 6 o'clock to the minute** (n.p.c. **by the minute**).

to this day : 1. jour pour jour; 2. encore aujourd'hui − **I remember it to this day.**

together : sans interruption, de suite − **it rained for 3 days together** (v. **at a time 2., on end**).

together with : v. DEGRE.

tomorrow : demain.

tomorrow week : demain en huit.

tonight : 1. ce soir; 2. cette nuit (n.p.c. : **at night, by night, in the night**).

towards (prep.) : vers − **towards 6 o'clock/the end of the month** (v. **about 1**)..

two days after (+ n.) : le surlendemain (de + n.).

two days before (+ n.) : l'avant-veille (de + n.).

two days later : le surlendemain.

under : 1. (prep.) (de) moins de − **children under 12; − he paid under £10 for it** (v. **over**); 2. (adv.) : **and under** : et moins − **boys of 14 and under**; 3. (prep.) sous les ordres/le règne de − **the English under Elisabeth I.**

(be) under age : être mineur (v. **over age**); ne pas avoir l'âge requis (terme juridique).

under way : 1. en cours; 2. en voie de réalisation.

until : 1. (prep.) jusqu'à − **until 7**; 2. (conj.) jusqu'à ce que − **wait till she rings you** (v. **till, to**).

until now : jusqu'à présent.

until recently : il y a peu de temps encore.

until such times as : (fml.) jusqu'à ce que/en attendant que.

until when ? : jusqu'à quand ?.

until today : jusqu'à aujourd'hui.

up : terminé, fini − (tel.) **your time's up** : votre temps de communication est écoulé ; − **time is up !** : c'est l'heure !/on ferme !; − **his leave was up before he had time to see her** (v. **over 1.**) (Rem. : la durée prévue ou fixée est atteinte).

up till = **until.**

up to = **up till.**

up to now : jusqu'à présent (v. **so far**).

up to the present = jusqu'à présent.

up to time : à l'heure (selon l'horaire prévu) − **do trains always run up to time in your country ?.**

up until = **until.**

usually : habituellement (n.p.c. **as usual**).

well on in years (adj.) : d'un âge avancé.

when : 1. (conj. de sub.) (pas **shall/will** ni **should/would**) quand − **I'll see you when you are ready**; 2. (adv. int.) (pas de pres. perf.) quand ?; à quel moment ? − **when did she say that ?** − **when will you know ?**; 3. (dans int. ind.) quand − **I don't know when she will answer my letter**; 4. (conj. de coord.) jour où, moment où, date à laquelle (= **and then**) − **he stayed until 11.30 p.m. when at last he left**; − **he'll stay until 11.30 p.m., when he will leave**; 5. (pron. rel.) où − **the day will come when we shall meet again.**

whenever : 1. toutes les fois que − **whenever it rained, I stayed indoors**; 2. aussi souvent que − **you may come whenever you feel like it.**

whereupon (fml.) : après quoi (= **after which**).

while : (conj.) 1. pendant que, tandis que − **I'll wait while you finish your meal**; 2. tant que − **he won't get it while I am alive** (v. **as long as**) (Rem. : n.p.c. **during**).

whilst (fml) = **while.**

with time : avec le temps, le temps aidant (v. **in time 2.**).

within : 1. en moins de − **I can go there and back within two hours**; 2. moins de ... après : **within a week of her father's death, ...**; 3. d'ici − **I'll be back within an/the hour**; 4. avant la fin de − **it'll be over within the week.**

within two weeks from now : dans deux semaines d'ici.

year in, year out : année après année.

yesterday : (pret.) hier (v. **the day before**).

yet : 1. (v. indiquant doute) déjà, maintenant − **I wonder whether she has got home yet**; 2. (v. int.) maintenant, enfin − **has the space ship arrived yet ?** (Rem. : v. **already 3.**, Rem.); 3. un de ces jours (= finir par) − **they'll make a cricket fan of me yet**; 4. encore − **you've got plenty of time yet** (= **you've still got ...**); 5. (avec **have to/is to**) encore − **he has yet to prove it**; − **this is yet to be proved** (= **he has not proved it yet**; **this is not proved yet**); 6. (après sptlf) jusqu'ici − **this is the best book yet on the question** (= **so far**); 7. (fml.) (avec cptf) encore − **this book is yet more difficult than the one before** (v. **even**, DEGRE et **still 3**) (v. aussi CONDITION).

yet again : une fois de plus.

yet another : encore un(e) autre.

yet once more : encore une fois.

VERBES IRRÉGULIERS

Cette liste ne comporte que les verbes figurant dans le livre. Les autres sont ou bien des verbes rares ou bien des verbes désuets.

Le signe * indique les verbes qui ont aussi des formes régulières.

* to awake	I awoke	awoke	(s')éveiller
to abide (by)	I abode [ou]	abode	rester fidèle (à)
to bear [εɔ]	I bore	borne, born	porter, supporter
to beat [i:]	I beat	beaten	battre
to become	I became	become	devenir
to begin	I began	begun	commencer
to bend	I bent	bent	courber
to bet	I bet	bet	parier
to bid	I bade [ei/æ]	bid (den)	ordonner
to bind [ai]	I bound [au]	bound	lier, ligoter
to bite [ai]	I bit [i]	bitten	mordre
to bleed	I bled	bled	saigner
to blow	I blew [u:]	blown	souffler
to break	I broke	broken	briser, rompre
to breed	I bred	bred	produire, élever
to bring	I brought [ɔ:t]	brought	apporter
to build [ʊ]	I built	built	bâtir
* to burn	I burnt	burnt	brûler
to burst	I burst	burst	éclater
to buy [ai]	I bought [ɔ:t]	bought	acheter
to cast	I cast	cast	jeter, lancer
to catch	I caught [ɔ:t]	caught	attaper
to chide [ai]	I chid [i]	chid(den)	gronder
to choose [u:]	I chose [ou]	chosen	choisir
to cling	I clung	clung	s'accrocher, se cramponner
to come	I came	come	venir
to cost	I cost	cost	coûter
to creep	I crept	crept	ramper
to cut	I cut	cut	couper
* to dare	I durst	dared	oser
to deal [i:]	I dealt [e]	dealt	distribuer, trafiquer
to dig	I dug	dug	creuser, extraire
to do	I did	done	faire, être occupé
to draw	I drew [u:]	drawn	tirer, dessiner
* to dream [i:]	I dreamt [e]	dreamt	rêver
to drink	I drank	drunk	boire
to drive [ai]	I drove	driven [i]	pousser, conduire
to eat	I ate [et]	eaten	manger
to fall	I fell	fallen	tomber
to feed	I fed	fed	(se) nourrir
to feel	I felt	felt	(se) sentir, éprouver
to fight	I fought [ɔ:t]	fought	se battre, combattre
to find [ai]	I found [au]	found	trouver
to flee	I fled	fled	s'enfuir
to fling	I flung	flung	jeter violemment
to fly	I flew [u:]	flown	voler, s'envoler
to forbid	I forbade [æ]	forbidden	défendre, interdire
to forget'	I forgot	forgotten	oublier
to forgive	I forgave	forgiven	pardonner
to freeze	I froze	frozen	geler
to get	I got	got	obtenir, devenir
to give	I gave	given	donner
to go	I went	gone	aller
to grind [ai]	I ground [au]	ground	moudre
to grow	I grew [u:]	grown	grandir, pousser
* to hang	I hung	hung	pendre, suspendre
to hear [iə]	I heard [ə:]	heard	entendre
* to hew [hju:]	I hewed [hju:d]	hewn	tailler

to hide [ai]	I hid [i]	hidden	(se) cacher
to hit	I hit	hit	frapper, toucher
to hold	I held	held	tenir
to hurt	I hurt	hurt	blesser, faire mal
to keep	I kept	kept	garder
to kneel [k]	I knelt	knelt	s'agenouiller
* to knit [k]	I knit	knit	tricoter
to know [k]	I knew [nju:]	known	savoir, connaître
to lay	I laid	laid	poser, coucher
to lead [i:]	I led	led	mener, conduire
* to lean [i:]	I leant [e]	leant	s'appuyer
* to leap [i:]	I leapt [e]	leapt	souter, bondir
to learn	I learnt	learnt	apprendre
to leave	I left	left	laisser, quitter
to lend	I lent	lent	prêter
to let	I let	let	laisser, permettre
to lie	I lay	lain	être couché
* to light [ai]	I lit [i]	lit	allumer, éclairer
to lose [u:]	I lost [ɔ]	lost	perdre
to make	I made	made	faire, fabriquer
to mean [i:]	I meant [e]	meant	signifier
to meet	I met	met	(se) rencontrer
* to mow	I mowed [oud]	mown	faucher
to overgrow	I overgrew	overgrown	recouvrir (végétation)
to overhang	I overhung	overhung	surplomber
to overrun	I overran	overrun	envahir (végétation)
to overtake	I overtook	overtaken	rattapper
to pay	I paid	paid	payer
to put [u]	I put	put	poser, mettre
to read [i:]	I read [e]	read	lire
to ride [ai]	I rode	ridden [i]	aller à cheval, à bicyclette
to ring	I rang	rung	sonner
to rise [ai]	I rose	risen [i]	se lever
to run	I ran	run	courir
* to saw	I sawed [ɔ:d]	sawn	scier
to say [ei]	I said [e]	said	dire
to see	I saw	seen	voir
to seek	I sought [ɔ:t]	sought	chercher
to sell	I sold	sold	vendre
to send	I sent	sent	envoyer
to set	I set	set	poser, fixer
to sew [ou]	I sewed [oud]	sewn	coudre
to shake	I shook	shaken	secouer
* to shear [i ə]	I shore	shorn	tondre
to shed	I shed	shed	verser, perdre
to shine [ai]	I shone [ɔ]	shone	briller
to shoe	I shod	shod	chausser, ferrer
to shoot	I shot	shot	tirer, fusiller
to show	I showed [oud]	shown	montrer
to shrink	I shrank	shrunk	(se) retrécir
to shut	I shut	shut	fermer
to sing	I sang	sung	chanter
to sink	I sank	sunk	couler, sombrer
to sit	I sat	sat	être assis
to slay	I slew [u»]	slain	tuer
to sleep	I slept	slept	dormir
to slide [ai]	I slid [i]	slid	glisser
to smell	I smelt	smelt	sentir (odorat)
* to sow	I sowed [oud]	sown	semer
to speak	I spoke	spoken	parler
to spell	I spelt	spelt	épeler
to spend	I spent	spent	passer, dépenser
to spin	I spun	spun	filer
to spit	I spat	spat	cracher
to split	I split	split	fendre
* to spoil	I spoilt	spoilt	gâter
to spread [e]	I spread	spread	(s') étendre
to spring	I sprung	sprung	bondir
to stand	I stood	stood	se tenir debout

to steal	I stole	stolen	voler, dérober
to stick	I stuck	stuck	coller
to sting	I stung	stung	piquer
to stink	I stank	stunk	sentir mauvais
to stride [ai]	I strode	stridden [i]	marcher à grands pas
to strike	I struck	struck	frapper
to strive [ai]	I strove [əu]	striven [i]	s'efforcer
to swear [ɛə]	I swore	sworn	jurer
to sweep	I swept	swept	balayer
to swell	I swelled	swollen	enfler
to swim	I swam	swum	nager
to swing	I swung	swung	(se) balancer
to take	I took	taken	prendre
to teach	I taught [ɔːt]	taught	enseigner
to tear [ɛə]	I tore	torn	déchirer
to tell	I told	told	dire, raconter
to think	I thought [ɔːt]	thought	penser
to thrive [ai]	I throve	thriven [i]	prospérer
to throw	I threw	thrown	jeter
to thrust	I thrust	thrust	fourrer, enfoncer
to tread [e]	I trod	trodden	fouler aux pieds
to understand	I understood	understood	comprendre
to upset	I upset	upset	chavirer
* to wake	I woke	woken	éveiller
to wear [ɛə]	I wore	worn	porter (vêtements)
to weave	I wove	woven	tisser
to weep	I wept	wept	pleurer
to win	I won [ʌ]	won	gagner
to wind [ai]	I wound [au]	wound	enrouler, serpenter
to withdraw	I withdrew	withdrawn	se retirer
to wring [w]	I wrung	wrung	tordre, arracher
to write [ai]	I wrote	written [i]	écrire.

INDEX ANGLAIS (I)

Index des mots anglais clefs de la première partie du volume (chapitres I à XXXII). Le premier chiffre est celui de la page, le deuxième celui du paragraphe. Un chiffre romain renvoie à un chapitre entier.

riding, 53/14.
rivers, 66/18.
riverside, 67/24.
roads and paths, 78/7; 115/12.
rugby, 52/5.
running, 50/6.

sailing, 64/5.
sailing ships, 66/15.
schools, VI.
school subjects, 31/16; 31/17.
schoolwork, 30/10.
science, 34/1.
sculpture, 39/23.
seas, XV.
seaside, 63/4.
seasons, XVI.
senses, X.
servants, 19/10.
sewing, 59/19.
ships, 64/9; 117/23.
shooting, 53/10; 54/18.
shopping, 108/2.
shops, 108/2.
sight, 46/1.
skating, 53/11.
sky, 60/1.
sleep, 14/15; 14/16.
smell, 46/8.
society, 121/11.

space, 118/28.
speech, 48/11.
sports, XII.
spring, 69/3.
stores, 108/2.
streams, 66/18.
streets, 95/6.
summer, 69/6.
supermarkets, 109/7.
swimming, 53/12.

taste, 47/9.
tea, 23/7.
technology, 107/13.
television, 28/10.
tennis, 52/6.
textile industry, 105/7.
theatre, 98/20.
throwing, 91/11.
time, XVII.
touch, 47/10.
town entertainments, 98/20.
town life, XXIV.
town planning, 94/4.
towns and cities, XXIV.
toys, 26/1.
trade, 112/5.
trades, XXV.
trade depression, 112/6.

tradesmen, 102/6.
traffic, 97/13.
travelling, XXIX.
travelling in the past, 114/6.
trees, 88/2.
trunk, 42/8.

universities, 33/24.

vegetables, 80/9.
village, 77/2.
village trades, 78/10.
visitors, 12/1.
voice, 48/12.
(sea-) voyages, 117/23.

waking up, 14/17.
walking, 50/6; 113/3.
war and peace, 128/16.
watches and clocks, 74/11.
waterways, 68/26.
weapons, 126/8.
weather, XVI.
weights, 34/3.
wild animals, 91/2.
wine and spirits, 23/9; 23/10.
winter, 70/12.
winter sports, 53/11.
wireless, 27/9.
world, 60/5.

INDEX ANGLAIS (II)

Cet index regroupe les mots clefs anglais de la deuxième partie du volume (chapitres XXXIII à XLIII) et tous les verbes et adjectifs dont la construction (verb and adjective patterns) est mal maîtrisée par les élèves et étudiants. Le premier chiffre est celui de la page, le deuxième celui du paragraphe. Un chiffre romain renvoie à un chapitre entier.

ability, 167/9.
able, 167/9.
abridge, 189/9.
absent, 175/6.
abstract (~ relations), XL.
absent-minded, 159-4.
abuse, (n.v.), 153/25.
accept, 157/35.
account, (n.v.), 156/34; 191/13.
accurate, 187/5.
accuse, 144/6.
act, (v.), 168/15.
action, 168/15; XXXVIII.
actual, 175/5.
adapt, 167/12.
add, 177/10.
admire, 145/7.
admit, 157/35.
advantage/ous, 169/20.
advice, 155/30.
advise, 155/30.
affirm/ation, 158/38.
afford, 167/9.

afraid, 139/29.
agree, 157/35; 177/12.
agreement, 157/35.
aim, (n.v.), 165/3.
allow, 146/4.
alone, 148/10.
alter/ation, 182/3.
alternative, 182/3.
ambition/ambitious, 146/1.
amused, 149/11.
amusing, 186/1.
analyse, 189/9.
anger, 152/22; 153/23.
angry, 153/23.
annoy/ance, 153/24.
answer, (n.v.), 155/25.
anxiety, 137/25.
anxious, 134/10; 137/25.
apologise, 154/27.
apology, 154/27.
appear/ance, 175/7.
appreciation, 145/7, XLIII.
approve, 145/7.

apt, 174/3; 186/2.
arrange/ment, 166/7.
argue, 155/31.
argument, 153/25; 155/31.
ashamed, 144/4.
ask, 155/29; 164/15.
astonish/ment, 138/28.
attempt, (n.v.), 170/21.
attend, 175/5.
attend to, 168/15.
attention, 160/5.
attribute, 174/2.
authority, 146/1.
available, 168/13.
avoid, 169/17.
aware, 160/6.
awful, 139/30.
awkward, 167/10; 187/5.

bad, 186/1.
balance, (~ of power) 146/1.

find, 161/7.
finish, (v.), 183/6.
fit (adj.), 177/12.
fit, (v.), 177/12.
fit, (n.), 142/12; 152/22; 177/12.
flatter, 145/7.
follow, 174/2; 185/9.
folly, 159/4.
fool, (v.), 151/18.
fool, (n.), 159/3.
foolish, 159/3.
forbid, 146/4.
foresee, 163/13.
forget, 162/11.
forgive, 154/26.
free/dom, 172/2.
friend/ship, 147/6.
frighten, 139/29.
frivolous, 142/12.
fun/ny, 149/11.
fuss/y, 147/8.

gap, 135/15.
gay, 135/15.
general, 140/3.
generosity/generous, 140/3.
gentle, 140/2.
genuine, 150/17.
get, 158/39; 181/2.
giddy, 159/14.
give in, 146/2.
give up, 169/17
glad, 136/18.
go on, 183/5, 6; 184/7.
good (adj.), 149/13.
good, (n.), 143/2; 171/24.
grateful, 149/13.
great, 143/13.
grief, 135/13.
grow, 181/2; ~ on s.o., 182/4.
guess, 162/10.
guilt/y, 144/4.

habit, 173/3.
happen, 176/8.
happiness, 136/21.
happy, 136/21.
harm, (v.), 150/14.
harm, (n.), 171/24.
harmful, 170/24.
harmless, 170/24.
haste, 185/9.
hate, (v.), 134/7.
hear of/from, 155/30.
hear of/about, 161/9.
help, (n.v.), 150/15; can't
  ~ 173/3.
helpful, 150/15.
helpless, 167/9.
hesitate, 166/5.
hide, 152/20.
honest/y, 149/12.
hope, (n.v.), 138/27.
hopeful, 138/27.
hepeless, 138/26.
human, (~ relations : XXXVI).

human/e (adj.), 149/13.
humble, 140/2.
humiliate, 150/14.
humour/ous, 159/2; 186/2.
hypocrisy, 152/21.

idea, 161/8.
idle/ness, 141/8.
ignorant, 161/9.
ignore, 160/6.
illustrate, 190/11.
imagination/imagine, 162/11, 12.
imitate, 178/13.
impartial, 156/33.
impatient, 152/22.
impolite, 148/8.
important, 179/2, XLI.
impossible, 176/8.
impress, 146/1.
impression, 164/16.
improve/ment, 171/25.
imprudence, 142/10.
inability, 167/9.
inaccurate, 187/5.
incapable, 167/9.
include, 176/9.
increase, (n.v.), 181/2.
indicate, 164/17.
indifference, 134/9.
indifferent, 186/2.
indignant, 153/23.
indispensable, 165/2.
indulge/ence, 144/4.
inevitable, 165/2.
inferior, 146/1.
influence, 174/2.
information, 155/30.
innocent, 144/4.
inquire/inquiry, 161/7.
inquisitive, 148/9; 163/7.
insist, 158/39.
intelligence, 159/1.
intend, 165/4.
intention, 165/4.
interest, 135/11; 189/10.
interfere/nce, 147/5.
interrupt, 183/5.
invent/ion, 162/12; 191/13.
involve, 174/1.
issue, (n.), 155/31.

jealous/y, 150/16.
joy, 135/6.
judge, (v.), 144/6.
judgement, 144/6.
just, (adj.), 149/2.
justify, 156/34.

keen, 133/5; 159/1.
keep, 176/9.
keep (on), 183/5.
kind/ness, 149/13.
know, 161/9.
knowledge, 161/9.

lack, (n.v.), 175/6.
late, 185/10.
laugh/ter, 136/17.
laziness/lazy, 141/8.
learn, 161/9.
leave, 176/9;172/1.
leisure, 168/16.
lessen, 182/4.
let, 146/4.
liable, 174/3.
liberty, 172/2.
lie, (n.v.), 151/17.
like, (v.), 133/5.
likely, 174/3.
lively, 135/15.
logic, 156/32.
loneliness/lonely, 135/13; 148/10.
look, (+ adj.../as if) 175/7.
look after, 168/15.
look for, 161/7.
look like, 176/7.
loose, (adj.), 143/3; 187/5.
love, (n.v.), 134/6.
luck/y, 175/4.
lust, 141/5.

mad/ness, 153/23; 159/4.
main, (adj.), 179/2.
make up, 177/10.
make up for, 144/5; 154/26;
  177/10.
malice/malicious, 150/16.
manage, 171/25.
manners, 147/7; 148/8.
marvellous, 145/7.
matter, (v.), 179/1.
mean, (adj.), 140/4.
mean, (v.), 164/17; 165/4.
meaning, 164/17.
means, (n.), 167/11.*
measure, (v.), 179/1.
memory, 162/11.
mere, 179/2.
merry, 135/15.
method, 167/2.
mind, (v.), 134/1; 135/12; 179/1.
mind, (n.), 153/25; 166/6; XXXVII.
misbehave/misbehaviour, 143/1.
miser/ly, 140/3.
miss, (v.), 133/5; 171/27; 175/6.
missing, 175/6.
mistake, (n.v.), 160/6.
misunderstand, 160/6.
mix up, 177/10.
model, 177/12.
modest, 140/2.
moral, (adj.), 143/2; (~ standards)
  XXXV.
morale, (n.), 143/2.
morals, (n.), 143/2.
motive, 165/3 .
move, (v.), 182/3.
moved, 133/4.

nasty, 150/16.
neat, 187/4.

necessary/necessity, 165/1.
need, (n.v.), 165/1.
nervous/ness, 139/29.
new, 185/9.
news, 155/30.
nice, 147/7.
notice, (n.v.), 160/6.
nuisance, 148/8.
obedient, 146/2.
obey, 146/2.
object, (v.), 157/36.
objection, 157/36.
obstacle, 170/22.
obstinate, 172/1.
obvious, 189/3.
occasion, 168/14.
occur, 176/8.
odd, 173/4.
offend/ed, 153/24.
old, 185/9.
opinion, 163/4; 164/15.
opportunity, 168/14.
opposite, 178/14.
order, (v.), 147/4.

pain/ful, 135/13, 14.
part, (be ~ of), 176/9.
particular, (adj.), 147/8.
patience/patient, 152/22.
permanent, 183/5.
permission, 146/4.
persuade, 158/39.
persevere, 141/6.
personality, 143/1.
pitiless, 154/28.
pity, 154/27.
plain, (adj.), 152/21; 186/1; 187/4.
plan, (v.), 166/8.
pleasant, 136/19.
pleased, 136/19.
pleasure, 136/19.
policy, 167/12.
polite, 147/7.
poor, 180/3; 186/1.
position, 168/13.
possible, 176/8.
postpone, 183/5.
power, 167/9.
powerful/powerless, 167/9.
praise, (v.), 145/7.
practice, (n.)/practise, (v.), 167/12.
precise, 187/4.
prefer/ence, 134/11.
prejudice/d, 164/16.
preparation, 166/7.
prepare, 166/7.
present, (adj.), 175/5.
pretend, 152/20.
prevent, 170/22.
previous, 185/10.
pride, 140/1.
principal, (adj.), 180/3.
principle, 143/3.
process, (n.v.), 184/8.
profit, (n.v.), 169/20.
progress, (n.v.), 171/26.
promise, (n.v.), 151/18.
proof, 158/38.

proposal, 165/4.
propose, 165/4.
prospect, 163/13; 185/10.
protect, 150/15.
protest, (n.v.), 157/37.
proud, 140/1.
prove, 157/38; ~ to + B.V., 176/8.
provisional, 183/5.
prudent, 142/10.
purpose, 165/4.

quality, 143/3.
quarrel, 153/25.
queer, 173/4.
question, (n.v.), 155/29; 157/37; 163/14.
quiet, 133/3.
quotation/quote, 190/11.

rate, (n.), 185/10.
ready, 166/7.
real/ity, 175/5.
realistic, 187/9.
realize, 160/6.
reason, (n.v.), 160/5.
reasonable, 160/5.
reckless, 142/11.
reconcile/reconciliation, 153/25, 26.
record (v.), 162/11.
record, (n.), v. liste des
    « mots sosies ».
refer, 177/10.
refuse, 146/3.
regret, (v.), 137/25.
relation, 177/11.
relation, (abstract ~ : XL).
relation, (human ~ : XXXVI).
reliable, 151/18.
relief/relieve, 136/20.
rely, 151/18.
remain, 176/9.
remedy, 170/22.
remember, 162/11.
remind, 162/11.
remorse, 144/5.
remove, 170/22.
repent, 144/5.
replace, 182/3.
represent, 190/11.
reproach, (n.v.), 145/8.
reputation, 145/9.
require/ment, 165/1.
rescue, 170/24.
resemblance/resemble, 178/13.
resent, 153/24.
resigned, 140/2.
resist, 146/3.
respect/able, 145/7.
responsible, 144/4.
rest, (n.v.), 176/9.
result, (n.v.), 174/2.
resume, 184/7.
reveal, 189/9.
revenge, 154/28.
revolt, (v.), 146/3.

rid(get ~ of), 169/17.
ridiculous, 144/6; 186/1.
right, (adj.), 157/36.
right, (n.), 143/2; 145/7.
risk, 170/27.
rival, (v.), 146/1.
rude, 148/8.

sacrifice, 140/3.
sad/ness, 135/13.
safe/ly, 170/24.
satisfactory, 136/19.
satisfied, 136/19; 158/39.
save, (v.), 140/4; 170/26.
save up, 140/4.
say, 154/29.
scandal, 145/8.
scarce, 180/3.
scare/d, 139/29.
scold, 145/8.
scorn, (v.), 144/6.
scrupulous, 144/5.
secret, 155/30.
see about/to, 168/15.
seem, 175/7.
self-conscious, 147/7.
selfish/ness, 140/3.
sense/sensible, 160/5.
separate, (adj. v.), 178/13.
serious, 142/10.
shame, 137/22; 144/4.
share, (n.v.), 149/11.
sheer, 180/3.
shelter, (n.v.), 150/15.
short (be/run ~ of), 175/6.
show, (v.), 155/30.
shy/ness, 147/7.
sigh, (n.v.), 136/16.
silly, 159/3.
similar, 178/13.
simple, 140/2.
sincere/sincerity, 152/21.
situation, 168/13.
sketch, (n.v.), 190/12.
skilful, 167/10; 187/4.
skill/ed, 167/10.
slight, (adj.), 180/3.
sly, 152/21.
smile, (v.), 136/17.
social (~ behaviour), 147/6.
sociable, 148/10.
solution, 170/22.
solve, 170/22.
sorrow, 135/13.
sorry, 135/14; 154/27.
sorry about, 137/25.
sorry for, 135/13.
sorry that/to + B.V., 137/25.
sound, (v.), 175/7.
spare, (adj. v.), 168/13.
special, 164/18.
specialize, 164/18.
spirit/ed, 141/6; 142/9.
standards (moral ~), XXXV.
start, (v.), 182/4.
state, (n.), 168/13.
state, (v.), 158/38.
statement, 158/38.

IMPRIMERIE LOUIS-JEAN
Publications scientifiques et littéraires
05002   GAP   —   Tél. :   (92) 51.35.23
Dépôt   légal :   221   —   Avril   1985

Dépôt initial : 1982